Elizabeth George

Mulheres que amaram a Deus

EDIÇÃO REVISADA

365 DIAS COM AS MULHERES DA BÍBLIA

Women Who Loved God
Copyright © 1999 por Elizabeth George
Publicado por Harvest House Publishers

2ª edição: outubro de 2009
11ª reimpressão: janeiro de 2023

Tradução
Maria Emília de Oliveira

Revisão
Charleston Fernandes
João Guimarães

Capa
Douglas Lucas

Diagramação
B. J. Carvalho

Editor
Aldo Menezes

Coordenador de produção
Mauro Terrengui

Impressão e acabamento
Imprensa da Fé

As opiniões, as interpretações e os conceitos emitidos nesta obra são de responsabilidade do autor e não refletem necessariamente o ponto de vista da Hagnos.

Todos os direitos desta edição reservados à
Editora Hagnos Ltda.
Rua Geraldo Flausino Gomes, 42, conj. 41
CEP 04575-060 — São Paulo, SP
Tel.: (11) 5990-3308

E-mail: hagnos@hagnos.com.br
Home page: www.hagnos.com.br

Editora associada à:

Dados Internacionais de Catalogação na Publicação (CIP)
(Câmara Brasileira do Livro, SP, Brasil)

George, Elizabeth

    Mulheres que amaram a Deus: 365 dias com as mulheres da Bíblia / Elizabeth George ; [tradução Maria Emília de Oliveira]. — 2a. ed. rev. — São Paulo: Hagnos, 2009.

    ISBN 978-85-243-0551-1

    1. Busca de Deus 2. Bíblia: meditações 3. Espírito Santo 4. Reino de Deus 5. Temor de Deus 6. Pensamento religioso I. Título.

09-04714   CDD-220.83054

Índices para catálogo sistemático:
1. Mulheres da Bíblia 220.83054

Venha comigo...
e caminhe com Deus

Onde você se encontra hoje? Que desafios este dia lhe apresenta? Como é bom saber que outras mulheres – as mulheres da Bíblia – caminharam com Deus antes de nós! E como é maravilhoso saber que elas nos deixaram orientações confiáveis, instruções práticas, princípios sábios e esperança edificante para enfrentar a vida!

Convido você, leitora, por meio deste livro de edificação espiritual, a acompanhar hoje (e todos os dias do ano) a jornada dessas mulheres da Bíblia – grandes mulheres de fé que amaram a Deus, caminharam com Deus e confiaram em Deus há tantos séculos. E, caso você imagine que essas filhas de Deus estejam ultrapassadas ou fora de moda, lembre-se da Palavra de Deus para nós: "Estas coisas lhes sobrevieram como exemplos e foram escritas para advertência nossa..." (1Co 10.11).

Acompanhe comigo os exemplos dessas mulheres, de Gênesis a Apocalipse, e volte seu olhar para o Senhor, a quem você ama. Caminhe com ele e converse com ele todos os dias de sua vida. Cresça em conhecimento com as lições extraídas da vida, das experiências e do Deus dessas mulheres, e cresça na graça, pondo em prática essas lições em sua vida, como uma mulher que ama a Deus.

É meu desejo que nós, mulheres que amamos a Deus, continuemos a crescer espiritualmente para amá-lo cada vez mais!

Que o amor de Deus esteja com você,
Elizabeth George

1º de Janeiro – Gn 1

Reflexo da glória

Mulher

Criou Deus, pois, o homem à sua imagem...
Gn 1.27

Você sabia... que foi criada à imagem de Deus? Quando Deus criou a mulher, ele a criou à sua imagem. Grave em seu coração e em sua mente que você é uma pessoa criativa, inteligente e racional. É por isso que foi criada à imagem de Deus.

Você sabia... que é um reflexo da glória de Deus? Esse é o significado de ser criada à imagem de Deus. Você reflete a imagem de Deus a outras pessoas. Todas as vezes que transmite amor, pratica um ato de bondade, é capaz de perdoar, demonstra um pouco mais de paciência e cumpre seus deveres fielmente, os outros sentem a presença de Deus por seu intermédio!

Você sabia... que foi criada para viver em comunhão com Deus? A nenhuma criatura foi concedido o privilégio de ter comunhão com Deus senão ao homem, a criatura que mais se assemelha a ele.

Já que você é um reflexo da glória de Deus, aconselho-a a fazer o seguinte:

Decida nunca se preocupar com seu autoconceito, mas
Alegre-se no conceito que Deus tem de você e em sua semelhança com ele.

Decida nunca se criticar ou se sentir inferiorizada, mas
Alegre-se por você ter sido formada de modo assombrosamente maravilhoso (Sl 139.14).

Decida ter um relacionamento mais profundo com Deus e
Alegre-se por ele estar perto de todos os que o invocam (Sl 145.18).

Decida trilhar o caminho da fé que talvez você não compreenda e
Alegre-se na promessa de que ele está perto e dirige seu caminho.

Decida viver um novo ano como filha de Deus, por meio de seu Filho, Jesus Cristo, e ser um reflexo de sua glória e
Alegre-se por ter sido uma das pessoas escolhidas por Deus e por seu nome estar arrolado nos céus (Lc 10.20)!

Decida passar todos os dias deste ano em comunhão com Deus por meio da oração e do estudo de sua palavra e
Alegre-se na força que ele dá diariamente e na esperança que Ele oferece para todos os amanhãs!

Decida refletir a glória de Deus e
Alegre-se em seu amor!

2 de Janeiro – Gn 1

A MAIS BELA DAS CRIAÇÕES
MULHER

...homem e mulher os criou.
Gn 1.27

A CRIAÇÃO ESTAVA COMPLETA. Ou melhor, quase completa! Deus ficou atarefado durante seis dias criando seu maravilhoso mundo. O palco estava montado e o magnífico cenário criado por Deus, terminado e em ordem. O Sol, a Lua e as estrelas que ele criara iluminavam seu planeta feito com perfeição. Todas as criaturas, grandes e pequenas, desfrutavam de um ambiente de perfeita integração.

Contudo, todo o Universo permanecia atento, aguardando as últimas criações de Deus. Finalmente, Deus apresentou suas obras-primas ao restante da natureza. Primeiro, o homem, Adão. E depois, num arremate magistral, a mulher, Eva.

Idealizada por um Deus perfeito, Eva refletia a divina perfeição de seu Criador por meio da feminilidade. A mulher foi criada para ocupar uma posição de honra no mais amado e mais sublime trono de glória da vida: "a glória do homem" (1Co 11.7). O que você pode fazer para ser igual a Eva e revelar sua encantadora feminilidade?

1. *Aceite sua feminilidade.* Não há motivos para você se sentir inferiorizada, diminuída ou rebaixada. Não, a mulher foi a última, a melhor e a mais bela criação de Deus. Você tem diversas razões para alegrar-se. Só depois de criar a mulher é que Deus proclamou que tudo era "muito bom". Adão e Eva eram semelhantes, ainda que diferentes um do outro. Ele era homem, e ela, mulher (Gn 1.27), mas tanto juntos quanto individualmente refletiam a imagem de Deus e sua glória.

2. *Admita sua condição de mulher.* Reconheça seu encanto, sua singularidade, sua beleza como mulher. Deleite-se no trabalho artesanal de Deus... você é uma mulher.

3. *Cultive sua feminilidade.* Este livro inteiro trata das mulheres da Bíblia – encantadoras, graciosas, gloriosas, belas e amadas por Deus. Na leitura diária no decorrer deste ano, permita que as verdades de Deus sejam incutidas em sua mente e transformem as opiniões que você tem sobre si mesma, até compreender o valor que Deus dá às mulheres criadas por ele.

4. *Sobrepuje seu papel de mulher.* Como mulher criada por Deus, seja a melhor dentre as melhores (Pv 31.29)! Deleite-se na criação perfeita de Deus e em sua boa, agradável e perfeita vontade (Rm 12.2). *Ele a criou para ser mulher!* E, como tal, você pode fazer parte da posição elevada de Eva como "a mais bela das criações".[1]

3 de Janeiro – Gn 3

Mãe de todos os seres humanos
Eva

Eva... a mãe de todos os seres humanos.
Gn 3.20

Culpada! foi o veredicto pronunciado por Deus depois que a mulher de Adão deu ouvidos ao tentador, comeu o fruto proibido e envolveu o marido em sua rebeldia. "Culpada!" foi também a única palavra que ecoou no coração e na mente entristecidos daquela mulher. Não houve questionamento quanto à sua culpa. Ela jamais poderia contestar!

No entanto, no momento em que a escuridão parecia dominar sua vida, antes tão maravilhosa e perfeita, Adão declara que ele lhe daria "o nome de Eva... por ser a mãe de todos os seres humanos". Com essas palavras, Eva vislumbrou um novo raio de luz e de esperança. Eva... a mãe de todos os seres humanos!

Tendo recebido um nome seguido de uma promessa, Eva compreendeu que ela, a pecadora julgada culpada, ainda podia servir ao seu Deus misericordioso e perdoador. Como? Gerando os filhos de Adão e, por conseguinte, tornando-se a mãe de numerosas gerações (1Co 11.12). Seu novo nome refletia o papel que ela teria na história espiritual do mundo.

"Eva". Da morte emergiu a vida; da escuridão, a luz; de um fim, um início; de uma maldição, uma bênção; da sentença de morte, uma esperança para o futuro; do pungente desespero da derrota, a força da germinação da fé. Eva foi a mãe de todos os seres humanos!

Será que você compreende que sua vida, minha querida, também tem valor? E que seu valor é muito significativo? É verdade que você compartilha com Eva a sentença de morte física (Rm 5.12), mas, independentemente de seu modo de ser ou das circunstâncias que a rodeiam, você tem vida para oferecer e transferir a outras pessoas. Como?

- Você oferece vida quando se esforça para ajudar outras pessoas.
- Você compartilha vida espiritual quando fala de Jesus às outras pessoas.
- Você é a vida de seu lar quando leva a alegria e o brilho de um sorriso a outras pessoas.
- Você transmite vida física a seus filhos.
- Você também pode transmitir vida eterna a seus filhos quando ensina a eles o evangelho de Jesus Cristo.

Portanto, opte neste ano por alimentar sua vida espiritual aprofundando suas raízes no amor de Deus. A vida de Eva é proveniente do Senhor, e a sua também. O Senhor foi a força da vida dela e ele também é a sua força. Toda a energia da vida, todo o propósito de vida, tudo o que você recebe da vida para ser transmitido tem como fonte o Senhor.

4 de Janeiro – Gn 4

Tudo o que eu preciso

Eva

Adquiri um varão [um filho] com o auxílio do Senhor.
Gn 4.1

TAL FATO NUNCA HAVIA ACONTECIDO. Nunca mulher alguma dera à luz um filho. Na verdade, nunca havia existido uma criança, um bebê! Na verdade, a terra jamais havia acolhido a vinda de um bebê.

Eva, porém, não estava preocupada. Ela sabia que tinha tudo o que precisava. Eva tinha o Senhor.

As coisas haviam começado bem demais. Como Eva gostava de lembrar-se da expressão de felicidade estampada no rosto de Adão quando Deus a entregou a ele (Gn 2.21,22)! Os dois tinham sido muito felizes juntos na magnífica perfeição do jardim do Éden. Sim, a vida havia sido maravilhosa até...

Não, ela não pensaria no que havia feito, quando acreditara nas mentiras da serpente. Quando forçara seu querido marido a rebelar-se com ela e a comer o fruto da árvore do conhecimento do bem e do mal (Gn 3.5,6). Ela sentiu um arrepio ao pensar novamente em todas as mudanças que haviam acontecido... em seu casamento... em seu lar no jardim... em seu relacionamento com Deus... e em seu coração.

O sofrimento emocional passara a fazer parte da vida diária de Eva. E, depois, houve aquela dor física quase insuportável que acompanhou o parto. O que ela poderia fazer para abrandar essa verdadeira tortura mental e física? A quem se dirigir para buscar ajuda?

Eva se deu conta de que havia alguém a quem poderia recorrer! Esse alguém era o mesmo Deus a quem ela afrontara e que, apesar disso, viera em seu socorro.

"Adquiri um varão com o auxílio do Senhor", declarou Eva. "Dei à luz um bebê, o primeiro bebê do mundo, com o auxílio do Senhor! Ele é tudo de que preciso!" Em meio a pensamentos confusos, ao sofrimento e a essa nova aventura, como ficou agradecida por poder contar com o socorro sempre presente do Senhor!

O sofrimento da alma de Eva abrandou-se quando ela passou a conhecer o amor e a fidelidade de Deus. Agora, podia descansar nele, quaisquer que fossem os novos desafios trazidos pela vida. Eva foi uma mulher agradecida a Deus.

Você também pode ser uma mulher agradecida:

- Agradecida por poder confiar em Deus, apesar de seus tropeços e quedas no passado.

- Agradecida por poder entregar nas nãos de Deus qualquer problema que esteja enfrentando neste momento.

- Agradecida por poder entregar nas mãos de Deus tudo o que possa vir a acontecer no futuro.

5 de Janeiro – Gn 4

Esperança para um coração sofrido

Eva

Tornou Adão a coabitar com sua mulher; e ela deu à luz um filho.
Gn 4.25

As perdas entristecem o coração, e Eva havia sofrido muitas perdas! Ela perdera...

- Seu relacionamento perfeito com Deus (Gn 3.8).
- A bênção de um casamento imaculado (Gn 3.12).
- Seu lar feliz no jardim do Éden (Gn 3.23).
- Sua inocência em relação ao mal (Gn 3.22).
- Seu filho Abel, assassinado pelo irmão.
- Seu filho Caim, a quem Deus expulsou da terra onde vivia.

Ela perdera quase tudo.

Eva procurou inúmeras vezes encontrar, no fundo de seu coração, alguma esperança. Parecia não ter restado nenhuma... nem haver espaço para outra perda! Dizem que o homem consegue viver 45 dias sem comida, três dias sem água, oito minutos sem ar... mas apenas um segundo sem esperança. E a esperança de Eva havia-se esgotado!

Porém, como é grande a bondade de Deus (Sl 31.19)! "Tornou Adão a coabitar com sua mulher; e ela deu à luz um filho, a quem pôs o nome de Sete; porque, disse ela, Deus me concedeu outro descendente." O nascimento de Sete, que significa "designado", preencheu o vazio do coração de Eva e renovou suas esperanças. "Designado" por Deus, Sete viria a ser parte da genealogia do Filho de Deus, o qual trouxe copiosas e eternas esperanças para toda a humanidade.

Esse Filho também traz esperança a você, mesmo que sua situação seja de completo desespero.

Como lidar com perdas devastadoras? Este ano, em vez de mergulhar na depressão ou no desânimo, deposite sua fé e confiança nestas realidades repletas de esperanças:

- *Fidelidade de Deus:* "Eu é que sei que pensamentos tenho a vosso respeito, diz o Senhor; pensamentos de paz, e não de mal, para vos dar o fim que desejais" (Jr 29.11).
- *Promessas de Deus:* Saiba que em apenas uma dentre as mais de oito mil promessas contidas na Bíblia,[2] lhe é assegurado que você pode fazer tudo por meio de Cristo, aquele que a fortalece (Fp 4.13)!
- *Bondade de Deus:* Sua falta de esperança nunca pode negar a bondade de Deus. O choro pode durar uma noite, porém como "o Senhor é bom, e a sua misericórdia dura para sempre, e de geração em geração a sua fidelidade" (Sl 100.5), "a alegria vem pela manhã" (Sl 30.5).

6 de Janeiro – Gn 6

Viagem de fé
A mulher de Noé

Contigo estabelecerei a minha aliança; entrarás na arca, tu e tua mulher.
Gn 6.18

Não sabemos o nome dela, portanto a chamaremos de "sra. Noé".

Ela passava os dias cuidando amorosamente de Noé, seu marido, criando seus três filhos e tomando conta da casa. A vida cotidiana era simples...

Até vir "o chamado" do Senhor. Com o coração angustiado por causa da corrupção do homem, Deus decidiu destruir os seres humanos, bem como os animais do campo e as aves do céu. Noé, contudo, era um homem justo que andava com Deus, portanto Deus o preservou e lhe designou duas incumbências especiais: construir uma arca e pregar a justiça entre os homens (2Pe 2.5).

Enquanto Noé, um homem fervoroso, apressava-se em obedecer a Deus, a sra. Noé deve ter pensado: "O que posso fazer? Como posso ajudá-lo a cumprir o plano de Deus?"

- *Orar*. Ela podia orar: pela humanidade por causa do terrível julgamento de Deus; por seu marido, porque ele servia ao Senhor; e por sua família, para que todos seguissem a Deus.
- *Optar*. Ela podia optar por seguir os mandamentos do Senhor, em vez de seguir os princípios do mundo.
- *Encorajar*. Ela podia encorajar Noé em seu trabalho. Todos os maridos, inclusive Noé, desejam ter uma mulher animada, firme e que tenha palavras de esperança, apoio e segurança.
- *Instruir*. Ela podia persistir em compartilhar sua fé com os filhos e noras. Aquele não era o momento de ensinar apenas com seu exemplo de vida, mas sim de falar! A vida e a alma de todos estavam em perigo!
- *Crer*. Ela talvez tenha sentido dúvidas a respeito da "arca" e do "dilúvio", mas preferiu acreditar na profecia.
- *Ajudar*. Ela provavelmente não tinha como ajudar muito na construção da arca, mas podia ajuntar os animais e os alimentos necessários para aquela misteriosa viagem de fé.
- *Seguir*. Ela podia, pela fé, seguir as instruções diárias de seu marido durante os 43.800 dias dentro da arca da salvação que transportava sua família para um futuro desconhecido (1Pe 3.20).

Oração: Senhor, será que minha fé é do tipo que ora com persistência, opta por seguir teus mandamentos, encoraja os crentes, instrui outras pessoas, acredita sempre, ajuda o estabelecimento de teu reino na terra e te segue fielmente? Será ela do tipo que navega com determinação rumo ao futuro? Ajuda-me a encontrar forças para o dia de hoje e esperança para o amanhã, fazendo-me seguir os passos fervorosos da sra. Noé!

7 de Janeiro – Gn 7

Convite divino
As noras de Noé

Entra na arca.
Gn 7.1

FINALMENTE NOÉ TERMINOU a construção da arca, conforme Deus lhe pedira. E, a seguir, veio a ordem do próprio Deus: "Entra na arca, tu e toda a tua casa". Noé sabia que devia obedecer a Deus e achava que podia contar com a esposa e os três filhos. E quanto a suas três noras? Como ele deve ter orado para que elas aceitassem o convite de Deus e entrassem na arca também, para a salvação do perigo que se aproximava com o ajuntamento de grandes nuvens negras.

A verdadeira obediência consiste em três elementos, que as noras de Noé demonstraram possuir ao agir pela fé e entrar na arca.

- *Elemento nº 1: Obediência imediata.* Aparentemente, não houve demora ou indecisão. Quando chegou a hora, as três mulheres acompanharam Noé e seus maridos e entraram na arca.

- *Elemento nº 2: Obediência confiante.* Todas acreditaram que encontrariam segurança e salvação na arca de Deus (1Pe 3.20).

- *Elemento nº 3: Obediência pessoal.* Nenhuma delas foi arrastada, forçada ou carregada para dentro da arca. Todas entraram espontaneamente (Gn 7.13).

Deus também está fazendo um convite a você, minha querida: "Entre na arca da salvação". Como você reage ao chamado de Deus e ao seu convite para a vida eterna?

- *Com obediência imediata?* Deus está lhe dizendo neste momento: "... eis *agora* o tempo sobremodo oportuno; eis *agora* o dia da salvação" (2Co 6.2, destaque da autora)!

- *Com obediência confiante?* Você crê que a segurança e a salvação eterna são encontradas em Deus por meio de seu Filho, Jesus Cristo (Jo 14.6)?

- *Com obediência pessoal?* A salvação é para os que creem no nome de Deus, "os quais não nasceram do sangue nem da vontade do homem" (Jo 1.13). Você não nasceu para ser salva por intermédio de seus pais ou do desejo de outras pessoas, mas deve atender pessoalmente ao convite de Deus. Você já entrou na arca da salvação de Deus?

Observação: A bênção sempre acompanha a obediência. As noras de Noé deram início a uma nova raça. As inúmeras nações da Terra originaram-se dessas mulheres anônimas, porém obedientes, que amaram a Deus.

8 de Janeiro – Gn 8

Arco-íris de esperança
Mulher de Noé

Saiu, pois, Noé [da arca] com sua mulher.
Gn 8.18

Por fim, a viagem da sra. Noé terminara! Uma viagem de 371 dias... 53 semanas! Ela sentiu um arrepio ao lembrar-se dos vários anos em que seu fiel marido havia pregado ao povo e construído a arca. Sim, aquelas décadas haviam sido difíceis para ela. Testemunhar a extensão do pecado da humanidade e a crescente hostilidade contra seu marido havia sido uma carga quase insuportável. No entanto, por ter confiado em Deus, Noé e a família, que o acompanhara, haviam seguido aquela estranha ordem divina de pregar contra o pecado e construir uma arca num lugar seco...

Sem dúvida, a mulher de Noé acompanhara alegremente o marido e entrara na arca com os três filhos e suas corajosas esposas. Por certo, o alívio tomou conta de seu corpo e mente quando ouviu Deus fechar a porta por fora, trancando os oito membros de sua preciosa família e os animais dentro daquela estranha embarcação construída por Noé (Gn 7.16).

O coração da sra. Noé, porém, devia estar, em parte, angustiado. Afinal de contas, ela deixava para trás o único lar que conhecera. Para onde estava indo? Como seria sua nova casa? E quando chegaria lá?

Essas preocupações lhe são familiares? As mudanças acarretam numerosas indagações. Como você lida com elas? Segundo as estatísticas, mudar de casa produz tensão emocional que se encontra perto do ponto mais alto na escala do estresse. Contudo, ninguém jamais passou por uma experiência tal como a da sra. Noé! Ninguém! Ela, porém, nos ensina como enfrentar mudanças. Aprenda essas lições, porque elas se aplicam a qualquer tipo de mudança e servem para a vida inteira.

Acredite, pela fé, que...

- Deus está no controle de tudo,
- Deus sabe o que está fazendo,
- Deus tem um plano e um propósito,
- Deus sabe o que é melhor e
- Deus cuidará de tudo...

A sra. Noé desceu da arca e pisou no terreno enlameado de seu admirável mundo novo. Como sinal de encorajamento, Deus pôs um arco-íris da promessa no céu. Aquele lindo arco brilhando por entre as nuvens, uma manifestação radiante do amor de Deus, encheu o coração da sra. Noé de uma esperança ardente e renovada!

9 de Janeiro – Gn 11

Alcançando a promessa

Sarai

Sarai era estéril, não tinha filhos.
Gn 11.30

Faz que a mulher estéril... seja alegre mãe de filhos (Sl 113.9).

Herança do Senhor são os filhos; o fruto do ventre seu galardão (Sl 127.3).

Sarai era estéril, não tinha filhos. Seis palavras. Uma afirmação nua e crua de um fato. Sarai não tinha filhos.

Talvez Sarai se perguntasse: "Onde foi que eu errei? O que será que eu fiz? Por que Deus não me abençoou com filhos?" As perguntas de Sarai não tinham fim, nem seu sofrimento. Nada podia aliviar, abrandar ou eliminar sua dor. A esterilidade era um estigma que, a cada alvorecer, endurecia mais um pouco o coração daquela mulher.

Porém, Sarai, a esposa e companheira de jornada de Abrão, também fiel seguidora de Deus, iria lembrar-se, no futuro, de uma promessa que exerceria uma profunda influência sobre ela. Deus estava prestes a prometer que faria de Abrão uma grande nação e que daria a terra à sua descendência (Gn 12.2,7).

Sarai teria, em muitas ocasiões, de estender as mãos pela fé e agarrar a promessa de Deus. Com o coração partido e lágrimas nos olhos, Sarai confiaria em Deus mais uma vez, mais um dia. Ela não tinha escolha. Devia resistir à sua falta de fé, apesar da grande tentação de abandonar tudo, sucumbir à amargura, censurar Abrão, dar as costas para Deus ou subjugar-se ao espírito contencioso que parecia a opção mais fácil. Sarai aprenderia uma lição que era como uma linda flor brotando em um solo castigado pelas intempéries: A fé é a melhor maneira para enfrentar os infortúnios da vida.

Já que estamos falando de fé, você já pensou no fato de que, em onze anos, Sarai agarrou-se à promessa de Deus mais uma vez, mais um dia, até seu filho Isaque nascer? Você já parou para pensar que aqueles anos representaram mais de quatro mil dias de fé? O exemplo de Sarai é uma bênção para você: Se existe alguma situação impossível, insustentável, incomum ou imutável que você esteja aguardando mudar ou acontecer hoje (ou nos próximos quatro mil dias, ou no restante da vida!), pela fé estenda a mão mais uma vez para alcançá-la, firmando-se nas "suas preciosas e mui grandes promessas" (2Pe 1.4)! Sim, a fé é a melhor maneira, na verdade a única maneira, de enfrentar os infortúnios da vida.

10 de Janeiro – Gn 12

Passos de Fé

Sarai

Partiu, pois, Abrão, como lho ordenara o Senhor.
Gn 12.4

Fé... COMO É ALTO SEU PREÇO! A vida de fé não é fácil.

Foi exatamente isso que Sarai descobriu. Sua vida era tranquila em seu lar em Ur. É verdade que ela e Abrão ainda não tinham filhos (Gn 11.30), mas esse fato agora lhe era mais suportável, uma vez que ela estava cercada de amigos, familiares e das distrações da requintada e próspera cidade de Ur, localizada às margens exuberantes do rio Eufrates. Como ela gostava de sua casa!

De repente, seu mundo virou de pernas para o ar. Sarai teve de abandonar tudo o que lhe era familiar e seguro, voltar as costas para o que ela amava e conhecia e dirigir-se para um lugar desconhecido. Deus ordenara a seu marido, Abrão, que saísse de Ur. Para onde eles iriam? "Para a terra que te mostrarei", disse o Senhor. Não havia nenhum itinerário programado!

E assim Abrão, acompanhado de Sarai, obedeceu a Deus pelo restante da vida, "sem saber aonde ia", para "a cidade que tem fundamentos, da qual Deus é o arquiteto e edificador" e morreu "na fé, sem ter obtido as promessas" (Hb 11.8-13). Sua família peregrinou na terra.

No entanto, a minúscula semente de fé no coração de Sarai germinou naquele dia tão triste quando ela "saiu... de Ur dos caldeus" (Gn 11.31). Sarai, talvez com o coração partido e lágrimas nos olhos, deu um importante passo de fé. Aquela fé aumentou e colocou-a em um lugar de honra na Galeria dos Heróis da Fé em Deus (Hb 11).

Será que você está orando: "Amado Deus, como posso começar a dar os passos rumo ao céu como fez Sarai e ter uma fé tão grande?" Tente dar estes importantes passos de fé hoje:

- *Confie na fé daqueles que a dirigem.* Quem está sendo usado por Deus em sua vida para mostrar-lhe os passos rumo a uma fé maior?

- *Despreze os prazeres deste mundo.* "Não ameis o mundo nem as coisas que há no mundo" (1Jo 2.15).

- *Volte-se para as coisas desconhecidas, invisíveis e eternas com o coração cheio de fé.* "Visto que andamos por fé, e não pelo que vemos" (2Co 5.7).

11 de Janeiro – Gn 12

A ESTRELA RELUZENTE DA ESPERANÇA

SARAI

Levou Abrão consigo a Sarai, sua mulher... para a terra de Canaã.
Gn 12.5

"Oh, que situação complicada! Quando isso tudo terminará?" Talvez essas palavras tenham toldado a mente de Sarai no dia em que ela partiu de Ur para acompanhar Abrão, seu marido piedoso (Gn 11.31). Ur era a terra de Sarai; ali ela vivera e fora feliz, mas Deus ordenara que Abrão fosse para Canaã. Deixar Ur era triste demais; ir para Canaã seria pior ainda!

Por que pior ainda? Em primeiro lugar, Ur era uma bela cidade situada à margem do suntuoso e fértil rio Eufrates. Canaã era uma terra distante, a quase mil quilômetros de sua querida cidade! Abrão talvez a chamasse de "Terra Longínqua"!

Então, quando Sarai já estava se acostumando a viver na Terra Longínqua, sobreveio um terrível período de fome e o casal precisou mudar-se novamente, dessa vez para o Egito – uma jornada de quase quinhentos quilômetros. Ah! se ao menos ela e Abrão pudessem voltar para Ur! Aí, sim, tudo se resolveria!

Pensamentos como esses deviam povoar a mente de Sarai. Não sabemos ao certo, mas, com certeza, olhar para trás é uma atitude perigosa. Pode impedir e prejudicar o progresso de sua fé. Então, o que fazer para prosseguir... olhar para a frente e obedecer fielmente a Deus quando as circunstâncias da vida parecem ir de mal a pior?

Olhe para a frente. Viva o dia de hoje e receba as bênçãos de Deus hoje (e no futuro).

Aceite as circunstâncias. Deus utiliza as circunstâncias da vida para efetuar em você "tanto o querer como o realizar, segundo a sua boa vontade". Portanto, faça "tudo sem murmurações nem contendas" (Fp 2.13,14).

Se as circunstâncias de sua vida a levarem a cumprir a vontade de Deus, você encontrará Deus em todas as circunstâncias de sua vida.

Confie no Senhor. Deus a conservará em perfeita paz se você confiar inteiramente nele (Is 26.3).

Tenha esperança no futuro. A esperança em Deus é uma estrela brilhante que ilumina seu caminho pela escuridão do presente e pelo futuro desconhecido.

Oração: Amado Deus de Sarai, concede-me a bênção de ver o que há de bom nas coisas ruins e a ter a fé necessária para seguir-te!

12 de Janeiro – Gn 12

O PREÇO DA BELEZA
SARAI

...sei que és mulher de formosa aparência.
Gn 12.11

A CADA ANO, muito dinheiro é gasto por mulheres que desejam ficar mais belas em produtos de beleza, cuidado com os cabelos, tratamento dentário, cirurgia plástica e condicionamento físico. Parece não haver preço alto demais para a beleza. Você já desejou ser mais bela? Por mais estranho que possa parecer, talvez tenha havido dias em que Sarai desejou ser menos bela!

Deus abençoou Sarai com grande beleza. Quando ela nasceu, seus pais, orgulhosos da filha, deram-lhe um nome que significava "princesa". Porém, beleza não é tudo! Houve ocasiões em que a beleza de Sarai foi uma bênção. Em outras, uma maldição...

O capítulo 12 de Gênesis menciona uma dessas ocasiões em que sua beleza representou maldição. Enquanto Sarai viajava com Abrão, seu marido, a caravana deles se defrontou com o poderoso Faraó egípcio. Embora Faraó possuísse um enorme aparato militar e grande riqueza, ele desejava uma coisa mais – a bela Sarai, para fazer parte de seu harém.

Curiosamente, o marido de Sarai havia previsto esse acontecimento. (Como ele soubera?) Sarai e Abrão haviam conversado sobre tal possibilidade e agora ela se tornara real.

Qual foi a solução encontrada por Abrão? Mais ou menos esta: "É melhor mentir. Diremos a eles que você é minha irmã. Não será uma mentira completa, porque, apesar de você ser minha mulher, também é filha de meu pai. O que você acha? Meia-irmã, meia-mentira. Assim minha vida será poupada!" Deslealdade. Decepção. Tudo por causa da beleza!

A Bíblia diz o seguinte:

• Vã é a formosura (Pv 31.30).

• Não cobices a formosura (Pv 6.25).

• A beleza interior, não exterior, é que tem grande valor diante de Deus (1Pe 3.4).

Que tal fazer uma pausa neste momento para orar? Agradeça a Deus sua condição de ser bela aos olhos dele: "assombrosamente maravilhosa" (Sl 139.14). Contemple-se no espelho da Palavra reveladora de Deus (Tg 1.22-25). Tome a decisão de passar mais tempo enfeitando seu coração com a beleza de um espírito manso e tranquilo concedida pelo amor eterno de Deus (1Pe 3.4). Aos olhos de Deus, essa beleza é uma joia que não tem preço!

13 de Janeiro – Gn 12

O SILÊNCIO DA FÉ

SARAI

...e a mulher foi levada para a casa de Faraó.
Gn 12.15

EXISTE O TEMPO DE "ESTAR CALADO" (Ec 3.7). Guarde esse princípio sábio em seu coração para aplicá-lo nos momentos de provação da vida. Sarai aprendeu esse precioso princípio durante sua jornada rumo a uma fé maior.

A jornada de Sarai começou com a obediência. Seguindo fielmente seu marido Abrão, que por sua vez seguia fielmente a Deus, ela iniciou a viagem para Canaã. Uma grande fome forçou-os a seguir em direção ao Sul, para uma terra estranha chamada Egito. O medo de perder a vida, somado ao medo da fome, fez que Abrão, o grande patriarca de Israel, mentisse ao poderoso Faraó a respeito de sua formosa mulher: "Ela é minha irmã", dissera Abrão. E, por esse motivo, Sarai fora levada para o harém da casa de Faraó.

Será que o coração de Sarai indignou-se contra Abrão? Será que ela o considerou egoísta por sacrificar sua vida para preservar a dele? Será que ela pensou, temerosa: "O que acontecerá comigo? Abrão prosseguirá a viagem sem mim? Será que o verei novamente? Como deve ser a vida de alguém que pertence a um harém?" A Bíblia não menciona nada disso. Você não acha que essa omissão revela a grande fé de Sarai enquanto ela esteve no harém aguardando que o Senhor agisse?

A força para hoje e a esperança para o amanhã são conseguidas, tanto por você como por Sarai, no paciente silêncio da fé.

• Espere pelo Senhor; tenha bom ânimo e ele fortalecerá o seu coração (Sl 27.14).

• Descanse no Senhor e espere por ele com paciência (Sl 37.7).

• Somente em Deus a minha alma espera silenciosa (Sl 62.1).

• Aquele que espera no Senhor renova suas forças (Is 40.31).

• Bom é aguardar a salvação no Senhor, em silêncio (Lm 3.26).

• Bem-aventurado aquele que espera (Dn 12.12).

Minha querida, comece desde já a esperar no Senhor, confiar nele, ter esperança nele... e ser abençoada no silêncio da fé.

14 de Janeiro – Gn 12

O SOCORRO DE DEUS
SARAI

Porém o Senhor puniu Faraó...
Gn 12.17

APRESENTAMOS O ELENCO:
- *Sarai: a linda mulher de Abrão.*
- *Abrão*: o futuro patriarca da nação de Israel.
- *Faraó*: o poderoso líder idólatra do Egito.
- *Os criados de Faraó*: personagens coadjuvantes.

O palco já está montado:
- *Sarai*: trancada no harém do palácio de Faraó.
- *Abrão:* livre do lado de fora do palácio.
- *Faraó*: satisfeito por ter Sarai e presenteando generosamente Abrão.
- *Os criados de Faraó*: cuidando inocentemente dos afazeres diários.

Ao que tudo indicava, a história de Abrão e Sarai teria um final triste por causa da mentira de Abrão: "Ela é minha irmã". Abrão e Sarai não haviam imaginado que isso aconteceria, uma vez que eles tinham obedecido a Deus. A fome na Terra Prometida os levara ao Egito à procura de alimentos, e, naquele momento, parecia que Sarai jamais desfrutaria as bênçãos maravilhosas que Deus prometera.

No entanto, há outro personagem no elenco! *O mais importante de todos!* Jeová, o Deus de Abrão e de Sarai, observa e aguarda à medida que o drama humano se desenrola. No momento perfeito, quando tudo parecia sem solução, Jeová faz sua aparição dramática, miraculosa. Embora ele nunca seja visto, as suas obras são vistas, ouvidas, sentidas e notadas. É o socorro vindo de Deus! "Porém o Senhor puniu Faraó e a sua casa com grandes pragas, por causa de Sarai, mulher de Abrão."

Você já pensou que o Deus de Sarai é também o seu Deus? Para Deus, tudo é possível (Mt 19.26), até mesmo livrá-la de uma situação insuportável. Jeová sabe como libertar seus filhos (1Co 10.13). O Senhor sabe livrar da provação os piedosos (2Pe 2.9). No momento certo e à sua maneira, Deus resgata seu povo. Portanto, quando você se sentir totalmente sozinha e completamente sem esperança, saiba que *nunca* estará sozinha e *sem* esperança! "Deus é o nosso refúgio e fortaleza, socorro bem *presente* nas tribulações. Portanto não temeremos *ainda que* a terra se transtorne" (Sl 46.1,2, destaque da autora).

15 de Janeiro – Gn 16

O anjo da esperança
Hagar

Tendo-a achado o Anjo do Senhor junto a uma fonte...
Gn 16.7

Não era *sua* culpa o fato de estar carregando um filho de Abrão no ventre. A ideia tinha sido de Sarai!

Hagar, a criada de Sarai, fugia para o deserto com as emoções à flor da pele. Sarai tinha sido muito severa! Hagar tentara não levar em consideração a ira e os maus-tratos de sua patroa, mas chegou a seu limite! Decidira fugir! Afinal de contas, seu nome significava "fuga" e ela faria jus a isso. Fugiria dali, mesmo que tivesse de atravessar um deserto carregando um filho no ventre.

Porém, o anjo do Senhor a encontrou. Deus procurou Hagar, a encontrou e teve misericórdia dela. O que Deus fez por aquela mulher desesperada?

- *Deu-lhe instruções.* Para a segurança e bem-estar dela e do bebê, Deus disse a Hagar: "Volta para a tua senhora". Na tenda de Abrão, ela encontraria comida, água, abrigo e ajuda durante a gravidez.
- *Deu-lhe ânimo.* "Darás à luz um filho." Nem tudo estava perdido. Por mais desesperadora que fosse a situação, por mais difícil que a vida fosse naquele momento, em breve Hagar teria um filho, uma família.
- *Deu-lhe uma promessa.* "Multiplicarei sobremodo a tua descendência, de maneira que, por numerosa, não será contada." Sim, Hagar era uma criada, mas seria a mãe de muita gente.

Será que você necessita de um pouco mais de ânimo, de esperança renovada para seu amanhã? Necessita de instruções para uma situação difícil e de orientações claras e concretas para mudar as circunstâncias atuais? Ultimamente, você tem se lembrado das promessas de Deus? Em lugar de andar de um lado para o outro, correr daqui para lá e fugir, passe alguns momentos lendo a Bíblia. Sinta a força de Deus no dia de hoje e a esperança que ele transmite para o amanhã. A Bíblia inteira, cada palavra, vem de Deus e é fonte de ensinamentos e orientações "para redirecionar o rumo de [sua] vida"[3] e fornecer o que você necessita para toda e qualquer situação.

16 de Janeiro – Gn 16

DEUS OUVE
HAGAR

...o Senhor te acudiu na tua aflição.
Gn 16.11

SOZINHA. FUGITIVA. Uma fugitiva *solitária*... Hagar, exausta de tanto correr pelo deserto, descansou à beira de uma fonte de água, com pensamentos confusos sobre sua vida atribulada.

Hagar estava grávida de um filho de Abrão, conforme planejado por Sarai, sua patroa e mulher de Abrão. O acordo entre os três havia sido contraproducente. Hagar estava orgulhosa de sua gravidez; Sarai estava com ciúmes e zangada; Abrão estava encurralado. Sarai tornou-se extremamente rude com Hagar. Tratou-a tão mal que ela fugiu.

"E agora?", gritou Hagar, confusa, desanimada... e sem esperança. O Senhor, porém, ouviu sua aflição e inclinou os ouvidos para ela. E, quando seu filho nasceu, Hagar deu-lhe o nome de Ismael, que significa "Deus ouve"!

Minha querida, em meio às aflições da vida, saiba que você pode fazer vários tipos de oração, que Deus ouve a todas. Veja algumas:

- *Oração seta*. No exato momento em que Neemias precisou da ajuda de Deus, ele arremessou sua oração como se fosse uma seta em direção ao céu. Quando Neemias pediu permissão ao rei para ir a Jerusalém e reconstruir o muro, Deus pôs em seus lábios as palavras de que ele necessitava (Ne 2.4).

- *Oração molhada*. O Salmo 56.8 diz: "...recolheste as minhas lágrimas no teu odre." Ao comentar sobre esse versículo, Agostinho, um dos líderes da igreja primitiva, deu às nossas lágrimas o nome encantador de "orações molhadas".

- *Oração sem palavras*. Você não sabe como orar? Sua aflição é tão grande que você não encontra palavras para expressá-la? Tenha ânimo: "Porque não sabemos orar como convém, mas o mesmo Espírito intercede por nós sobremaneira com gemidos inexprimíveis" (Rm 8.26).

A oração, querida mulher de fé, é a resposta para todos os problemas que existem porque Deus sempre ouve! Você não quer aprender a voltar-se para ele? Os ouvidos de Deus estão abertos às suas súplicas (1Pe 3.12). Você pode invocar "o Deus que ouve" durante toda a sua vida (Sl 116.2).

"Amo o Senhor, porque ele *ouve* a minha voz e as minhas súplicas" (Sl 116.1, destaque da autora).

17 de Janeiro – Gn 16

Deus vê

Hagar

...Tu és Deus que vê.
Gn 16.13

Uma maldição... ou uma bênção? O fato de Deus ser onipresente (ele está em todos os lugares) e onisciente (ele sabe tudo) é uma maldição ou uma bênção? Pergunte a Hagar, uma das mulheres escolhidas por Deus, que se defrontou com esses dois atributos insondáveis de Deus!

Hagar correu para o deserto a fim de fugir das dificuldades de sua vida doméstica. Quando estava arrasada, sem nenhuma esperança, o anjo do Senhor a encontrou.

Hagar não teve dúvidas sobre o que havia acontecido: ela avistara a encarnação do próprio Deus, uma visão de força e graça, de misericórdia e fé, um verdadeiro anjo da esperança!

"Então ela invocou o nome do Senhor, que lhe falava: Tu és Deus que vê; pois disse ela: Não olhei eu neste lugar para aquele que me vê? Por isso aquele poço se chama Beer-Laai-Roi", cuja tradução é "poço daquele que vive e me vê".

Além de ser onipresente e onisciente, o seu Deus é imutável, isto é, ele nunca muda. Isso significa que o mesmo Deus que atendeu à súplica de Hagar atenderá à sua. Portanto:

• Sabendo que Deus provê todas as coisas, nada lhe faltará (Sl 23.1).

• Sabendo que Deus a conduz, você nunca estará sozinha (Sl 23.3).

• Sabendo que Deus está a seu lado, você nunca temerá (Sl 23.4).

• Sabendo que Deus a conforta, você sempre terá ânimo (Sl 23.4).

Você ainda questiona se a onipresença e a onisciência de Deus são uma bênção? Quando ninguém enxergar suas lutas, dificuldades e impossibilidades, busque esperança e conforto no fato de que o Deus onisciente, onipresente e imutável é o Deus que vê. "Porque os olhos do Senhor repousam sobre os justos" (1Pe 3.12). Que bênção maravilhosa!

O que Deus vê? Ele vê:
1. Sua aflição.
2. Ele está pondo em prática seus planos para a sua vida.
3. Sua fidelidade.
4. Suas necessidades.

E como Deus responde?
1. Ele está sempre trabalhando suas lutas.
2. Seus sofrimentos físicos.
3. Ele provê o que você necessita.
4. Ele está pronto a ajudá-la.
5. Ele tem compaixão de você.

18 de Janeiro – Gn 17

Uma promoção difícil de obter
Sarai

... já não lhe chamarás Sarai...
Gn 17.15

As promoções na vida de fé, da mesma forma que na escola, não se conseguem facilmente. É necessário completar o curso com sucesso para receber um belo diploma assinado e autenticado pelos órgãos competentes de ensino.

O capítulo 17 de Gênesis apresenta uma breve descrição da promoção de Sarai na escola da fé. Naquele dia, Deus disse: "A Sarai, tua mulher, já não lhe chamarás Sarai, porém Sara".

Que cursos Sarai concluiu para qualificá-la a essa promoção? Escreva na linha ao lado dos textos abaixo que notas você daria a si mesma nessas áreas. Em seguida, reflita sobre o que você pode fazer para melhorar e trace planos para aumentar suas notas.

1. *Sarai aprendeu a acompanhar seu marido.* Sarai completou o curso Fé 101 quando aprendeu a confiar e seguiu Abrão, o qual, por sua vez, seguia a Deus (Gn 12.1). É verdade que a vida de Sarai passou por mudanças radicais e complicadas, mas ela aceitou viver uma nova vida de acordo com a vontade de Deus e acompanhou o marido, por ele ser o instrumento de Deus em sua vida. _____

2. *Sarai aprendeu a confiar no Senhor.* Quase foi reprovada nesse curso, mas pela misericórdia de Deus sua fé resistiu a todas as pressões no tempo em que se viu sozinha, com seus medos e sua fé, no harém do Faraó. O próprio Abrão, seu marido, a desapontara. Será que Deus a desapontaria também? Ela esperava... orava... e confiava... (1Pe 3.5,6). Quando saiu de seu cativeiro, surpresa diante da solução miraculosa de Deus (Gn 12.15-20), a nota de Sarai naquela matéria subiu muitos pontos. _____

3. *Sarai aprendeu a esperar em Deus.* A verdade é que ela ainda estava aprendendo a esperar. Já matriculada no curso Fé 102, Sarai receberia as instruções necessárias para continuar mais 25 anos aguardando o cumprimento da promessa de Deus de que Abrão teria um filho (Gn12.7). Esperar nunca foi fácil para Sarai. _____

4. *Sarai aprendeu a importância de ter um espírito meigo e tranquilo.* Sim, o nome Sarai, além de significar "princesa", também tem a conotação de "briga", e ela brigou muito com Hagar (Gn 16.6)! Que tempo doloroso de aprendizado! Como ela ficou agradecida por finalmente conseguir ataviar-se com o espírito meigo e tranquilo que agrada a Deus (1Pe 3.4,5)! _____

Bem, minha cara seguidora de Deus, como você se saiu no teste? Pense no que você pode fazer para melhorar nessas áreas e trace planos para aumentar suas notas. Afinal de contas, ainda existem muitos outros cursos além do Fé 101, na longa jornada da vida ao lado do Deus que você ama.

19 de Janeiro – Gn 17

Um novo nome

Sarai

...já não lhe chamarás Sarai, porém Sara.
Gn 17.15

Aos olhos de Deus, a fé de Sarai evoluíra e, como sinal da aliança estabelecida com ela e com seu marido, Abraão, Deus mudou-lhe o nome para Sara. Qual foi o sentido dessa mudança de nome?

Seu nome foi mudado de
- Sarai, que significa "minha princesa".
- Sarai, que significa "minha princesa".
- Sarai, que significa "contenciosa".

Seu nome foi mudado para
- Sara, que significa "princesa".
- Sara, que significa "maioral".
- Sara, uma mulher de fé e piedosa.

Você sabia que Deus também lhe deu um novo nome que traz consigo uma expressão do caráter e do plano que ele tem para a sua vida? Se você é filha de Deus, por intermédio de Jesus Cristo, a Bíblia diz que você tem:

- *Novo propósito.* Em vez de ser escrava do pecado, você é feitura do Senhor, criada em Cristo Jesus para boas obras (Ef 2.10).

- *Nova direção.* Em vez de preocupar-se com sua vida, você está destinada a alcançar o céu, esquecendo-se das coisas que para trás ficam, avançando para as que estão à sua frente e prosseguindo para o prêmio da soberana vocação de Deus em Cristo Jesus (Fp 3.13,14).

- *Nova roupagem.* Você foi revestida de uma nova pessoa, conforme a imagem daquele que a criou (Cl 3.10).

- *Novo comportamento.* Por ser "cristã" (At 11.26), que significa "pequeno Cristo", você foi amoldada à imagem de Jesus (Rm 8.29).

- *Novo destino.* Em vez de possuir apenas uma vida temporária, você recebeu vida eterna (1Jo 5.11) e o título de cidadã do céu (Fp 3.20).

- *Novo nome.* Seu novo nome está escrito, "o qual ninguém conhece, exceto aquele que o recebe" (Ap 2.17). O novo nome que Deus lhe deu é uma manifestação do amor de Cristo e a garantia de seu ingresso na glória eterna.

Se você é filha de Deus, faça uma pausa neste momento e agradeça-lhe por seu novo nome e as inúmeras bênçãos que ele concedeu. Se ainda não é sua filha, agradeça-lhe por ter enviado seu Filho Jesus para morrer na cruz por seus pecados. Peça a Jesus que seja seu Salvador e Senhor. Com essa oração, você receberá um novo nome.

20 de Janeiro – Gn 17

Promessas, promessas
Sara

Abençoá-la-ei e dela te darei um filho...
Gn 17.16

Quantas vezes Sara ouvira isso? Ela se lembrava de pelo menos cinco ocasiões em que Deus prometera um filho, uma semente, uma descendência a Abraão (Gn 12 – 17), e nada acontecera! Por algum tempo, eles imaginaram que Ismael, o filho de Abraão nascido de Hagar, a criada do casal, era "o filho da promessa".

Agora, Deus dizia novamente a Abraão: "Sara, tua mulher, te dará um filho". Ela já ouvira essa promessa antes, mas, desta vez, havia uma diferença: Deus falara especificamente *dela*! Abraão prostrou o rosto em terra e riu. Afinal, Sara estava com noventa anos!

Tendo recebido um novo nome tão inspirador, sem dúvida Sara gostaria que sua fé fosse condizente com ele. Porém, ela deve ter se perguntado – e você também se perguntaria – como continuar crendo nas promessas de Deus quando a situação parece impossível e a espera interminável? Tome nota destas respostas, minha querida:

- *Por opção.* O antônimo de fé é descrença, dúvida sufocante e horrível! Quando Deus lhe apresenta uma de suas maravilhosas promessas, ele também oferece a opção entre aceitar a inspiração dessa promessa e ser conduzida por ela ou ser sufocada pela dúvida.

- *Pela fé.* Você só encontrará força para o dia de hoje e esperança para o dia de amanhã se tiver fé nas promessas de Deus. Fé "é a certeza de coisas que se esperam, a convicção de fatos que se *não* veem" (Hb 11.1, destaque da autora). Nós só recebemos as respostas de Deus e desfrutamos sua força e esperança... por meio dos olhos da fé.

- *Pelo exercício.* A fé é como um músculo: desenvolve-se com o exercício e, com *o tempo*, adquire mais força e aumenta de tamanho. Todas as vezes que você exercita sua fé, está adquirindo mais força para o dia de hoje e mais esperança para o dia de amanhã.

Hoje, que área de sua vida, minha querida mulher de fé, necessita de exercício pela fé? Seria um problema físico como o de Sara? Um problema familiar? Um problema pessoal? Um fracasso financeiro? As circunstâncias da vida parecem completamente confusas? Você não vê nenhuma saída, nenhuma solução? Ponha sua fé em prática mais uma vez! Com força! Com determinação! Com coragem! Confie em Deus, porque "nenhuma só palavra falhou de todas as suas boas promessas" (1Rs 8.56).

21 de Janeiro – Gn 17

Mãe de nações

Sara

...e ela se tornará nações...
Gn 17.16

No ano de 1703, uma mulher piedosa chamada Esther Edwards deu à luz um filho que recebeu o nome de Jonathan. Desse filho, que se tornou um ilustre teólogo e pregador, foi gerada uma descendência notável. Mais de quatrocentos descendentes seus foram identificados e nesse número encontram-se catorze reitores de universidade e cem professores universitários. Outros cem foram ministros do evangelho, missionários e professores de teologia. O número de advogados e juízes ultrapassou cem; sessenta foram médicos e vários autores de livros e editores de alto gabarito. Que tributo a essa mulher piedosa!

Sara existiu milhares de anos antes da sra. Edwards. Deus profetizou: "Ela se tornará nações; reis de povos procederão dela". Com o tempo, a descendência de Sara tornou-se "como as estrelas dos céus e como a areia na praia do mar" (Gn 22.17). Da lista dos descendentes de Sara, constam patriarcas da fé, reis de povos e o Salvador do mundo, Jesus Cristo! E essa descendência chega até *você*, caso tenha nascido espiritualmente da linhagem de Abraão por meio de Cristo (Rm 4.16-25). A humilde Sara, peregrina de Ur e estrangeira em Canaã, tornou-se a mãe de todos os santos no decorrer dos séculos!

Há outra mulher que pode tornar-se mãe de nações – e essa mulher é *você*! Deus ordena que você ensine a seus filhos as verdades da salvação, as verdades da Bíblia (Pv 1.8), para que eles façam parte da família de Deus. Tendo Cristo dentro do coração, você pode iniciar uma descendência de pessoas piedosas. Se transmitir o evangelho a seus filhos, eles, por sua vez, terão condições de transmiti-lo às gerações seguintes. Ao longo do tempo, sua influência religiosa dará continuidade a uma geração tão numerosa quanto as estrelas do céu e a areia da praia!

Talvez você esteja pensando: "Eu não tenho filhos. Isso teria alguma coisa a ver comigo?" Claro que sim! *Você* pode ajudar a gerar filhos espirituais transmitindo a verdade acerca de Jesus Cristo! *Você* pode levar muita gente a fazer parte da linhagem de Cristo. *Você* pode incluir um número maior de pessoas piedosas na grande nuvem de testemunhas de Deus (Hb 12.1). Para conseguir isso, fale do evangelho em seu ambiente de trabalho, convide seus colegas, vizinhos e familiares para ir à igreja e conte-lhes como Jesus mudou sua vida, dando-lhe força para enfrentar o dia de hoje e esperança para o amanhã. Você, também pode tornar-se mãe de nações!

22 de Janeiro – Gn 18

A CHAMA DA FÉ

SARA

Acaso para o Senhor há coisa demasiadamente difícil?
Gn 18.14

"ACASO PARA O SENHOR há coisa demasiadamente difícil?" Sua resposta indica o grau de sua fé em Deus.

O anjo do Senhor fez essa pergunta a Sara, nossa grande heroína da fé. Naquele momento, porém, ela não demonstrou ter muita confiança... Veja o que aconteceu.

Em primeiro lugar, fora dada a promessa de um filho, uma semente, um filho de Abraão que nasceria de Sara. Sara tinha ouvido essa promessa durante 25 anos! Já nem pensava mais nisso.

Em seguida, aconteceram os fatos. Sara tinha noventa anos, uma idade avançada demais para gerar filhos. Estava consciente de que "envelhecera" (literalmente desgastada, definhava, prestes a rasgar como uma roupa velha e puída). Só por um milagre ela poderia ter um filho àquela altura da vida!

Depois, houve o riso. "Riu-se, pois, Sara." Ao pensar no absurdo, na impossibilidade de dar à luz, o riso da dúvida brotou-lhe nos lábios.

Naquele momento, surgiu a pergunta, a mesma que Deus lhe faz em relação a sua fé: "Acaso para o Senhor há coisa demasiadamente difícil?" Ou seja: "Existe alguma palavra vinda de Deus que possa causar espanto ou seja impossível de ser cumprida por Jeová?" Se o fator da equação for a onipotência divina, a resposta chega até os céus e ecoa de volta: "Não!!!!!" Nada do que Deus promete está além de suas possibilidades, sua capacidade, seu amor!

Portanto, com a chama de sua fé, veja se existe alguma sombra de dúvida em seu coração sobre a capacidade que Deus tem de tornar todas as coisas possíveis para você.

- Sua vida hoje é demasiadamente difícil para o Senhor?
- O problema físico que você está enfrentando é difícil demais para o Senhor?
- A dor de cabeça que você sente é difícil demais para o Senhor?
- Seu problema conjugal ou familiar é difícil demais para o Senhor?
- Sua situação financeira é difícil demais para o Senhor?
- O caminho que você está trilhando é difícil demais para o Senhor?

Não! Nada em sua vida está além das possibilidades, da capacidade ou do amor do Pai celestial!

23 de Janeiro – Gn 18

O TEMPO CERTO

SARA

Daqui a um ano, neste mesmo tempo, voltarei a ti, e Sara terá um filho.
Gn 18.14

O TEMPO DE ESPERA NÃO SERÁ PERDIDO... *se* você esperar no Senhor!

Sara, aquela a quem Deus chamou de "mãe de nações" (Gn 17.16), esperou no Senhor durante 25 anos! Agarrada à promessa de Deus de que teria um filho, ela aguardou... até passar da idade de dar à luz. O futuro parecia incerto, mas, apesar de seus momentos de dúvida, ela ainda tinha uma esperança... esperança na palavra do Senhor, que dissera: "Daqui a um ano, nesse mesmo tempo, voltarei a ti, e Sara terá um filho".

Essas palavras nos ensinam a aguardar o tempo de Deus, aguardar o seu "tempo certo". Essas palavras nos instruem a ter uma fé mais consistente, porque para tudo há um "tempo certo".

E nada é mais difícil do que esperar. Mesmo assim, todos nós esperamos por alguma coisa. E, na Escola da Espera de Deus, ele nos ensina e transforma enquanto esperamos. Pelo que você espera? Grave em seu coração estas bênçãos especiais, enquanto aguarda o "tempo certo" de Deus:

- *Bênção nº 1: O valor aumenta.* A espera aumenta o valor e a importância daquilo que esperamos. Se você estiver esperando livrar-se de um sofrimento, descobrir os propósitos de Deus, receber orientação para a sua vida confusa, ter um lar para morar, um casamento, uma reunião de família, o retornar de um filho pródigo ou o nascimento de um filho, a espera faz que o objeto desejado se transforme em um tesouro no momento em que ele é conseguido.

- *Bênção nº 2: O tempo aumenta.* Ninguém tem tempo de sobra, mas aquele que espera recebe a preciosa dádiva do tempo: tempo de abraçar as circunstâncias da vida, tempo de aproximar-se do coração carinhoso e compreensivo de Deus, tempo de crescer na difícil virtude da paciência, tempo de sentir com mais intensidade o sofrimento daqueles que também esperam com fé vacilante.

- *Bênção nº 3: A fé aumenta.* O autor de Hebreus define a fé como "a certeza de coisas que se esperam, a convicção de fatos que se não veem" (Hb 11.1). Leia o capítulo 11 de Hebreus até o fim e observe como os homens e mulheres piedosos, ao longo dos séculos, cresceram na fé por terem esperado. A fé aumenta e se fortalece no decorrer do tempo.

Enquanto você espera... tenha bom ânimo, e ele fortalecerá o seu coração (Sl 27.14).

24 de Janeiro – Gn 20

FACETAS DA FÉ
SARA

...Abimeleque, rei de Gerar, mandou buscá-la.
Gn 20.2

QUANDO SARA OUVIU ABRAÃO, seu marido, dizer a Abimeleque, rei de Gerar: "Ela é minha irmã", seus pensamentos devem ter-se voltado para uma cena semelhante ocorrida no Egito 25 anos atrás (Gn 12). "De novo, Senhor?", ela deve ter murmurado.

Há muitas lições de fé que necessitam de várias aulas de revisão! Afinal, a confiança que devemos ter no Senhor é semelhante a uma pedra preciosa multifacetada. Corta-se uma face, depois vira-se a pedra e faz-se uma incisão para outra face. Da mesma forma, Deus revolveu mais uma vez a vida de Sara com a finalidade de imprimir a beleza da fé em sua alma com mais clareza, utilizando o cinzel da provação, como fizera 25 anos atrás quando Abraão pusera a vida dela, e o futuro de ambos, em risco. Deus, porém, parecia pedir a Sara que voltasse, novamente, seus temores e sua fé na direção dele, e que, mais uma vez, confiasse nele.

Afinal, que lições ela aprendera naquelas décadas a respeito de confiar no Senhor?

- *Lição 1: Orar* – "Clamam os justos, e o Senhor os escuta e os livra de todas as suas tribulações" (Sl 34.17).

- *Lição 2: Confiar* – "Confia no Senhor de todo o teu coração, e não te estribes no teu próprio entendimento" – nem no de qualquer pessoa (Pv 3.5)!

- *Lição 3: Acreditar* – "Ora, a fé é a certeza de coisas que se esperam, a convicção de fatos que se não veem" (Hb 11.1).

- *Lição 4: Esperar* – "Esperei confiantemente pelo Senhor; ele se inclinou para mim e me ouviu quando clamei por socorro" (Sl 40.1).

Quando você inicia um novo dia, parece que há um problema "que se repete" em sua vida? Há complicações diárias que você precisa enfrentar constantemente? Há pessoas que costumam deixá-la abatida ou que a impedem de terminar uma tarefa programada? Há problemas que parecem impossíveis de suportar dia após dia?

Imagine a grandeza de sua fé quando você permitir que Deus, de tempos em tempos e dia após dia, lance mão dos problemas e desapontamentos da vida para levá-la a fortalecer sua fé. Que essas quatro lições sobre uma vida de fé, extraídas da jornada de Sara na presença de Deus, possam incentivá-la a elevar sua alma uma vez mais diante do Autor da fé (Hb 12.2) e permitir que ele adicione mais uma faceta reluzente à bela e delicada pedra preciosa de sua fé.

25 de Janeiro – Gn 20

Sozinha... mas com Deus
Sara

Respondeu-lhe Deus em sonho: ...Não te permiti que a tocasses.
Gn 20.6

SARA ESTAVA SOZINHA NOVAMENTE. Desde seu casamento em Ur, ela e Abraão, seu marido, quase sempre estiveram juntos. Ele a conduzia e ela o seguia fielmente. Em todos aqueles anos, Sara ficara sozinha apenas uma vez. Ela tremia de medo ao lembrar-se de quando havia sido separada de Abraão e levada ao harém do poderoso Faraó do Egito (Gn 12.15). E, naquele momento, a mesma coisa acontecera. Seu marido pusera em risco o casamento e a promessa, aguardada há tanto tempo, de nascimento de um filho (Gn 18.10) somente ao dizer quatro palavras, que construíram uma meia-verdade: "Ela é minha irmã".

Assim Sara, um dia chamada princesa de uma nação (Gn 17.15), sentiu-se sozinha novamente. Não havia esperanças para o futuro. Sara, porém, também era a princesa da fé (Hb 11.11). Quando a promessa de Deus parecia ter sido quebrada e seu casamento com Abraão estar liquidado, Sara redescobriu a única e poderosa verdade que conhecera décadas antes em circunstâncias semelhantes: ela estava sozinha... mas com Deus... E que grande diferença isso faz![4] Estava sozinha, mas...

- Deus protegeu Sara miraculosamente ao falar com Abimeleque à noite, por meio de um sonho.
- Deus preservou Sara quando ameaçou a vida de Abimeleque por causa dela.
- Deus não permitiu que o rei Abimeleque tocasse em Sara.
- Deus interveio miraculosamente a favor de Sara e tornou estéreis todas as mulheres da casa de Abimeleque por causa dela.
- Deus devolveu Sara a Abraão.

Assim como Sara, você também vive na presença constante e poderosa de Deus. Não importa quem você seja, não importa que problemas esteja enfrentando, não importa quanto esteja se sentindo sozinha, não importa quem a tenha abandonado ou desamparado, você nunca estará sozinha:

- As asas protetoras de Deus estão sobre você (Sl 91.4).
- Os braços eternos de Deus estão estendidos sob você (Dt 33.27).
- O anjo do Senhor acampa-se ao seu redor e a livra de todos os perigos (Sl 34.7).
- E a paz de Deus, que excede todo o entendimento, guarda seu coração e sua mente (Fp 4.7).

26 de Janeiro – Gn 21

Promessa cumprida
Sara

Visitou o Senhor a Sara, como lhe dissera, e... cumpriu o que lhe havia prometido.
Gn 21.1

Para Sara e Abraão, o casal idoso a quem Deus, reiteradas vezes no decorrer de 25 anos, prometera um filho, o tempo de espera havia chegado ao fim. No momento certo e de acordo com seus planos "desde antes da fundação do mundo", Deus cumpriu exatamente o que prometera a Sara. A misericórdia e o poder miraculoso de Deus venceram as barreiras da esterilidade de Sara e agora havia um bebê a caminho... exatamente conforme Deus prometera!

O que Deus prometeu a você, sua filha tão preciosa? A Bíblia contém cerca de oito mil promessas. Em tempos de problemas, desgraças, sofrimentos, tragédias, traumas e provações, em tempos de escuridão espiritual, emocional e física, você sempre pode confiar nessas promessas. Esteja certa de que Deus cumprirá exatamente o que lhe prometeu.

Certa vez, uma jovem senhora francesa confeccionou uma "caixa de promessas" para ensinar a seus filhos que elas trazem um conforto especial nos momentos de necessidade. A pequena caixa continha duzentas promessas escritas à mão, copiadas da Bíblia em tirinhas de papel. Mal sabia ela que sua confiança no Senhor passaria por um grande teste durante a época de guerra na França!

Sem ter com que alimentar sua família – vendo seus filhos definhando de fome e usando roupas esfarrapadas e sapatos furados –, ela consultou sua caixa de promessas e orou, desesperada: "Senhor, ó, Senhor, estou passando por grande necessidade. Existe uma promessa aqui que se aplique exatamente a mim? Mostra-me, ó, Senhor, que promessa posso ter nestes tempos de fome, desamparo, perigo e destruição". Ao tentar retirar uma promessa, com os olhos embaçados pelas lágrimas, ela bateu a mão na caixa e derrubou-a. As promessas de Deus espalharam-se ao redor dela, sobre seu colo e no chão! Não sobrou nenhuma na caixa. Que alegria aquela mulher sentiu ao se dar conta de que *todas* as promessas de Deus se destinavam a ela – em seu momento de maior necessidade![5]

Aquele que fez a promessa é fiel (Hb 10.23). Deus a cumprirá. Sua responsabilidade é crer e confiar nele (2Pe 1.4).

27 de Janeiro – Gn 21

Joias de Fé

Sara

Sara concebeu e deu à luz um filho...
Gn 21.2

SE NAQUELA ÉPOCA EXISTISSE JORNAL, o repórter encarregado da matéria sobre a vida de Abraão e Sara ficaria surpreso com algumas respostas às perguntas básicas de uma entrevista:

Quem?   Abraão, aos cem anos de idade, e Sara, aos noventa, são os orgulhosos pais de um menino (Gn 17.17).

O quê?   Mediante a bênção de Deus, Sara concebeu e deu à luz um filho.

Quando?   No tempo determinado, Deus cumpriu sua promessa ao casal idoso (Gn 18.14).

Por quê?   O milagre foi realizado pelo "Deus que não pode mentir" o Deus que havia feito a promessa tantos anos atrás(Tt 1.2; Gn 12.2).

Como?   "Pela fé, também, a própria Sara recebeu poder para ser mãe, não obstante o avançado de sua idade, pois teve por fiel aquele que lhe havia feito a promessa" (Hb 11.11).

O nascimento miraculoso ocorreu porque Deus cumpriu uma promessa feita 25 anos atrás a seus dois filhos, Sara e Abraão. E não será diferente para você, minha cara mulher de fé. O que Deus prometeu a você, filha dele? Quais são as promessas de Deus nas quais você acredita pela fé?

- *Vida eterna*: "Eu lhes dou a vida eterna" (Jo 10.28).

- *Graça suficiente*: "A minha graça te basta" (2Co 12.9).

- *Força para viver*: "Tudo posso naquele que me fortalece" (Fp 4.13).

- *Sua companhia constante*: "O Senhor teu Deus é contigo, por onde quer que andares" (Js 1.9).

Minha querida, essas são apenas algumas das preciosas joias de promessa contidas na Palavra de Deus. Abra sua Bíblia. Retire dali suas moedas de ouro, cunhadas com a imagem do Rei celestial. Deixe que esse tesouro corra por entre seus dedos. Conte os diamantes de esperança cujo brilho é semelhante ao das estrelas. Admire os esplêndidos rubis de penhor. Imagine o valor de cada joia de promessa. Esse tesouro de promessas é a herança de Deus para você. Conheça e aprecie, pela fé, o que o Deus fiel lhe prometeu!

28 de Janeiro – Gn 21

A RIQUEZA DA ESPERA
SARA

Sara... deu à luz um filho.
Gn 21.2

ESPERAR. "PERMANECER DE PRONTIDÃO OU NA EXPECTATIVA." É assim que o dicionário define o que Sara fez durante 25 anos: esperar. Como deve ter sido difícil para Sara permanecer de prontidão e na expectativa de receber a promessa de Deus (Gn 12.2)! Para Sara, porém, a espera teve o significado de um precioso tesouro. As riquezas recebidas no final de sua espera foram:

- *A comprovação de milagres*: Aos cem anos de idade, Abraão foi pai de uma criança! Aos noventa anos, Sara concebeu e deu à luz um filho! E houve ainda outro milagre: o corpo cansado de Sara sustentou a vida de seu bebê enquanto ela o amamentava.
- *A fé persistente*: Sara herdou a promessa de um filho pela "fé e paciência"; ela mostrou plena certeza da esperança até o fim (Hb 6.11,12).
- *O cumprimento da promessa de Deus*: Aquele bebê confortavelmente agasalhado representava o cumprimento da aliança que Deus fez com Abraão (Gn 12.2) e a continuidade da linhagem da qual nasceria Jesus Cristo, o Filho de Deus (Mt 1.2,17).
- *Um filho para amar*: Deus transformou a estéril Sara em uma "alegre mãe de filhos" (Sl 113.9).

O que você está aguardando? Por qual objetivo permanece "de prontidão ou na expectativa"? Você espera que um filho pródigo volte para seu Pai? Ou quer livrar-se de algum sofrimento físico? Talvez anseie por encontrar um marido ou que seu marido volte para o Senhor. Deseja amar a Deus com mais intensidade ou ser uma líder espiritual em seu lar? Quem sabe você está esperando um bebê, como Sara? Ou quer provar sua inocência em algum mal-entendido, aguardando que Deus venha em seu socorro e faça sobressair sua justiça como a luz (Sl 37.6)? Você espera ansiosamente o momento de ir para o céu, ansiando pelo fim do sofrimento que toma conta de seu corpo e pela suprema vitória, quando passará a viver na morada celestial?

Deus ordena que você espere, de prontidão e na expectativa, as riquezas que ele lhe reservou, assim como fez Sara, de quem você é irmã por confiar também em Deus (1Pe 3.5,6).

29 de Janeiro – Gn 21

Um tempo de alegria

Sara

...Deus me deu motivo de riso...
Gn 21.6

Naquela tenda no deserto, ouviam-se sons de alegria! Enquanto segurava o filho prometido no colo, Sara não conseguia ocultar sua felicidade. O momento era de comemoração. A vergonhosa esterilidade de Sara terminara (Gn 11.29). Finalmente! *Finalmente!* Vinte e cinco anos após ter ouvido a promessa reiteradas vezes, após a visita de Deus e de dois anjos (Gn 18.1,2), o pequenino Isaque, um bebê rosado e gordinho, nasceu do idoso e enrugado, porém risonho casal, Abraão e Sara. E, exultando de alegria, deram ao bebê o nome de Isaque, que significa "ele ri".

Sara voltara a rir. Sim, ela rira quando os anjos e o Senhor lhe prometeram o filho. Naquela ocasião, porém, seu riso fora de descrença (Gn 18.12). Agora seu riso transformara-se em gargalhadas de alegria! "Quem poderia imaginar?", dizia Sara, maravilhada. Com certeza, ela não, mas Deus, que pode todas as coisas, realizara o milagre. Ninguém riria outra vez dela. Agora iriam rir de alegria com ela.

Que momento de alegria! Isaque era seu filho carnal, filho de sua velhice, filho da promessa de Deus, fruto de uma fé comprovada, dádiva da graça de Deus e herança do céu. Por isso, Sara cantou uma canção de puro júbilo, a primeira canção de ninar de que temos conhecimento, o hino de uma mãe feliz e agradecida.

Querida filha de Deus, cante com Sara essa canção de louvor! Ainda que a vida lhe seja difícil *aqui*, você pode sentir alegria pela esperança que tem em Cristo. *Aqui* você tem motivos para cantar, mesmo que não sinta disposição para isso agora, mesmo que as promessas de Deus ainda não tenham sido cumpridas. No momento certo, aqui ou na eternidade, Deus, em uma demonstração de fidelidade, lhe dará motivos para louvar. Porém, cante agora mesmo, enquanto aguarda ansiosamente o seu tempo de alegria mediante o cumprimento de todas as promessas dele para você!

> Ao anoitecer pode vir o choro,
>   mas a alegria vem pela manhã...
> Converteste o meu pranto em folguedos;
>   tiraste o meu pano de saco,
>   e me cingiste de alegria (Sl 30.5,11).

Deus consolará "todos os que choram" e porá "sobre os que estão de luto uma coroa em vez de cinzas, óleo de alegria em vez de pranto, veste de louvor em vez de espírito angustiado" (Is 61.2,3). Você está incluída em "tudo" isso! Alegre-se!

30 de Janeiro – Gn 21

Abatida, mas não destruída
Hagar

...e o Anjo de Deus chamou do céu a Hagar...
Gn 21.17

Pelo fato de viver na presença de Deus, você jamais poderá estar num lugar onde ele não esteja; Deus está sempre com você (Sl 139.7-12). Você nunca poderá separar-se do amor de Deus (Rm 8.35-39). Onde quer que você esteja, passando por aflições, enfrentando problemas, atravessando dificuldades, tenha a certeza de que Deus tudo conhece, vê e ouve e acudirá você. Isso foi uma realidade na vida de Hagar, a criada de Sara e mãe de Ismael, filho de Abraão (veja 16 e 17 de janeiro). Foi assim seu segundo encontro com Deus.

Depois que Isaque, o filho prometido por Deus, nasceu, Abraão despediu Hagar e seu filho Ismael. Quando o suprimento de água acabou, os dois deitaram-se, quase mortos, sobre o chão árido do deserto, abandonados, aniquilados e castigados pela vida. O futuro de ambos, que um dia parecera brilhante, reservava para eles apenas a morte brutal que ocorre quando não há água para saciar a sede de um corpo ressequido.

Tomada pelo desespero, Hagar levantou a voz e chorou. Foi um grito sem esperança, um gemido de dor, um lamento de tristeza produzido por uma angústia profunda que atormentava seu coração. Ismael também gritou e o som de seu grito juntou-se ao de sua mãe.

Hagar não se esquecera de que o nome de seu belo filho moribundo significava "Deus ouve". Sim, Deus ouviu! "Deus, porém, *ouviu* a voz do menino; e o Anjo de Deus chamou do céu a Hagar e lhe disse: ...Deus *ouviu* a voz do menino, daí onde está" (destaque da autora).

Junte-se a Hagar e Ismael e alegre-se por saber que Deus cuida de seus filhos, conforme está escrito no Salmo 34.15-19. O seu Deus é onipresente, onipotente e onisciente.

Os olhos do Senhor repousam sobre os justos,
    e os seus ouvidos estão abertos ao seu clamor [...].

Clamam os justos, e o Senhor os escuta
    e os livra de todas as suas tribulações.

Perto está o Senhor dos que têm o coração quebrantado,
    e salva os de espírito oprimido.

Muitas são as aflições do justo,
    mas o Senhor de todas o livra.

31 de Janeiro – Gn 21

Não tenha medo
Hagar

...Não temas...
Gn 21.17

Quais são os seus "não temas" preferidos na Bíblia? Talvez sua lista inclua estes:

"Não temas... eu sou o teu escudo" (Gn 15.1).

"Não temas, porque eu sou contigo" (Gn 26.24).

"Não temais; aquietai-vos e vede o livramento do Senhor" (Êx 14.13).

"Não temais, ó pequenino rebanho" (Lc 12.32).

Seja sábia e arme-se dos numerosos "não temas" encontrados na Palavra de Deus. Eles a ajudarão a permanecer firme em ocasiões da vida nas quais sentir medo. Então, que tal incluir em sua lista o "não temas" especial que Deus disse à sofredora e abandonada Hagar?

Hagar estava com medo. Sozinha e sem ter onde morar depois de ser mandada embora da tenda de Abraão, Hagar e seu filho Ismael morriam de sede. O máximo que Hagar pôde fazer foi colocar o menino debaixo de um arbusto do deserto, distanciar-se de seus soluços comoventes e chorar aguardando a chegada da morte. De repente, uma voz vinda do céu, de um anjo de Deus, disse a Hagar: "Não temas".

Qualquer batalha será vencida quando você ouvir as palavras "não temas". Portanto, ao se defrontar com as numerosas batalhas da vida, use a armadura dos "não temas" da Bíblia. Em tempos remotos, a armadura defensiva era feita de tecido flexível misturado com aros de metal. Essa vestimenta era usada por cima da roupa como capa protetora nas batalhas. Na verdade, o entrelaçamento do metal era perfeito a ponto de ser quase impossível encontrar um único local onde a armadura pudesse ser perfurada.

Que tal tecer sua armadura contra o medo? Use os "não temas" da Bíblia como elos de seu traje protetor nas batalhas. Vista o equipamento perfeito de Deus – os seus "não temas" – na batalha contra o medo. Afinal, "Deus não nos tem dado espírito de covardia, mas de poder, de amor e de moderação" (2Tm 1.7). Portanto, não tenha medo!

1º de Fevereiro – Gn 21

Faça alguma coisa!
Hagar

Ergue-te, levanta o rapaz...
Gn 21.18

Por intermédio da história da vida de Hagar, Deus lhe oferece um plano eficiente, composto de duas etapas, para que você possa suportar com coragem as aflições da vida e vencer todos os obstáculos:
1ª – Uma ordem negativa: Não temas!
2ª – Uma ordem positiva: Faça alguma coisa!
No caso de Hagar, suas forças, bem como sua fé, estavam exauridas quando Deus enviou a ordem do céu referente à primeira etapa do plano. Chamando Hagar, uma mãe solteira que, ao lado do filho, aguardava a morte no deserto, o Anjo do Senhor ordenou: "Não temas!"
Como a fé deve ser sempre acompanhada de ação, logo a seguir Deus enviou a segunda ordem: "Ergue-te!", ou seja, "Faça alguma coisa! Apoie-se em sua fé!" A mensagem de Deus para aquela frágil fugitiva era: "Levante-se! Não desista! Mexa-se! Não desanime! Vá em frente! Concentre suas energias! Use o pouco que sobrou de suas forças! Prossiga! Parta para a ação!"
Por que partir para a ação? Porque a ação que, nesse caso, significa fazer o que estiver a seu alcance, vence a depressão, afasta a derrota, leva embora o desespero e elimina o desânimo.
Existe algum obstáculo em seu caminho impossível de ser vencido? Você está enfrentando uma situação para a qual não há esperança? Existem problemas insolúveis diante de você? O sofrimento está comprometendo seu crescimento na fé? Sintonize seus ouvidos, seu coração e suas forças na ordem de Deus para você: "Levante-se! Mexa-se! Faça alguma coisa!" Peça a Deus que lhe dê um plano de ação e planeje seu dia! Prepare uma lista do que você pode fazer. Levante-se do chão ou do sofá, saia da cama ou da poltrona! Comprometa-se por um dia, ou pela vida inteira, a avançar para as coisas que estão diante de você. Prossiga para o alvo, para o prêmio da soberana vocação de Deus em Cristo Jesus (Fp 3.13,14). Use a força que Deus lhe prometeu dar por meio de Cristo, aquela força que a capacitará a fazer todas as coisas (Fp 4.13).
Assuma uma atitude positiva que a impulsione para a frente, para cima e a leve a superar seu problema! Aja! De acordo com uma lei da física, um corpo (seja ele humano ou não) em repouso tende a permanecer em repouso, ao passo que um corpo em movimento tende a permanecer em movimento. Mantenha seu corpo em movimento!

2 DE FEVEREIRO – GN 21

Esperança para o amanhã

Hagar

...eu farei dele um grande povo.
Gn 21.18

QUANDO A COMPLETA ESCURIDÃO da morte iminente imobilizou Hagar a ponto de abalar sua fé e deixá-la temerosa e com uma sensação de fracasso, os raios de sol da promessa de Deus começaram a surgir no horizonte. De fato, as misericórdias do Senhor não têm fim. Renovam-se a cada manhã (Lm 3.22,23) e o mesmo ocorre com suas promessas!

Visualize a rejeitada Hagar e Ismael, seu filho adolescente. No meio da aridez do deserto, sem água para beber, os dois permaneceram imóveis, aguardando a morte. Depois de receber um tratamento cruel e injusto, mãe e filho foram lançados, completamente indefesos, no deserto para percorrer o caminho de volta ao Egito, terra natal de Hagar. O fim da vida parecia próximo.

Porém, a situação de emergência de Hagar transformou-se em uma oportunidade para Deus. Em meio à cegueira do medo e à obscuridade do desespero, Hagar vislumbrou um raio de esperança. Um milagre! Dos céus soou a voz de Deus dando-lhe a tranquilidade necessária: "Eu farei dele um grande povo". Sim, havia esperança para o amanhã! E, conforme Deus prometera, Hagar viveu tempo suficiente para ver Ismael crescer, casar-se e tornar-se líder de um grande povo (v. 20,21; Gn 25.12-18).

Você está desfrutando a resplandecente glória das inúmeras promessas que Deus lhe faz, por intermédio da Bíblia, promessas cheias de esperança para o amanhã? Que promessas maravilhosas de Deus você está aguardando? Agradeça a Deus as várias promessas que ele reservou para você, extraídas de sua imensa arca repleta de tesouros de esperança:

- *Sua presença constante para animá-la e guiá-la.* "E eis que estou convosco todos os dias" (Mt 28.20).
- *Um novo corpo.* Ele "transformará o nosso corpo de humilhação, para ser igual ao corpo da sua glória" (Fp 3.21).
- *Uma vida sem tristeza e dor.* "E [Deus] lhes enxugará dos olhos toda lágrima, e a morte já não existirá, já não haverá luto, nem pranto, nem dor" (Ap 21.4).
- *Vida eterna em sua misericordiosa presença.* "Eu lhes dou a vida eterna; jamais perecerão" (Jo 10.28).
- *Descanso para a sua alma.* "Vinde a mim todos os que estais cansados e sobrecarregados, e eu vos aliviarei" (Mt 11.28).

3 DE FEVEREIRO – GN 21

O SENHOR É O MEU PASTOR
HAGAR

...viu ela um poço de água...
Gn 21.19

UM DOS MUITOS NOMES maravilhosos de Deus é *Jeová-jire,* que significa "Deus proverá". Hagar passou a apreciar essa gloriosa verdade quando Deus atendeu às suas necessidades. Ela era uma mulher carente que passou a receber as misericordiosas provisões de Deus. Enquanto você analisa o que Deus concedeu a Hagar, lembre-se de que ele faz o mesmo por você em tempos de necessidade.

- *Conforto:* Hagar e seu filho estavam sozinhos e à beira da morte quando Deus se fez presente. Tomando a iniciativa, Deus salvou mãe e filho, abandonados e perdidos. Deus viu a angústia de ambos, ouviu seus gritos de desespero e confortou-os, tanto física como emocionalmente.

Você está precisando muito do conforto, da presença e da provisão de Deus? Anime-se! Deus vê suas aflições, ouve seus clamores e a conforta em momentos de angústia.

- *Coragem:* Sozinha para criar e cuidar de seu filho, Hagar estava fracassando nessa tarefa. O suprimento de água acabara e não havia ninguém por perto para ajudá-la. Deus, porém, transmitiu coragem à exausta Hagar. "Não temas!", ele disse – palavras que soaram como um brado de esperança vindo do céu.

Você já sentiu o desespero de um fracasso? Já lutou por algo sem ter nenhuma esperança? Não tenha medo! O Senhor conhece todas as suas necessidades.

- *Instrução:* A instrução de Deus foi acompanhada de palavras de ânimo. Deus disse a Hagar: "Levanta o rapaz, segura-o pela mão". Ela não devia desistir da vida, desistir do filho, desistir de Deus. Ao contrário, Hagar devia erguer-se, levantar o rapaz e prosseguir!

Você está precisando de orientação? A Palavra de Deus está repleta de instruções e conselhos. *Jeová-jire* ("Deus proverá") abre com alegria as janelas do céu para deixar fluir sobre você sua preciosa sabedoria em qualquer situação. Basta abrir sua Bíblia.

O amor de Deus por você é insondável. Essas são apenas algumas das provisões celestiais que ele lhe concede graciosamente em sua jornada diária aqui na Terra. Pare, ore e louve ao Senhor agora pelo conforto, coragem e instrução que ele lhe dá. E não esqueça de ler a meditação de amanhã para descobrir três outros tesouros que Deus tem para você!

4 DE FEVEREIRO – GN 21

NADA ME FALTARÁ

HAGAR

...viu ela um poço de água...
Gn 21.19

CONFORME APRENDEMOS ONTEM, nosso Deus maravilhoso é *Jeová-jire,* o Deus provedor, e Hagar foi uma das pessoas beneficiadas pela maravilhosa provisão de Deus. A vida não havia sido boa para Hagar. Ela foi expulsa para as terras áridas do deserto com seu filho Ismael. Quando o suprimento de água acabou e ambos estavam à beira da morte, *Jeová-jire* ouviu seus gritos, viu a terrível situação em que ambos se encontravam e atendeu às suas necessidades. Ontem descrevemos o conforto, a coragem e a instrução que Deus forneceu a Hagar. Contudo, sua lista de ações generosas prossegue:

- *Promessa*: Mostrando que nem tudo estava perdido para seu filho, Deus prometeu a Hagar: "Eu farei dele um grande povo". Quando não havia mais nenhum raio de esperança visível, Deus fez uma promessa a Hagar, enquanto ela segurava o filho pela mão. Incentivada por aquela promessa, Hagar teve forças para prosseguir. Ismael viveria para tornar-se o líder de uma grande nação.

Minha querida, seja qual for sua situação, você recebeu a promessa de ter "todas as coisas que conduzem à vida" (2Pe 1.3). Você também pode prosseguir incentivada pela promessa fiel de Deus.

- *Orientação:* Quer Hagar tenha voltado o olhar para Deus quer não, ele não deixou de olhar por ela e cuidar dela. "Deus abriu-lhe os olhos" e mostrou-lhe um poço nas proximidades. Ele conduziu Hagar, cega de medo e exaustão, com segurança até o poço.

Deus também quer conduzir você. Ele a conduz o tempo todo no meio das pessoas, dos acontecimentos e das circunstâncias de sua vida. Ele é o Bom Pastor que conduz seu rebanho (Sl 23.2,3).

- *Provisão*: Quando Deus abriu os olhos de Hagar, "viu ela um poço de água". Ao notar a terrível situação de Hagar, Deus lhe proporcionou uma nascente, uma fonte, a própria vida! Quando Hagar estava no auge do desespero, *Jeová-jire* concedeu-lhe a fartura de um poço, não apenas um copo de água!

Se você estiver caminhando na presença de Deus hoje – e todos os dias – receberá a promessa de que ele lhe fornece toda a provisão necessária. Você poderá dizer como o salmista: "O Senhor é o meu pastor; nada me faltará" (Sl 23.1)! E poderá juntar-se ao coro das gerações de crentes que cantam: "Tudo o que necessito vem das mãos do Senhor".

5 DE FEVEREIRO – GN 23

AS DIFERENTES ÉPOCAS DA VIDA

SARA

Tendo Sara vivido cento e vinte e sete anos...
Gn 23.1

VOCÊ SABIA QUE SARA é a única mulher que tem a idade mencionada na Bíblia? Deus diz: "Sara viveu cento e vinte e sete anos; esses foram os anos da vida de Sara". Imagine quantas oportunidades surgiram no decorrer das diferentes épocas da longa vida de Sara!

- *Primeira, a época de partir.* Como deve ter sido difícil para a bela e educada Sara partir de Ur, sua terra natal, uma cidade de cultura avançada (Gn 12.1). Não obstante, Deus, por meio de Abraão, pediu a Sara que deixasse para trás todo o esplendor do exuberante vale do rio Eufrates e percorresse um deserto árido na companhia de seu marido em obediência à vontade de Deus.

- *Segunda, a época de aprender.* Uma das lições aprendidas por Sara foi seguir seu marido enquanto ele seguia a Deus "sem saber aonde ia" (Hb 11.8). Em sua obediência, ela perambulou por sessenta anos, sem ter uma casa onde morar.

Aprender a esperar também deve ter sido difícil para aquela impaciente esposa que maquinara um plano para Abraão ter um filho com sua criada, Hagar (Gn 16.2).

Em seguida, houve a difícil incumbência de aprender a confiar na promessa de Deus, proferida reiteradas vezes, de que ele lhe daria um filho. Durante aqueles 25 anos de espera, a confiança/fé de Sara fraquejou e vacilou (Gn 18.12).

- *Terceira, a época de confiar.* Sara também foi a única mulher da Bíblia a ser levada duas vezes para o harém de um líder pagão! Na primeira vez, Abraão disse ao Faraó do Egito: "Ela é minha irmã" (Gn 12.19). Depois, ele repetiu a mentira ao rei Abimeleque (Gn 20.5). Sozinha e afastada de seu marido, Sara aprendeu a confiar em Deus. Aprendeu que "Deus é o nosso refúgio e fortaleza, *socorro bem presente nas tribulações*" (Sl 46.1, destaque da autora)!

- *Finalmente, a época de amar.* Em sua bondade, e no tempo certo, Deus finalmente presenteou a nonagenária Sara com Isaque, seu filho legítimo (Gn 21.7). Como deve ter ela valorizado cada segundo dos 37 anos durante os quais lhe coube o privilégio de ser uma mãe extremamente dedicada a seu filho.

Que época da vida você atravessa neste momento? Aprenda com as lições extraídas da vida de Sara!

6 de Fevereiro – Gn 23

Morre uma mulher piedosa
Sara

...morreu... Sara...
Gn 23.2

Nas cerimônias de casamento, costuma-se dizer aos noivos: "Até que a morte os separe". Finalmente, a morte chegou e separou Abraão de Sara. Sua velha e fiel companheira por mais de sessenta anos foi embora. A morte é certamente o fim da vida terrena temporária, mas, para os filhos piedosos de Deus, ela é a porta de entrada para a vida eterna.

Você já parou para pensar na morte? A ideia que você tem da morte combina com o que Deus diz em sua santa palavra? Medite nestas verdades sobre a morte de um crente e aplique-as a você.

- *Verdade nº 1. A maneira como você morre é tão importante quanto a maneira como você vive.* Paulo escreve: "Porque, se vivemos, para o Senhor vivemos; se morremos, para o Senhor morremos" (Rm 14.8). Então, como você deve encarar a morte? Com ousadia e coragem infatigável, na esperança de que "em nada serei envergonhado" (Fp 1.20). Seu objetivo deve ser o de glorificar e engrandecer a Cristo na vida *e* na morte (Fp 1.20).

- *Verdade nº 2. A maneira como você vê a morte é importante.* O mundo vê a morte como um fim, como a entrada para algo desconhecido, medonho, atemorizador. Porém, para os piedosos filhos de Deus, "morrer é *lucro*" (Fp 1.21, destaque da autora)! Alguém disse que na morte "Deus me despoja de tudo para me dar tudo!"

- *Verdade nº 3. A maneira como você define a morte é importante.* A morte é simplesmente uma partida. Em Filipenses 1.23, Paulo descreve a morte como "partir e estar com Cristo". No grego, essas palavras evocam a imagem de desamarrar as cordas de uma tenda, retirar as estacas e partir. A morte significa isso. Cada dia que você vive aqui na Terra é mais um dia de marcha rumo ao lar, até que, no final, o acampamento deste mundo é desmontado para sempre e trocado por uma morada permanente em um mundo de glória.

As estacas da tenda de Sara foram retiradas definitivamente e ela foi morar na casa do Pai celestial. "Preciosa é aos olhos do Senhor a morte dos seus santos" (Sl 116.15)!

7 DE FEVEREIRO – GN 24

UMA RAINHA DISCRETA
MILCA

...Milca, mulher de Naor...
Gn 24.15

SEU NOME É MENCIONADO NA PALAVRA DE DEUS, mas "não há registro sobre a vida e o caráter dessa filha de Harã".[1] Mesmo assim, que peças podemos juntar para aprender sobre a vida de Milca?

- Seu nome significa *rainha*.
- Era filha de Harã, que também era pai de Abraão.
- Era irmã de Abraão, o amigo de Deus e fundador da nação hebraica.
- Era cunhada de Sara, a formosa mulher de fé.
- Seu marido era Naor, irmão de Abraão.
- Teve oito filhos homens, e o mais novo chamava-se Betuel.
- Era avó da encantadora Rebeca, filha de Betuel, que veio a casar-se com Isaque.

Alguma vez você já se sentiu "um zero à esquerda", como se não tivesse nada especial? Já chegou a pensar que não há nada de significativo em sua vida e em seu caráter que mereça registro? Apesar disso, no fundo do coração, você sabe quanto ama a Deus, quanto procura obedecer-lhe e segui-lo em cada passo de sua caminhada. Você também sabe o quanto custa segui-lo fielmente.

Talvez Milca tenha sido uma mulher assim. Não há registros sobre como era sua vida e seu caráter, mas essa omissão de detalhes não tem importância. Milca representa uma rainha discreta, que pode servir-lhe de exemplo em todos os dias de sua vida. Como você pode seguir seus passos?

- ***Sendo fiel a Deus.*** Quando Abraão precisou encontrar uma mulher piedosa para seu filho único, do qual procederia toda a raça judia, já sabia exatamente onde encontrá-la. Ela seria uma das descendentes de Milca, a mulher de seu irmão. Poucas pessoas acreditavam em Deus e Milca aparentemente era uma delas.
- ***Sendo fiel a seu marido.*** Ao longo dos anos, Milca deve ter amado e servido fielmente a seu marido: na riqueza e na pobreza, na alegria e na tristeza, na saúde e na doença, até que a morte os separasse.
- ***Educando seus filhos de acordo com os ensinamentos de Deus.*** Consta que Milca teve oito filhos homens. Um deles (Betuel) gerou Rebeca, que se casou com o patriarca Isaque.

Quando Abraão procurou uma mulher para dar continuidade à geração do povo de Deus, o fruto da vida de Milca foi colhido. Essa rainha discreta deixou uma semente piedosa em um mundo idólatra.

8 de Fevereiro – Gn 24

Serva especial de Deus

Rebeca

...Sou filha de Betuel...
Gn 24.24

Na Bíblia, encontramos poucas mulheres solteiras. Em Gênesis 24, Deus apresenta Rebeca, uma extraordinária mulher de fé, sempre pronta a servir, que é solteira. Hoje, ao ler sobre a vida da encantadora Rebeca, maravilhe-se diante destas qualidades que a tornaram uma das servas especiais de Deus:

- *A pureza de Rebeca*: Ela era "virgem, a quem nenhum homem havia possuído".

- *A vida atarefada de Rebeca:* Em vez de andar à procura de um marido ou, então, de abater-se, lastimar-se ou choramingar por ser solteira, Rebeca trabalhava ativamente ajudando sua família e outras pessoas.

- *A hospitalidade de Rebeca:* Sua casa estava aberta a todos aqueles que necessitassem de atenção.

- *A energia de Rebeca*: Energia em abundância é sinal de felicidade e a felicidade de Rebeca deu-lhe energia suficiente para ajudar outras pessoas além do normal. Rebeca dedicava-se ao máximo!

Antes de acompanhar a jornada de Rebeca, faça uma pausa para observar o magnífico plano de Deus para essa mulher solteira. Deus chama suas servas especiais para uma vida de:

- *Pureza*: A mulher cristã solteira deve permanecer "santa, assim no corpo como no espírito" (1Co 7.34).

- *Dedicação*: A mulher cristã solteira deve ter uma vida que reflita sua completa dedicação a Deus. Por ser solteira, ela tem o privilégio de poder dedicar-se inteiramente a Deus e cuidar "das coisas do Senhor" (1Co 7.34). Cada dia vivido por uma mulher solteira é um dia glorioso para servir a Deus de todo o coração e sem interrupções. Sua condição de solteira é o "sinal verde" de Deus para que ela esteja sempre ajudando outras pessoas.

Você é solteira, querida filha de Deus? Embora você talvez queira casar-se, "não perca a alegria de viver. Aceite e agradeça a Deus o que ele lhe tem dado e não permita que o que *não lhe foi dado* estrague essa alegria"[2].

9 de Fevereiro – Gn 24

Uma esposa condescendente
Rebeca

...Talvez não queira a mulher seguir-me para esta terra.
Gn 24.5

Como um homem encontra uma esposa? Esse era o problema de Abraão. Porém, a esposa que ele queria encontrar não era para si. Era para seu filho único, Isaque, de 37 anos. "Quem?" e "Como?" eram perguntas que atormentavam Abraão.

Ao compreender que a continuidade de sua geração e o cumprimento da promessa de Deus em fazer de sua família uma grande nação (Gn 12.2) estavam em jogo, Abraão chamou seu servo mais antigo, o fiel Eliezer. Depois de receber um juramento solene de Eliezer, Abraão ordenou a seu servo de 85 anos de idade que fizesse uma viagem de cerca de oitocentos quilômetros, com a incumbência de encontrar uma esposa para Isaque. Essa mulher teria de estar disposta a acompanhar Eliezer de volta, viajando oitocentos quilômetros rumo a um futuro desconhecido, a fim de servir a Deus ao lado de um homem a quem ela ainda não conhecia. Que exigências Deus e Abraão fariam àquela mulher?

- *Ela não devia ser cananeia.* Abraão ordenou a seu servo: "Não tomarás esposa para meu filho das filhas dos cananeus". Uma mulher que pertencesse a esse povo pagão e idólatra levaria Isaque e seus descendentes a se afastarem do Deus verdadeiro.
- *Ela devia fazer parte da família de Abraão.* Ele instruiu Eliezer: "Irás à minha parentela".
- *Ela devia estar disposta a acompanhar Eliezer* de volta à terra de Abraão e Isaque. Uma mulher que fizesse isso estaria disposta a renunciar a tudo, pela fé, em prol do futuro glorioso que Deus *ordenara*.

E agora, querida amiga, como você descreveria sua devoção a Deus, sua disposição em buscar e aceitar o propósito que ele tem para sua a vida? Você está renunciando firmemente ao mundo e suas influências, virando as costas para os seus padrões? Você está seguindo ativamente o Deus da Bíblia, o Deus que você tanto ama? Sendo assim, você terá uma enorme e piedosa influência sobre seu marido, seus filhos e seu mundo. E terá um glorioso futuro pela frente!

10 DE FEVEREIRO – GN 24

A ESPOSA IDEAL

REBECA

...que a moça... seja a que designaste para o teu servo Isaque...
Gn 24.14

Procura-se a esposa ideal

Ela deve ser fisicamente forte e saudável,
ativa e trabalhadeira.
Ela deve ser carinhosa e diligente,
bondosa e compassiva,
generosa e pronta a servir
e dedicada a Deus.
e consagrada a Deus.

ELIEZER, O SERVO FIEL DE ABRAÃO, relacionou as qualidades que buscaria na futura esposa de Isaque, o filho único de seu patrão. Depois de percorrer oitocentos quilômetros, por ordem de Abraão, para encontrar uma esposa para Isaque, Eliezer parou para finalizar sua lista. A longa viagem deixara Eliezer e os dez camelos de sua caravana exaustos e sedentos; portanto, ele resolveu parar à beira de um poço nos arredores da cidade de Naor.

Naquele momento, Eliezer fez mais uma coisa com sua lista de "procura-se": levantou-a em atitude de oração diante do Deus onisciente e onipotente. Ele sabia que somente Deus podia conduzi-lo por uma terra estranha para encontrar uma mulher com tais qualidades. Portanto, ele pediu a Deus que o acudisse.

Levando em consideração os itens que constavam, ou não, da lista de Eliezer, Deus atendeu ao seu pedido!

- Eliezer não mencionou aparência exterior nem riqueza material.
- Ele pediu apenas que a mulher fosse piedosa.
- Ele pediu atributos físicos que pudessem capacitar uma mulher a suportar as inevitáveis dificuldades da vida.

Como é a sua lista de "procura-se"? Quem você deseja ser? Seja casada seja solteira, você está dando mais valor ao caráter piedoso do que à beleza e à riqueza? Você prefere ser benigna e bondosa (Gl 5.22) ou autoritária e bem-sucedida? Ore acerca de seus desejos e procure fazer que seus padrões se ajustem às qualidades que Deus deseja ver em suas servas.

Não seja o seu adorno meramente exterior, como frisado de cabelos, adereços de ouro, aparato de vestuário. Seja, porém, no interior de seu coração, unida ao incorruptível de um espírito manso e tranquilo, que é de grande valor diante de Deus (1Pe 3.3,4).

11 de Fevereiro – Gn 24

Uma mulher trabalhadora
Rebeca

...saiu Rebeca... trazendo um cântaro ao ombro.
Gn 24.15

Certo ou errado, temos a tendência de avaliar o caráter de uma pessoa com base em nosso primeiro encontro com ela. Essa primeira impressão pode ser muito importante.

E não foi diferente quando o servo de Abraão viu Rebeca pela primeira vez. Cansado da longa viagem e incumbido de encontrar uma noiva para Isaque, o único herdeiro das riquezas de Abraão e prometido por Deus, Eliezer aguardou à beira do poço. Aguardou e orou, pedindo a Deus que mandasse uma mulher que lhe oferecesse água para beber. E, antes que terminasse a oração ao Senhor, "saiu Rebeca [...] trazendo um cântaro ao ombro".

Qual foi a primeira impressão que o servo de Abraão teve daquela jovem? Que efeito a encantadora Rebeca lhe causou à primeira vista?

Eliezer constatou imediatamente que Rebeca era uma mulher trabalhadora. Na hora certa, talvez duas vezes por dia, ela carregava seu pesado cântaro de barro até o poço da cidade para apanhar um pouco do precioso líquido e levava-o de volta para casa, dentro da cidade cercada por muros. Rebeca ajudava a cuidar de sua família levando regularmente a água de que todos necessitavam.

Minha querida, faça uma pausa agora e pense em Rebeca. Visualize suas extraordinárias qualidades de diligência e fidelidade. Observe cuidadosamente seu trabalho incansável e sua humildade ao dispor-se a realizar uma tarefa reservada aos criados. Maravilhe-se diante de sua delicada habilidade de fazer qualquer trabalho que lhe pedissem. Admire-se de seu coração prestativo, que colocava as necessidades de sua família acima de qualquer preocupação quanto ao que os outros poderiam pensar dela.

Você considera degradante o trabalho pesado? Acha que deve ser feito por outras pessoas, não por você? Detesta ter de arregaçar as mangas e trabalhar duro em alguma tarefa necessária? Aqui, na Bíblia, Deus elogia a encantadora Rebeca. Se você tem a tendência de menosprezar seu trabalho, permita que as opiniões de Deus acerca de suas belas servas, escritas em Provérbios 31, corrijam seu modo de pensar: "[Ela] cinge os lombos de força e fortalece os braços... A força e a dignidade são os seus vestidos" (Pv 31.17,25). Deus valoriza as mulheres trabalhadeiras e que servem a ele e às pessoas que ele coloca em seu caminho.

12 de Fevereiro – Gn 24

Mais do que o necessário

Rebeca

...Tirarei água também para os teus camelos...
Gn 24.19

Jesus disse às pessoas que estavam ouvindo o Sermão do Monte: "Se alguém te obrigar a andar uma milha, vai com ele duas. Dá a quem te pede" (Mt 5.41,42). Milhares de anos antes de o Filho de Deus ter pronunciado essas palavras, Rebeca estava pondo o princípio em prática.

A cena inicia-se com um homem idoso e seus dez camelos sedentos aguardando perto de um poço em uma cidade da Mesopotâmia. O homem viajara oitocentos quilômetros até a cidade da família de Abraão para encontrar uma esposa para o filho único de seu patrão. "Ó Senhor [...] rogo-te que me acudas hoje", ora o servo, exausto. Antes de ele pronunciar o "amém" ao seu pedido, a bela Rebeca chega ao poço com um cântaro vazio em busca de água para a sua família.

Eliezer, o servo fiel, corre apressado ao encontro dela e diz: "Dá-me de beber um pouco da água do teu cântaro". Qual foi a reação de Rebeca? Sempre graciosa, prestativa e compassiva, ela lhe diz: "Bebe, meu senhor". Em seguida, ela se mostra mais prestativa ainda: "Tirarei água também para os teus camelos, até que todos bebam".

Quantos cântaros de água você acha que Rebeca teve de tirar do poço para satisfazer a sede dos dez camelos? Um camelo é capaz de beber mais de noventa litros de água após uma longa viagem. Não obstante, a generosa e laboriosa Rebeca apressou-se e correu várias vezes até o poço para saciar a sede dos animais exaustos. Rebeca caminhou muitas "milhas a mais" naquele dia extraordinário!

As atitudes e ações de Rebeca, demonstradas naquele dia à beira do poço, são qualidades cujo preço é incalculável. Seu espírito servil brilhou como o sol, revelando a bondade e a sinceridade de seu coração. Ela foi atenciosa, ciente de que alguém necessitava de seus serviços, disposta a ajudar e generosa. Dar de beber ao homem cansado atendeu apenas a uma parte de suas necessidades. Portanto, Rebeca rapidamente serviu água aos seus animais também.

Que tal você seguir hoje o belo exemplo de Rebeca e ficar atenta para saber se há alguém precisando de alguma coisa e fazer mais do que o necessário?

13 de Fevereiro – Gn 24

Uma mulher hospitaleira

Rebeca

...Temos... lugar para passar a noite.
Gn 24.25

Qual é a opinião exata que você tem de seu lar? Você o considera uma dádiva de Deus para ser usado para conforto e bem-estar de outras pessoas? Essa opinião agradaria a Deus, que valoriza a virtude da hospitalidade. Em toda a Bíblia, a hospitalidade, ou o "amor aos forasteiros", é grandemente valorizada, porque a vida no deserto dependia disso.

Eliezer, o servo de Abraão, viajara oitocentos quilômetros no deserto. Quando ele começou a orar à beira do poço acerca de suas necessidades, a encantadora Rebeca apareceu. Depois de retirar água para satisfazer a sede de Eliezer, Rebeca ofereceu-lhe um lugar para descansar e alimentar-se. Com seu gesto hospitaleiro, Rebeca demonstrou mais amor ainda ao forasteiro, dizendo-lhe: "Temos [...] lugar para [o senhor] passar a noite". Dentro da casa da família de Rebeca, Eliezer receberia ajuda, refeição, abrigo e descanso, enfim, tudo o que precisava.

Um lar cristão é o mais belo retrato terreno do céu e um refúgio para a nossa sociedade cansada e estressada. Você não gostaria de abrir seus braços, seu coração e seu lar para aqueles que estão sofrendo? Pense nos adolescentes que moram em lares onde os pais e os irmãos raramente estão presentes, onde são servidas poucas refeições por dia e onde aparentemente ninguém se importa com eles. Pense nos pequeninos que moram ao lado e que poderiam sentir-se agasalhados por alguns momentos em sua cozinha aquecida, distantes dos gritos irados proferidos constantemente em seus lares. Pense nas necessidades de uma viúva que não tem com quem conversar. Pense nos jovens solteiros que estão distantes de seus pais.

Que tal servir uma refeição a um vizinho necessitado? Ou, então, tomar chá ao lado de uma mãe triste que tem problemas com o filho? Ofereça um ombro amigo, uma palavra de incentivo e uma oração sincera a alguém necessitado. A hospitalidade é um assunto do coração, de *seu* coração! Seu lar pode tornar-se um refúgio de descanso para muitas almas abatidas e necessitadas. Todos aqueles que entram em sua casa, atravessam a soleira de sua porta, sentam-se à sua mesa ou descansam em sua cama estão lhe oferecendo uma oportunidade de servir a Deus. Acolha-os em seu lar, doce lar: um lar onde Jesus mora no coração da anfitriã!

14 de Fevereiro – Gn 24

Um passo gigantesco de fé

Rebeca

Ela respondeu: Irei.
Gn 24.58

Falar é uma coisa. Agir é outra. E a ação sempre tem sido um parâmetro para detectar a fé verdadeira. Rebeca teve seu nome incluído na lista das verdadeiras mulheres de fé em Deus quando partiu confiando nele.

Os acontecimentos que culminaram com aquele gigantesco passo de fé começaram com as palavras proferidas cerca de oitocentos quilômetros por Abraão a seu servo Eliezer: "Irás à minha parentela, e daí tomarás esposa para Isaque, meu filho". Quando Eliezer chegou ao destino, a bela Rebeca, filha de Betuel, parente distante de Abraão, convidou-o a hospedar-se na casa de sua família. Enquanto esteve ali, o pai e o irmão de Rebeca consentiram que ela se casasse com Isaque.

No entanto, quando a conversa passou a girar em torno da data da partida de sua querida Rebeca, sua mãe e irmão disseram: "Fique ela ainda conosco alguns dias, pelo menos dez; e depois irá". Quando Eliezer retrucou que precisava retornar imediatamente, eles disseram: "Chamemos a moça e ouçamo-la pessoalmente". Quando perguntaram a Rebeca: "Queres ir com este homem?", a pergunta, na verdade era: "Você quer ir agora, ou esperar um pouco?"

A fé da jovem Rebeca evidenciou-se quando ela respondeu: "Irei". Suas palavras revelaram muito de sua fé. "Irei com um estranho para viver em uma terra desconhecida e ser a esposa de um homem desconhecido. Irei, mesmo que provavelmente nunca veja minha família outra vez... mesmo que eu não tenha tempo para me preparar... mesmo que a vida nômade da família de Abraão seja agitada. Irei!"

Faça um rápido inventário de sua vida de fé. Existe algum ato de fé que você esteja adiando, mesmo que seja por "alguns dias"? Alguma decisão que você esteja protelando? Um passo de fé que esteja transferindo para outro dia? Aguardar pode ser mais fácil, mas o passo mais difícil de fé é o passo mais abençoado. A obediência protelada é, na verdade, desobediência, e a ação deixada para depois adia as bênçãos de Deus. Cada passo de fé é um passo gigantesco rumo ao centro da vontade de Deus... e das bênçãos abundantes do Senhor!

15 de Fevereiro – Gn 24

O CORAÇÃO DE UMA SERVA

DÉBORA

Então despediram a Rebeca... e a sua ama...
Gn 24.59

A VIDA CRISTÃ É DESTINADA A SERVIR AOS OUTROS, um exemplo específico vale mais que mil palavras, quando se trata de compreender o trabalho altruísta das grandes servas de Deus ao longo dos séculos. Débora, criada de Rebeca de longa data, nos oferece um magnífico exemplo de dedicação.

Por trabalhar como escrava, Débora era obrigada a cumprir, sem perguntas e sem demora, os desejos de sua ama. Qualquer que fosse a ordem, Débora devia estar pronta a agir rapidamente, em silêncio, sem questionar.

A ordem recebida naquele momento significava deixar a casa de Betuel, o único lar que ela conhecera, para viajar oitocentos quilômetros e morar com Rebeca em sua nova casa. E ela devia fazer isso imediatamente! Enquanto a família de Betuel conversava sobre o novo rumo dos acontecimentos, Débora tentava acostumar-se à ideia de que na manhã seguinte estaria partindo para Canaã – para sempre!

Débora, porém, era zelosa e prestativa. Seu nome, na verdade, significa "abelha", o que sugere presteza e diligência. Podemos imaginá-la trabalhando ativamente, correndo de um lado para o outro, sempre preocupada em servir.

Você também, minha consagrada seguidora de Deus, é chamada para servir a muitas pessoas, em muitos lugares. Como ser diligente e prestativa como Débora? Tente pôr em prática estas táticas em seu dia-a-dia:

- **Dedique-se ao trabalho com vigor.** Seja qual for seu serviço, aceite o desafio e faça-o "conforme as tuas forças" (Ec 9.10) e com "ânimo para trabalhar" (Ne 4.6). Lembre-se de fazer seu trabalho "de todo o coração, como para o Senhor, e não para homens" (Cl 3.23).

- **Dedique-se ao trabalho com alegria.** Trabalhe com o coração cheio de alegria e com o espírito de serva. Seu trabalho torna-se muito mais prazeroso quando você passa a considerá-lo como uma missão de amor. Tente pensar em seu trabalho com alegria, e não com apreensão. Considere cada tarefa uma oportunidade de servir, e não um serviço enfadonho. Pense que, acima de tudo, você está servindo a Deus e ajudando-o a incutir em você uma atitude positiva em relação a seu trabalho. Cultive o hábito de enfrentar as tarefas diárias, e realize-as da melhor forma possível, de todo o coração, como se fosse para o Senhor. Alegre-se por ter a oportunidade de fazê-las!

16 DE FEVEREIRO – GN 24

MÃE DE MILHÕES
REBECA

Abençoaram a Rebeca...
Gn 24.60

A FAMÍLIA DE REBECA, a quem ela tanto amava, permaneceu à beira da estrada e a abençoou em sua nova vida:

És nossa irmã; sê tu
a mãe de milhares de milhares,
e que a tua descendência possua
a porta dos seus inimigos.

Em 24 horas, a vida mudara muito para todos eles. Como Rebeca, seus pais e irmão podiam imaginar que uma ida rotineira até o poço mudaria o rumo da história da família e, também, a história do mundo? Rebeca foi buscar água para a família como fazia todos os dias. Porém, naquele dia designado por Deus, um forasteiro a aguardava ali. Enviado por Abraão, um parente distante da família de Naor, o forasteiro tinha a incumbência de levar uma esposa para Isaque.

A bondosa e meiga Rebeca deu água ao servo e convidou-o a passar a noite na casa de sua família. Depois do jantar, seu pai e irmão concordaram que Rebeca era a mulher que Deus escolhera para casar-se com o herdeiro de Abraão.

Assim que o sol despontou na manhã seguinte, Rebeca montou em um dos camelos do forasteiro e partiu rumo à misteriosa e distante terra de Canaã para casar-se. Chorando e acenando enquanto a caravana desaparecia no horizonte, levando embora sua querida Rebeca, a família orou e abençoou a filha e irmã que provavelmente nunca mais veriam. Suas orações para que Rebeca se tornasse a mãe de milhões de pessoas foram um eco da promessa de Deus de que os inúmeros descendentes de Abraão seriam vitoriosos (Gn 13.14,15;15.5).

Se você é mãe, minha querida, pense na enorme importância de sua função. Seus filhos são uma bênção e herança do Senhor (Sl 127.3), uma fonte de alegria (Sl 113.9) e devem ser criados na disciplina e na admoestação do Senhor (Ef 6.4). Deus pode usar um filho seu, ao longo do tempo, para exercer influência sobre milhões de pessoas, passando o bastão da fé para muitas e muitas gerações.

17 de Fevereiro – Gn 24

Jornada de Fé
Rebeca

Então, se levantou Rebeca com suas moças e, montando os camelos, seguiram o homem.
Gn 24.61

Nosso maior tesouro é conhecer a vontade do Senhor. Enquanto você ora, buscando seu conselho e vivendo de acordo com o que é revelado na Palavra de Deus, descobrirá o que ele deseja para você em seus afazeres diários. Aprenda mais com este simples ABC, baseado na vontade de Deus para Rebeca e seu casamento com Isaque:

Aconselhe-se com Deus. Por meio da oração e da leitura da Palavra de Deus, você poderá ter acesso ao coração e à mente do Senhor.

Busque ter mais fé. A necessidade de tomar uma decisão nunca é motivo para negligenciar seus deveres. Deus conduz seu povo se ele lhe for obediente em todos os dias da vida.

Consulte outras pessoas. "Não havendo sábia direção, cai o povo, mas na multidão de conselheiros há segurança" (Pv 11.14).

Decida sozinha. Você pode ser obediente, buscar e pedir, mas é você quem deve decidir se obedecerá à vontade de Deus.

Execute sua decisão. Assim que você conhecer qual é a vontade de Deus, a demora em obedecer a ele se transformará em desobediência. Aja imediatamente.

Aconselhe-se com Deus. O servo de Abraão orou com fervor e especificamente para encontrar a esposa certa para Isaque.

Busque ter mais fé. Rebeca foi conduzida à segunda fase da vontade de Deus para a sua vida enquanto servia fielmente sua família nos afazeres diários.

Consulte outras pessoas. O pai e irmão de Rebeca a aconselharam e concordaram com seu casamento com Isaque.

Decida sozinha. Os membros da família concordaram, a vontade de Deus foi delineada, mas Rebeca precisou se dispor a lhe obedecer.

Execute sua decisão. Em vez de protelar, Rebeca agiu imediatamente e iniciou sua jornada de fé pela fé!

18 DE FEVEREIRO – GN 24

SER UMA ESPOSA

REBECA

Isaque... tomou a Rebeca, e esta lhe foi por mulher.
Gn 24.67

QUE MOMENTO ROMÂNTICO E COMOVENTE quando finalmente Rebeca e Isaque se tornaram marido e mulher!

Após despedir-se da família, com um misto de alegria e tristeza, e depois de uma longa jornada pelo deserto, Rebeca avistou de longe seu futuro marido, Isaque. Ele estava no campo naquele fim de tarde, quando a caravana de Rebeca chegava lentamente depois de uma exaustiva viagem de oitocentos quilômetros. Isaque, caminhando e meditando, orando e aguardando, viu os camelos se aproximarem. "Será?", deve ter pensado. Será que o velho servo encontrara uma esposa para ele?

Deus seja louvado! A resposta aos clamores de seu coração foi: "Sim!" E "Isaque conduziu-a até à tenda de Sara, mãe dele, e tomou a Rebeca, e esta lhe foi por mulher. Ele a amou". Rebeca, uma das grandes mulheres de fé da Antiguidade, deu o passo seguinte para cumprir o divino propósito de Deus para a sua vida. Daquele dia em diante, Rebeca empenhou-se em ser a esposa amável que Deus queria que ela fosse. Se você for casada, grave em seu coração estas orientações de Deus.

- *Deixe* sua família e acompanhe seu marido. Quando você se casa, liberta-se para sempre da jurisdição de seus pais para unir-se com alegria a seu marido. Ele – e não seus pais nem irmãos – é quem deve ser a pessoa mais importante de sua vida (Gn 2.24).

- *Ajude* seu marido. Deus ordena que você seja prestativa, use suas forças para colaborar nas responsabilidades, tarefas e objetivos de seu marido (Gn 2.18).

- *Seja submissa* a seu marido. Apenas uma pessoa de cada vez pode conduzir com sucesso qualquer organização ou instituição. E, em seu lar, Deus deu a seu marido a difícil incumbência da liderança. Você deve acompanhá-lo (Gn 3.16; Ef 5.22).

- *Respeite* seu marido. Como é bom estar na companhia de uma esposa que respeita o marido! Ela demonstra o respeito que sente por ele. Ela o deixa transparecer por meio de palavras. Ela trata o marido como se estivesse tratando o próprio Cristo. Esta é uma ordem sublime de Deus que também se aplica a você (Ef 5.33).

19 de Fevereiro – Gn 25

O tempo certo de Deus
Rebeca

...ela era estéril...
Gn 25.21

Os caminhos de Deus não são os nossos caminhos (Is 55.8,9), e o tempo de Deus nem sempre é o nosso tempo (Ec 3.1). A linda noiva Rebeca teve de aprender essas duas lições acerca dos planos de Deus.

O casamento de Isaque e Rebeca começou da maneira certa: cercado de oração. Foi um casamento abençoado no céu.

Havia, porém, um problema... Vinte anos haviam passado e nada de filhos. Nenhum bebê para amar. Nenhum bebê para dar continuidade à família. Nenhum bebê para representar em carne e osso a fidelidade de Deus à sua promessa (Gn 12.2).

Imagine um problema como esse sendo resolvido nos dias de hoje: consultas médicas; pais sendo informados sobre o problema; explicações para os amigos; e maridos, em alguns casos, sendo alvo de raiva, censura, menosprezo e críticas. As emoções passam rapidamente da surpresa para a tristeza, do medo para o pânico. Discussões e queixas, misturadas com lágrimas de desânimo e depressão, ecoam nos lares onde não existem filhos para a bênção e alegria dos pais.

Que palavras de conselho Rebeca e Isaque, o casal abençoado por Deus, teriam para nós hoje, nas ocasiões em que nossos sonhos forem malogrados?

Apenas uma palavra: Ore. "Isaque orou ao Senhor por sua mulher, porque ela era estéril; e o Senhor ouviu-lhe as orações, e Rebeca, sua mulher, concebeu." Pela oração, Rebeca ficou inserida no plano de Deus e sincronizada com o seu tempo. O caminho e o tempo de Deus serão conhecidos no momento em que ele considerar oportuno.

> Como filetes de coral no fundo do mar,
> Tão lindos e de tanta singeleza,
> Os planos de Deus não são revelados
> Com precipitação como os dos homens.[3]

Pelo que você está aguardando, minha querida? Ore a Deus e conte a ele os desejos de seu coração. Viva cada dia com alegria e confiança de que sua vida, assim como ela é, faz parte do plano perfeito de Deus e de seu tempo perfeito. Desfrute a paz de Deus que excede todo o entendimento... por mais um dia.

20 de Fevereiro – Gn 25

Pedindo por meio da oração

Rebeca

E [ela] consultou ao Senhor.
Gn 25.22

A MADEIRA DE UMA ÁRVORE se desenvolve um pouco mais a cada ano de vida. A nova madeira do tronco nutre as raízes, os frutos e as flores da árvore, e é um sinal evidente de seu crescimento. Assim como uma árvore, Rebeca também se desenvolvia à medida que aprendia novas lições de vida. Uma dessas lições foi que a oração é a melhor maneira de lidar com os acontecimentos e as dificuldades. As duas maiores bênçãos na vida de Rebeca foram recebidas enquanto alguém orava:

- *Bênção nº 1*: O servo de Abraão orou para encontrar uma noiva para Isaque e Deus o conduziu até Rebeca (Gn 24). A oração foi o fator chave para que Rebeca se tornasse mulher de Isaque.

- *Bênção nº 2*: Rebeca continuava estéril após vinte anos de casamento. Isaque orou a Deus e ela concebeu. Mais uma vez, a oração foi o fator-chave para que ela engravidasse.

No entanto, surgiu um novo problema. Rebeca estava grávida, mas sua gravidez era "problemática". Sentindo uma estranha agitação em seu ventre, ela perguntou a si mesma: "Se tudo está bem, por que estou me sentindo assim?"

Ao mesmo tempo em que as preocupações aumentavam com o decorrer da gravidez, em Rebeca também se desenvolvia o fruto do crescimento espiritual. Ela "consultou ao Senhor" e o poder de Deus deu-lhe forças para que passasse a depender totalmente dele. Rebeca não se decepcionou. O Senhor falou com ela.

Deus também ouve suas orações quando você clama a ele (Sl 4.3). Assim como Rebeca, você também pode depender cada vez mais do poder de Deus e de seu amor, se orar a ele em momentos de dificuldade. A oração a ajudará a enxergar seus problemas à luz do poder de Deus, em vez de enxergar Deus à sombra de seus problemas. A oração também produz outros frutos:

- A oração faz você discernir melhor o que realmente está necessitando.

- A oração aumenta o valor que você dá às respostas de Deus.

- A oração permite que você amadureça e use com mais sabedoria as dádivas que Deus lhe dá.[4]

Seja qual for seu sofrimento ou problema, sua provação ou tentação, sua aflição ou tristeza, siga os passos de fé de Rebeca e consulte o Senhor. Ore a ele. Siga o conselho do antigo hino: "Conta-lhe isso em oração".

21 DE FEVEREIRO – GN 25

ANSIEDADE TRANSFORMADA EM SÚPLICA
REBECA

Respondeu-lhe o Senhor...
Gn 25.23

TODOS TÊM LUTAS. Lutas no casamento, nas finanças, nos problemas de saúde, na família, na carreira profissional, no emprego, nas amizades e nas tentações.

Para a bela Rebeca, no entanto, a luta foi literalmente interna. Sua primeira gravidez após vinte anos de casamento com Isaque não estava transcorrendo bem. Dentro de seu ventre, havia uma grande agitação, causando-lhe uma sensação de desconforto.

Como Rebeca lidou com a ansiedade? Recorreu à única pessoa que poderia ajudá-la: "E [ela] consultou ao Senhor". A resposta para a sua oração, bem como o alívio para o seu problema, estavam nas mãos de Deus. Ninguém mais poderia ajudá-la.

- Primeiro, só Deus sabia que Rebeca estava grávida de gêmeos. Deus forma o corpo de cada criança no útero de sua mãe e ele vê sua compleição. Os gêmeos de Rebeca foram os primeiros que a Bíblia registra e só Deus podia fornecer-lhe aquela informação (veja Sl 139.13-16).

- Segundo, só Deus conhecia o futuro dos gêmeos. A resposta de Deus à pergunta de Rebeca: "Se é assim, por que vivo eu?" continha uma profecia a respeito de seus filhos gêmeos. "Duas nações há no teu ventre, dois povos, nascidos de ti, se dividirão: um povo será mais forte que o outro, e o mais velho servirá ao mais moço." Os gêmeos quebrariam uma tradição – o mais velho serviria ao mais moço – e os dois lutariam entre si quando cada um deles se tornasse uma nação.

Rebeca demonstrou sua fé em Deus quando orou a ele e o inquiriu. Nos momentos de perplexidade, inquietação, preocupação e angústia, ela transformou sua ansiedade em súplica.

E quanto a você, que tal pôr em prática o exemplo de Rebeca e também transformar a ansiedade em súplica? Que tal levar suas lutas diárias... ao santuário de Deus (Sl 73.17), ao Senhor, e estendê-las perante ele (2Rs 19.14), e ao trono da graça do Todo-poderoso (Hb 4.16)?

22 de Fevereiro – Gn 26

Fé versus medo

Rebeca

É minha irmã...
Gn 26.7

Da mesma forma que ocorre com você, ano após ano de sua vida Rebeca teve de enfrentar numerosas provas de fé. Até então, ela já havia obtido êxito em uma série de provas de fé muito significativas:

- ***Separação***: Rebeca deixara sua família e sua terra natal para casar-se com o filho de Sara e Abraão, o único herdeiro da promessa de Deus que faria dos descendentes de Abraão um grande povo (Gn 12.2).
- ***Casamento***: Com o passar do tempo, Rebeca precisou adaptar-se à vida de casada e a seu marido.
- ***Falta de filhos***: Ao longo de duas décadas, Rebeca esperou a chegada de um filho, esperou a promessa ser cumprida, esperou em Deus e aprendeu as lições de fé que somente a espera pode ensinar (Gn 25.21).
- ***Maternidade***: Finalmente, não um, mas dois bebês nasceram! A fé de Rebeca aumentou consideravelmente quando ela se tornou a mãe dos primeiros gêmeos mencionados na Bíblia.

Havia, porém, só uma coisa com a qual Rebeca não sabia lidar: sua extraordinária beleza, que lhe apresentou mais um teste de fé.

A razão para o teste foi uma fome que assolou a Terra. Deus instruiu especificamente o marido de Rebeca a permanecer onde estava durante o período de fome. Isaque permaneceu ali pela fé, mas por medo mentiu a respeito de Rebeca, dizendo ao rei dos filisteus: "Ela é minha irmã". Isaque temia que, se dissesse: "Ela é minha mulher", os homens do local o matassem por causa de Rebeca, por ela ser muito formosa.

O que você teria feito? Como você costuma enfrentar o medo? Você entra em pânico? Foge? Prostra-se ao chão? Ao longo dos tempos, as filhas de Deus optaram por confiar nele. Na próxima vez que você ficar paralisada pelo medo, lute contra ele usando esta fórmula de fé:

Confie em Deus, não em seu marido (1Pe 3.1,2).
Recuse-se a sucumbir ao medo (1Pe 3.6).
Esteja certa de que Deus sempre a protege (Sl 23.7).
Inspire-se e fortaleça seu espírito com as promessas de Deus (2Pe 1.4).
Agradeça a Deus a proteção que ele lhe prometeu (Is 41.10).

23 DE FEVEREIRO – GN 29

GALERIA DAS MULHERES FIÉIS A DEUS
RAQUEL

Raquel... vem vindo...
Gn 29.6

O INSTITUTO SMITHSONIAN, em Washington, nos Estados Unidos, exibe fotografias de todas as primeiras-damas norte-americanas. Cada esposa de presidente é retratada com o vestido usado no baile da cerimônia de posse do marido. É emocionante observar a expressão no rosto daquelas mulheres, que foram o esteio dos líderes de uma grande nação.

Deus também tem uma "galeria de retratos" de grandes mulheres. Elas aparecem na Bíblia e você está convidada a observar atentamente essas vidas que exibiram tanta fé no decorrer dos séculos e aprender muito com elas – hoje e durante toda a vida – por meio do estudo da Palavra de Deus. Até agora, você já teve a oportunidade de admirar os retratos de muitas servas de Deus, mais recentemente de Sara e de Rebeca. Em breve, veremos o retrato de Raquel incluído na galeria de obras-primas de Deus.

Como uma mulher ganha lugar de destaque na grande galeria da fé organizada por Deus? E, acima de tudo, como ter seu retrato ao lado do das grandes mulheres de fé ao longo dos tempos? João 1.12 lhe diz como: "Mas, a todos quantos o *receberam*, deu-lhes o poder de serem feitos filhos de Deus; a saber: aos que *creem* no seu nome" (destaque da autora).

Receber: Para tornar-se filha de Deus, você precisa receber Jesus Cristo como seu Salvador pessoal e reconhecer que ele morreu para redimir seus pecados.

Crer: Jesus Cristo é a Palavra de Deus viva e Deus pede que você o aceite como o Deus que se fez carne e deposite sua fé nele como seu Salvador e Senhor.

Você é filha de Deus? Já entregou sua vida a Jesus Cristo? Recebeu, pela graça, o dom da salvação e da vida eterna concedido por Deus, por meio de Jesus Cristo? Quando você acredita em Jesus como o Deus que se fez carne e o recebe, pela fé, dentro de seu coração e de sua vida, pode orgulhar-se de ter o título de "filha de Deus". Somente a ilustre posição de "filha de Deus" a qualifica para ter um lugar na grande galeria do céu.

24 DE FEVEREIRO – GN 29

DEUS NAS SOMBRAS
RAQUEL

...chegou Raquel com as ovelhas de seu pai...
Gn 29.9

OS ESPECIALISTAS EM ETIQUETA DIZEM que devemos mencionar algumas informações pessoais quando nos apresentamos a alguém. Neste ponto de nossa jornada pela Bíblia, Deus nos apresenta a Raquel, outra extraordinária mulher solteira, e nos fornece algumas informações sobre ela:

- *Sua família*: Raquel era filha de Labão, irmão de Rebeca, e portanto pertencia à linhagem de Abraão.
- *Seu trabalho*: Raquel era pastora. Na verdade, o nome *Raquel* significa "ovelha".
- *Sua aparência*: "Raquel era formosa de porte e de semblante". Assim como sua tia Rebeca, ela possuía uma aparência encantadora.

Deus também nos apresenta Jacó, outra pessoa importante para ele e que, em breve, será importante para Raquel.

- *Sua família*: Jacó e Esaú, seu irmão gêmeo, eram filhos de Isaque e netos de Abraão. Sua bela mãe, Rebeca, viera da terra natal de Raquel.
- *Sua situação*: O favoritismo, o ciúme e a mentira forçaram Jacó a fugir para a terra natal de Raquel a fim de não ser morto por Esaú. Além do mais, Isaque aconselhara Jacó a encontrar uma esposa que pertencesse à sua família (Gn 28.2).

Por meio da soberana providência de Deus, esses dois jovens solteiros foram apresentados um ao outro. Como Deus aproximou Raquel de Jacó? 1) Deus usou *pessoas*. Os laços que uniam as famílias de Raquel e Jacó os qualificaram para ser marido e mulher. 2) Deus usou *situações comuns*. Seguindo uma rotina diária, Raquel foi até o lugar onde Jacó estava. 3) Deus usou *circunstâncias*. Forçado a abandonar seu lar, Jacó conheceu Raquel na terra onde ela morava.

Faça um inventário das *pessoas, situações comuns e circunstâncias* de sua vida. Mesmo que esses elementos não sejam os ideais, agradeça a Deus porque ele prometeu fazer que "todas as coisas", inclusive as pessoas problemáticas, as situações traumáticas e as circunstâncias difíceis de sua vida, cooperem para o bem daqueles que amam a Deus, ou seja, você (Rm 8.28). Deus está sempre trabalhando ativamente, às vezes em plena luz, outras vezes nas sombras.

25 de Fevereiro – Gn 29

Dias comuns
Raquel

...chegou Raquel com as ovelhas de seu pai...
Gn 29.9

O DIA DE RAQUEL começara como outro qualquer. Enquanto fazia mentalmente uma lista de suas tarefas, ela nem imaginava que sua vida passaria por uma mudança dramática. Alguma coisa, porém, aconteceu naquele dia que mudou tudo para sempre.

O primeiro item da lista das tarefas de Raquel era muito importante e de grande responsabilidade: "dar água ao rebanho de seu pai". Ao aproximar-se do poço, naquela tarde, Raquel notou a presença de um desconhecido. Ele estava com outros pastores, esperando que eles removessem a grande pedra da boca do poço para dar água ao rebanho. Raquel surpreendeu-se quando o belo desconhecido caminhou apressado até o poço, levantou a pedra e começou a dar água ao rebanho dela. Depois disso, ele a beijou, chorou e contou que era parente de seu pai.

Essa cena foi o início do namoro entre Raquel e Jacó. O dia comum da moça transformara-se em fora de série, marcando o início de uma nova vida. O desconhecido seria seu marido!

Como uma mulher solteira encontra o homem de seus sonhos? Aprenda com a experiência de Raquel.

- **Raquel era uma mulher laboriosa**. Quando Jacó chegou, ela estava no lugar onde deveria estar (no poço da cidade), fazendo o que deveria fazer (dando água ao rebanho de seu pai).

- **Raquel era fiel**. "Deus não tem em alta consideração aqueles que são infiéis nos lugares em que devem estar", observou um sábio desconhecido. Cuidar do rebanho de seu pai e saciar-lhe a sede eram responsabilidades de Raquel. Quando ela precisou deixar de cumprir fielmente essas tarefas, Deus lhe deu outras responsabilidades: de esposa e mãe.

Se você é solteira e está à procura de um companheiro, não espere por milagres. Não procure coisas mirabolantes. Volte os olhos para os fatos mais comuns. Deus costuma revelar seus planos divinos por meio das situações simples e comuns. Ele dirige seus passos quando você está trabalhando ativamente e permanece fiel às suas obrigações atuais. Portanto, preocupe-se em agradar ao Deus do Universo, em vez de sair à procura de um marido.

26 de Fevereiro – Gn 29

Dois tipos de beleza

Lia

Lia tinha os olhos baços...
Gn 29.17

Não seja o adorno das esposas o que é exterior, como frisado de cabelos, adereços de ouro, aparato de vestuário; seja, porém, o homem interior do coração, unido ao incorruptível de um espírito manso e tranquilo, que é de grande valor diante de Deus (1Pe 3.3,4).

Esses versículos da Bíblia fornecem às servas de Deus de todas as eras padrões para o tipo de beleza que ele valoriza. Grave em seu coração os conselhos de Deus sobre a beleza:

- **Cultive a beleza de seu coração.** Deus valoriza o caráter piedoso, que sempre brilha por meio do comportamento exterior. Portanto, preocupe-se em enfeitar seu coração, seguindo os passos de Jesus.
- **Aprimore a beleza de um espírito sereno e gentil.** Esse é o seu ornamento mais precioso. Deus valoriza a graça de um espírito calmo e tranquilo e não roupas e joias caras.
- **Preocupe-se com a beleza interior, que é preciosa aos olhos de Deus.** É somente a Deus que você deve honrar. Seu supremo objetivo na vida deve ser agradar a ele.

Lia, uma das servas do Senhor, foi destinada a viver à sombra de sua bela irmã, Raquel. Além de ser menos atraente que sua irmã, Lia – cujo nome significa "cansada" ou "enfraquecida por doença"–, também tinha um defeito físico. A Bíblia menciona que seus olhos eram baços, desbotados e inexpressivos. Olhos como os dela eram considerados defeituosos.

Você não se sente feliz por Lia, e por si mesma, pelo fato de Deus preocupar-se mais com a beleza interior? Você deve sentir-se feliz "porque o Senhor não vê como vê o homem. O homem vê o exterior, porém o Senhor, o coração" (1Sm 16.7).

Tome a iniciativa de cultivar sua beleza interior, que é preciosa aos olhos de Deus, passando uma parte de cada dia na presença do Senhor e contemplando sua beleza (Sl 27.4). E, enquanto estiver contemplando a glória do Senhor, você será transformada à sua imagem pelo Espírito do Senhor (2Co 3.18). Só assim você será verdadeiramente bela... aos olhos de Deus!

27 de Fevereiro – Gn 29

Beleza que emerge das cinzas
Lia

À noite, conduziu a Lia, sua filha, e a entregou a Jacó...
Gn 29.23

LABÃO, PAI DE LIA, ERA UM MESTRE em enganar as pessoas e, infelizmente, usou Lia como marionete em um de seus esquemas mais astutos. Por causa de seu pai, Lia foi usada, maltratada e rejeitada. Observe estes detalhes:

- Jacó, primo de Lia e Raquel, que veio de uma terra distante, chegou à casa de seus parentes em Padã-Arã para encontrar uma noiva (Gn 28.2).
- Raquel, a bela irmã de Lia, conheceu Jacó à beira do poço da cidade, e os dois apaixonaram-se à primeira vista.
- Labão, pai de Raquel, contratou Jacó para trabalhar sete anos para ele em troca da mão de Raquel. Na noite do casamento, Labão substituiu Raquel por Lia, a qual tinha um defeito físico.
- O resultado? Lia foi usada pelo pai, rejeitada pelo marido e invejada pela irmã (Gn 30.1).

A decepção faz parte da vida, mas, estando com Deus, você pode sair vitoriosa. Como tem sido sua vida? Que decepções você já enfrentou? Você já foi usada injustamente por alguém? Enganada por um amigo, amiga ou parente? Rejeitada por alguém que você amava e em quem confiava?

Console-se, porque Deus transforma as cinzas de sua vida em beleza (Is 61.3). Lia não era bonita – as circunstâncias de sua vida também não eram –, mas Deus lhe concedeu beleza em troca dessas cinzas. Analise o final da vida de Lia e veja a beleza que emergiu das cinzas de sua decepção:

- Ela teve um marido. Por ter olhos defeituosos, provavelmente não teria se casado.
- Ela teve filhos. Provavelmente nunca teria tido filhos.
- Ela foi a mãe de seis dos doze homens que lideraram as doze tribos de Israel (Gn 35.23).
- Ela foi mãe de Judá, de cuja descendência nasceria o Salvador, Jesus Cristo (Ap 5.5).
- Ela, e não Raquel, foi a esposa legítima de Jacó (Gn 49.31).

Junte as cinzas de sua vida, minha amiga, e ofereça-as a Deus. Permita que ele as transforme em algo belo... no tempo dele.

28 de Fevereiro – Gn 29

Os olhos do Senhor

Lia

Vendo o Senhor que Lia era desprezada...
Gn 29.31

Humilhação. Opressão. Sofrimento. As pessoas que já passaram por aflições também conhecem a proteção das promessas de Deus. Recebemos a garantia de que "perto está o Senhor dos que têm o coração quebrantado, e salva os de espírito oprimido. Muitas são as aflições do justo, mas o Senhor de todas o livra" (Sl 34.18,19)!

Lia passou por aflições. Foi enganada, usada e rejeitada; seu coração estava oprimido e quebrantado. Por ser a irmã feia da formosa Raquel e filha do enganador Labão, Lia casou-se com um homem que não a amava. E, para piorar a situação, seu marido, Jacó, casou-se posteriormente com sua irmã Raquel; "mas Jacó amava mais a Raquel do que a Lia".

Deus, porém, em sua onisciência, conhece tudo sobre seus filhos amados e vê tudo o que se passa na vida deles, tudo o que os prejudica ou magoa, tudo o que lhes causa sofrimento. Deus observou a condição inferiorizada de Lia: "Vendo o Senhor que Lia era desprezada..." e Deus tomou uma atitude: "...fê-la fecunda" e permitiu que Raquel permanecesse estéril.

Em seus momentos de sofrimento, lembre-se do olhar do Senhor. Nada do que lhe acontece passa despercebido a Deus. Ele vê tudo o que ocorre em sua vida.

Porque quanto ao Senhor, seus olhos passam por toda a terra, para mostrar-se forte para com aqueles cujo coração é totalmente dele (2Cr 16.9).

Eis que os olhos do Senhor estão sobre os que o temem, sobre os que esperam na sua misericórdia (Sl 33.18).

Em seus momentos de sofrimento, lembre-se de que, no tempo certo, Deus a defenderá: "Fará sobressair a tua justiça como a luz, e o teu direito como o sol ao meio-dia" (Sl 37.6).

Em seus momentos de sofrimento, lembre-se de olhar para o Senhor. Ore valendo-se destas palavras sinceras de outro homem piedoso que olhou para o Senhor: "Não sabemos nós o que fazer; porém os nossos olhos estão postos em ti" (2Cr 20.12).

1º DE MARÇO – GN 29

O QUE EXISTE EM UM NOME

LIA

O Senhor atendeu à minha aflição.
Gn 29.32

O QUE EXITE EM UM NOME? Muita coisa! Nos tempos bíblicos, os nomes dados aos recém-nascidos eram muito significativos. O nome expressava os sentimentos dos pais e, muitas vezes, fazia alusão às circunstâncias da história da família. Geralmente, o relacionamento que os pais desfrutavam com Deus evidenciava-se no nome do bebê. Por meio do nome dado ao filho, as mães e os pais transferiam suas expectativas, sua fé ou um pouco de sua sabedoria arduamente adquirida. Foi o que sucedeu com Lia, uma das notáveis servas de Deus ao longo dos tempos. Ao acompanhar a jornada de Lia rumo à maturidade espiritual, você verá que, assim como os anéis do tronco de uma árvore marcam seu crescimento, os nomes de seus filhos também marcaram seu crescimento espiritual no Senhor.

Lia teve a infelicidade de dividir seu marido, Jacó, com sua irmã, Raquel. A Bíblia diz que Jacó "amava mais a Raquel do que a Lia" e que Lia "era preterida". Tanto Lia como Raquel eram estéreis, mas o Senhor "fê-la fecunda"; assim, Lia concebeu e deu à luz um filho.

Enquanto aconchegava seu bebê junto ao peito, Lia deu-lhe o nome de *Rúben*, que significa "Vejam, um filho!" ou "Eis um filho!" Lia disse: "O Senhor atendeu à minha aflição, por isso agora me amará meu marido".

Então, o que existe em um nome? No nome *Rúben* vemos os desejos e anseios de Lia em relação a seu casamento. Ela esperava que Jacó, seu marido de quase noventa anos, passasse a amá-la por ela lhe ter concedido seu filho primogênito! Essa era sua esperança como mulher.

Implícito no significado do nome de seu bebê estava a feliz surpresa de Lia diante da compaixão de Deus para com ela. Ao dar o nome de *Rúben* a seu filho, ela reconheceu e agradeceu a bondade de Deus e sua providência. Deus viu sua aflição e a favoreceu. Lia ficou tão feliz que transmitiu essa felicidade ao filho. Para Lia, desprezada pelo marido, Rúben seria sempre a prova pessoal do amor misericordioso de Deus.

Oração: Obrigada, Senhor, por sabermos que a ausência de bênçãos terrenas revela a presença de teu amor eterno.

2 DE MARÇO – GN 29

Oração respondida
Lia

...Soube o Senhor que [eu] era preterida...
Gn 29.33

"DE NOVO CONCEBEU LIA, e deu à luz um filho." Portanto, a história de Lia, a esposa preterida, continua.

Dividir o marido com sua irmã, Raquel, tornava-se cada vez mais difícil para Lia. Nem ela nem Raquel podiam ter filhos... até o Senhor tornar Lia fecunda. Com que ansiedade ela esperara que seu filho primogênito pudesse ajudá-la a conquistar o amor do marido! Mas nada mudara.

Ao saber que estava grávida novamente, Lia deve ter imaginado que uma segunda criança, um segundo filho, talvez modificasse a situação. Quem sabe Jacó começaria a preocupar-se com ela. Porém, de novo, nada mudou. Na verdade, a situação piorou. A mensagem era clara: Jacó não amava Lia. Houve ocasiões em que ela achou que ele a odiava.

No entanto, enquanto aconchegava seu segundo filho, Lia deu-lhe o nome de *Simeão*, que significa "ouvir". Ela disse: "Soube o Senhor que [eu] era preterida, e me deu mais este [filho]".

Existe algum problema, alguma provação, alguma carência em sua vida? Existem tristezas que você precisa enfrentar todos os dias, desde o alvorecer até o pôr-do-sol? Existem fardos pesados demais, fazendo seu corpo e sua alma se curvarem? Permita que Lia lhe mostre o caminho para suavizar tal sofrimento.

No nome que Lia escolheu para seu segundo filho está a evidência do início de uma vida de oração. Com a chegada do primeiro filho, ela esperava conquistar o amor de seu marido. Quando suas esperanças morreram, Lia passou a orar. Evidentemente, ela estava angustiada por causa da rejeição do marido e orou em relação a isso. O segundo bebê nasceu porque Deus ouviu a oração de Lia. Para Lia (e para você) o nome *Simeão* representava a evidência constante de uma oração respondida.

Você está orando, minha querida amiga? Derrame suas lágrimas ao pé da cruz, colocando diante de Deus suas angústias. Pense nos detalhes de seus problemas e leve-os ao trono de Deus. Invoque o Senhor e contemple suas magníficas e poderosas respostas. Lance sobre o Senhor toda a sua ansiedade, porque ele cuida de você e ouve suas orações.

Alguém que já não está mais aqui conosco disse: "As preocupações e os problemas levam-me a orar, e a oração leva embora os problemas e as preocupações".[1] Ó, querida amiga que ama a Deus, olhe para ele neste momento!

3 DE MARÇO – GN 29

DOIS PASSOS PARA A FRENTE
LIA

Agora... se unirá mais a mim meu marido, porque lhe dei à luz três filhos...
Gn 29.34

ANO APÓS ANO, o problema de Lia aumentava. Jacó parecia amar Lia cada vez menos e amar Raquel cada vez mais.

Porém, ano após ano, a família de Lia aumentava. Primeiro nasceu Rúben, depois Simeão e, agora, ela carregava outro filho recém-nascido nos braços.

E, ano após ano, a fé de Lia aumentava. Durante a gravidez de seus dois primeiros filhos, ela passou a conhecer melhor a Deus e a confiar mais nele. Deus a livrara da esterilidade, e ela gerou seu Bebê nº 1. A escolha do nome *Rúben* refletiu sua profunda gratidão a Deus. O nome soa como "o Senhor atendeu à minha aflição" e significa "Eis um filho!" Ela sabia que Rúben era uma dádiva de Deus. Em seguida, chegou o Bebê nº 2, a resposta de Deus às suas orações. Ao dar-lhe o nome de *Simeão,* Lia novamente agradeceu a Deus: "Soube o Senhor que [eu] era preterida, e me deu mais este [filho]".

No entanto, após a chegada do terceiro filho, Lia pareceu esquecer-se de Deus e passou a confiar na capacidade humana. Talvez ela tivesse pensado: "Com certeza, agora que dei três filhos a Jacó, ele me amará! Sei que ele está emocionado com as crianças. Quem sabe agora conquistarei o coração dele".

Transbordando de esperança e confiança em sua capacidade física de gerar filhos, Lia olhou para seu filho recém-nascido e deu-lhe o nome de *Levi,* que significa "unido, associado". "Agora, desta vez, se unirá mais a mim meu marido, porque lhe dei à luz três filhos." Ela pensava e esperava que, com o nascimento de Levi, seu marido se uniria mais a ela.

Depois de dar dois passos para a frente em sua fé, Lia pareceu, então, retroceder. No entanto, vamos nos concentrar nos dois passos gigantescos que ela deu. Deles extrairemos dois princípios que nos ajudarão a fundamentar nossas esperanças e focalizar nossa fé em Deus, não em nós mesmas ou em nossos esforços humanos.

- Passo 1: Reconheça sempre a presença de Deus em cada acontecimento da vida.

- Passo 2: Peça sempre a direção e a sabedoria de Deus para cada acontecimento da vida.

Se esses dois passos passarem a fazer parte de sua vida, você terá mais facilidade em concentrar seu coração e sua mente em Deus.

4 DE MARÇO – GN 29

ARCO-ÍRIS DE LOUVOR

LIA

Esta vez louvarei o Senhor.
Gn 29.35

NÃO PODE HAVER ARCO-ÍRIS SEM NUVENS E TEMPESTADE. E Lia, uma das amadas servas de Deus, teve uma vida cheia de nuvens e de tempestades. Talvez sua vida seja como a de Lia.

Se fosse contá-la, certamente mencionaria algumas nuvens. Todos nós sofremos decepções e carências, perdas e tristezas. Todos nós temos sonhos e esperanças desfeitos. Todos nós temos de lutar contra tempestades, problemas e conflitos com o cônjuge ou o filho, com um parente ou vizinho, com o chefe ou colega de trabalho. Sejam quais forem as nuvens e as tempestades que você tem enfrentado, sua vitória sobre elas representa um arco-íris brilhante da misericórdia de Deus. Quando Deus extrai algo maravilhoso de uma vida cheia de sofrimentos, isso passa a ser um tributo à sua bondade.

Você não está feliz por Lia ter sido vitoriosa em sua vida tão cheia de problemas? Vivendo um casamento sem amor, Lia foi forçada a dividir o marido com sua irmã mais nova. Porém, conforme determinado por Deus, Lia foi a esposa que gerou vários filhos a Jacó.

- O filho nº 1 recebeu o nome de *Rúben*.
- O filho nº 2 recebeu o nome de *Simeão*.
- O filho nº 3 recebeu o nome de *Levi*.
- O filho nº 4 recebeu o nome de *Judá*, que significa "louvor". Finalmente, o arco-íris ficou completamente visível no céu e ouviu-se a canção de louvor entoada na tenda de Lia: "Esta vez louvarei o Senhor!"

Sim, louvor profético saiu da boca de Lia. Verdadeiramente esse quarto filho seria importante, porque, por meio de Judá, o Messias viria ao mundo. Todas as gerações louvariam o nome de Judá!

O arco-íris ficou completamente visível, pois Lia submeteu-se à vontade de Deus e, assim, ela saiu vitoriosa. Finalmente, Lia parou de lamentar a falta de amor de Jacó por ela e decidiu descansar no amor de Deus. Ela não mais necessitava de pessoas para fazê-la feliz. Encontrou em Deus uma fonte de alegria e um motivo de louvor. O arco-íris estava completamente visível!

Você vai seguir os passos de Lia rumo à vitória, minha querida? Você vai louvar o Pai sábio, amoroso e fiel mesmo através de lágrimas e em tempos sombrios? Você vai descansar no amor de Deus e oferecer-lhe o louvor que preenche o arco-íris de sua misericórdia com cores vivas e alegres? Pare por alguns instantes... ore um pouco... e louve a Deus sempre!

5 DE MARÇO – GN 29

Forte no Senhor
Lia

Esta vez louvarei o Senhor...
Gn 29.35

O QUE É NECESSÁRIO para ser forte no Senhor? Que tal buscar a resposta no relato abaixo?

Para ser forte no Senhor, é de vital importância ter um conjunto de raízes com uma base firme de sustentação. Em tempos remotos, existia um processo utilizado para o crescimento das árvores que se transformariam nos mastros principais das embarcações mercantes e militares. Os construtores desses navios escolhiam uma árvore plantada no topo de uma montanha. Em seguida, abatiam todas as árvores ao redor que protegiam da força do vento a árvore escolhida. Com o passar dos anos e sendo açoitada pelo vento, a árvore ficava cada vez mais forte até adquirir a resistência necessária para transformar-se no mastro principal de um navio. Se você também tiver sólidas raízes, poderá adquirir a força necessária para permanecer firme apesar das pressões da vida.[2]

Ao longo dos anos, a vida de Lia foi açoitada por fortes ventos. Ela foi maltratada pelo pai, desprezada pelo marido e invejada pela irmã (Gn 30.1). Depois que Deus retirou todas as coisas e pessoas que poderiam protegê-la dos ventos fortes da adversidade, Lia encontrou força por ter firmado suas raízes em Deus e recebeu dele o alimento e a sustentação de que necessitava. Por ter permanecido firme em sua recém-adquirida força no Senhor, ela exclamou: "Esta vez louvarei ao Senhor!"

Permaneça firme no lugar onde o amado Deus a colocou e faça o melhor que puder. Deus nos faz passar por provações... Os golpes sofridos quando enfrentamos sérios conflitos na vida servem para nos fortalecer. A árvore que cresce em lugares onde as tempestades vergam seus galhos e batem com violência contra seu tronco, até quase quebrá-los, geralmente tem raízes mais firmes do que a que cresce em um vale recluso, protegida da tensão e da pressão das tempestades. O mesmo se aplica à vida. A grandeza de caráter se desenvolve em tempos de sofrimento.[3]

Minha querida, dê as boas-vindas aos golpes, aos conflitos, às tempestades, às tensões e às pressões da vida. Considere esses sofrimentos como incentivos de Deus para aumentar sua fé, tornando-a forte no Senhor.

6 DE MARÇO – GN 30

FORÇA PROVENIENTE DA MANSIDÃO

BILA

Assim [Raquel] lhe deu a Bila, sua serva...
Gn 30.4

JESUS DISSE: "Bem-aventurados os mansos, porque herdarão a terra" (Mt 5.5). Paulo escreveu: "Porque quando sou fraco, então é que sou forte" (2Co 12.10). Ana orou: "O Senhor... abaixa e também exalta" (1Sm 2.7). Maria entoou um cântico de louvor: "[O Senhor] exaltou os humildes" (Lc 1.52). Davi explicou: "Deus a um abate, a outro exalta" (Sl 75.7).

Você vê alguma coisa em comum nessas afirmações incisivas? Elas nos dizem que, para Deus, a força provém da mansidão. Se você está sendo humilhada, lutando contra algum tipo de opressão ou vivendo tempos sombrios, crie coragem e humilhe-se sob a poderosa mão de Deus, para que ele, em tempo oportuno, a exalte (1Pe 5.6).

Sentenciada a uma vida de escravidão, Bila não tinha planos para o futuro. Sua vida não lhe pertencia. Depois de ter sido escrava de várias pessoas, seu dono a entregou a Raquel quando ela se casou com Jacó (Gn 29.29). Bila, porém, recebeu as bênçãos de Deus em meio à sua vida de humilhação.

Bila não podia deixar de notar as tensões domésticas em seu novo lar. Jacó casara-se com Raquel, mas se casara também com Lia, irmã de Raquel. E, quando Lia começou a dar-lhe um filho após outro, a estéril Raquel passou a arder de inveja da irmã. Certo dia, durante uma discussão acalorada com Jacó, Raquel anunciou: "Eis aqui Bila, minha serva; coabita com ela, para que dê à luz e eu traga filhos ao meu colo, por meio dela". Bila acabara de ser humilhada novamente. Mas da mansidão surge a força.

Dã foi o primeiro filho de Bila com Jacó. Da descendência de Dã nasceu Sansão, o eminente juiz e libertador de Israel, cuja força física excepcional foi grandemente usada por Deus (Jz 13–16). Naftali foi o segundo filho de Bila com Jacó. Ele também foi um homem forte e fundou uma grande tribo de povos.

A humilde serva Bila foi abençoada com dois filhos que foram herdeiros legais de uma grande parte da imensa riqueza de Jacó e que se tornaram líderes poderosos de duas das doze tribos de Israel. Da mansidão surgiu a força.

7 DE MARÇO – GN 30

FORÇA E DIGNIDADE

ZILPA

Lia... tomou também a Zilpa, sua serva, e deu-a a Jacó, por mulher.
Gn 30.9

EM PROVÉRBIOS 31.25, o sábio rei Salomão descreve os trajes ideais para as mulheres de todos os tempos: "A força e a dignidade são os seus vestidos, e, quanto ao dia de amanhã, não tem preocupações".

Agora você vai conhecer uma mulher que não era vestida com tal esplendor: Zilpa, cujo nome em árabe significa "dignidade". No entanto, nada na vida de Zilpa indicava que ela viria a ser importante. Ela era escrava e pertencia a Labão, pai de Lia. Foi entregue a Lia quando ela se casou com Jacó (Gn 29.24).

Mal sabia Zilpa que, por ser escrava de Lia, seria obrigada a gerar filhos ao marido de sua ama. "Vendo Lia que ela mesma cessara de conceber, tomou também a Zilpa, sua serva, e deu-a a Jacó, por mulher." E Deus abençoou aquela serva insignificante com dois filhos, que se tornaram homens fortes e pais de duas tribos de Israel. Cada um deles contribuiu para o desenvolvimento de Israel como nação.

Gade, que significa "fortuna", deu início a uma raça forte e guerreira, que defendeu bravamente seu país e ajudou seus irmãos a conquistarem Canaã (Js 4 e 22). *Aser*, que significa "felicidade", fez Zilpa sorrir de felicidade. Aquele sorriso estendeu-se por toda a História, porque da descendência de Aser nasceu Ana, outra mulher de força e dignidade. Ana foi uma mulher piedosa que dedicou sua vida à oração, tornando-se a profetisa que reconheceu que o menino Jesus era o Messias (Lc 2.36-38).

Qualquer que seja sua situação, como filha de Deus você pode vestir-se da força e da dignidade que Deus lhe concede por sua imensa misericórdia. Se você se esforçar para ter um caráter e uma conduta que sejam de grande valor diante de Deus (1Pe 3.4) e dedicar-se à sua família e à família da igreja, estará contribuindo para a realização do plano de Deus de uma forma que só ele sabe e que só o tempo revelará. Assim como Lia, você poderá transmitir sua fé para seus filhos. Assim como Gade, você ajudará e dará assistência a seus irmãos e irmãs em Cristo no serviço que eles prestam ao Senhor. Assim como Aser, você levará felicidade e incentivo, com doces palavras de conforto e ânimo para os abatidos. E, assim como Ana, dedicará sua vida à oração por outras pessoas e pela igreja de Deus.

8 de Março – Gn 30

Uma estrela maravilhosa

Lia

Ouviu Deus a Lia; ela concebeu...
Gn 30.17

Apesar de o nome Lia significar "fraqueza" e de seus olhos terem sido "baços" (Gn 29.17), depois de tantos séculos, a vida dessa mulher ainda brilha como uma estrela de rasto cintilante, que deixa sua marca de uma extremidade a outra no céu. Ela deixou sua marca no céu de Deus, que ostenta o brilho de seu povo ao longo dos tempos. Hoje, daremos uma última olhada na estrela radiante de Lia. Ela não era bonita, não era amada nem desejada (Gn 29.31), porém sua estrela continua brilhando nas páginas da Bíblia Sagrada. E, atrás de seus raios luminosos, seguiram-se seis outras estrelas que reluziram pelos próprios méritos: seus seis filhos.

O cenário em que a estrela de Lia brilha é sombrio. Na noite do casamento de Raquel com Jacó, o astuto Labão substituiu a formosa Raquel por Lia, sua outra filha, que não possuía os encantos da irmã (Gn 29.17,23). Artimanha, mentira, intriga e decepção fizeram parte do início de seu casamento sem amor com Jacó.

Contudo, mesmo em meio a essas circunstâncias obscuras e difíceis, Lia brilhou por meio da oração, à medida que se aproximava da extraordinária e deslumbrante glória de Deus (Gn 29.33). Quatro filhos – Rúben, Simeão, Levi e Judá – lhe foram concedidos por ela ter buscado a compreensão, a misericórdia e a ajuda de Deus.

A fase radiante de Lia começou a declinar quando ela "cessou de dar à luz" (Gn 29.35). Abandonada novamente por todos, exceto por Deus, Lia pôs em prática a lição mais importante que aprendera para lidar com os problemas da vida: orar!

E Lia orou. Orou fervorosamente para receber a bênção que mais desejava: ser parte da promessa que Deus fez a Abraão e depois a Jacó (Gn 28.13,14). Ela orou para que a semente de Jacó fosse tão numerosa quanto as estrelas do céu (Gn 22.17). Daquela semente nasceria o Messias.

"Ouviu Deus a Lia; ela concebeu e deu à luz o quinto filho... e chamou-lhe Issacar... [e] o sexto filho [...] Zebulom."

E quanto a você, mulher que ama a Deus? Sua vida está deixando um rasto luminoso de fé no céu sombrio? Fé tão grande a ponto de deixar as outras pessoas maravilhadas? Algo que reflete a glória radiante de Deus e o brilho da presença dele em sua vida? Ore para brilhar para ele.

9 de Março – Gn 30

LIÇÕES DE DEUS
RAQUEL

Lembrou-se Deus de Raquel, ouviu-a e a fez fecunda.
Gn 30.22

"Depois do sofrimento, a espera talvez seja a professora mais eficiente para nos ensinar a pôr em prática as lições de piedade, maturidade e genuína espiritualidade que a vida apresenta a quase todos nós."[4]

Raquel foi uma das servas de Deus que passou grande parte de sua vida esperando. Ela aprendeu muito no longo período em que aguardava ter um filho só seu. A expectativa de Raquel de ser mãe um dia aumentou por causa da promessa de Deus a Abraão, de que de sua semente nasceria uma grande nação cujo número se igualaria às estrelas do céu e à areia na praia do mar (Gn 12.2,3; 22.17). E, apesar disso, Raquel, a mulher do neto de Abraão, esperava... esperava... esperava por um filho que não vinha.

Quanto tempo durou a espera de Raquel? Para ela, provavelmente uma eternidade... Antes de tudo, ela teve de esperar sete anos para casar-se com Jacó (Gn 29.18). Depois, esperou nascerem os dez filhos de Jacó com Lia, sua irmã, e com duas servas. É possível que tenha decorrido um quarto de século enquanto Raquel esperava... esperava... esperava.

Que lições de piedade, maturidade e espiritualidade ela aprendeu enquanto esperava? E como elas podem ajudar você em sua jornada de fé?

- *Lição de oração:* Evidentemente, Raquel descobriu a maravilha da oração enquanto esperava, porque a Bíblia diz: "Lembrou-se Deus de Raquel, ouviu-a e a fez fecunda". A oração acalma seu coração aflito, quando você pede a Deus alguma coisa que lhe falta em sua vida. A oração leva seu coração a assumir a bela postura da humildade.

- *Lição de fé:* No momento em que deu um nome ao filho tão aguardado, Raquel demonstrou uma fé extraordinária: "E lhe chamou José [que significa 'Deus acrescentará'], dizendo: Dê-me o Senhor ainda outro filho". A fé de Raquel, registrada como preciosa relíquia no nome de seu filho, vai mais longe, e pede a Deus mais do que ele lhe concedeu. "Ora, a fé é a certeza de coisas que se esperam, a convicção de fatos que se não veem" (Hb 11.1). Que bênçãos futuras você está tentando alcançar pela fé?

10 DE MARÇO – GN 31

Obedientes a Deus
Raquel e Lia

...faze tudo o que Deus te disse.
Gn 31.16

DESDE O INÍCIO DOS TEMPOS e da instituição do casamento, Deus nos tem transmitido o princípio divino do "deixar e unir-se" como orientação para o relacionamento entre marido e mulher: "Por isso, deixa o homem pai e mãe e se une à sua mulher, tornando-se os dois uma só carne" (Gn 2.24).

Chegara o momento em que Raquel e Lia tinham de decidir se deixariam seus pais e se uniriam a seu marido, Jacó, ou se permaneceriam em sua terra natal. Deus prometera fazer de Jacó uma grande nação, mas, antes de tudo, Jacó precisava partir da casa de seu sogro e voltar para a terra de seu avô, Abraão – a terra da promessa de Deus.

Jacó, porém, queria levar para a sua terra uma família cheia de fé, disposta a acompanhá-lo em sua peregrinação para cumprir a vontade de Deus. Depois de contar detalhadamente para Raquel e para Lia qual era a orientação de Deus e que ele os abençoaria, Jacó pediu a ambas que o acompanhassem e o ajudassem a cumprir a vontade de Deus.

As duas mulheres precisavam decidir: deveriam sair da casa do pai e do aconchego da família e acompanhar o marido para ajudá-lo a cumprir a vontade de Deus?

"Deixar e unir-se" é sempre uma prova de fé.

• Prova a nossa obediência à Palavra de Deus e às suas instruções.
• Prova nossa fé na ordem dada por Deus por meio de nossos maridos.
• Prova nossa confiança na sabedoria de nossos maridos.
• Prova nosso compromisso com nossos maridos.

A resposta de Raquel e Lia – "Faze tudo o que Deus te disse" – foi uma prova da fé que elas tinham em Deus. Por terem deixado seu lar, partido rumo ao desconhecido e obedecido a Deus, elas também passaram a ser mulheres de fé, como tantas outras ao longo dos séculos.

Você é casada? Já se conscientizou de que seu marido (e não seus pais) é a pessoa mais importante de sua vida? Imagine estar assinando um contrato cuja finalidade seria legalizar a situação entre você e seus pais. As palavras do contrato seriam mais ou menos estas: "A partir desta data, deixo de prestar obediência a meus pais. Deixo de me submeter à autoridade deles, para unir-me com alegria a meu companheiro e viver sob a proteção dele".[5]

Você é mãe? Se a resposta for sim, imagine assinar o mesmo contrato liberando seus filhos casados para que acompanhem seus cônjuges em obediência a Deus.

11 de Março – Gn 35

Exemplo de devoção
Débora

Morreu Débora, a ama de Rebeca...
Gn 35.8

A vida é uma jornada e Débora descobriu que sua vida foi composta de muitas jornadas.

Débora, a ama fiel de Rebeca (Gn 24.59), viajou oitocentos quilômetros de Arã até Hebrom quando Rebeca partiu para casar-se com Isaque, filho de Abraão. Depois de enfrentar essa árdua viagem, Débora suportou vinte anos de espera até sua querida Rebeca ter um filho para ela cuidar e alimentar. Quando os filhos gêmeos de Rebeca nasceram, Débora cuidou com amor e carinho de Esaú e Jacó, que cresceram e saíram de casa para constituir novas famílias. Jacó casou-se em Arã, e sua família cresceu rapidamente. É provável que Isaque e Rebeca tenham cedido Débora a Jacó para ajudá-lo a criar uma terceira geração, o que exigiria uma tediosa viagem de volta a Arã. Ela cuidara de Rebeca, dos filhos de Rebeca e agora cuidaria dos netos de Rebeca. Débora é um exemplo de verdadeira devoção.

A idade, no entanto, pôs um fim à sua responsabilidade de cuidar de crianças, mas a família de Jacó não a desamparou. Débora amava a família de Jacó e era amada por ela. Assim foi até o dia de sua morte, que aconteceu em outra viagem de Arã a Hebrom. Depois de viver cem anos, Débora foi enterrada debaixo do "carvalho das lágrimas" e sua morte foi acompanhada da mesma tristeza reservada a membros da família.

Débora, a mulher que foi ama a vida inteira, nos oferece um exemplo de verdadeira devoção. Sua vida digna nos exorta a viver em amor e amor altruísta. Você está seguindo os passos de Débora? Ó, as situações e as pessoas não são as mesmas, mas como representante do grande amor altruísta de Deus, que o levou a entregar seu Filho amado para sofrer em seu lugar, você é exortada a amar muito e em qualquer situação, amar indistintamente todas as pessoas, dedicar a elas o amor infinito de Deus. Amar significa servir, a suprema expressão de seu amor. Aprenda estas lições de amor contidas na Bíblia:

O amor tudo sofre,
O amor tudo crê,
O amor tudo espera,
O amor tudo suporta,
O amor jamais acaba
(extraído de 1Co 13.7,8).

12 DE MARÇO – GN 35

UM EPITÁFIO DE AMOR

RAQUEL

Não temas, pois ainda terás este filho.
Gn 35.17

Nota de falecimento: Raquel, mulher de Jacó, faleceu ao dar à luz seu segundo filho, Benjamim, e foi enterrada nos arredores de Belém. Sobre sua sepultura foi levantada uma coluna em sua memória por seu devotado marido. Deixa seu marido, Jacó; uma irmã, Lia; seu filho primogênito, José; e um filho recém-nascido, Benjamim.

O HIPOTÉTICO NECROLÓGIO DE RAQUEL nos apresenta dois pontos fascinantes.

Um deles é que a morte de Raquel é o primeiro caso de óbito ocorrido durante o parto que a Bíblia registra. No decorrer da viagem de Betel a Efrata, as dores do parto começaram e "deu à luz Raquel um filho, cujo nascimento lhe foi a ela penoso". Na tentativa de animá-la e confortá-la em seu sofrimento, a parteira disse: "Não temas, pois ainda terás este filho". Suas palavras foram verdadeiras, mas o início da vida do segundo filho de Raquel marcou o fim da existência dela. "Ao sair-lhe a alma (porque morreu)" enquanto o filho nascia, Raquel ainda teve tempo de dar-lhe o nome de *Benoni*, que significa "filho de minha dor". Porém, Jacó, o pai da criança, chamou-o de *Benjamim*, que significa "filho da mão direita".

O outro ponto é o fato de a coluna levantada por Jacó sobre a sepultura de Raquel ser a primeira que a Bíblia registra. Com certeza, a vida de Raquel foi triste, marcada por muitas lutas e sofrimentos, mas, no final, duas frases, que poderiam ter sido gravadas naquela coluna, fazem-nos lembrar de como foi Raquel:

- *Uma mulher amada:* Raquel foi o verdadeiro amor de Jacó enquanto estiveram casados e enquanto ela viveu.

- *Uma mãe amorosa:* Em certa ocasião, Raquel exigiu de seu marido, Jacó: "Dá-me filhos, senão morrerei" (Gn 30.1). Deus deu a Raquel a oportunidade de dedicar amor a seu filho mais velho, José, que cresceu e tornou-se o mais piedoso e o mais importante dos doze filhos de Jacó.

Podemos ver, no final, que a principal contribuição de Raquel para o reino de Deus aconteceu em seu lar e nos corações das pessoas mais próximas, a quem ela amava: sua família. Será que o epitáfio abaixo poderia ser escrito em relação a você?

"Ela foi uma mulher amada e uma mãe amorosa."

13 de Março – Gn 49

Vales sombrios
Lia

...ali sepultei Lia.
Gn 49.31

Às vezes a vida termina de forma dramática, mas a vida de Lia terminou de forma tranquila, como o pavio de uma vela queimando lentamente até apagar. Sem alvoroços. Sem estremecimentos. Apenas a quietude da morte. A única menção à morte de Lia é encontrada nas palavras de seu marido, Jacó, pouco antes de morrer: "Ali sepultei Lia".

Como foi triste a vida de Lia! Apesar de ter-se casado com o patriarca Jacó, Lia nunca foi amada pelo marido. Sua vida foi cheia de sofrimento e tristeza, desânimo e desapontamentos, contrariedades e humilhações. Porém, enquanto Lia vivia corajosamente à sombra do cintilante amor de Jacó e Raquel, recebeu três bênçãos indescritíveis:

- Lia foi abençoada por Deus com seis filhos para amar. Um deles foi Judá, de cuja descendência nasceu o Salvador Jesus Cristo.

- Lia foi sepultada no mesmo túmulo onde Jacó foi posteriormente sepultado. Foi Lia, e não Raquel, que ficou ao lado de Jacó no túmulo da família.

- Lia foi relacionada na lista das "celebridades" de Deus. O nome *Lia*, que significa "fraca" ou "fraqueza", figura ao lado dos poderosos gigantes da fé – Abraão, Isaque e Jacó – e de suas ilustres esposas, Sara e Rebeca.

A vida de cada um de nós tem vales e sombrios. Como prosseguir em meio a preocupações e desgostos? Aprenda com Lia as seguintes lições que ela recebeu de Deus nos vales sombrios da vida:

- *Lição nº 1: Olhe a vida como um todo.* Os principais propósitos de Deus são conseguidos no decorrer de toda a sua vida, e não em momentos isolados, em um dia, em um ano ou em uma década. O mais importante de tudo é a soma total de suas contribuições, e não dos débitos ao longo do caminho. Se você for uma esposa dedicada, mãe amorosa e bênção para as pessoas que a rodeiam, estará dando uma contribuição tão grande ao reino de Deus que jamais poderá ser totalmente avaliada.

- *Lição nº 2: Ame durante toda a vida.* Ame com generosidade, com liberalidade, em profusão, copiosamente; ame o mais que puder. Deus avalia sua vida não pelo que você recebe, mas pelo que você oferece.

14 DE MARÇO – GN 49

O FIM

LIA

...ali sepultei Lia.
Gn 49.31

MELHOR DO QUE LER UM LIVRO SOBRE *As principais personalidades da história da igreja* é ler as listas dos *Grandes homens e mulheres* que deram início à nação de Israel. Uma dessas listas consta da leitura de hoje, no final do livro de Gênesis. Observe que o nome da humilde Lia está incluído nessa lista de pessoas notáveis, o que nos ensina algo muito importante sobre assuntos referentes ao reino de Deus!

Quando Jacó, filho de Isaque e neto de Abraão, estava prestes a morrer no Egito, em primeiro lugar abençoou seus doze filhos. Depois, pediu aos filhos que o sepultassem no campo de Macpela, na terra de Canaã, e explicou o motivo:

Ali sepultaram a Abraão e a Sara, sua mulher;
ali sepultaram a Isaque e a Rebeca, sua mulher;
e ali sepultei Lia.

Finalmente, Lia foi homenageada pelo marido! Enquanto ela viveu, Jacó nunca fingiu amá-la, e nunca escondeu seu grande amor por Raquel (Gn 29.18). Porém, no fim, ele ordenou que fosse sepultado ao lado de Lia. No fim, Lia, e não Raquel, é que foi sepultada no túmulo da família, no qual Jacó foi sepultado posteriormente. No fim, Lia, e não Raquel, é que foi incluída na lista dos principais casais de patriarcas, por meio de quem Deus estendeu a promessa de um Salvador. Lia é mencionada ao lado de Abraão, Isaque e Jacó, com Sara e Rebeca. No fim, a fiel Lia recebeu a homenagem que nunca chegou a conhecer durante os dias em que viveu aqui na Terra.

Assim como Lia, você está sendo chamada a permanecer fiel... até o fim. A homenagem nem sempre é prestada no decorrer da vida. Talvez sua trajetória seja forrada de flores, mas a coroa do vencedor não é concedida antes do final da luta. Apesar das barreiras ou obstáculos em seu caminho rumo à glória, apesar das tristezas e desapontamentos em sua jornada rumo ao paraíso, você deve voltar seu olhar unicamente para o Senhor. Ele está a postos... no fim, está pronto a receber você... no fim, recompensará você... no fim. Aguarde, minha querida. Aguarde "a nota 10" de Deus. Ela lhe será concedida, mas só... no fim.

15 de Março – Gn 46

Rainhas de fé e graça
Resumo

Partiu, pois, Israel, com tudo o que possuía...
Gn 46.1

Em países governados por um rei ou uma rainha, quase sempre a coroa real é transferida de monarca para monarca. A coroa, geralmente magnífica, enfeitada com pedras preciosas, serve de emblema para a posição e o título de majestade conferidos ao rei ou à rainha. Porém, nenhuma posição ou título é mais majestoso ou prestigiado do que o de "mulher de fé". Ao longo dos séculos, muitas mulheres que amaram a Deus usaram essa coroa de retidão eterna.

Antes de terminar a leitura do livro de Gênesis, veja novamente as histórias das muitas mulheres que amaram a Deus e caminharam com ele, mulheres que foram dignas de usar a gloriosa coroa de fé e graça conferida por Deus. Analise novamente a vida dessas mulheres e sua jornada com Deus, conforme registrado no início da Palavra de Deus:

- Eva caiu em pecado, mas voltou a caminhar com Deus.
- A mulher de Noé aceitou o convite de Deus para a salvação.
- Sara acompanhou seu marido para a terra que Deus mostrou.
- Hagar clamou a Deus duas vezes e ele a acudiu.
- Rebeca orou a Deus para ter um filho.
- Bila e Zilpa receberam as bênçãos de Deus, apesar de serem escravas.
- Raquel morreu ao dar à luz um filho a Israel e ele se tornou um líder piedoso.
- Lia brilhou nas sombras do sofrimento.

O Senhor abençoou cada uma dessas mulheres e as fez formosas. Essas queridas mulheres sofreram dificuldades, adversidades, privações, vergonha e fracassos. Deus pediu a todas que fizessem escolhas difíceis, aparentemente insuportáveis, mas por meio das quais elas demonstraram a fé que possuíam. Muitas demonstraram ter fé em Deus indo em frente, tomando a decisão de não desejar mais coisas perdidas, ou abandonadas, de não atentar para fracassos nem para maus-tratos. Quase todas optaram por saudar cada alvorecer com uma esperança renovada, em vez de olhar para os ocasos da derrota e ficar imobilizadas. No geral, todas resistiram, avançando e extraindo grande força do Senhor ao ostentar sua coroa de graça.

Será que seu nome está entre as grandes mulheres de fé que serviram a Deus ao longo dos tempos? Você está olhando para o Senhor e pedindo sua ajuda, sabedoria, força e graça? Um escritor fez a seguinte observação: "Nosso papel é confiar plenamente em Deus, obedecer-lhe irrestritamente e seguir com fidelidade as suas instruções".[6] Se você fizer isso, estará seguindo o caminho que leva à coroação pela majestosa beleza da fé e graça.

16 de Março – Êx 1

Problemas e soluções

Parteiras hebreias

...se for filho, matai-o...
Êx 1.16

Cada problema requer uma solução, e o Faraó do Egito tinha um problema que precisava de uma solução urgente. No final do livro de Gênesis, José, filho de Raquel e Jacó, era um líder poderoso no Egito. Durante um período de fome devastadora, o Egito era o único lugar onde havia alimento. Em razão disso, Jacó e seus outros onze filhos mudaram-se para o Egito e ali sua família reuniu-se a José, desfrutando anos maravilhosos de convivência e crescendo espantosamente.

"Entrementes, se levantou novo rei sobre o Egito, que não conhecera a José. Ele disse ao seu povo: Eis que o povo dos filhos de Israel é mais numeroso e mais forte do que nós."

- *O problema*: O crescimento rápido do número de israelitas.
- *A solução*: Matar todos os bebês do sexo masculino assim que nascessem.
- *Os meios*: As parteiras hebreias, Sifrá e Puá.

Essas duas mulheres hebreias eram parteiras profissionais, que ajudavam as mulheres, no momento do parto, e os bebês recém-nascidos. A ordem para matar os bebês que elas ajudavam a trazer ao mundo trouxe-lhes um problema de natureza pessoal.

- *O problema*: A ordem para matar todos os bebês hebreus do sexo masculino.
- *A solução*: "As parteiras, porém, temeram a Deus e não fizeram como lhes ordenara o rei do Egito; antes, deixaram viver os meninos".

Cada problema na vida põe à prova a sua fidelidade a Deus. Cada problema apresenta uma indagação: "A quem você deve obedecer?" Tenha a mesma coragem daqueles que viveram antes de você e optaram por obedecer a Deus e não ao homem. Tenha a mesma coragem dos apóstolos que, ao receberem a ordem de não pregar o evangelho de Jesus Cristo, responderam: "Julgai se é justo diante de Deus ouvir-vos antes a vós outros do que a Deus" (At 4.19). "Antes, importa obedecer a Deus do que aos homens" (At 5.29). Tenha a mesma coragem de Sifrá e Puá (duas mulheres que temeram e honraram a Deus como você), que arriscaram a vida, ao desobedecer à ordem de Faraó para matar os bebês, porque eram tementes a Deus. Tenha coragem todas as vezes que tiver de responder à pergunta: "A quem devo obedecer?"

17 de Março – Êx 1

Temor ao Senhor

PARTEIRAS HEBREIAS

As parteiras, porém, temeram a Deus...
Êx 1.17

O QUE SIGNIFICA "TEMER" A DEUS? Há duas palavras hebraicas para "temor": uma indica reverência e a outra, terror. Por ser uma serva de Deus, uma mulher que teme ao Senhor, sua vida deve caracterizar-se pelas evidências relacionadas abaixo. Observe que tanto a reverência como o terror estão refletidos nessas qualidades, que (presumivelmente) descrevem sua atitude em relação a Deus. A mulher que teme ao Senhor:

- Abomina desagradar a Deus.
- Almeja a proteção de Deus.
- Reverencia a santidade de Deus.
- Submete-se com alegria à vontade de Deus.
- É grata pelo que Deus lhe concede.
- Adora a Deus com sinceridade.
- Obedece conscientemente aos mandamentos de Deus.[7]

Por ser uma mulher temente ao Senhor, seu respeito a Deus deve brotar de seu amor a ele, levando-a a ter o cuidado de não ofendê-lo e de fazer o possível para agradá-lo em tudo.

Sifrá e Puá nos dão um bom exemplo do que significa temer a Deus. Sendo parteiras hebreias por profissão, foram incumbidas pelo Faraó do Egito a matar todos os bebês do sexo masculino nascidos de qualquer mulher hebreia. O que você faria em tal situação?

A Bíblia nos diz que Sifrá e Puá "temeram a Deus e não fizeram como lhes ordenara o rei do Egito; antes, deixaram viver os meninos". A decisão tomada por ambas de desobedecer à ordem de Faraó revelou muita coragem e grande amor por Deus. Elas avaliaram o preço (a própria vida de cada uma delas!), mas, por serem tementes a Deus, obedeceram a ele e não ao homem. Puseram em prática o "temor ao Senhor" e demonstraram virtudes admiráveis, de caráter piedoso.

Você é uma mulher que teme ao Senhor? Seu amor por Deus evidencia-se em cada detalhe de sua vida diária? A partir de agora, passe um pouco mais de tempo em oração e entregue sua vida ao Senhor, reverenciando a santidade dele com mais fervor, submetendo-se à sua vontade e obedecendo à sua palavra. Não se canse de agradecer suas numerosas bênçãos. Adore a Deus agora! Porque "a misericórdia do Senhor é de eternidade a eternidade, *sobre os que o temem*" (Sl 103.17, destaque da autora)!

18 de Março – Êx 1

Bênçãos de Deus

PARTEIRAS HEBREIAS

...Deus... lhes constituiu família.
Êx 1.21

Tempos sombrios pairavam sobre o povo de Deus...

O número de israelitas no Egito aumentava cada vez mais, portanto o Faraó ordenou às parteiras do Egito que ajudavam as mulheres hebreias no momento do parto que matassem todos os recém-nascidos do sexo masculino. Porém, Sifrá e Puá, provavelmente as supervisoras do serviço de outras parteiras, recusaram-se a matar os bebês. Sifrá e Puá "temeram a Deus" e arriscaram a vida a fim de salvar muitos recém-nascidos judeus.

A bondade dessas duas parteiras para com o povo judeu não passou despercebida por Deus. Ele viu o carinho de ambas para com seu povo escolhido e abençoou-as por terem sido obedientes a ele. Deus abriu as janelas do céu e recompensou essas duas mulheres que se recusaram a fazer mal a seus filhos. Quais foram as bênçãos recebidas por Sifrá e Puá?

Bênção nº 1: Deus as protegeu de Faraó. "Deus fez bem às parteiras" por elas terem desobedecido à ordem de Faraó. Ele preservou a vida de ambas. Aqueles que temem ao Senhor recebem sua proteção: "O anjo do Senhor acampa-se ao redor dos que o temem e os livra" (Sl 34.7). De fato, aquele que teme ao Senhor "descansa à sombra do Onipotente" (Sl 91.1).

Bênção nº 2: Deus lhes constituiu família. "E porque as parteiras temeram a Deus, ele lhes constituiu família." Provavelmente Sifrá e Puá eram mulheres de idade avançada e solteiras. Como prêmio por sua bondade, Deus as abençoou com o que elas mais desejavam: uma família. Deu-lhes um marido, ajudou-as a formar uma família, abençoou seus filhos, e elas prosperaram em tudo o que fizeram. *Sifrá* significa "fecunda", e *Puá* significa "parto" e Deus as abençoou de acordo com o nome de cada uma.

Querida filha de Deus, o que ele pede a você para poder abençoá-la abundantemente? Em uma palavra, obediência. Sifrá e Puá temeram e obedeceram ao Senhor. O que você deseja fazer para ter uma vida de obediência como a delas? Responda a estas perguntas... e obedeça!

- O que Deus ordena em sua palavra?
- O que é certo fazer (Tg 4.17)?
- O que Jesus faria?

19 de Março – Êx 2

Fé verdadeira no dia-a-dia
Joquebede

...escondeu-o por três meses.
Êx 2.2

Muitas pessoas gostariam de saber como é a fé verdadeira no dia a dia. Ao conhecer Joquebede, outra nobre serva de Deus mencionada na Bíblia, você descobrirá um exemplo de fé em ação. Observe alguns fatos importantes sobre essa grande mulher de fé.

- *Sua herança*: Joquebede, filha de Levi, casou-se com Anrão, um homem da casa de seu pai (Êx 2.1; 6.20). Por intermédio de Levi, Joquebede e Anrão herdaram a fé de Abraão, Isaque e Jacó.

- *Sua situação*: por ser mãe de um recém-nascido, Joquebede teve de enfrentar um terrível dilema. Ela sabia que Faraó ordenara que todos os filhos homens dos judeus fossem atirados no rio Nilo (Êx 1.22), mas como permitiria que seu filho morresse?

- *Sua fé*: Incentivada pela sua confiança em Deus e pelo amor por seu filho, Joquebede deu um passo de fé e escondeu o pequenino Moisés para que ele não fosse morto. Esse ato singular de fé qualificou-a a figurar na grande lista de pessoas cujas vidas testificam a fé em Deus. Apenas três mulheres – Sara, Raabe e Joquebede – figuram na galeria dos heróis da fé. Joquebede seria lembrada para sempre porque dela foi escrito: "Pela fé, Moisés, apenas nascido, foi ocultado por seus pais, durante três meses, porque [...] não ficaram amedrontados pelo decreto do rei" (Hb 11.23).

- *Sua decisão*: A fé de Joquebede encheu-a de coragem. No momento em que decidiu não obedecer a Faraó nem temer as consequências, Joquebede confiou em Deus e escondeu seu bebê.

- *E quanto à sua fé*, minha amiga? O que as pessoas poderiam apontar em sua vida como evidência de fé? Que atos ou opções de fé (Tg 2.22) observaram?

- Olhe para a sua *herança*: Você é filha de Deus! Entregue ao Pai celestial as *situações* assustadoras de sua vida que parecem insolúveis. Entenda que a preocupação termina onde a *fé* começa e a *fé* termina onde a preocupação começa. Tome a *decisão* de enfrentar suas provações com coragem, movida pela fé. Tome a *decisão* de recusar-se a ter medo e passe a confiar em Deus. Declare como Davi: "Em me vindo o temor, hei de confiar em ti" (Sl 56.3). Viva como Joquebede uma vida de fé verdadeira no dia-a-dia.

20 DE MARÇO – ÊX 2

RISCO DE FÉ

JOQUEBEDE

...tomou [ela] um cesto de junco... e, pondo nele o menino, largou-o no carriçal à beira do rio. Êx 2.3

O SÁBIO AUTOR DE ECLESIASTES diz a nós, mulheres que amamos a Deus: "Lança o teu pão sobre as águas, porque depois de muitos dias o acharás" (11.1). Esse princípio para a vida de fé faz alusão a uma prática utilizada na agricultura, que consiste em lançar sementes sobre a água ou charco e aguardar até a época da colheita. Assim como o agricultor, às vezes você precisa arriscar sementes para desfrutar as recompensas, dando um passo de fé para receber as bênçãos de Deus.

Assim como um agricultor, Joquebede foi obrigada a pôr em risco sua "semente", que era seu bebezinho Moisés. O Faraó do Egito havia ordenado que todo recém-nascido judeu do sexo masculino fosse lançado no rio Nilo (Êx 1.22). Joquebede, contudo, pôs sua fé em prática e resolveu esconder seu bebezinho por três meses.

Depois, teve de assumir um novo risco de fé. Ao perceber que não tinha mais condições de esconder em casa uma criança forte e sadia, Joquebede confiou em Deus e "tomou um cesto de junco... e, pondo nele o menino, largou-o no carriçal à beira do rio". Ela estava lançando seu pão, seu filho querido, sobre as águas.

Em sua maravilhosa providência, Deus conduziu a filha de Faraó até a margem do rio. Ela encontrou o cesto e teve compaixão do bebê que estava ali dentro. Necessitando de uma ama para o bebê, a princesa contratou Joquebede para o trabalho – mais uma prova da providência de Deus. Joquebede foi autorizada a levar para casa e amamentar o precioso bebê que ela entregara nas mãos de Deus ao colocá-lo no rio. Joquebede literalmente lançou sua semente sobre as águas e a semente voltou para ela!

Existe algum desafio em sua vida que exija assumir um risco de fé? Você está enviando seu filho para a escola ou faculdade, para um casamento, para um emprego em outra cidade ou Estado, para servir a Deus em um campo missionário? Você tem a sensação de que está perdendo esse filho? Tenha a mesma fé de Joquebede, a fé que lança seu pão sobre as águas. Confie em Deus e você colherá os benefícios e as bênçãos de assumir um risco de fé.

21 de Março – Êx 2

A menina dos olhos de Deus
a filha de Faraó

*Desceu a filha de Faraó para se banhar no rio...
e eis que o menino chorava [...] Teve compaixão dele...* Êx 2.5,6

A MEDITAÇÃO DE HOJE oferece mais um exemplo maravilhoso da providência de Deus ao usar pessoas, eventos e circunstâncias na vida de seus filhos. Os tempos eram sombrios... terrivelmente sombrios, quando o malvado Faraó do Egito ordenou que todos os bebês judeus do sexo masculino fossem lançados no rio Nilo (Êx 1.22)! No entanto, uma serva fervorosa de Deus desafiou a ordem de Faraó: Joquebede escondeu em casa seu filho recém-nascido por três meses e, depois, colocou-o dentro de um cesto que foi deixado no rio.

Pela soberana providência de Deus, naquele momento triste aparece em cena a filha de Faraó. Ao caminhar pela margem do rio, ela avistou o cesto e ordenou a uma criada que o retirasse da água. Ela conhecia a terrível ordem de seu pai, mas a maldade daquele homem não conseguiu endurecer o coração meigo e nobre da moça – um coração compassivo que a levou imediatamente a comover-se com o choro do bebê e, depois, a adotá-lo como seu filho. Imagine só, a filha de Faraó salvando a vida de um bebê que seu pai ordenara matar! Só Deus poderia programar um resgate tão espantoso.

Como filha de Deus, você é a menina dos olhos dele (Dt 32.10). E, como tal, você está amparada, protegida e guardada por Deus tanto quanto Joquebede e seu filho. A despeito da terrível ordem de Faraó, Deus usou outra pessoa (ironicamente, a própria filha de Faraó) para exaltar a fé de Joquebede e salvar a vida de seu bebê. Em meio às circunstâncias difíceis em que vivia o povo de Israel, Deus preparava a futura liberdade de seu povo, sob a liderança daquele pequenino bebê de três meses encontrado pela princesa entre os juncos, à margem do rio.

E quanto a você, minha preciosa amiga? O que está se passando em sua vida hoje? Você está sendo tratada injustamente por alguém, talvez por uma pessoa cruel e perversa? Você está sendo oprimida? Você está enfrentando provações diárias? Agarre-se com fé na misericordiosa providência e no soberano poder de Deus. Confie em que Deus irá à sua frente, menina dos olhos dele, como foi à frente de Moisés e de Joquebede, para livrá-la, usando as pessoas, os eventos e as circunstâncias! Deus, com seu grande poder, irá tomar conta de você, ampará-la, guardá-la e guiá-la para depois recebê-la na glória (Sl 73.24).

22 de Março – Êx 2

Um coração compassivo
A filha de Faraó

Desceu a filha de Faraó para se banhar no rio... e eis que o menino chorava [...]. Teve compaixão dele... Êx 2.5,6

> Duas coisas resistem como uma pedra:
> Compaixão pelo sofrimento alheio;
> Coragem que vem de dentro.[8]

POUCO SE CONHECE a respeito da misteriosa filha de Faraó, mas sua compaixão e coragem resistem como uma pedra ao longo dos séculos.

A Bíblia narra a respeito daquele dia ensolarado em que essa princesa, da qual nem sabemos o nome, aproximou-se do rio Nilo para banhar-se. Ao caminhar pela margem do rio, ela avistou um cesto boiando na água. No cesto havia um pequenino bebê. Deus nos diz que "ela teve compaixão [do menino]". A filha de Faraó sabia que o bebê era filho de uma das mulheres hebreias. Sabia também que seu pai, o poderoso Faraó do Egito, ordenara que todos os meninos recém-nascidos dos hebreus fossem lançados no rio para morrer.

Apesar de sabermos pouco a respeito da filha de Faraó, podemos conhecer seu coração:

- *A filha de Faraó foi compassiva.* Compaixão é uma reação de tristeza ou piedade por alguém que está sofrendo angústia ou infortúnio. Ao ouvir o choro da criança, a filha do poderoso Faraó teve compaixão daquele bebê indefeso, tirou-o da água e deu-lhe o nome de Moisés (que significa "salvo das águas") "porque das águas o tirei".

- *A filha de Faraó foi bondosa.* Bondade é uma preocupação carinhosa com o bem-estar alheio. Mesmo correndo o risco de prejudicar seu relacionamento com seu pai, a filha de Faraó achou que seria cruel demais matar o bebezinho que ela carregava no colo. Ela foi bondosa com alguém que estava em situação problemática.

- *A filha de Faraó foi corajosa.* Coragem é uma qualidade de mente e espírito que possibilita uma pessoa enfrentar com intrepidez qualquer perigo ou dificuldade. A compaixão e a bondade deram coragem à princesa e ofuscaram seu medo de desobedecer ao Faraó.

Embora a filha de Faraó fosse idólatra, Deus usou a grande bondade e a coragem daquela mulher em benefício de seu povo. Aquela meiga mulher do passado, cujo nome nem sequer sabemos, lança um desafio às servas de Deus de nossos dias. Você não gostaria de orar para ser, como ela, mais bondosa com as outras pessoas que sofrem aflições? E você não gostaria de pedir a Deus que lhe desse mais coragem para agir com compaixão?

23 DE MARÇO – Êx 2

VALORES FAMILIARES
MIRIÃ

Sua irmã ficou de longe...
Êx 2.4

COMO CULTIVAR OS VALORES familiares em seu lar? Como incentivar seus filhos a se preocuparem com outras pessoas? Como ensiná-los a ter amor uns pelos outros? Antes de conhecermos algumas respostas de Deus a essas perguntas tão importantes, observe como uma irmã dedicada é capaz de ser exemplo de valores familiares para nós.

Miriã era uma menina de doze anos que, sem dúvida, gostava muito de seu irmãozinho recém-nascido. Durante três meses, Miriã ajudou sua mãe, Joquebede, a esconder o pequenino Moisés e cuidou dele enquanto sua família desafiava o decreto de Faraó de morte a todos os meninos hebreus recém-nascidos (Êx 1.22). Após três meses, sua mãe colocou o bebê dentro de um cesto, que ficou flutuando em meio à vegetação à beira do rio Nilo. Miriã "ficou de longe, para observar o que lhe haveria de suceder". Quando surgiu a oportunidade, no momento em que a filha de Faraó achou o bebê, Miriã ofereceu-se para encontrar uma ama para o recém-nascido, conseguindo, dessa forma, que a própria mãe do bebê o levasse de volta para casa e cuidasse dele.

Com quem você acha que a jovem Miriã aprendeu a ter tanta lealdade à família? Provavelmente com sua mãe maravilhosa. Você também, como mãe, avó ou tia dedicada, pode ajudar a incutir tais valores em sua família. Tente seguir diariamente estes conselhos, que poderão ajudá-la:

- Ensine seus filhos a amar uns aos outros (Jo 15.12,17). Incentive irmãos e irmãs a orar uns pelos outros e a praticar gestos secretos de bondade entre si.
- Expresse abertamente bondade e preocupação com outras pessoas (Pv 12.25). As crianças repetem o que ouvem e veem. Seja, portanto, um modelo vivo de Jesus Cristo, agindo como ele com bondade e compaixão.
- Manifeste amor abertamente. Seja amorosa e fale sobre o amor. Diga "eu amo você" todas as vezes que se despedir ou conversar por telefone com seus filhos.
- Cultive fortes laços familiares. Ponha em prática a "mentalidade dos três mosqueteiros", que é "um por todos e todos por um". Esforce-se para que cada pessoa da família apoie e incentive as outras.
- Ore para que o amor de Deus seja manifestado por intermédio de seus filhos (Gl 5.22).

E lembre-se, também, de que muito pode a oração fervorosa e verdadeira de uma mãe piedosa (Tg 5.16)!

24 de Março – Êx 2

Um espelho de méritos
Miriã

Saiu, pois, a moça [Miriã] e chamou a mãe do menino.
Êx 2.8

Por tradição, as meninas judias permaneciam sob os cuidados e orientação de suas mães até o dia do casamento. Por esse motivo, havia doze anos que Joquebede ensinava e treinava sua filha Miriã sobre as importantes virtudes de diligência, fidelidade, responsabilidade e prudência. A jovem Miriã demonstrava claramente ter todas essas qualidades. Ela passou a ser um espelho dos méritos maravilhosos de sua mãe. Vejamos como foi o momento em que Miriã brilhou.

Faraó havia ordenado que todos os meninos hebreus recém-nascidos fossem lançados no rio Nilo (Êx 1.22) e os pais de Moisés tinham desafiado aquela ordem. Esconderam Moisés até não conseguirem mais guardar segredo. Chegou, então, o triste dia em que colocaram Moisés dentro de um cesto e o deixaram boiando no rio e nas mãos de Deus.

Provavelmente, a mãe de Moisés não tivera coragem de observar o que aconteceria com seu querido bebê. Talvez sua presença na margem do rio fosse óbvia demais e Joquebede tivesse pedido à sua filha Miriã que ficasse por perto observando o cesto. Ou, talvez, a corajosa e dedicada irmã tivesse sido compelida a vigiar seu irmãozinho. Independentemente do que tenha acontecido, a jovem "ficou de longe, para observar o que lhe haveria de suceder".

Enquanto Miriã espiava por entre a vegetação aquática, a filha de Faraó chegou para banhar-se no rio. Curiosa a respeito do cesto flutuante, a princesa abriu-o e Moisés começou a chorar. O bebê precisava de leite.

Naquele momento, Miriã aproximou-se e perguntou astutamente: "Queres que eu vá chamar uma das hebreias que sirva de ama e te crie a criança?" Depois de receber permissão da princesa, Miriã trouxe Joquebede – sua mãe e mãe de Moisés – para amamentá-lo. Em razão do rápido raciocínio de Miriã, sua família colheu uma bênção triplicada:

• A vida de Moisés foi salva.

• Joquebede recebeu seu filho de volta.

• Joquebede foi paga pela filha de Faraó para amamentar Moisés.

Ensinar seus filhos a ter amor, misericórdia, zelo e compaixão, bem como diligência, fidelidade, responsabilidade e prudência, virtudes que vemos em Miriã, começa com você, querida mãe. Seus filhos serão um espelho de seus méritos (bons exemplos). O que eles veem em você e o que aprendem com suas ações? Você ceifará aquilo que semear (Gl 6.7)!

25 de Março – Êx 2

Apenas alguns anos
Joquebede

Leva este menino e cria-mo...
Êx 2.9

Você tem crianças na família? Se você for mãe, avó ou tia, Deus a chama para dedicar-se a essas crianças durante os primeiros anos de vida desses pequeninos. Deus lhe deu a importante incumbência de ensinar essas crianças a conhecer o Senhor, de cuidar delas e de torná-las homens ou mulheres piedosos, para que ele as use de acordo com seu propósito.

Hoje analisaremos a vida de Joquebede como mãe.

- *Seu nome*: Joquebede é a primeira pessoa mencionada na Bíblia que tem um nome composto de *Jeová*. *Joquebede* significa "glória de Jeová", "Jeová é sua glória" ou "Jeová é nossa glória". E foi para essa serva de Deus, uma mulher cuja glória é Jeová, que a filha pagã de Faraó disse: "Leva este menino e cria-mo".

- *Seu filho*: Mal sabia a filha de Faraó que o bebê de três meses de idade que acabara de tirar do cesto boiando no rio Nilo era filho de Joquebede. Para salvar seu filho da morte, Joquebede o colocara naquele cesto feito em casa e, pela fé, colocara o cesto com sua preciosa carga na água, próximo à margem do rio.

- *Sua incumbência*: A oportunidade de amamentar o pequenino Moisés deu a Joquebede aproximadamente dois anos e meio para ensinar ao filho as grandes verdades sobre Jeová, "sua glória". Joquebede teve poucos anos para preparar e oferecer a Deus um homem que seria líder de seu povo. Depois, precisou entregá-lo à filha de Faraó para ser criado em um lar idólatra.

Apenas alguns anos. Você sabia que 50% do desenvolvimento do caráter e da personalidade de uma criança ocorre até a idade de três anos e 75% até a idade de cinco anos? Os primeiros anos da vida de uma criança são críticos. Joquebede, como mãe e serva fiel de Deus, usou esses primeiros anos críticos para ensinar os caminhos do Senhor a seu filho. Na verdade, ela só teve aquele tempo para passar ao lado do filho.

Você não gostaria de levar a sério seu chamado como mãe? Apenas alguns anos dedicados a essas criaturinhas de Deus farão um mundo de diferença!

26 de Março – Êx 2

Educar um filho
Joquebede

[Joquebede] tomou o menino e o criou.
Êx 2.9

Deus tem dado às mães cristãs a incumbência sagrada de educar seus filhos para ele. Provérbios 22.6 diz o seguinte em relação a isso: "Ensina a criança no caminho em que deve andar".

Joquebede, mãe piedosa, educou o pequeno Moisés durante seus três primeiros anos de vida e podemos ter a certeza de que o coração dela ficou muito triste quando teve de entregá-lo de vez à filha de Faraó. Porém, vemos claramente que a educação que Joquebede deu ao filho foi consistente, porque, tempos depois, a vida de Moisés evidenciou a segunda metade de Provérbios 22.6: "e ainda quando for velho não se desviará dele". Aos quarenta anos de idade, Moisés preferiu identificar-se com o povo de Deus a permanecer no palácio de Faraó (Hb 11.24-26) e aquele foi o primeiro passo rumo à importante função que Deus reservara para ele.

Deuteronômio 6.5-7 apresenta às mães como Joquebede dois conselhos básicos referentes à educação dos filhos:

- *Amar a Deus*: "Amarás, pois, o Senhor, teu Deus, de todo o teu coração, de toda a tua alma e de toda a tua força". Dedique-se inteiramente ao Pai celestial; ame-o mais do que qualquer pessoa ou qualquer coisa.

- *Ensinar a Palavra de Deus*: "Estas palavras... tu as inculcarás a teus filhos, e delas falarás assentado em tua casa, e andando pelo caminho, e ao deitar-te, e ao levantar-te". Transmita com fidelidade as verdades da Bíblia a seus filhos.

Um axioma da educação adverte: "Não se pode passar adiante aquilo que não se possui". Para passar adiante as grandes verdades acerca de Deus a seus filhos e educá-los no caminho em que eles devem andar, é necessário que Deus ocupe o lugar central de *sua* vida! Sua maior preocupação é agradar ao Pai celestial? Se sua vida estiver alicerçada em um profundo amor a Deus e se a Palavra de Deus estiver guardada em seu coração, com certeza você terá algo para transmitir a seus filhos.

Em meio à rotina de sua vida no lar, você tem conversado, propositada e constantemente, com seus filhos acerca de Deus? Se estiver fazendo isso, você estará educando uma criança nos caminhos de Deus.

A criança deve ser educada diariamente para Deus. Joquebede teve apenas cerca de mil dias para educar o pequeno Moisés. E você? Quantos dias teve e ainda terá para educar seus filhos? Você considera cada dia muito importante?

27 de Março – Êx 2

A entrega
Joquebede

Sendo o menino já grande, ela o trouxe à filha de Faraó...
Êx 2.10

Ligue o rádio para ouvir o noticiário. Leia jornais. A maldade faz parte da vida neste mundo decadente. Mas *você* pode fazer a diferença. Aprenda com Joquebede, essa piedosa mãe que viveu muitos séculos atrás.

Joquebede vivia em um mundo perverso que piorava a cada dia. Quando seu terceiro filho nasceu, o Faraó do Egito usou de toda a sua maldade para prejudicar o povo de Deus (Êx 1.11). Ordenou que todos os recém-nascidos judeus, do sexo masculino, fossem mortos (Êx 1.16,22). O que Joquebede, mulher piedosa e mãe dedicada, podia fazer contra tanta maldade? Sua solução foi pôr em prática tudo o que Deus lhe concedera:

- *Coragem*: Joquebede decidiu ficar com seu bebê, em vez de matá-lo; portanto, preservou-o para que o mundo fosse abençoado.

- *Criatividade*: Joquebede fez um cesto de juncos, calafetou-o com betume e piche, pôs o bebê dentro dele e deixou-o flutuando no rio Nilo.

- *Zelo*: Durante o pouco tempo em que ficou com o filho, Joquebede amamentou-o com amor e educou-o diligentemente nos caminhos do Senhor.

- *Confiança*: Depois de ter agido com coragem e criatividade e cuidado do filho com o zelo de uma mãe piedosa, Joquebede levou-o à filha de Faraó e entregou-o nas mãos de Deus, confiando em que ele cuidaria do menino.

No fim, Deus usou a coragem, a criatividade, o zelo e a confiança de Joquebede para colocar Moisés dentro do palácio de Faraó. Deus usaria Moisés para lutar contra o mal e salvar seu povo da opressão dos egípcios.

Joquebede, a mãe de Moisés, pertence a um grupo de mães que educaram seus filhos para entregá-los a Deus, a fim de que ele os usasse na luta contra o mal. Ana ofereceu seu pequenino Samuel (1Sm 2.28), a mãe de Daniel abriu mão de seu filho (Dn 1.6) e Maria entregou seu filho Jesus para morrer na cruz.

Se você é mãe, "não te indignes por causa dos malfeitores" (Sl 37.1). Empenhe-se em educar seus filhos no caminho do Senhor. O príncipe das trevas não tem como lutar contra o poder da verdade que você plantar no coração e na mente de seus filhos. Seja corajosa, criativa, zele por seus filhos e deposite toda a sua confiança em Deus.

28 DE MARÇO – Êx 2

HERANÇA DA CHAMA DE FÉ

JOQUEBEDE

Sendo o menino já grande, ela o trouxe à filha de Faraó...
Êx 2.10

A EXTRAORDINÁRIA MULHER descrita em Provérbios 31 superou a função de mãe que Deus lhe designara; portanto, não é de admirar que "seus filhos lhe chamam ditosa" (v. 28). Isso significa que seus filhos, depois de adultos, foram uma honra, uma bênção e um orgulho para a sua mãe – e essas palavras se aplicam a Joquebede. A Bíblia não faz muitas menções a essa mulher piedosa, mas a vida de seus três filhos fala mais alto a respeito dela. Quem foram seus famosos filhos?

- Arão, seu primogênito, tornou-se o primeiro sumo sacerdote de Israel, marcando o início do sacerdócio aarônico (Êx 30.30).

- Miriã foi uma talentosa poetisa e musicista, que levou as mulheres israelitas a cantar com ela uma canção de vitória depois que Deus livrou seu povo do exército de Faraó (Êx 15.20). Ao lado de seus irmãos, participou da libertação de Israel do jugo egípcio. (Falaremos mais a respeito de Miriã a partir do dia 2 de abril.)

- Moisés, o bebê que Joquebede entregou à filha de Faraó para que não fosse morto, foi usado por Deus para conduzir seu povo para fora do Egito e transmitir-lhe os mandamentos fundamentais do Senhor (Êx 4.11,12; 24.3).

De quem os três herdaram a chama da fé? Da mãe, Joquebede. Ela levou a sério sua dedicação a Deus e a incumbência que dele recebera como mãe. Sua vida foi de obediência ao Senhor e seus filhos e filha acenderam as tochas de sua fé com a chama da mãe.

Você e eu somos chamadas a acender a tocha de fé em nossos lares. Para tanto, precisamos amar fervorosamente a Deus, com todas as nossas forças, com o brilho da alegria de nossa salvação, com uma dedicação esfuziante para com nossa família. Não é fácil receber a herança dessa tocha de fé; alguém precisa produzir a chama. Porém, se dedicarmos nossa vida a acender a tocha de fé daqueles que mais amamos e permanecermos queimando e brilhando intensamente, nossos filhos terão a oportunidade de herdar a chama de nosso amor por Deus e de nossa fé nele.

29 de Março – Êx 2

O CORAÇÃO DE UMA MÃE
JOQUEBEDE

Sendo o menino já grande, ela o trouxe à filha de Faraó...
Êx 2.10

FAÇA UMA PAUSA para analisar o coração de Joquebede, uma das notáveis e piedosas mães mencionadas na Bíblia. Sua vocação e grande afeição podem ser resumidas em uma só palavra: *Mãe*. Joquebede foi uma mãe *extremada*!

Analise estes "mandamentos" para mães da atualidade enquanto reflete sobre a vida de Joquebede, mãe piedosa e extremada, e tente aplicá-los à sua vida:

- *Mandamento nº 1: Comece logo cedo.* "Os pais cristãos devem entender que, quando o filho chega aos três anos de idade, eles já conseguiram moldar mais da metade do caráter da criança."[9]

- *Mandamento nº 2: Abrace seu papel de mãe como uma profissão.* "Para a mulher, a profissão mais importante da terra é ser uma mãe verdadeira para seus filhos. Não existe muita glória nisso; existem, sim, muitos obstáculos e pedras no caminho. Porém, não há posição mais alta de ministério e poder do que a ocupada por uma mãe."[10]

- *Mandamento nº 3: Tenha uma vida íntegra.* "Somente quando a genuína santidade cristã e o amor semelhante ao de Cristo são demonstrados na vida do pai e da mãe é que uma criança pode ter a oportunidade de herdar a chama e não as cinzas."[11]

- *Mandamento nº 4: Faça uma parceria com Deus.* "As funções de pai e mãe devem ser exercidas em parceria com Deus. Não se trata de modelar ferro, nem de esculpir mármore; está se trabalhando com o Criador do universo para modelar um caráter humano e determinar um destino."[12]

O chamado de Deus para ensinar e educar os pequeninos que ele nos dá é, de fato, um chamado nobre e sublime. Como não podemos passar adiante o que não temos, é de suma importância que cultivemos em nosso coração uma paixão fervorosa pela sabedoria e pela Palavra de Deus!

Portanto, reflita sobre estes pontos: Você considera a verdade de Deus uma preciosidade e a guarda em seu coração (Sl 119.11)? Você passa alguns momentos por dia deleitando-se com a Palavra de Deus e compartilhando-a com seus filhos? Você dá prioridade à Palavra de Deus em seu lar e na vida de sua família? Que atitudes você toma, querida mãe, para estabelecer um tempo diário dedicado a ensinar, ler, estudar, discutir, memorizar e até mesmo recitar trechos da Bíblia? O tempo que você dedica à Palavra de Deus é o tempo que ele pode usar para formar seu coração de mãe; portanto, é um tempo bem investido em prol do futuro de seus filhos.

30 DE MARÇO – ÊX 2

COMO SE FAZ UM LÍDER
A FILHA DE FARAÓ

...ela o trouxe à filha de Faraó, da qual passou ele [Moisés] a ser filho...
Êx 2.10

NA MEDITAÇÃO de alguns dias atrás, analisamos algumas das encantadoras qualidades da filha de Faraó. Vimos que essa moça, de quem desconhecemos o nome, filha do cruel governador do Egito, foi compassiva, bondosa e corajosa por ter desafiado a ordem do pai de lançar no rio todos os recém-nascidos judeus do sexo masculino. A essa filha bondosa e destemida vamos acrescentar mais uma virtude: *a filha de Faraó foi generosa*. Além de salvar a vida de Moisés, ela o levou para o palácio de Faraó a fim de criá-lo como seu filho, com a realeza.

Enumere as bênçãos e benefícios que Moisés desfrutou por ter sido adotado pela filha de Faraó:

1. A educação que ela deu a Moisés proporcionou-lhe sólido alicerce para liderar o povo de Deus. Por ter sido criado no palácio de Faraó, Moisés viu de perto como ele governava.

2. A bondade dela foi o meio usado por Deus para salvar a vida daquele que, um dia, conduziria seu povo para fora do Egito.

3. Por ter sido adotado por ela, Moisés gozou de todos os privilégios de um filho da realeza.

4. Como mãe, ela ensinou o idioma egípcio ao homem que, um dia, negociaria com Faraó, tiraria o povo de Deus do Egito e escreveria os cinco primeiros livros da Bíblia.

Por meio da atitude de uma mulher nobre, Deus tirou seu servo Moisés das águas do rio Nilo e o conduziu para a casa de Faraó; do lar simples do casal israelita perseguido ao luxo do palácio do governador do Egito; de um futuro como pastor e oleiro à posição de líder da nação hebraica.

Você já pensou nas muitas vantagens e bênçãos que tem recebido pelas mãos de outras pessoas? Já manifestou gratidão a seus pais, sejam eles legítimos ou adotivos? A algum professor especial, benfeitor ou mentor? Faça uma pausa neste instante, agradeça a Deus as dádivas que ele lhe concedeu por meio dessas pessoas; depois, dedique um tempo para manifestar sua sincera gratidão às pessoas que Deus usou para fazer de você uma verdadeira serva de Deus.

31 de Março – Êx 2

Uma trabalhadora dedicada
Zípora

...e ele deu a Moisés sua filha Zípora.
Êx 2.21

Conheça agora Zípora, a mulher que se casou com Moisés, o amigo de Deus. Deus não nos fala muito sobre a vida de Zípora, mas podemos conhecê-la melhor por meio de alguns fatos:

- *Fatos sobre Moisés:* Moisés foi levado ao palácio para ser criado e educado, mas sua posição privilegiada foi prejudicada no dia em que ele matou um egípcio que espancava um hebreu. Quando Faraó procurou Moisés para matá-lo, ele fugiu para a terra de Midiã.

- *Fatos sobre as filhas de Reuel:* O primeiro encontro casual de Moisés com seus parentes distantes em Midiã ocorreu à beira de um poço, onde as filhas de Reuel, o sacerdote de Midiã, chegaram para dar água ao rebanho de seu pai. Moisés ajudou as sete moças nessa tarefa e elas o convidaram para ir à sua casa.

- *Fatos sobre Zípora:* Se juntarmos os fatos sobre a vida de Zípora (cujo nome significa "pássaro pequeno"), saberemos quem ela era:

- *Parente distante de Moisés*: Zípora, parente de Moisés por intermédio de Abraão, era filha de um sacerdote que talvez fosse homem temente a Deus (Êx 18.12,13).

- *Trabalhadora dedicada*: Quando conhecemos Zípora, ela estava trabalhando. Naquela época, os homens cuidavam dos camelos e as mulheres, dos rebanhos. Zípora tinha ido até o poço para tirar água para o rebanho de seu pai.

- *Filha obediente*: Zípora ajudava o pai nos afazeres diários e ficou feliz por se casar com Moisés, o homem que seu pai lhe deu como marido.

- *Mulher hospitaleira*: Depois que Moisés ajudou Zípora e suas irmãs na tarefa de dar água ao rebanho, elas o convidaram para ir à casa de seu pai, onde ele teria comida e abrigo.

Você é solteira? Está imaginando como... quando... se... encontrará o homem de seus sonhos? Cultive dentro de si as admiráveis qualidades de caráter demonstradas na vida de Zípora. Intensifique seu relacionamento com Deus, torne-se mais dedicada em suas responsabilidades, seja obediente a seus pais e desenvolva um espírito hospitaleiro e generoso.

1º DE ABRIL – Êx 11

A PROVISÃO DE DEUS
MULHER ISRAELITA

...todo homem peça ao seu vizinho, e toda mulher, à sua vizinha objetos de prata e de ouro. Êx 11.2

CERTA VEZ, Hudson Taylor, o fundador da Missão para o Interior da China, declarou com ousadia e precisão: "A obra de Deus feita à maneira de Deus nunca ficará sem a provisão de Deus". No caso dos israelitas, mais de uma vez Deus forneceu provisão para seu trabalho e seu povo. Certa ocasião, ele instruiu as mulheres judias para pedirem provisões ao povo do Egito.

Moisés liderava o povo de Deus. Depois da nona tentativa infrutífera para fugir da escravidão no Egito, Deus, que preparava seu golpe final e decisivo contra os egípcios que restaram, disse a Moisés: "Ainda mais uma praga trarei sobre Faraó e sobre o Egito. Então, vos deixará ir daqui". A última praga foi a morte dos primogênitos nascidos de homens e de animais, de todos os lares egípcios.

Antes da chegada dessa praga, Deus instruiu Moisés: "Quando sairdes, não será de mãos vazias. Cada mulher pedirá à sua vizinha... joias de prata, e joias de ouro, e vestimentas" (Êx 3.21,22). As mulheres deveriam pedir aos egípcios, de maneira aberta e intencional – e não disfarçadamente – joias de ouro, joias de prata e vestimentas. Qual foi o resultado da obediência das mulheres judias? Elas receberam presentes em profusão do povo egípcio!

Quando Deus lhe pede alguma coisa, seja ela qual for, ele toma providências para que você esteja qualificada para a tarefa e para que suas necessidades sejam totalmente supridas. Tenha certeza, querida filha de Deus, de que nunca lhe faltarão provisões para realizar uma tarefa para ele. Deus, o Pai celestial, prometeu "suprir, em Cristo Jesus, cada uma de vossas necessidades" (Fp 4.19).

Você tem-se lembrado de pedir provisões a Deus e de pedir com fé?

Seus motivos são puros? Você se preocupa com os propósitos de Deus e com a glória dele?

Talvez "nada tendes, porque não pedis" (Tg 4.2).

Cuide para não "esbanjardes em vossos prazeres" (Tg 4.3).

2 DE ABRIL – Êx 15

DEDICAÇÃO AO MINISTÉRIO
MIRIÃ

Miriã, irmã de [Moisés e] Arão...
Êx 15.20

"MIRIÃ, que conselho você daria a uma mulher solteira?"

Imagine um jornalista dos dias de hoje fazendo tal pergunta, durante uma entrevista, a Miriã, mulher solteira e grande serva de Deus do passado. Que experiências você acha que Miriã poderia oferecer após noventa anos de celibato?

Talvez Miriã respondesse simplesmente: "Dedique-se ao ministério". Não há nenhuma evidência na Bíblia de que Miriã tenha-se casado. Na verdade, a Bíblia inteira não faz menção a marido ou filhos de Miriã. Porém, aparentemente, em vez de abater-se ou entregar-se a sentimentos de inferioridade, desânimo ou solidão, Miriã considerava o celibato como uma oportunidade de dedicar-se inteiramente ao ministério. Em razão disso, ela se tornou em uma das mais eficientes líderes da Bíblia (Mq 6.4). Durante a libertação do povo de Deus do cativeiro egípcio e a jornada rumo à Terra Prometida, Miriã acompanhou seus irmãos, Arão e Moisés, e ajudou-os a conduzir os israelitas.

Se você, querida serva de Deus, ainda não se casou, passe a desenvolver as virtudes de Miriã. Talvez você tenha um emprego, uma carreira pela frente (lembre-se de que seu trabalho pode ser uma oportunidade importante para falar da Palavra de Deus), mas o restante de seu tempo talvez seja livre, conforme dizem os especialistas em *administrar o tempo*. Você tem completo controle na utilização de seu tempo livre – aqueles momentos em que você pode fazer o que desejar, o *seu* tempo.

Portanto, seja você solteira ou casada, dedique alguns instantes para orar sobre estas perguntas:

- Como tenho usado meu tempo livre – as noites, os fins de semana, as horas em que meus filhos dormem durante o dia – para o reino de Deus?

- Que portas de ministério estão abertas para mim atualmente?

Pense no número incontável de ministérios aos quais você poderia dedicar-se durante seu tempo livre! Você poderia ensinar ou aconselhar outra mulher a ter mais fé. Poderia escrever uma carta ou enviar um *e-mail* a uma missionária solitária. Poderia levar uma refeição a um paciente com câncer. Poderia visitar uma pessoa inválida. Poderia ajudar sua igreja a preparar os cultos matinais de domingo. Acrescente outras ideias a esta lista de sugestões e dê um passo arrojado rumo a um trabalho altruísta. Dedique-se a ajudar outras pessoas!

3 de Abril – Êx 15

Dedicação à família
Miriã

Miriã, irmã de [Moisés e] Arão...
Êx 15.20

Vimos como a esperta e encantadora Miriã escondeu-se por entre a vegetação à margem do rio Nilo, no Egito. Prendendo a respiração, observou silenciosamente o pequenino cesto que levava seu irmãozinho Moisés e aguardou para ver o que lhe sucederia (Êx 2.4).

No entanto, a dedicação de Miriã a Moisés não terminou na margem do rio. Em resposta ao chamado de Deus para viver solteira, ela optou por dedicar-se a colaborar com seus dois irmãos, Arão e Moisés, enquanto eles serviam a Deus e a seu povo (Mq 6.4).

Iniciamos a meditação de ontem com uma entrevista fictícia com Miriã, uma das servas de Deus que permaneceu solteira, fazendo-lhe a seguinte pergunta: "Que conselho você daria a uma mulher solteira?" Com base no que sabemos sobre a vida de Miriã, imaginamos que a primeira parte de seu conselho seria: "Dedique-se ao ministério". Hoje, acrescentamos a segunda parte de seu conselho: "Dedique-se à família".

Miriã, uma mulher que não teve marido nem filhos, dedicou seu coração, seu amor, sua energia e sua perspicácia a ajudar seus irmãos na enorme tarefa de conduzir o povo judeu – mais de dois milhões de pessoas! – para longe da opressão de Faraó e para a liberdade prometida por Deus. Aparentemente, enquanto Arão e Moisés conduziam o povo, Miriã era considerada a principal líder das mulheres – e agia como tal.

E quanto a você, minha querida? Você é solteira? Se for, de que maneiras criativas você pode servir e ajudar seus familiares em suas várias atividades, principalmente aquelas que dizem respeito ao reino de Deus? Ninguém mais que seus familiares merece sua lealdade e compreensão!

Você é mãe? Se for, está trabalhando com seus filhos em prol da união da família? Tente fazer que sua família trabalhe em conjunto para Deus. Sua família pode, por exemplo, adotar uma família missionária, ajudar a servir refeições em albergues, trabalhar lado a lado com outra pessoa na igreja, prestar assistência a uma família desabrigada, dar aulas na Escola Dominical ou encher uma mochila com materiais escolares para uma criança que não tem condições de comprá-los. Se você estimular o trabalho em conjunto para Deus e a colaboração entre as pessoas de sua família, seus filhos estarão bem encaminhados para trabalhar no serviço do Senhor, como Moisés, Arão e Miriã fizeram.

4 de Abril – Êx 15

Título honroso

MIRIÃ

A profetisa Miriã...
Êx 15.20

Profetisa é uma mulher que age como porta-voz de Deus, recebendo a mensagem dele e proclamando-a de acordo com seus mandamentos.[1] Poucas mulheres da Bíblia receberam esse título honroso. Nesse rol estão incluídas Miriã, Débora (Jz 4.4), Hulda (2Rs 22.14), Ana (Lc 2.36) e as quatro filhas de Filipe (At 21.9). Miriã, irmã de Arão e Moisés, foi a primeira mulher a receber esse raro título honroso. O Senhor falou a seu povo por meio dela (Nm 12.2). Uma dessas ocasiões foi um dia histórico na vida do povo judeu.

Aqueles eram tempos de muita tensão. Antes de Miriã tornar-se profetisa, seu povo trabalhava como escravo para os egípcios (Êx 1.11-14). Quando os filhos de Israel clamaram a Deus suplicando ajuda, Deus enviou-lhes Moisés e Arão, irmãos de Miriã, para libertá-los (Êx 4.27-31). Depois de dez encontros com Moisés e numerosas pragas mandadas por Deus, finalmente Faraó permitiu que os israelitas saíssem do Egito.

Sim, eram momentos de grande tensão, em que Faraó aumentou a carga de trabalho dos judeus, reduziu os suprimentos de que eles necessitavam e voltou atrás várias vezes depois de permitir a saída dos israelitas do Egito. Só após a morte de todos os primogênitos egípcios do sexo masculino foi que Faraó consentiu que o povo partisse. Porém, mesmo depois de ter dado o consentimento, Faraó ficou tão irado que enviou um exército de guerreiros ao encalço dos judeus (Êx 14.7).

Essa situação dramática deu motivo a mais um ato de poder sobrenatural. Enquanto todo o povo judeu atravessava miraculosamente as águas divididas do mar Vermelho, Deus, por meio de outro milagre, fez as águas cobrirem todo o exército egípcio (Êx 14.28).

Que maravilha! Que alívio! Que libertação! Moisés entoou um cântico de sincero louvor. Miriã também ofereceu um cântico inspirado por Deus. Ouça as palavras de júbilo de Miriã, a profetisa, que, com um tamborim na mão e acompanhada por todas as outras mulheres que dançavam e também tocavam seus tamborins, exultou: "Cantai ao Senhor, porque gloriosamente triunfou e precipitou no mar o cavalo e o seu cavaleiro". Amém!

5 de Abril – Êx 15

Lições de liderança
Miriã

...todas as mulheres saíram atrás [de Miriã]...
Êx 15.20

Você tem aspirações de liderança? Se um dos desejos de seu coração é estar à frente de outras mulheres, ou se você tem orado para ser líder, reflita sobre alguns princípios de liderança espiritual e peça a Deus que os desenvolva em sua vida.

- *O líder é um seguidor.* O adágio é verdadeiro. Antes de ser líder, é necessário ser um seguidor. A liderança é uma disciplina. Só depois de ser uma seguidora fiel é que se adquire a disciplina necessária para liderar com competência.
- *O líder é uma pessoa de oração.* A oração confere ao líder o poder e a força do Espírito Santo. O líder e missionário Hudson Taylor estava convencido de que "é possível mudar [as pessoas], por intermédio de Deus, fazendo uso só da oração".
- *O líder tem iniciativa.* O dom da visão é concedido apenas ao líder autêntico, aquele que está disposto a assumir riscos e pôr em prática corajosamente uma ideia arrojada.[2]

Se você está à procura de um modelo feminino de liderança, Deus lhe apresenta Miriã, uma de suas servas de fé que pôs em prática esses princípios de liderança.

- *Miriã foi uma seguidora.* Ela seguiu seus dois irmãos, Arão e Moisés, e lhes deu assistência, enquanto conduziam o povo de Deus à liberdade (Mq 6.4).
- *Miriã foi uma mulher de oração.* Como profetisa e mulher de oração, Miriã foi revigorada pelo Espírito Santo, que inspirava suas palavras.
- *Miriã tinha iniciativa.* Emocionada por Deus ter derrotado milagrosamente o exército egípcio no meio do mar Vermelho, Miriã "tomou um tamborim, e todas as mulheres saíram atrás dela com tamborins e com danças".

Que o Espírito de Deus opere em sua vida e que o exemplo de Miriã a inspire a trabalhar como líder para o reino do Senhor.

6 de Abril – Êx 15

Momento de comemorar
Mulheres israelitas

[...] todas as mulheres saíram atrás dela com tamborins e com danças.
Êx 15.20

Você já se sentiu como um elástico: esticada... esticada... e esticada mais um pouco... até achar que está a ponto de arrebentar? Foi exatamente esse tipo de tensão que crescia entre os israelitas. O povo tinha sido oprimido e perseguido na terra do Egito por mais de 350 anos (Êx 1). Até mesmo quando Deus enviou Moisés para libertar seu povo, a tensão aumentou, porque o Faraó do Egito se recusou, mais uma vez, a deixar o povo de Deus partir (Êx 10.27).

Os judeus trabalharam arduamente. Esperaram muito tempo. Preocuparam-se demais. Questionaram a liderança de Moisés e a fidelidade de Deus. Testemunharam numerosos milagres de Deus. Finalmente, conquistaram a liberdade, graças a mais um milagre de Deus.

Então, depois de tantas lutas, adoraram a Deus do outro lado do mar Vermelho! A liberdade da escravidão e o alívio tão esperado levaram o povo a um momento de comemoração! Em uma espontânea explosão de júbilo, Moisés e o povo de Israel cantaram ao Senhor e todas as mulheres seguiram Miriã, tocando tamborins e dançando.

Deus nos diz em Eclesiastes 3.4,7:

Há "tempo de chorar e tempo de rir";

Há "tempo de prantear e tempo de saltar de alegria"...

Há "tempo de estar calado e tempo de falar".

Chegara o tempo em que os homens e mulheres israelitas puderam rir, dançar, falar, cantar e comemorar! E, assim, eles exaltaram Jeová, falaram de suas maravilhas e entoaram-lhe louvores.

Você pode entoar louvores a Deus com o grandioso coro de israelitas? Você pode comemorar:

• sua libertação de determinadas provações?

• sua libertação da escravidão?

• sua libertação da escuridão eterna?

A Bíblia a exorta a engrandecer ao Senhor e exaltar seu nome (Sl 34.3). Renda graças ao Senhor e permita que os redimidos do Senhor cantem louvores a ele (Sl 107.1,2).

Celebremos a bondade do Senhor!

7 DE ABRIL – Êx 15

UM CÂNTICO PURO

MIRIÃ

E Miriã... respondia [ao cântico dos homens]...
Êx 15.21

REFLITA SOBRE ESTA FRASE de grande significado: "A música é um dom de Deus ao homem. É a única arte do céu concedida à Terra, e a única arte da Terra que levamos para o céu".³

Ao longo do tempo, o povo de Deus tem manifestado seu louvor, adoração e júbilo a ele por meio da música e dos cânticos. A Bíblia ordena que todo ser que respira (é claro, inclusive você!) "louve ao Senhor", e que isso deve ser feito não apenas com a voz, mas também com trombetas, saltérios e harpas, com adufes, instrumentos de cordas, flautas e címbalos (Sl 150.1-6). É natural querer cantar e gritar de alegria sempre que recebemos uma bênção indescritível e a música nos permite expressar o mais puro louvor a Deus e participar de uma atividade celestial.

Milhares de anos atrás, Miriã, a irmã de Moisés e Arão, além de trazer um pouco do céu à Terra por meio da música, liderou as mulheres israelitas naquele imenso ajuntamento do povo de Deus – mais de dois milhões de pessoas – que escapou da escravidão do poderoso Faraó do Egito. Depois de o povo atravessar milagrosamente, sem molhar os pés, o mar Vermelho e de as águas, também milagrosamente, se fecharem sobre o exército inimigo (Êx 12–14), Miriã cantou! Inspirada por Deus, ela cantou e louvou seu poder e fidelidade: "Cantai ao Senhor, porque gloriosamente triunfou e precipitou no mar o cavalo e o seu cavaleiro".

O que havia por trás do louvor de Miriã? E como você pode seguir seu exemplo de louvar com júbilo ao Senhor, em franca e sincera exaltação?

- *Louve a Deus com espontaneidade.* Miriã pegou um tamborim e respondeu com espontaneidade ao cântico dos homens com um coro de louvor e júbilo.

- *Louve a Deus pelo que ele é.* Miriã exaltou o poder de Deus e sua incontestável supremacia, justiça, verdade e misericórdia.

- *Louve a Deus de todo o coração.* Miriã e as mulheres israelitas cantaram e dançaram enquanto louvavam ao Senhor. O Novo Testamento nos exorta: "Tudo quanto fizerdes, fazei-o de todo o coração, como para o Senhor, e não para homens" (Cl 3.23). Miriã é um exemplo do Antigo Testamento que nos ensina a fazer tudo "de todo o coração, como para o Senhor".

Siga os passos de Miriã e louve ao Senhor! Permita que tudo o que está dentro de *você* louve o nome santo do Senhor!

8 DE ABRIL – Êx 15

Canções de louvor na noite
Miriã

E Miriã... respondia [ao cântico dos homens].
Êx 15.21

Ontem, alegramo-nos com a felicidade de Miriã ao expressar seu profundo agradecimento a Deus por meio de uma canção de júbilo. A Bíblia, porém, nos fala de outro tipo de canção. Tanto o salmista como Jó, dois homens que viveram tempos sombrios de sofrimento e angústia, mencionam as "canções de louvor durante a noite" (Sl 77.6; Jó 35.10). Além de ser um meio maravilhoso de expressar alegria, a música também é um meio abençoado de expressar sofrimento.

Duas mulheres da atualidade constataram que as canções entoadas nas noites sombrias de sofrimento ajudaram-nas a suportar a tristeza. Hoje, falaremos de Elisabeth Elliot.

Em 1956, o marido de Elisabeth, Jim, foi torturado e morto no Equador pelos índios selvagens aucas. Posteriormente, quando um entrevistador perguntou a Elisabeth Elliot por que os hinos eram parte tão importante de sua vida, ela respondeu:

Nasci em um lar onde líamos a Bíblia e cantávamos um hino todos os dias. Em razão dessa prática, aprendi... centenas de hinos. Eles fazem parte de minha vida tanto quanto a Bíblia e têm sido uma bênção extraordinária para mim em tempos de angústia.

Elisabeth Elliot prosseguiu dizendo que, ao tomar conhecimento de que seu marido talvez estivesse morto, um versículo da Bíblia e as palavras de um hino vieram-lhe à mente tranquilizando sua alma. A sra. Elliot conta o seguinte:

Isaías 43 diz: "Quando passares pelas águas, eu serei contigo; quando [passares] pelos rios, eles não te submergirão". Essas palavras também fazem parte do hino "Quão firme é o alicerce". Uma das estrofes diz: "Quando pelas águas eu tiver de passar,/ Os rios de tristeza não haverão de transbordar./ Porque serei contigo, e tu me abençoarás,/ E minhas angústias tranquilizarás".[4]

Reflita sobre essa verdade bíblica e saiba que ela, quando manifestada "com hinos e cânticos espirituais" (Ef 5.19), poderá também tranquilizá-la em suas noites sombrias. Em tempos de angústia e desânimo, de problemas e desgostos, de sofrimento e tristeza, lembre-se de cantar canções de louvor durante a noite. Elas lhe trarão conforto e esperança.

9 DE ABRIL – Êx 15

Pássaro canoro de Deus

Miriã

E Miriã... respondia [ao cântico dos homens].
Êx 15.21

Você já notou que as mulheres que amam a Deus gostam de cantar? Miriã cantou quando Deus libertou gloriosamente seu povo. Ontem falamos das "canções de louvor durante a noite" de Elisabeth Elliot depois que seu marido foi torturado e morto por causa de Cristo. Hoje, vamos conhecer outra mulher que amou a Deus e cantou louvores a ele na escuridão.

Fanny Crosby foi uma compositora de hinos, que nasceu nos Estados Unidos e viveu entre 1820 e 1915. Foram 95 anos de completa cegueira. Com apenas seis semanas de vida, um médico cegou-a inadvertidamente. No entanto, através dos olhos da fé, Fanny teve certeza de que aquele erro médico "não foi um erro de Deus". Ela escreveu: "Acredito sinceramente que a intenção [de Deus] foi permitir que eu vivesse meus dias na escuridão da cegueira física para que estivesse melhor preparada para cantar louvores a ele e incentivar outras pessoas a fazer o mesmo".[5] Observe como foi a vida de Fanny Crosby, enquanto cantava na escuridão:

- Aos oito anos, Fanny começou a escrever poesias.
- Quando ela estava com onze anos, um de seus poemas foi publicado.
- Aos 24 anos, publicou seu primeiro livro de poemas.
- Durante a vida inteira, Fanny escreveu um grande número de poemas religiosos, algumas cantatas e muitas canções.
- Quando ela morreu, o número de hinos e poemas de louvor a Deus escritos por ela havia ultrapassado oito mil!

Verdadeiramente, Fanny Crosby foi uma mulher que amou a Deus e confiou em sua sabedoria e em seus caminhos (Rm 11.33). Em vez de entregar-se à amargura ou ao ressentimento, à autopiedade ou ao desgosto, Fanny cantou. Ela se tornou o pássaro canoro de Deus. Assim como o rouxinol, ela cantou na escuridão... durante 95 anos.

Se você estiver enfrentando hoje algo que se assemelhe a uma tragédia, eleve uma canção de louvor a Deus nesses momentos sombrios. Adore-o enquanto estiver atravessando a névoa da incerteza e glorifique a Deus apesar da cegueira de sua incompreensão. Com sua canção de fé, você estará rendendo uma sincera homenagem à bondade e à grandiosidade de Deus.

10 de Abril – Êx 15

Piedosa até a velhice
Miriã

Cantai ao Senhor...
Êx 15.21

Uma das características mais edificantes das mulheres da Bíblia era o amor que serviam a Deus e a seu povo até o dia de sua morte. A querida Sara amou e serviu a Deus e à família até a idade de 127 anos (Gn 23.1). Débora, a dedicada ama de Raquel, viveu um século e, durante esse tempo, amou o que fazia.

Hoje vamos falar pela última vez de Miriã, outra extraordinária serva de Deus que lhe serviu até a velhice. Nesta última análise da história de uma mulher que amou a Deus tão fervorosamente, observe as diversas maneiras por ela utilizadas para dedicar-se de corpo e alma a ele até o fim da vida, aos 92 anos de idade. Faça do exemplo de Miriã, mulher piedosa até a velhice, um objetivo para a sua vida.

- *Miriã continuou a amar ao Senhor.* Depois que os israelitas atravessaram as águas divididas do mar Vermelho e testemunharam o poder de Deus destruindo seus inimigos, o coração de Miriã irrompeu em um cântico de louvor e adoração ao Senhor.

- *Miriã continuou a liderar as mulheres.* Quando a líder Miriã pegou um tamborim e sua alma entoou um cântico em homenagem a Deus, as outras mulheres a acompanharam.

- *Miriã continuou a ajudar seus irmãos.* Em seus últimos anos de vida, ela ajudou Moisés e Arão a conduzir o povo de Deus – dois milhões de pessoas – para fora do Egito e através do deserto. A jovem Miriã, que vigiara seu irmãozinho Moisés enquanto ele flutuava nas águas do rio Nilo dentro de um cesto (Êx 2.4), transformou-se na corajosa e valente Miriã, que continuou a ajudar Moisés e Arão, dando assistência às mulheres, enquanto o povo israelita atravessava o deserto.

- *Miriã continuou a louvar a Deus.* Ela nunca se sentiu velha demais ou cansada demais para louvar a Jeová por sua bondade e por suas obras maravilhosas aos filhos dos homens.

- *Miriã continuou a cantar louvores a Deus.* Quando ela louvava a Deus com uma canção, sua adoração era pública, expressiva, exuberante e sincera.

Seja qual for sua idade, minha querida irmã, continue sendo até o fim uma mulher que ama a Deus e colabora com seu povo!

11 de Abril – Êx 20

Honre sua mãe

Mães

Honra... tua mãe...
Êx 20.12

Basta ouvir a expressão "Dia das Mães" para você pensar imediatamente em um lindo buquê de flores, uma festa e bombons. Acrescente a isso o tradicional telefonema e você terá comemorado o Dia das Mães, mais uma vez. Por que será que temos o hábito de homenagear nossas mães em apenas um dia do ano, quando elas deveriam receber nossa homenagem nos outros 364 dias também?

Deus, que criou a família como instrumento para a estabilidade social e a educação das crianças no conhecimento do Senhor, preocupa-se muito com a maneira como tratamos as mães. No livro de Êxodo, Deus entregou a seu povo, daquela época e de hoje, os Dez Mandamentos aos quais ele quer que obedeçamos. O quinto mandamento diz o seguinte: "Honra teu pai e tua mãe, para que se prolonguem os teus dias na Terra que o Senhor, teu Deus, te dá".

Já que Deus ordena a você a honrar sua mãe, que tal fazer isso hoje, todos os dias deste ano e no restante de sua vida? Aqui estão algumas sugestões práticas e carinhosas para honrar sua mãe:

1. *Ore por sua mãe.* Isto é uma realidade: Você não pode negligenciar, e muito menos odiar, uma pessoa por quem costuma orar!

2. *Fale bem de sua mãe.* Honrar sua mãe também significa falar bem dela às outras pessoas (Tt 3.2).

3. *Fale educadamente com sua mãe.* Boas maneiras sempre são sinal de respeito. O amor "não se exaspera" (1Co 13.5). Em outras palavras, o amor tem boas maneiras!

4. *Trate sua mãe com cortesia e respeito.* Esteja sempre pronta a ajudá-la. Seja receptiva. Pare, olhe e escute quando ela fala.

5. *Demonstre o amor que você sente por sua mãe.* Um abraço, um tapinha nas costas, um aperto de mão, um braço passado ao redor dos ombros ou um beijo carinhoso falam mais alto que tudo!

Grave essas cinco sugestões no coração e ore para seguí-las. Comprometa-se desde já a honrar sua mãe e aguarde até amanhã para conhecer mais outras cinco sugestões!

Oração: Que nossos pensamentos possam honrar todas as lembranças que se referem à *mãe*.

12 de Abril – Êx 20

Honra e bênção
Mães

Honra... tua mãe...
Êx 20.12

Você deseja ter uma vida abençoada por Deus? Bem, Deus promete isso a você e ele cumpre o que promete de maneira inusitada.

Quando Deus entregou a lei a seu povo, por intermédio de Moisés, um dos Dez Mandamentos foi acompanhado de uma promessa: "Honra teu pai e tua mãe, para que se prolonguem os teus dias na terra". Os pais têm um lugar especial aos olhos de Deus e ele abençoará com uma vida de paz as gerações que honrarem seus pais. Quando honramos nossos *pais*, Deus *nos* abençoa (Ef 6.1-3)!

Ontem apresentamos metade de nossas dez sugestões para você honrar a querida mãe que Deus lhe deu. Hoje você conhecerá as cinco restantes. Se você estiver honrando sua mãe, que sua vida seja repleta das mais ricas bênçãos de Deus e que seus dias na Terra sejam prolongados!

6. *Dê atenção à sua mãe*. Quanto custa um selo de correio? Quantos minutos são necessários para escrever algumas frases em um cartão postal? Se o momento for adequado (e o preço da chamada também), como é possível um rápido telefonema custar caro demais?

7. *Adquira o hábito de dar "presentinhos" à sua mãe*. Você sabe do que ela gosta? Será que ela gostaria de ganhar um marcador de livros? Há uma tira cômica no jornal de hoje que poderia fazê-la sorrir? Você pode emprestar-lhe um de seus livros favoritos? Levar-lhe alguns docinhos feitos em casa? Dar-lhe uma cópia de uma receita que você acabou de aprender? Enviar-lhe uma fotografia sua pelo correio?

8. *Seja mais "altruísta" e menos "egoísta" com sua mãe*. Telefone para ela quando não estiver precisando de nada. Diga-lhe que só queria dar um "alô" e ouvir sua voz. Tome o cuidado de não ocupar o tempo "livre" dela fazendo-a de "babá não-remunerada" de seus filhos.

9. *Reflita sobre as palavras sábias deste provérbio:* "O homem insensato despreza a sua mãe" (Pv 15.20).

10. *Honre sua mãe agora!* Há uma poesia que nos faz lembrar disso:
    Se você tiver um sorriso para sua mãe, sorria agora.
    Se você tiver uma palavra bondosa.
    para sua mãe, fale agora.
    Se você tiver uma flor para sua mãe, entregue-a agora.
    Faça isso (honre-a) enquanto ela for viva.
    Não espere "até ser tarde demais".[6]

13 DE ABRIL – ÊX 35

OFERTAS AO SENHOR
MULHERES ISRAELITAS

Vieram homens e mulheres, todos dispostos de coração...
Êx 35.22

O MAR MORTO é um imenso volume de água localizado nas terras desertas de Israel. Ele tem quase oitenta quilômetros de comprimento, cerca de dezesseis quilômetros de largura e quase quatrocentos metros de profundidade. É alimentado pelo rio Jordão, que o abastece com cerca de 23 milhões de litros de água por dia. Apesar desse enorme volume de água que recebe, o mar Morto é... morto! Mesmo sendo abastecido por tanta água, o mar Morto é inútil e sem vida porque não tem como dar vazão às suas águas.

Hoje, vamos conhecer um extraordinário grupo de mulheres que fizeram questão de dar vazão a seus bens materiais. Essas mulheres encantadoras são conhecidas por muitas pessoas como "mulheres dispostas de coração". Observe a condição do momento em que elas demonstraram tanta generosidade: Antes de os israelitas saírem do Egito, as mulheres pediram objetos de prata e de ouro às egípcias e os receberam (Êx 11.2). Naquele momento, Moisés comunicou o pedido de Deus relativo a uma oferta para financiar e mobiliar um local de adoração para o povo hebreu (Êx 25.8).

Como aquelas mulheres israelitas, de coração disposto a servir e cheio de amor a Deus, reagiram diante do apelo de Moisés? Elas contribuíram espontaneamente para a obra de Deus. As mulheres dispostas de coração reagiram trazendo brincos, pendentes, anéis, colares e outras joias de ouro como oferta ao Senhor.

Como é fascinante ter um coração generoso! Assim como a água, o dinheiro e os bens materiais não têm muita utilidade quando ficam parados, quando deixam de circular. Por certo, você não deseja ser o mar Morto – inútil e morto – por não poder dar vazão ao que possui! Ore e reflita sobre estas perguntas:

• Qual é a minha atitude em relação aos bens que possuo (Mt 10.8)?

• Tenho um plano para fazer uma oferta com regularidade (1Co 16.2)?

• Com o que posso contribuir hoje para a obra do Senhor?

Bem... veja só como essa história termina! A Bíblia diz que o povo ofertou muito mais do que o Senhor ordenara. Moisés precisou dizer ao povo que parasse de trazer ofertas. Eles conseguiram todo o material necessário para realizar a obra. Na verdade, tinham até de sobra!

14 de Abril – Êx 35

A OFERTA QUE VEM DO CORAÇÃO
MULHERES ISRAELITAS

Vieram homens e mulheres, todos dispostos de coração...
Êx 35.22

COMO UMA MULHER QUE AMA a Deus pode agradecer a ele sua fidelidade e amor? Há mais de três mil anos, um grupo de mulheres judias agradecidas planejaram um jeito de manifestar, de maneira sincera, sua gratidão a Deus. Deus poupara milagrosamente a vida de seus filhos primogênitos (Êx 12.27) e conduzira os judeus à libertação depois de longos anos de sofrimento na terra do Egito. Agora, Moisés, seu líder, exortava: "Tomai, do que tendes, uma oferta para o Senhor; cada um, de coração disposto, voluntariamente a trará por oferta ao Senhor" (Êx 35.5).

Aquelas mulheres, que amavam tanto a Deus, reagiram com extraordinária generosidade! Seu exemplo comovente nos apresenta algumas regras que podemos seguir para se fazer ofertas sinceras a Deus, que venham do coração. Observe a primeira regra apresentada hoje. Nos próximos dias, você encontrará outras regras.

- *Regra nº 1: Doe o seu tesouro.* Quando a oferta foi solicitada, as mulheres israelitas levaram brincos, pendentes, anéis, colares, joias de ouro, prata e bronze, linho fino de cor azul, púrpura e carmesim, pelos de cabras, peles de animais marinhos, peles de carneiros tingidas de vermelho e madeira de acácia. As mulheres israelitas levaram todos os tesouros que possuíam e os ofertaram espontaneamente para a obra do Senhor. Lembre-se de que elas tinham vivido quatrocentos anos como escravas, sem possuir nada. No momento em que tinham conseguido ajuntar tesouros, optaram por doá-los, em vez de guardá-los!

Minha querida, reflita sobre seus tesouros e lembre-se de onde eles vieram. A Bíblia nos esclarece sobre esse assunto:

- "E que tens tu que não tenhas recebido?" (1Co 4.7). A resposta a essa pergunta é clara e audível: "Absolutamente nada". Afinal de contas, "é ele [Deus] o que te dá força para adquirires riquezas" (Dt 8.18).

- No Novo Testamento, o apóstolo Tiago nos faz lembrar que "toda boa dádiva e todo dom perfeito são lá do alto, descendo do Pai das luzes" (Tg 1.17).

- O apóstolo Paulo nos adverte que "nada temos trazido para o mundo, nem coisa alguma podemos levar dele" (1Tm 6.7).

Transforme estas palavras de Jesus em oração e ponha-as em prática em seu coração: "De graça recebestes, de graça dai!" (Mt 10.8). Amém!

15 de Abril – Êx 35

A OFERTA QUE VEM DAS MÃOS
MULHERES ISRAELITAS

Todas as mulheres hábeis traziam o que, por suas próprias mãos, tinham fiado... Êx 35.25

JESUS AFIRMA ESTA VERDADE a respeito dos bens materiais: "Onde está o teu tesouro, aí estará também o teu coração" (Mt 6.21).

Nesse episódio do livro de Êxodo, as mulheres israelitas tiveram a oportunidade de avaliar exatamente onde seu coração estava. Forçadas a optar entre Deus e o ouro[7] quando Moisés pediu uma oferta espontânea para a construção do tabernáculo, grande número de mulheres dispostas de coração pôs em prática a *Regra nº 1* de oferta a Deus: *Doe seu tesouro*. O coração generoso daquelas mulheres transbordava de gratidão a Deus, e elas doaram espontaneamente seus bens materiais.

Outras também fizeram doações, mas obedecendo à *Regra nº 2: Doe seu talento*. Essas mulheres empregaram os talentos que o Senhor lhes deu utilizando o material ofertado pelas mulheres que doaram seus tesouros. Elas sabiam fiar e puseram mãos à obra. Levaram linho fino e estofo como oferta a Deus.

Como você, querida amiga, considera os talentos que Deus lhe deu? Acha que seu talento é um tesouro que pode ser usado para a glória de Deus? Imagine os trabalhos maravilhosos que as mulheres israelitas doaram à casa do Senhor. Elas transformaram os pelos de cabras e as peles de carneiros em peças suntuosas para enfeitar o local onde adorariam ao Senhor! Dedicaram seus talentos e habilidades a Deus. Quando puseram mãos à obra, revelaram a generosidade de seu coração... de maneira admirável!

Avalie suas aptidões, habilidades e especialidades. Você costuma reconhecer que seus dons vêm de Deus? Costuma orar sobre como usar suas habilidades para o propósito de Deus? Costuma usar seus talentos em benefício de outras pessoas e, até mesmo, em prol de uma melhor adoração a Deus?

Reflita sobre estes exemplos. Se você tem o dom de fazer arranjos de flores, que tal apresentar-se como voluntária para enfeitar o púlpito todos os domingos? Se você sabe fazer limpeza, pense na ideia de limpar o banheiro das senhoras entre um culto e outro. Se você é artista, não poderia dar um toque especial ao boletim da igreja? Se gosta de fazer crochê, que tal dar de presente um xale, feito com amor, a uma das pessoas inválidas da igreja? Disponha-se a devolver a Deus os talentos que ele lhe deu!

16 DE ABRIL – Êx 35

OFERTA QUE VEM DA AMPULHETA DA VIDA
MULHERES ISRAELITAS

*E todas as mulheres cujo coração as moveu
em habilidade fiavam os pelos de cabra.* Êx 35.26

RALPH WALDO EMERSON, ensaísta e poeta do século XIX, comparou os minutos de nossa vida a diamantes em estado bruto. Assim como eles adquirem mais valor depois de lapidados e usados na confecção de joias, os minutos também são artigos em estado bruto, que aumentam de valor depois de moldados e usados para o Senhor.

Imagine o extraordinário brilho, como o de diamantes, dos minutos e das horas que as mulheres israelitas dedicaram a Deus ao cuidar para que seu tabernáculo reluzisse no céu! Quando Deus disse ao líder Moisés que convocasse seu povo para trabalhar em conjunto na construção de um lugar de adoração, as servas fiéis de Deus responderam ao seu chamado. Essas mulheres que amavam a Deus nos apresentam outra regra sobre como ofertar ao Senhor:

- *Regra nº 3: Doe seu tempo.* As mulheres de Israel doaram generosamente seu tempo, trabalhando com diligência para decorar o tabernáculo. Com coração agradecido e mãos habilidosas, puseram-se a trabalhar transformando materiais em estado bruto em obras-primas de rara beleza para Deus! É difícil calcular o tempo que essas mulheres passaram tecendo dez cortinas de linho fino retorcido (enfeitadas com estofo azul, púrpura e carmesim e decoradas com querubins) e confeccionando onze cortinas de pelos de cabras e de peles de cabras e de carneiros para serem usadas como cobertura da tenda. Cada cortina media cerca de treze metros de comprimento por dois metros de largura, tamanho suficiente para cobrir a estrutura de madeira do tabernáculo, que tinha cerca de nove metros de altura por 23 metros de largura![8]

Sim, o tempo é um dom precioso de Deus que você pode devolver a ele com alegria e disposição. Reflita sobre o tempo que você tem para ofertar a Deus, aquele que escoa com o marcar do relógio da vida: tempo para dedicar um dia de trabalho à igreja e transformá-la em um lugar mais bonito para adorar a Deus; tempo para comparecer a uma reunião de oração e tornar mais bela a vida das pessoas por quem você ora; tempo para ler a Bíblia (que tal ofertar o dízimo de seu tempo ao Senhor?) e tornar sua alma mais bela aos olhos de Deus.

Tome a decisão de controlar seus minutos. Passe-os com sabedoria. Há um pequeno poema que diz: "Apenas um curto minutinho, mas que vale uma eternidade!" Procure usar seu tempo em atividades que valham uma eternidade.

17 de Abril – Êx 35

Conte suas bênçãos
Mulheres israelitas

...todo homem e mulher cujo coração os dispôs para trazerem uma oferta...
Êx 35.29

Mil e quinhentos anos após os maravilhosos eventos mencionados em Êxodo 35, outra mulher que amou a Deus, Maria, mãe de Jesus, foi inspirada a entoar um cântico de louvor que, com certeza, expressou o mesmo sentimento que havia no coração das mulheres israelitas: "Porque o Poderoso me fez grandes coisas" (Lc 1.49).

Antes de enumerar as bênçãos que as queridas mulheres de Israel receberam da mão e do coração de Deus – bênçãos que as levaram a ofertar a Deus tesouros, talentos e tempo –, peço a você, leitora, que faça uma pausa neste instante, curve a cabeça diante daquele que é Poderoso e pense nas "grandes coisas" que ele lhe tem feito. Não hesite em passar cinco minutos (ou mais!) em louvor, adoração e ações de graças diante do seu Deus maravilhoso...

Agora, depois de um tempo de reflexão, você será capaz de compreender melhor e identificar-se com o coração das servas de Deus mencionadas em Êxodo 35. Observe algumas ricas e maravilhosas bênçãos que Deus lhes concedeu:

- *Segurança*: Deus protegeu os israelitas das dez pragas que ele enviou à terra do Egito (Êx 7–12).
- *Família*: Deus poupou a vida dos primogênitos hebreus por ocasião da última praga, a praga da morte (Êx 11–12).
- *Vida*: Deus salvou a vida de seu povo fazendo que atravessasse a pés enxutos o mar Vermelho (Êx 14).
- *Libertação*: Deus, de maneira milagrosa, pôs fim à escravidão e à aflição que seu povo vinha sofrendo nas mãos dos egípcios (Êx 14.30,31).

O Deus Todo-poderoso também tem feito maravilhas por você, minha querida amiga. Que tal imitar o gesto das mulheres israelitas agradecendo as extraordinárias bênçãos de Deus? Doe ao Senhor:

Quantidade – elas doaram generosamente.
Valor – elas doaram o que tinham de melhor.
Variedade – elas doaram tesouros, talentos e tempo.
Entusiasmo – elas doaram entusiasticamente.

18 de Abril – Êx 38

A SUBLIME BELEZA
Mulheres israelitas

*Fez também a bacia de bronze... dos espelhos das mulheres
que se reuniam para ministrar à porta da tenda... Êx 38.8*

QUANDO DEUS FALA, seu povo precisa estar pronto para ouvir – e obedecer! Nos dias do patriarca Moisés, Deus lhe falou a respeito de usar os bens que o povo possuía para a construção de um tabernáculo de adoração (Êx 35.5). Os israelitas ficaram tão comovidos que doaram mais do que o necessário e tiveram de ser instruídos a interromper suas doações (Êx 36.6,7). Assim que os materiais foram ajuntados, começaram os preparativos.

Em primeiro lugar, foram montadas as estruturas e a cobertura. Em seguida, foram feitos o véu e o reposteiro (Êx 36). Depois, foram confeccionados, com o maior esmero possível, os artigos para o Santo Lugar: a arca da aliança, o propiciatório, a mesa dos pães da proposição e o candelabro de ouro (Êx 37). Finalmente, de madeira de acácia foram construídos o altar de incenso e o altar do holocausto (Êx 37, 38).

Havia ainda um último utensílio a ser confeccionado: a bacia de bronze, em que os sacerdotes lavavam as mãos manchadas de sangue e os pés sujos, depois de ofertarem animais em sacrifício e antes de entrarem no Santo Lugar para adorar e servir ao Senhor. Essa bacia, que tinha um significado muito importante, Moisés a "fez... com o seu suporte de bronze, dos espelhos das mulheres que se reuniam para ministrar à porta da tenda da congregação".

Deus registra para sempre em sua palavra o gesto altruísta das mulheres israelitas ao entregar seus bens mais valiosos para que fosse feita a bacia dos sacerdotes. Elas ofereceram espontaneamente seus belos espelhos de bronze, sem dúvida finas peças do artesanato egípcio. Desses objetos de metal fundido, usados para a vaidade pessoal, Moisés fez um utensílio para que os sacerdotes se apresentassem perante Deus purificados e santificados. Essas mulheres amaram a Deus mais do que a seus bens materiais e à beleza exterior, demonstrando devoção a ele e à sua causa ao procurar alcançar a sublime beleza da santidade.[9]

Você tem-se dedicado inteiramente a Deus? Entregaria a Deus com alegria qualquer objeto de uso pessoal para que ele o usasse de acordo com seus propósitos? Tudo o que você é e tudo o que possui é dele? Se essa for a atitude de seu coração, você, minha preciosa irmã, possui a beleza mais sublime que existe: a beleza da devoção e dedicação a Deus.

19 de Abril – Nm 6

Separadas para Deus
Mulheres naziritas

Quando alguém, seja homem seja mulher, fizer voto especial, o voto de nazireu...
Nm 6.2

Como crente em Jesus Cristo, você é uma mulher separada para Deus. Você foi liberta do império das trevas e transportada para o reino do Filho de Deus (Cl 1.13). Jesus fez essas maravilhas por você! Oh! louve-o neste momento!

No tempo de Moisés, um grupo de mulheres optou por separar-se para Deus. Deus estabeleceu rituais de sacrifícios para redimir os pecados, mas ele também permitiu que pessoas leigas, desejosas de se consagrar ao Senhor e a seu serviço durante determinado período de tempo, apresentassem um voto, uma oferta vinda do coração. A lei dizia o seguinte: "Quando alguém, seja homem seja mulher, fizer voto especial, o voto de nazireu, a fim de consagrar-se para o Senhor, abster-se-á de [certas coisas e práticas]". A palavra *nazireu* significa "separado", ou seja, dedicação por estar separado.

O que as mulheres que assumiam um voto espontâneo de nazireado deviam evitar? A inusitada lista de Deus incluía vinho, produtos feitos com uvas, cortar o cabelo e tocar em cadáveres. Ao escolher a submissão a essas restrições em sua vida diária, as mulheres (e homens) que faziam o voto de nazireado demonstravam, de forma visível e pública, sua separação do mundo e sua dedicação a Deus. Tais pessoas passavam a ser uma espécie de "maravilha", gente fora do comum.

E agora, querida mulher que ama a Deus e que já foi consagrada ao Senhor, reflita sobre estas perguntas:

- Você está separada para Deus em seu coração e em suas práticas diárias?
- As outras pessoas consideram que você está separada do mundo quando observam seu comportamento, palavras e atitudes?
- As outras pessoas acham que você pertence a outro mundo, que possui uma auréola de santidade?
- Você pensa nas coisas lá do alto, e não nas que são aqui da Terra? Seu coração busca as coisas do alto, onde Cristo vive, assentado à direita de Deus (Cl 3.1,2)?
- O que você fará hoje para renovar sua dedicação a Deus?

20 de Abril – Nm 20

Epitáfio
Miriã

Ali, morreu Miriã e, ali, foi sepultada.
Nm 20.1

POR QUE É TÃO FÁCIL deixar que a lembrança de uma única atitude negativa de uma pessoa ofusque todo o bem que ela realizou durante a vida inteira? Reflita sobre o caso de Miriã.

Já conhecemos a história dela, como dedicou sua vida ao serviço do Senhor. Quatro livros da Bíblia (Êx, Lv, Nm e Mq) mencionam Miriã, uma mulher admirável que amou a Deus. Analise a lista de suas principais realizações para o Senhor:

- Miriã cuidou de seu irmãozinho Moisés (Êx 2.4).

- Miriã serviu a Deus, ao lado de seus dois irmãos, Arão e Moisés, enquanto eles conduziam o povo de Deus para a liberdade (Mq 6.4).

- Miriã foi profetisa; ela falava e agia pela inspiração de Deus (Êx 15.20).

- Miriã liderou as mulheres israelitas em um cântico de júbilo e adoração depois que o povo se livrou do exército egípcio (Êx 15.20,21).

- Miriã serviu a Deus até a idade de mais de noventa anos, conquistando para si o tributo de "piedosa até a velhice".

No entanto, houve um terrível incidente. Por inveja, Miriã agrediu Moisés verbalmente e foi severamente punida por Deus (Nm 12). Por causa de sua atitude, Miriã não entrou na Terra Prometida com o povo de Deus. Nem seus dois famosos irmãos, Moisés e Arão, porque ambos cometeram um pecado imperdoável ao deixar de honrar ao Senhor diante dos israelitas. Apesar disso, não nos lembramos de Moisés ou de Arão por suas características negativas e também não devemos nos lembrar de Miriã desse modo.

Você não acha que estas palavras poderiam ser gravadas na lápide de Miriã?

*Aqui jaz uma mulher que amou a Deus
com todo o coração, com toda a alma, com todo
o entendimento e com todas as forças.*

A partir de hoje, faça um esforço para anotar e lembrar-se de tudo o que há de bom nas outras pessoas, em vez de só pensar em um deslize infeliz ou pecado significativo. A Bíblia nos faz lembrar: "Tudo o que é [...] puro [...] amável [...] de boa fama [...] e se algum louvor existe, seja *isso* o que ocupe o vosso pensamento" (Fp 4.8, destaque da autora)!

21 DE ABRIL – NM 27

TEMPO DE PEDIR

AS FILHAS DE ZELOFEADE

Então, vieram as filhas de Zelofeade...
Nm 27.1-11

PERGUNTA: O que sucede com a propriedade de um homem quando ele morre sem deixar filhos do sexo masculino?

As cinco filhas de Zelofeade estavam com essa dúvida. O pai delas morrera antes que os israelitas tomassem posse da Terra Prometida e, sendo mulheres jovens, sem pai, sem irmãos e sem marido, queriam saber se teriam direito à herança deixada pelo pai. Foram falar com Moisés e pediram a seu líder piedoso que legislasse sobre o assunto.

Resposta: Ao tomar conhecimento do problema das jovens, Moisés consultou o Senhor e Deus lhe transmitiu uma nova lei: as filhas de Zelofeade teriam o direito de receber a herança deixada pelo pai. A decisão do Senhor de que as filhas podiam herdar os bens do pai foi perpetuada como base legal para legislar a respeito de heranças entre o povo de Israel.

Essas mulheres que amaram a Deus serão sempre lembradas com admiração. Observe bem suas características positivas. Elas sabiam quando, como e por que pedir. As filhas de Zelofeade foram:

- *Corajosas*: Elas pediram com coragem e ousadia. Por não terem nenhum parente para protegê-las, levaram o assunto diretamente a Moisés e, por conseguinte, a Deus. Foram corajosas e fizeram que seu pedido chegasse ao conhecimento de Deus (Hb 4.16), que valoriza cada um de seus filhos e considera suas causas dignas de atenção.

- *Equilibradas*: Havia um ponto a favor daquelas mulheres. O pedido delas não tinha nada a ver com ganância. Elas não pediram as possessões de seu pai. Pediram a propriedade do pai – a terra que seria destinada a ele quando o povo se estabelecesse em Canaã. Elas queriam que o nome de seu pai fosse estabelecido naquela terra, que passaria a pertencer-lhes e, depois, seria transferida às gerações seguintes.

- *Confiantes*: Aquelas corajosas, sábias e confiantes filhas de Zelofeade nunca duvidaram de que todos os homens do povo de Deus receberiam sua porção na Terra Prometida (Js 21.43). Pela fé, elas recorreram a Deus para que ele cumprisse as suas promessas.

- *Abençoadas*: Elas receberam a recompensa da fé. Receberam a herança de seu pai!

Que lições você, querida filha do Rei, pode aprender com essas mulheres piedosas que se achegaram ao Pai celestial? Siga o exemplo delas e apresente-se *corajosamente* diante de Deus. *Acredite* que ele responderá à sua oração e receba as *bênçãos* que são derramadas sobre aqueles que confiam nele.

22 DE ABRIL – NM 30

TEMPO DE FAZER VOTOS
MULHERES NAZIRITAS

Quando, porém, uma mulher fizer voto ao Senhor...
Nm 30.3-16

NA MEDITAÇÃO DE ALGUNS DIAS ATRÁS, nossos corações ficaram comovidos quando vimos a devoção das mulheres israelitas que manifestaram seu amor a Deus fazendo voluntariamente o voto de nazireado.

Hoje, vamos aprender mais sobre os votos que nós, mulheres, fazemos, ou pretendemos fazer, a Deus. Leia o capítulo 30 de Números (trata-se de um capítulo emocionante, que nos convida a pensar) e reflita sobre a natureza de nossos votos a Deus.

- *A definição de voto:* A palavra hebraica que designa *voto* tem o significado de "vínculo" ou "compromisso obrigatório". No grego, *voto* significa "oração a Deus".
- *A importância de um voto:* Voto é uma promessa ou juramento religioso. É uma transação entre o homem e Deus, na qual o homem dedica a si mesmo, dedica seu serviço ou algo valioso a Deus.
- *Os tipos de votos:* Além de serem uma promessa feita a Deus, os votos também podem ser uma autodisciplina imposta voluntariamente para o desenvolvimento do caráter e para alcançar determinados objetivos.[10]

No centro de um coração que deseja fazer um voto a Deus está uma extraordinária dedicação a ele e um anseio de ser mais fiel e crescer em santidade. Antes de pensar em fazer um voto, grave estas duas regras em seu coração:

- *Regra nº 1: Cumpra sua palavra.* No Novo Testamento, Jesus enfatizou continuamente a importância de cumprir a palavra, seja ela um voto, um juramento, ou uma promessa. Jesus ordena: "Seja, porém, a tua palavra: sim, sim; não, não" (Mt 5.37).
- *Regra nº 2: Leve seus votos a sério.* Deus procede assim! Antes de fazer um voto, meça as consequências de quebrá-lo ou deixar de cumpri-lo. A Bíblia diz: "Laço é para o homem o dizer precipitadamente... E só refletir depois de fazer o voto" (Pv 20.25). Na linguagem de hoje, esse provérbio quer dizer: "É melhor não fazer um voto ou uma promessa do que fazer e não cumprir".

Com base nessas duas regras, existe alguma promessa que você fez ou algum problema de autodisciplina que você necessite confiar a Deus hoje? Faça isso agora e peça que ele lhe conceda a graça de ir até o fim.

23 DE ABRIL – Js 2

ANTES... E DEPOIS

RAABE

...entraram na casa duma mulher prostituta, cujo nome era Raabe...
Js 2.1

"RAABE, A PROSTITUTA." Ao longo da Bíblia, essas três palavras foram usadas em referência a uma mulher extraordinária que amou a Deus. O fato de Raabe, a prostituta, estar incluída nos "exemplos de fé" do livro de Hebreus (Hb 11.31) significa para nós que ela tem uma história para contar sobre o antes e o depois. Reflita sobre o que a Bíblia diz sobre sua vida.

- *Antes:* Antes de Raabe passar a crer no verdadeiro Deus, ela era uma idólatra da terra dos amorreus. *Rá* era o nome de um deus egípcio, e o nome inteiro de Raabe significa "insolência e ferocidade". Além do significado negativo de seu nome, a Bíblia informa que Raabe era uma prostituta.

Mas Deus, que, segundo o beneplácito de sua vontade, escolheu seus filhos antes da fundação do mundo para que fossem santos e irrepreensíveis perante ele (Ef 1.4-8), tocou o coração de Raabe e transformou-a em nova criatura (2Co 5.17). Para Raabe, as coisas antigas passaram, e tudo se fez novo!

- *Depois:* Depois que a graça de Deus tocou e limpou a alma de Raabe, a prostituta, e depois que ela realizou vários atos heroicos de fé, o Senhor abriu as janelas do céu e derramou suas ricas e abundantes bênçãos sobre sua vida. Quais foram algumas bênçãos tangíveis que Raabe recebeu como filha de Deus?
- Raabe casou-se com Salmom, um príncipe da casa de Judá.
- Raabe deu a Salmom um filho chamado Boaz... que gerou Obede... que gerou Jessé... que gerou Davi (Rt 4.20-22)... de cuja descendência nasceu Jesus (Mt 1.1,5).

Faça uma pausa neste momento e agradeça a Deus a sua história, do antes e do depois. A pequena Epístola aos Efésios nos lembra que, em tempos passados (antes), todos nós andávamos no caminho da desobediência, segundo o curso deste mundo (Ef 2.2). Porém, para louvor da glória de sua graça, Deus (depois) "nos concedeu gratuitamente no Amado, no qual temos a redenção, pelo seu sangue, a remissão dos pecados" (Ef 1.6,7)! Selá*! Pense nisto!

---

*[NE]. Selá: "Pode significar pausa, crescendo ou interlúdio musical" (*A Bíblia Anotada*).

24 de Abril – Js 2

O CAMAFEU DE CORAGEM
RAABE

A mulher, porém, havia tomado e escondido os dois homens...
Js 2.4

TODA MULHER ADMIRA a delicadeza de um camafeu cuidadosamente modelado, mas poucas pessoas sabem como é feita essa joia de rara beleza.

O processo começa com uma pedra ou concha de múltiplas camadas. Primeiro, o escultor faz o esboço de uma figura (geralmente o perfil de uma mulher) na peça; depois talha os relevos da figura na camada superior. As camadas inferiores servem de segundo plano para o retrato. Os cortes nas camadas coloridas da pedra ou concha criam um efeito magnífico. Os camafeus ficam ainda mais bonitos quando se coloca uma cor clara contra um fundo escuro.

A vida de Raabe nos oferece um dos camafeus de coragem mais dramáticos da Bíblia, e o que se diz do camafeu aplica-se a ela: sua beleza é brilhante por causa do fundo escuro contra o qual ela brilha. Reflita sobre a situação de Raabe.

O futuro era sombrio para ela e para Jericó, sua terra natal, quando Josué enviou seus guerreiros para espionar a Terra Prometida. O exército israelita planejava atravessar o rio Jordão e tomar posse de seu novo território, começando pela cidade idólatra de Jericó.

Porém Deus, o inigualável Artista, nos mostra, por meio da prostituta Raabe, a beleza extraordinária de sua obra em contraste com o terrível segundo plano de idolatria, guerra e morte iminente. Ficamos extasiados com tamanha fé demonstrada por essa mulher tão especial e temente a Deus.

Como a fé de Raabe se evidenciou? Quais as camadas de fé que formaram a preciosa joia da coragem? Quando os espiões de Josué entraram em Jericó, Raabe demonstrou sua fé em Deus ao esconder aqueles dois homens. Ajudou-os a fugir e solicitou-lhes uma promessa de futura proteção. Contrastando com as ásperas paredes de pedra de uma cidade escura e idólatra, a fé de uma mulher, na ocasião considerada uma lepra moral, surgiu como uma elegante joia, um camafeu de coragem a ser admirado.

Minha querida, onde você mora? Que eventos sombrios, circunstâncias e provações estão servindo de segundo plano à sua vida diária? Como sua fé preciosa poderá brilhar, em contraste à escuridão, como um delicado camafeu de coragem?

25 de Abril – Js 2

Declaração de Fé
Raabe

...porque o Senhor, vosso Deus, é Deus em cima nos céus e embaixo na terra.
Js 2.11

Em suas declarações de fé, quase todas as igrejas e organizações cristãs declaram oficialmente sua crença em Deus, em seu Filho, e em sua missão no mundo.

Toda mulher que ama a Deus também deveria fazer uma declaração de fé. Ela deveria saber e ser capaz de declarar abertamente em que acredita. Raabe foi capaz de dizer em que acreditava e, certo dia, sua declaração de fé salvou-lhe a vida. Veja como isso aconteceu.

Chegara o dia em que o povo de Deus deveria entrar na Terra Prometida. Josué, o líder designado por Deus, enviou dois de seus guerreiros para inspecionar a cidade murada de Jericó. Os espiões estavam na casa de Raabe, quando o rei de Jericó enviou a ela um recado, ordenando que entregasse aqueles homens que supostamente se encontravam em sua casa. Raabe, porém, decidiu escondê-los, em vez de entregá-los.

Por que essa prostituta e moradora de uma cidade idólatra assumiu tal risco? Veja as palavras de Raabe aos espiões do povo de Deus... e a fé que havia em seu coração:

- Sei que o Senhor lhes deu esta terra.

- Ouvi dizer que o Senhor secou as águas do mar Vermelho para que vocês saíssem do Egito.

- O Senhor, seu Deus, é Deus em cima nos céus e embaixo na terra.

A declaração de fé de Raabe revela com clareza seu conhecimento a respeito de Deus. Evidentemente, ela sabia quem era Deus e o que ele fizera por seu povo. Ela conhecia seu plano de dar a terra a seus filhos escolhidos e sabia também que Aquele era o Deus de todo o céu e de toda a Terra. Raabe sabia que Deus conhecia tudo a seu respeito!

E quanto a você, querida mulher de fé? O que consta de sua declaração de fé? O que você conhece a respeito de Deus e de como ele lida com seu povo? Quais os atributos de Deus que você conhece? Você pode expressar claramente o conhecimento que tem a respeito de Deus? Pense um pouco, ore e diga em voz alta em que você acredita. Examine a Bíblia. Tenha como objetivo saber em que você acredita e, depois, siga o exemplo de Raabe e declare sua fé a outras pessoas!

26 de Abril – Js 2

Escolhas

Raabe

Ela, então, os fez descer por uma corda...
Js 2.15

Você sabia que apenas três mulheres estão incluídas no rol de honra de Deus, em Hebreus 11, como exemplos de fé do Antigo Testamento? Constando desse rol e tendo o mesmo destaque de Sara, a mãe da fé (v. 11), e de Joquebede, a piedosa mãe de Moisés (v. 23), está Raabe (v. 31). Existe, porém, uma diferença evidente e até mesmo chocante entre Sara e Joquebede... e Raabe.

- Sara era casada com Abraão, o amigo de Deus (Tg 2.23).
- Joquebede era casada com Anrão, da casa de Levi e da descendência de Abraão, Isaque e Jacó (Êx 2.1).
- Raabe não era casada com ninguém; era uma prostituta, uma meretriz pagã.

Raabe não tinha educação nem herança religiosas, não tinha marido devoto nem pais piedosos. Porém as *escolhas* de Raabe a qualificaram para ser incluída na mesma categoria de Sara e de Joquebede.

Dizem que são as escolhas, e não as oportunidades, que determinam o destino humano. A isso poderíamos adicionar que, até certo ponto, nossas escolhas também determinam nosso destino eterno. Reflita sobre a verdade contida nos versos abaixo:

> À frente de cada pessoa há um caminho;
> As almas elevadas seguem caminho acima,
> E as almas indignas, vis, caminho abaixo...
> À frente de cada pessoa há
> um caminho que sobe e outro que desce;
> E cada um deve decidir
> Que caminho sua alma vai seguir.[11]

Raabe demonstrou sua fé por causa das escolhas que fez e essas escolhas tiveram influência sobre seu destino aqui na Terra e na eternidade. Naquele memorável dia em Jericó, em que Deus enviou seus mensageiros à casa de Raabe, dois caminhos abriram-se diante dela. A escolha era sua: deveria ir pelo caminho da fé, o da subida, ou continuar no caminho do mundo, o da descida? Nos próximos dias, falaremos sobre várias escolhas da valente Raabe que revelaram sua fé extraordinária e lhe proporcionaram um futuro promissor e a vida eterna.

Minha amiga, pense nas escolhas que *você* faz e que influenciarão o *seu* destino. Seu olhar e sua fé estão voltados para o alto? Você está escolhendo seguir caminho acima?

27 DE ABRIL – Js 2

Escolhendo ajudar

Raabe

Ela, então, os fez descer por uma corda...
Js 2.15

A MAIORIA DE NOSSOS DIAS transcorrem em um ritmo previsível. Levantamo-nos da cama na hora previsível. Trabalhamos durante o dia fazendo tarefas previsíveis. Vamos dormir no final de mais um dia previsível, durante o qual realizamos as atividades previsíveis de sempre, convivemos com as pessoas de sempre e enfrentamos as situações de sempre.

A vida de Raabe seguia um rumo previsível até o dia dramático em que ela se deparou subitamente com novas pessoas, novas circunstâncias e uma nova escolha. Ela ouvira falar de Deus e dos milagres maravilhosos que ele realizara para favorecer seu povo, ou seja, a divisão do mar Vermelho e a destruição de dois reis amorreus. Porém, de repente, em um dia comum, Raabe viu-se frente a frente com dois israelitas e com uma séria decisão a tomar: qual deveria ser sua escolha? Entregar os dois espiões aos homens do rei ou ajudá-los?

- *Escolha nº 1: Raabe ajudou os espiões.* Que coragem e que fé! Raabe arriscou a vida para proteger inimigos de sua nação, os espiões que Josué enviara em antecipação à batalha. Seu ato foi de traição, punível com a morte, mas Raabe temeu a Deus mais do que aos homens e sua escolha revelou estas admiráveis qualidades:
  - *Bondade:* Os dois espiões estavam precisando de ajuda. O rei de Raabe descobrira que estavam em suas terras, mas, quando pediu a ela que entregasse aqueles homens, Raabe decidiu não sacrificar a vida dos dois. Ela se dispôs a arriscar a própria vida.
  - *Coragem:* Foi necessário ter coragem para enfrentar o rei e trair sua cidade. A consequência seria a morte e a destruição. Mesmo assim, ela agiu corajosamente, escolhendo salvar os dois homens que representavam o povo de Deus.
  - *Fé:* Raabe acreditou. Ela acreditou que seu país estava destinado à destruição e que Deus e seu povo prevaleceriam.
  - *Criatividade:* Raciocinando com rapidez, Raabe escondeu os espiões de Josué, despistou seus perseguidores e fez que os dois homens saíssem secretamente da cidade.

O Novo Testamento nos exorta a fazer o bem a todos, mas principalmente aos da família da fé (Gl 6.10). E quanto a você? Seu coração escolheu ajudar o povo de Deus com bondade, coragem, fé e criatividade?

28 de Abril – Js 2

Escolhendo acreditar
Raabe

Segundo as vossas palavras, assim seja.
Js 2.21

O pequeno livro de Tiago explica-nos que "a fé, se não tiver obras, por si só está morta" (Tg 2.17) e que "foi pelas obras que a fé se consumou" (v. 22). Nossas obras são guiadas por nossas escolhas.

Você já pensou na fé como uma corrente, uma série de elos de escolhas? Raabe, que amou a Deus, continuou a fazer escolhas que evidenciavam amor e fé. Ontem vimos o primeiro elo de fé de sua corrente de escolhas: Raabe escolheu ajudar os espiões que entraram em Jericó, em vez de entregá-los ao rei. Depois disso, Raabe fez outra escolha de fé.

- *Escolha nº 2: Raabe acreditou nos espiões.* Quando os espiões de Josué disseram que os israelitas atravessariam o rio Jordão e tomariam posse da terra, Raabe acreditou neles. Pela fé, ela disse: "Bem sei que o Senhor vos deu esta Terra". Raabe ouvira falar do zelo que Deus tinha para com seu povo, estava convencida da supremacia de Jeová e, portanto, acreditou, atando outro elo em sua corrente de fé, que aumentava cada vez mais.

Que comprimento tem a sua corrente de fé? Ela é forte? Sua fé está aumentando cada vez mais? Isso se evidencia nas escolhas de fé que você faz?

E quanto a você, que está iniciando uma carreira de fé? Você acredita na Palavra de Deus? Isso é muito importante, porque aquilo em que você acredita determina seu comportamento e a maneira de você pôr em prática sua fé. Estes dois homens de fé são bons exemplos:

- Abraão, o pai da fé, acreditou em Deus quando ele lhe prometeu: "De ti farei uma grande nação" (Gn 12.2; 15.6).

- O apóstolo Paulo demonstrou essa mesma fé durante uma tempestade que enfrentou em uma viagem de navio para Roma. Ele declarou: "Eu confio em Deus que sucederá do modo por que me foi dito" (At 27.25).

Você vai seguir os passos de fé de Raabe, Abraão e Paulo e acreditar na Palavra de Deus? A próxima vez que tiver de escolher entre a fé e a dúvida, escolha acreditar e ate mais um elo em sua corrente de fé para que ela aumente cada vez mais.

A *dúvida* vê os obstáculos. A *fé* vê o caminho.
A *dúvida* vê a escuridão da noite. A *fé* vê o dia.
A *dúvida* tem medo de dar um passo. A *fé* eleva-se nas alturas.
A *dúvida* pergunta: "Quem acredita?" A *fé* responde: "Eu".

29 de Abril – Js 2

Escolhendo confiar

Raabe

Segundo as vossas palavras, assim seja.
Js 2.21

Recoste-se na cadeira por alguns instantes e admire a fé surpreendente de Raabe! Nada em sua situação sugeria que um dia ela se tornaria uma mulher que amaria a Deus e creria nele. Era uma pagã e prostituta. Contudo, em Hebreus 11, o capítulo da Bíblia considerado como o "rol de Deus de exemplos de fé", a querida Raabe aparece entre os grandes homens de fé, ao lado de apenas outras duas mulheres: Sara e Joquebede, a mãe de Moisés.

Ela conquistou aquele lugar por causa de suas escolhas. Hoje veremos que a corajosa e confiante Raabe confirmou sua fé ao ter feito outra escolha.

- *Escolha nº 3: Raabe obteve uma promessa.* Acreditando no supremo triunfo de Jeová, Raabe pediu e recebeu dos espiões a promessa de que eles salvariam sua vida e a de todos os seus familiares quando retornassem para destruir a cidade.

A palavra *promessa* é definida como "declaração de algum benefício a ser conferido".[12] Bem, minha querida, milhares de promessas da Bíblia aplicam-se a você! Que bênção e que alegria compartilhar dessas inúmeras declarações de benefícios que serão conferidos (a você!) com base na própria natureza e caráter de Deus! Portanto, escolha acreditar nestas promessas:

- Jesus prometeu: "De maneira alguma te deixarei, nunca jamais te abandonarei" (Hb 13.5).

- Paulo declarou: "O meu Deus, segundo a sua riqueza em glória, há de suprir, em Cristo Jesus, cada uma de vossas necessidades" (Fp 4.19).

- Jesus prometeu: "A minha graça te basta" (2Co 12.9).

- Paulo declarou: "Se, com a tua boca, confessares Jesus como Senhor e, em teu coração, creres que Deus o ressuscitou dentre os mortos, serás salvo" (Rm 10.9).

Que possamos seguir mais uma vez os passos de fé de Raabe, essa maravilhosa serva de Deus. Que possamos obter e nos apropriar das promessas de Deus para nós. O que Deus está prometendo para você hoje? Que tal passar alguns momentos lendo sua palavra e aguardando uma de suas preciosas promessas? Depois, pela fé, escolha confiar.

30 DE ABRIL – Js 6

AS BÊNÇÃOS DE CRER
RAABE

Josué conservou com vida a prostituta Raabe...e tudo quanto tinha...
Js 6.25

AO TERMINAR O MÊS DE ABRIL, também terminamos de falar sobre a vida heroica de Raabe. Porém, antes disso, observe como Deus tocou no coração dessa mulher:

Raabe: Vida sem fé
- Local de residência: Jericó.
- Profissão: Prostituta.

Raabe: Atos de fé
- Ajudou os espiões de Josué. Em vez de entregá-los ao rei de Jericó, Raabe escondeu-os, despistou os soldados do rei e ajudou-os a sair da cidade (Js 2.4).
- Ela acreditou que os espiões faziam parte do povo de Deus e que certamente tomariam posse de Jericó, sua cidade, e a destruiriam (Js 2.9).
- Ela obteve a promessa de que, em razão de seu gesto de bondade para com os espiões, ela e seus familiares seriam poupados quando os soldados retornassem para tomar a cidade (Js 2.12-14).
- Ela agiu conforme prometeu. Imediatamente após a partida dos espiões, Raabe seguiu suas instruções e amarrou um cordão escarlate na janela de sua casa – um sinal de que todas as pessoas daquela casa seriam salvas antes da destruição da cidade (Js 2.21).

As bênçãos de Raabe em razão de sua fé
  A extraordinária história da transformação de Raabe não termina aqui. Ó! não! Como mulher de fé (Hb 11.31), Raabe foi grandemente abençoada. Ela e seus familiares foram poupados durante a destruição de Jericó. Ela viveu em Israel pelo restante de seus dias, casou-se com Salmom (Mt 1.5) e foi a mãe de Boaz, que se casou com Rute, que gerou Obede, que gerou Jessé, pai de Davi de cuja descendência nasceu Jesus, o Messias e Salvador do mundo (Mt 1.5,6)! Assim, pela grande misericórdia de Deus, a vida de Raabe mudou.

Raabe: Vida de fé
- Local de residência: Israel.
- Profissão: Esposa e mãe.

  Evidentemente, sua vida de fé e sua lista de bênçãos diferem das de Raabe, mas você, sem dúvida, tem recebido "toda sorte de bênção espiritual nas regiões celestiais em Cristo" (Ef 1.3)! Regozije-se por isso!

1º DE MAIO – Js 8

MULHERES QUE CONHECEM A PALAVRA
MULHERES ISRAELITAS

Palavra nenhuma houve... que Josué não lesse para toda a congregação de Israel, e para as mulheres... que andavam no meio deles. Js 8.35

FINALMENTE! O povo de Deus atravessara o rio Jordão, o derradeiro obstáculo entre eles e a Terra Prometida. Esse dia memorável, contudo, demorou a chegar. Houve momentos em que a espera parecia insuportável. Reflita sobre:

- As centenas de anos de escravidão no Egito (Êx 12.41).
- As dez pragas que Deus enviou aos egípcios (Êx 7–12).
- A perseguição do exército de Faraó enquanto o povo de Israel fugia (Êx 14.9).
- A milagrosa travessia do mar Vermelho (Êx 14.22).
- A destruição completa do exército de Faraó (Êx 14.27).
- Os quarenta anos de peregrinação pelo deserto (Dt 1.3).

Mesmo depois de terem finalmente entrado em Canaã, os israelitas enfrentaram batalhas e guerras, morte e destruição, ao lutar contra o exército inimigo, primeiro em Jericó (Js 6) e depois em Ai.

Depois disso, Josué parou a caminhada. Ele construiu um altar e o povo adorou ao Senhor Deus de Israel. Em seguida, Josué leu cada palavra da lei de Deus, para que toda a congregação de Israel, inclusive as mulheres e as crianças, dela tomasse conhecimento. A palavra do Senhor proporcionou orientação aos israelitas quando começaram a viver na nova terra. Que espécie de orientação foi dirigida especificamente às mulheres?

- *Orientação para a família:* Toda mãe necessita de ajuda quando se trata da educação dos filhos. A Palavra de Deus inclui regras específicas para criar os filhos no caminho do Senhor (Dt 6.6,7).
- *Orientação para o coração de cada mulher:* Dentro do coração de cada mulher que ama a Deus está o desejo de agradar-lhe. A Bíblia contém instruções para cultivar um coração agradável a Deus (Sl 139.23,24).
- *Orientação para a vida eterna:* Existe um único caminho para o céu, pela fé em Deus. Cada página da Bíblia aponta para as verdades divinas e consolida nossa fé no Senhor (Hb 11).
- *Orientação para a vida terrena:* Jó lamentou-se: "O homem nasce para o enfado" (Jó 5.7). O enfado faz parte da vida, mas a Palavra de Deus contém direção, esperança e conforto para nós

Hoje, antes de entrar na batalha, pare, adore a Deus, leia sua Palavra para receber orientação e, depois, prossiga na força e no poder do Espírito de Deus.

2 DE MAIO – Js 15

APRIMORAMENTO DO LAR
ACSA

...dá-me também fontes de água.
Js 15.19

O CAPÍTULO 31 DE PROVÉRBIOS descreve o perfil da mulher ideal aos olhos de Deus: uma mulher de virtude e sabedoria que, entre outras qualidades admiráveis, trabalha diligentemente para aprimorar o seu lar (v. 16). Acsa foi uma mulher assim.

Acsa, filha de Calebe, aprendeu com seu pai a pedir o que desejava. Calebe servira fielmente sob o comando de Moisés (Js 14.7), e, como recompensa por sua lealdade, Moisés lhe prometera um pedaço de terra. Finalmente, quando a Terra Prometida foi dividida, Calebe pediu a Josué: "Dá-me este monte" (v. 12).

Quando Acsa se casou, o dote que Calebe deu ao noivo incluía uma porção de sua terra ao sul. Como a água era de suma importância naquele clima quente e árido, Acsa ousou pedir a seu pai: "Dá-me também fontes de água". Tal pai, tal filha!

Embora a Bíblia não forneça muitos detalhes sobre a vida de Acsa, sua vida apresenta mensagens importantes para nós.

Mensagem nº 1: Cuidar. Ao descrever a mulher ideal aos olhos de Deus, o sábio autor de Provérbios 31 ressalta: "Atende ao bom andamento da sua casa" (v. 27). Pelo fato de ser responsável por sua família e seu lar, Acsa entendeu que a água em sua propriedade melhoraria o bem-estar de sua família.

> **Análise:** Você está cuidando de seu lar? Sabe quais são as melhorias que poderiam proporcionar maior bem-estar à sua preciosa família?

Mensagem nº 2: Melhorar. Conforme observamos, a mulher mencionada em Provérbios 31 procura aprimorar sua propriedade. Ela "planta uma vinha" (v. 16). Acsa observou o que estava faltando em sua propriedade e desejou torná-la mais agradável.

> **Análise:** Você está procurando aprimorar seu local de residência (sua casa, seu cômodo ou seu dormitório)? Tem um plano de ação (até mesmo uma boa limpeza) e está tomando providências?

Mensagem nº 3: Pedir. Acsa sabia o que queria e o que precisava para aprimorar seu lar, e sabia a quem pedir: a Calebe, seu pai, dono das fontes superiores!

> **Análise:** Você está pedindo a Deus que lhe dê sabedoria, direção e provisão? A seu marido que lhe dê meios e apoio? A outras pessoas que possam ajudá-la a melhorar sua situação?

3 DE MAIO – Jz 4

UMA MULHER NOTÁVEL

DÉBORA

Débora, profetisa... julgava a Israel naquele tempo.
Jz 4.4

NOTÁVEL! Não existe outra palavra para descrever a vida e o ministério de Débora, uma mulher verdadeiramente extraordinária e fora de série, que amava a Deus. Nos dias seguintes, vamos tecer comentários sobre as inúmeras e encantadoras qualidades de Débora. Vários motivos fizeram que se destacasse de maneira tão especial:

1. *Ser uma mulher notável:* O livro de Juízes apresenta Débora como profetisa, esposa e juíza. Sabemos também que Débora partiu para a guerra com o exército israelita, entoou um cântico ao Senhor (5.1) e foi chamada "mãe em Israel" (5.7). A Bíblia não descreve outra mulher com tais títulos.

2. *Ter um chamado notável:* Débora é referida como "profetisa". Poucas mulheres da Bíblia foram chamadas para uma posição tão honrosa.

3. *Ser uma esposa notável:* Apesar de ter sido chamada por Deus para ocupar funções inusitadas junto a seu povo, Débora também é descrita como "mulher de Lapidote". O treinamento de Débora para a liderança foi feito no lar em que ela trabalhava como esposa.

4. *Ser uma líder notável:* Além de trabalhar em seu lar, Débora também foi um dos Juízes designados por Deus para julgar seu povo. Sua liderança estendeu-se além de seu local de julgamento – "a palmeira de Débora". Ela seguiu para o campo de batalha onde esteve lado a lado com Baraque, o comandante do exército.

5. *Ter uma fé notável:* Apesar da hesitação de muitas pessoas, inclusive do guerreiro Baraque, a fé da juíza Débora nunca vacilou. Tinha certeza da vitória de Deus sobre os inimigos, mesmo quando as probabilidades eram quase todas contra Israel.

6. *Ser uma poetisa notável:* Inspirada por Deus e com o coração agradecido, Débora cantou! Ela elevou seu espírito e seu cântico aos céus, oferecendo um tributo musical a Deus por sua grande vitória (Jz 5).

Notável! Você também deseja que essa palavra esplêndida descreva sua vida? Embora a situação seja diferente, seu compromisso com Deus e as atitudes de seu coração podem ser iguais aos de Débora. Como? Seja diligente. Seja devotada. Seja dedicada. Seja solícita. Seja competente. E deixe o restante por conta de Deus!

4 de Maio – Jz 4

Uma esposa notável
Débora

Débora... mulher de Lapidote...
Jz 4.4

Você já observou o que as pessoas costumam dizer quando a apresentam a alguém? O que, por exemplo, elas dizem sobre suas conquistas? Se você for casada, considere-se uma mulher bem-sucedida se for apresentada como esposa! Essas palavras elogiosas podem significar que você é conhecida como uma esposa fiel, dedicada e prestativa e uma mulher com tais qualidades é mais valiosa que finas joias (Pv 31.10).

Quando Deus nos apresenta Débora, ele se refere a ela como "mulher de Lapidote". Débora era profetisa e juíza, mas era também esposa. Apesar de não sabermos quase nada sobre seu marido, podemos afirmar que a piedosa Débora prestou o devido respeito e honra a Lapidote por ele ser seu marido. Afinal, ela era conhecida como esposa dele.

Débora pôde ser usada pelo Senhor de maneira tão poderosa em prol de seu povo porque ela era uma mulher que amava a Deus. E, por conseguinte, podemos ter a certeza de que ela obedecia à Palavra de Deus e seguia suas orientações em sua vida e como esposa. Observe estes mandamentos, tanto do Antigo como do Novo Testamento, que Deus dá às esposas:

- *A esposa deve auxiliar o marido.* "Disse mais o Senhor Deus: Não é bom que o homem esteja só: far-lhe-ei uma auxiliadora que lhe seja idônea" (Gn 2.18).

- *A esposa deve ser submissa ao marido.* "As mulheres sejam submissas a seus próprios maridos, como ao Senhor" (Ef 5.22).

- *A esposa deve respeitar o marido.* "E a esposa respeite a seu marido" (Ef 5.33).

- *A esposa deve amar o marido.* As mulheres idosas devem instruir "as jovens recém-casadas a amarem ao marido" (Tt 2.4).

Uma pessoa sábia nos lembra o seguinte: "Deus não honra os que são infiéis em seu campo de ação". Para ser como Débora – uma mulher poderosamente usada por Deus, a quem foi confiada a responsabilidade de liderança, e totalmente dedicada ao serviço do reino de Deus –, você precisa, antes de tudo, de fidelidade como esposa. Afinal, Deus é honrado quando você ajuda, respeita e ama seu marido, sendo submissa a ele (Tt 2.5)!

5 DE MAIO – Jz 4

Uma testemunha notável

Débora

...e os filhos de Israel subiam a ela a juízo.
Jz 4.5

Visite um museu de arte, examine um quadro qualquer e você verá que o cenário de fundo evidencia o tema e dá impacto à pintura. Quando examinamos a vida de Débora, mulher que amava a Deus e que é o tema de hoje, não podemos deixar de observar o pano de fundo contra o qual sua vida fascinante é retratada:

- *A época:* "Naqueles dias, não havia rei em Israel; cada um fazia o que achava reto" (Jz 21.25). Esse é o pano de fundo do livro de Juízes. Evidentemente, Israel atravessava um tempo sombrio, caracterizado por desobediência, idolatria e derrotas. Os israelitas entraram na Terra Prometida, mas, por causa dos inúmeros redutos pagãos que restaram, sofreram um declínio espiritual e a constante ameaça de guerra.

- *O problema:* Durante aqueles tempos de turbulência, Deus permitiu que os filhos de Israel caíssem nas mãos de Jabim, rei de Canaã, que oprimiu duramente os israelitas por vinte anos.

- *A profetisa:* Débora foi a solução de Deus para o problema de Israel. Ela se tornou sua testemunha, sua profetisa. E, como tal, Débora discernia e explicava a mente de Deus. Ela ministrava como mediadora entre Deus e seu povo. Inspirada por Deus a falar por ele, Débora transmitia sua sabedoria, conhecimento e instruções quando o povo recorria a ela pedindo ajuda.

- *O propósito:* O propósito de Deus ao usar Débora como juíza foi liderar seu povo para ganhar a guerra contra os cananeus e reavivar a chama espiritual em seus corações. Ao ouvir a Palavra de Deus, o povo despertou de sua decadente condição espiritual, e seus corações se entusiasmaram. Como testemunha de Deus, Débora foi usada pelo Senhor para levar os israelitas de volta a ele.

Você está sendo uma testemunha útil para Deus? Você também está atravessando tempos espiritualmente sombrios? Em todo o mundo há pessoas que necessitam de Deus. Em sua igreja, os cristãos necessitam de encorajamento e de exortação. A sabedoria e a Palavra de Deus necessitam ser proclamadas e você pode compartilhá-las com as pessoas que dela necessitam todas as vezes que falar sobre as verdades contidas na Bíblia. Tenha por objetivo seguir os passos da piedosa Débora. Antes de tudo, abra a Palavra de Deus para que seu coração possa ser encorajado. Depois, ponha mãos à obra e estimule a fé de outra pessoa.

6 de Maio – Jz 4

Sabedoria notável
Débora

Ela respondeu: Certamente, irei contigo...
Jz 4.9

"A SABEDORIA GERALMENTE está mais perto quando nos curvamos, e não quando elevamos a cabeça." Essas palavras do poeta inglês William Wordsworth descrevem perfeitamente a chave para a fama e o sucesso de Débora, a única juíza de Israel. Como foi exatamente que a notável sabedoria de Débora foi evidenciada? Por meio de uma única palavra: *humildade*. Analise estas características de sua vida:

1. *Débora não buscou a posição de juíza.* Os juízes do povo de Deus, inclusive Débora, eram "suscitados" pelo Senhor (Jz 2.16) para administrar as leis de Deus e ajudar a livrar seu povo dos inimigos.

2. *Débora convocou Baraque para liderar o povo.* Em tempos sombrios, quando Israel sofria nas mãos do rei de Canaã, Débora chamou Baraque, disse-lhe para reunir suas tropas e contou-lhe o que Deus prometera: "E o darei nas tuas mãos".

3. *Débora advertiu Baraque sobre as consequências* de ir para a guerra com ele. Apesar de Deus ter prometido que a vitória seria certa, Baraque recusou-se a ir para a guerra sem Débora. Relutante, Débora explicou que, se ela estivesse presente, "não será tua a honra da investida que empreendes; pois às mãos de uma mulher o Senhor entregará a Sísera".

4. *Débora acompanhou Baraque para dar apoio a ele e ao povo de Deus.* Com seu costumeiro espírito de patriotismo, Débora declarou: "Certamente irei contigo". Só depois de convocar um líder do sexo masculino e adverti-lo sobre as consequências de sua presença no campo de batalha foi que Débora partiu para a linha de frente.

Querida mulher que ama a Deus, Débora nos mostra o caminho da sabedoria. Ela viveu verdadeiramente o provérbio que diz que, para subir, é preciso descer. O caminho para ser grande no reino de Deus é o caminho da humildade. Sem nunca ter buscado uma posição, sem nunca ter sido agressiva ou autoritária, Débora esperou em Deus, incentivou outras pessoas a assumirem a liderança e colaborou com elas apenas quando foi necessário. Qual seria o conselho de Deus para você?

- Seja submissa e cinja-se de humildade, porque "Deus resiste aos soberbos, contudo aos humildes concede a sua graça" (1Pe 5.5).

- Humilhe-se sob a poderosa mão de Deus para que ele, em tempo oportuno, a exalte (1Pe 5.6).

7 DE MAIO – Jz 4

UMA GUERREIRA NOTÁVEL

DÉBORA

E saiu Débora e se foi com Baraque [para a guerra].
Jz 4.9

DEUS FAZ A PERGUNTA: "Mulher virtuosa, quem a achará?" (Pv 31.10). Em Débora, ele encontrou uma mulher virtuosa! Mulher virtuosa é aquela que possui poder de mente (atitudes e princípios morais) e poder de corpo (habilidade e competência).

Débora, juíza em Israel, era forte tanto mental como fisicamente. Por ter fortes princípios morais, Débora não só administrou a lei de Deus, como também conduziu e aconselhou seu povo; por ter força física, ela foi para a guerra com Baraque. Imaginar uma mulher com uma espada na mão talvez possa parecer não muito atraente ou admirável, mas Deus não deixou de elogiar essa notável mulher, também uma guerreira (Jz 4–5).

A palavra hebraica que designa *virtuoso* (ou *virtuosa*) é usada mais de duzentas vezes na Bíblia para descrever um exército e, creio que você concordará comigo, aplica-se muito bem para descrever Débora. Esse vocábulo no Antigo Testamento refere-se a "força" e significa "apto, capaz, vigoroso, forte, valente, poderoso, eficiente, rico e valoroso". A palavra também é usada para referir-se a um homem ou homens de guerra e homens preparados para guerrear. Basta mudar seu significado para o feminino e você começará a compreender o poder do âmago de uma mulher virtuosa,[1] o poder do âmago de Débora! Para liderar o povo de Deus na guerra contra seus opressores, Débora fez vir à tona toda a sua força mental e energia física. Essa força e energia são os traços principais de um exército vitorioso e eles também caracterizam Débora, a profetisa de Deus.

E quanto a você, querida serva de Deus? Também deseja ser identificada por Deus (e por outras pessoas) como uma mulher virtuosa? Os deveres de seu dia-a-dia exigem que você possua um grande estoque de poder de mente e corpo. A força mental e a energia física a impedirão de desistir, abandonar, desprezar ou deixar de cumprir o objetivo que Deus tem para você. E você, como Débora, deve servir a ele como uma guerreira notável, mesmo que seja na linha de frente de seu lar!

Faça uma pausa neste momento para suplicar a Deus que lhe dê força, a força que *ele* possui. Declare seu desejo de tornar-se uma mulher que, igual a uma guerreira, enfrenta os desafios e os deveres da vida com vigor, coragem, bravura, força, persistência e poder de Deus.

8 de Maio – Jz 5

Uma escritora notável
Débora

Naquele dia, cantaram Débora e Baraque...
Jz 5.1

Como seria possível registrar eventos importantes numa época em que os instrumentos e meios de escrita eram rudimentares e toscos? Esse era o problema que Débora, a profetisa e juíza do povo de Deus, enfrentava. O evento importante era a vitória de Deus sobre os inimigos de Israel (Jz 4.23). Naquela época, a lei de Moisés ainda era copiada em pedra (Js 8.32). Contudo, quando Deus combateu dos céus e as estrelas, seguindo o curso de sua órbita, pelejaram contra os inimigos de Israel (Jz 5.20), o coração agradecido de Débora desejou manter viva para sempre essa lembrança. E como ela fez isso?

Débora cantou. Débora tinha uma espada na mão, mas tinha também um cântico dentro do coração. Assim como Moisés e Miriã (Êx 15) e Davi (2Sm 22) cantaram após terem sido vitoriosos pelo poder de Deus, Débora também cantou. Ela entoou um cântico descrevendo o triunfo de Deus sobre seus inimigos. O capítulo 5 de Juízes apresenta o poema de louvor de Débora com palavras brotando de um coração transbordando de alegria, gratidão e adoração. Débora, a escritora, testemunhou de Deus e entoou um cântico de louvor:

- Por Deus ter marchado contra os exércitos inimigos,
- Pelos atos de justiça de Deus e
- Por ele ter agido em defesa de Débora.

Jesus disse: "O homem bom, do bom tesouro do coração tira o bem, e o mau, do mau tesouro tira o mal; porque a boca fala do que está cheio o coração" (Lc 6.45). Evidentemente, o cântico de Débora brotou de um coração onde havia um "bom tesouro". Seu cântico revela tudo o que se passava em seu íntimo: veneração e reverência, honra e amor, alegria e júbilo, louvor e adoração. Débora foi uma mulher cujo coração era semelhante ao de Deus. O seu coração era "firme, confiante no Senhor" (Sl 112.7).

Pensamento: O que existe em seu coração, minha querida? Que palavras você poderia incluir no cântico de seu coração?

Reflita sobre estas "instruções escritas", contidas na Bíblia:

As palavras dos meus lábios e o meditar do meu coração sejam
agradáveis na tua presença (Sl 19.14).
Falando entre vós com salmos, entoando e louvando de coração
ao Senhor com hinos e cânticos espirituais (Ef 5.19).

9 de Maio – Jz 5

Sinceridade espantosa
Débora

...até que eu, Débora, me levantei, levantei-me por mãe em Israel.
Jz 5.7

Você acha que Golda Meir, ex-primeira-ministra de Israel, conhecia a vida de Débora, a juíza e líder de Israel (Jz 4–5)? É possível. Certa vez, Golda Meir disse: "Não tenho ambições de ser uma pessoa importante". Contudo, a vida da sra. Meir tornou-se importante porque ela sonhou com uma nação judaica e testemunhou seu nascimento![2] Em sua época, pode-se afirmar que a primeira-ministra Golda Meir foi uma mãe para Israel.

O título de "mãe em Israel" foi originalmente atribuído à profetisa Débora pelo próprio Deus. Por ter a função de líder, juíza, guerreira, motivadora, libertadora e protetora do povo de Deus, Débora passou a ser mãe espiritual de todo o povo de Israel. Sua fé proporcionou força e coragem a todo o povo. Sua grande dedicação a Deus e a seus propósitos capacitaram-na a tirar os israelitas do desespero e da letargia espiritual. Seu sincero compromisso com Deus deu-lhe forças para servir a ele, a seu povo e a seus propósitos durante muito tempo. Enquanto Débora foi juíza, Israel permaneceu em paz durante quarenta anos.

Todas as mulheres que amam a Deus desejam, no fundo da alma, possuir e demonstrar a mesma devoção notável e sincera de Débora para com ele. E você? Faça uma pausa neste momento e reflita sobre alguns fatores que contribuem para um compromisso fervoroso e irrestrito com Deus e que servem de alimento para uma vida de fé, de profundo envolvimento e de abundante energia espiritual:

- *Uma vida baseada na Palavra de Deus:* Toda a Escritura é útil para a educação na justiça, a fim de que o homem de Deus seja perfeitamente – *perfeitamente!* – habilitado para toda boa obra (2Tm 3.16,17).

- *Uma vida baseada na oração:* Você deseja fazer coisas grandes para Deus? Então peça coisas grandes a Deus. A Bíblia diz: "Nada tendes, porque não pedis" (Tg 4.2). Portanto, peça mais força e perseverança, mais fé e devoção.

- *Uma vida baseada na obediência:* Quando você dedica sua vida a ser "praticante da palavra", Deus lhe promete abençoá-la em tudo o que fizer (Tg 1.22,25).

10 de Maio – Jz 5

A amiga de Israel
Jael

Bendita seja sobre as mulheres Jael...
Jz 5.24

Hoje, vamos conhecer uma mulher cuja história pode, em princípio, causar confusão. O nome dela é Jael, e a Bíblia a exalta por ela ter cometido um assassinato. Vamos desvendar alguns fatos sobre a vida de Jael antes de meditar a respeito da descrição da Bíblia sobre essa mulher que amou a Deus e demonstrou esse amor de maneira inusitada:

- Israel estava em guerra contra o rei de Canaã (Jz 4.10).
- Jael e seu marido Héber, o queneu, moravam em uma tenda cerca de 25 quilômetros do campo de batalha (v. 11).
- Enquanto Israel caminhava na direção do exército cananeu, o povo de Deus perseguiu Sísera, o capitão das forças inimigas (v. 16).
- Sísera chegou exausto e faminto à tenda de Jael (v. 19).
- Enquanto Sísera dormia, Jael pegou uma estaca da tenda e cravou-a em sua têmpora com um martelo (v. 21).

Embora a atitude de Jael tenha sido assustadora e chocante, Deus não menciona nada de negativo sobre ela! Na verdade, nas palavras de louvor que Débora e Baraque entoaram, podemos observar que Deus considerou Jael uma heroína, uma mulher que o amava, uma mulher que era "amiga de Israel". Em seu cântico de louvor inspirado por Deus, Débora, a juíza de Israel, e Baraque, o capitão do exército de Israel, exaltam Jael, a mulher que foi instrumento de Deus na vitória contra os inimigos. Eles exaltam a fé de Jael, uma forasteira que agiu pela fé na tenda de sua família, sozinha, da única maneira que ela, uma nômade, sabia agir. Usando as ferramentas e as habilidades de sua vida cotidiana, Jael combateu por Deus em tempos de guerra.

Por meio das vozes de Débora e de Baraque, Deus exaltou a pessoa certa. Para entender verdadeiramente a atitude de Jael, talvez fosse necessário ter estado presente naquele momento! Grave o nome dessa "amiga de Israel" em seu coração e ore por oportunidades de ser também uma "amiga de Israel", usada para ajudar o povo de Deus e seus propósitos.

11 DE MAIO – Jz 11

O PREÇO DA FÉ
A FILHA DE JEFTÉ

Vindo, pois, Jefté... saiu-lhe a filha ao seu encontro...
Jz 11.34

O QUE TODO PAI OU MÃE que ama a Deus sonha para seus filhos? Em primeiro lugar na lista de oração de todos os pais piedosos está o desejo de que seus filhos amem a Deus com o coração, com a alma e com todas as forças. Se você tem filhos e deseja educá-los para amar a Deus, esforce-se para:

- Ter uma vida que revele seu amor por Deus (Pv 23.26).
- Criá-los na disciplina e na admoestação do Senhor (Ef 6.4).
- Falar continuamente a respeito do Senhor. Fale sobre ele quando estiver em casa ou no carro, antes de dormir e ao levantar-se (Dt 6.6,7).

Jefté, o nono juiz de Israel, provou ser um pai piedoso. Quando foi chamado para liderar o povo de Deus na guerra, Jefté demonstrou ter fé no coração (Hb 11.32), foi visitado pelo Espírito do Senhor e fez "um voto ao Senhor", dizendo: "Se, com efeito, me entregares os filhos de Amom [...] quem primeiro da porta da minha casa me sair ao encontro, voltando eu vitorioso [...] eu o oferecerei em holocausto". Lamentavelmente, quando o vitorioso Jefté voltou para casa, sua filha, sua filha única, foi a primeira a sair de casa para ir ao encontro dele!

Qual foi a reação daquele pai e daquela filha piedosos? Jefté rasgou suas vestes e disse: "Fiz voto ao Senhor e não tornarei atrás". A filha de Jefté confirmou seu voto: "Pai meu, fizeste voto ao Senhor; faze, pois, de mim segundo o teu voto".

Jefté educara sua filha para amar a Deus e tal educação lhe custou um alto preço, quando ambos honraram a Deus cumprindo o voto que ele havia feito. A filha de Jefté agiu conforme o anseio de todo pai que deseja ver seus filhos amando a Deus: não levou em consideração o preço a ser pago. Sua devoção ao Senhor custou-lhe muito caro.

Às vezes, quando nossos filhos vivem para Deus, isso também tem um custo para eles. Ore para que a devoção de seus filhos a Deus aumente cada vez mais, independentemente do preço a ser pago.

12 DE MAIO – Jz 11

OURO RESPLANDECENTE
A FILHA DE JEFTÉ

...faze, pois, de mim segundo o teu voto...
Jz 11.36

OS TEMPOS ERAM DE PECADO DESMEDIDO, profanação, confusão, anarquia e severos castigos de Deus, porque "cada um fazia o que achava mais reto" (Jz 21.25). Contudo, Jefté e sua filha provaram que seu caráter era como ouro puro, resplandecendo para Deus em meio à sórdida e sombria atmosfera da época dos juízes.

O lúgubre cenário em que brilhavam essas vidas eram as guerras contra os vizinhos idólatras, como forma de Deus castigar seu povo por causa do pecado e da rebeldia. Exatamente nessa época, Jefté foi chamado para liderar os israelitas em uma batalha contra seus perseguidores. Foi então que o ouro da fé desse homem e de sua filha despontou como uma luz maravilhosa em Israel, difundindo seu brilho em meio à escuridão da incredulidade daquela época. Por que a confiança de ambos em Deus cintilou de maneira tão esplêndida?

- Jefté invocou a Deus como testemunha quando concordou em servir a seu povo como juiz e guerreiro.
- Jefté recebeu o poder do Espírito do Senhor para agir em benefício de seu povo.
- Jefté fez um voto a Deus de sacrificar a primeira pessoa que saísse da porta de sua casa se ele fosse vitorioso na batalha.
- A filha de Jefté, sua filha única, foi a primeira pessoa a sair da porta de sua casa. Mesmo assim, ela aceitou, com dignidade, ser sacrificada e encorajou seu pai a cumprir seu voto. Essa mulher de caráter de ouro considerou que valia a pena pagar com a vida o preço da vitória de Deus sobre os inimigos de Israel.

Você, minha querida, também está sendo chamada para ser como ouro resplandecente. A mulher que ama a Deus é isto: uma luz na escuridão, uma testemunha da luz, uma cidade edificada sobre uma colina, a luz do mundo. Portanto, "brilhe também a vossa luz diante dos homens, para que vejam as vossas boas obras e glorifiquem a vosso Pai que está nos céus" (Mt 5.16)!

13 de Maio – Jz 13

A FLOR DA HUMILDADE
A MULHER DE MANOÁ

Havia um homem... chamado Manoá, cuja mulher era estéril...
Jz 13.2

Você gosta de flores? Um lindo buquê de flores a deixa sem fala e comovida? Nos dias seguintes, enquanto estivermos analisando a vida de outra mulher que amou profundamente a Deus, conheceremos algumas flores que Deus, o Jardineiro Mestre, selecionou para fazer da vida dessa mulher um magnífico tributo a ele.

A primeira flor escolhida para fazer parte do lindo buquê dessa mulher é a mais perfumada de todas: a flor da humildade. Da mesma forma que a fragrância para os perfumes vem de flores esmagadas, a beleza e a piedade da mulher de Manoá vieram das circunstâncias humildes de sua vida.

- *Ela não tinha filhos.* Os detalhes que Deus apresenta sobre a vida da mulher de Manoá são compostos de palavras tristes: "Havia um homem [...] chamado Manoá, cuja mulher era estéril, e não tinha filhos". Tais palavras são como ferro em brasa queimando o coração de uma mulher, fazendo que ela viva de cabeça baixa e com a alma angustiada. Na época em que a esposa de Manoá vivia, muitas pessoas olhavam com ar de censura para aquelas que não tinham filhos. Outras consideravam a infertilidade como castigo de Deus.

O que fazia, então, uma mulher sem filhos? Provavelmente a mulher de Manoá passava o tempo em oração. Sabemos que seu marido costumava orar e as orações dele para que o Anjo que aparecera à sua mulher voltasse foram ouvidas. Assim como outras mulheres sem filhos da Bíblia (Sara, Rebeca, Ana e Isabel), o sofrimento daquela mulher forçou-a, presumivelmente, a aproximar-se mais do coração de Deus.

Qual é a sua situação? Existe algo que você deseje muito e que lhe esteja sendo negado? Existe algo pelo qual você anseie? Procure imitar essa valorosa mulher que amou a Deus. Uma vida sincera de oração tem a encantadora fragrância que provém da humildade e da submissão ao Deus Todo-poderoso. Curve a cabeça, entregue seu coração a Deus e permita que ele comece a montar um delicado buquê em sua vida com a beleza inigualável da flor da humildade.

14 DE MAIO – Jz 13

A FLOR DA FÉ
A MULHER DE MANOÁ

Apareceu o Anjo do Senhor a esta mulher...
Jz 13.3

O VASO É GRANDE. O recipiente que Deus escolheu para colocar as flores com as quais enfeitará a vida da mulher de Manoá tem tamanho suficiente para acomodar um enorme buquê. Até agora, contém apenas uma flor, de caule curvo e de fragrância deliciosa: a flor da humildade que contemplamos ontem.

Porém, o Mestre ainda não terminou o arranjo de flores da vida encantadora da mulher de Manoá. Uma segunda e rara flor está sendo adicionada: a flor da fé. Observe sua beleza:

- "Apareceu o Anjo do Senhor a esta mulher..." Todas as vezes que "o Anjo do Senhor" aparecia a um personagem da Bíblia, a ocasião era significativa e a mulher de Manoá atentou para isso!

- O Anjo do Senhor anunciou: "Conceberás e darás à luz um filho". Por certo, o coração daquela mulher estéril saltou de alegria!

- Em seguida, o Anjo do Senhor transmitiu algumas instruções específicas à mulher de Manoá: "Guarda-te, não bebas vinho ou bebida forte, nem comas coisa imunda". Estas restrições faziam parte do voto de nazireado e separavam a pessoa para que ela cumprisse os propósitos de Deus.

- O Anjo do Senhor transmitiu-lhe outras instruções a respeito do bebê: "Sobre [sua] cabeça não passará navalha; porquanto o menino será nazireu consagrado a Deus desde o ventre".

Que momento maravilhoso! Qual foi a reação de nossa querida amiga diante de tudo isso? Em poucas palavras, ela reagiu com fé. Não fez nenhuma pergunta, não pediu nenhum sinal e não demonstrou nenhuma dúvida. Ela reagiu com o raro e precioso silêncio da fé e mais uma linda flor foi adicionada ao vaso da sua vida.

Você gostaria de ter a bela presença da flor da fé em sua vida e em seu caráter? Ore para saber responder a estas perguntas: Você ama a Deus e obedece à sua palavra? Você confia nas promessas da Bíblia? Sua fé é caracterizada por um silêncio tranquilo (nada de perguntas), por um espírito meigo (não há necessidade de detalhes) e por uma doce submissão (nada de lutar contra o desconhecido)? Se assim for, tenha certeza de que Deus já colocou a flor da fé em seu lindo buquê.

15 de Maio – Jz 13

A FLOR DA VISÃO DO FUTURO
A MULHER DE MANOÁ

...o menino será nazireu consagrado a Deus...
Jz 13.5

Você prevê como será o futuro de seus filhos e netos? Ora para que eles sejam úteis a Deus e a seu povo? Sonha com uma vida maravilhosa para seus queridos descendentes? Incentiva-os a ter um caráter piedoso e atitudes honradas? *Alguém na vida deles precisa ter uma visão que ultrapasse os limites do óbvio e amplie as possibilidades. Talvez esse alguém seja você!*

Nos mais belos buquês ornamentais, sempre há algumas flores maiores que outras. Essas flores se destacam e contribuem para deixar o arranjo mais interessante, aumentando a beleza do buquê. Para a mulher de Manoá, a flor mais radiante e de maior destaque era a flor da visão do futuro de seu filho.

Conforme observamos nos dias anteriores, Deus vem, aos poucos, transformando a vida da sra. Manoá em uma peça de arte magnífica, que só pode ser obra de suas santas mãos. Na sua vida de opressão (o Senhor entregara os israelitas nas mãos dos filisteus havia quarenta anos) e de tristeza (ela não tinha filhos), Deus já colocara duas flores maravilhosas de sua graça: as perfumadas flores da humildade e da fé. Posicionadas em seu lugar, ficavam à espera da sábia seleção de Deus de outras companheiras que acrescentariam mais beleza ao buquê.

Hoje, veremos Deus adicionar a marcante flor da antevisão à vida da esposa de Manoá. Quando o Anjo do Senhor apareceu a essa mulher estéril que amava a Deus, anunciou que ela geraria um filho. Ele seria "nazireu consagrado a Deus desde o ventre de sua mãe" e começaria "a livrar Israel do poder dos filisteus". Que bênçãos maravilhosas para o coração tão sofrido dessa futura mãe!

- *Bênção nº 1: Seu filho tinha uma missão especial.* Ele seria nazireu desde o ventre de sua mãe até o dia de sua morte.

- *Bênção nº 2: Seu filho tinha uma carreira especial.* Ele libertaria o povo de Deus das mãos dos filisteus.

A visão de Deus para o filho trouxe à mulher de Manoá uma esperança imensa para o futuro. Ore agora mesmo, e todos os dias, para que Deus lhe permita antever como será a sua descendência!

16 de Maio – Jz 13

A flor da obediência
A mulher de Manoá

...o menino será nazireu consagrado a Deus...
Jz 13.5

Que tipo de flor lhe vem à mente quando você pensa em obediência? Uma flor firme, robusta, compacta e duradoura? Afinal, a obediência é evidenciada por uma determinação e um compromisso conseguidos com muito esforço.

O espírito obediente da mulher de Manoá, aquela que viria a ser a mãe de Sansão, foi outra flor adicionada a seu buquê de virtudes. O que Deus pediu à mulher de Manoá?

1. *Que ela seguisse a lei do nazireado.* Ela devia guardar-se de beber vinho e não comer coisa imunda. Essa mulher e mãe, cujo nome não sabemos, igualou-se a Ana (1Sm 1.11) e a Isabel (Lucas 1.15) na obediência.

2. *Que seu filho seguisse a lei do nazireado.* "Sobre [sua] cabeça não passará navalha; porquanto o menino será nazireu consagrado a Deus desde o ventre." Por causa da obediência dessa mãe piedosa, Sansão foi consagrado a Deus da mesma forma que seus companheiros nazireus Samuel (1Sm 1.11) e João Batista (Lc 1.15).

Reflita sobre aonde chegou a obediência da sra. Manoá. O que havia no coração de Deus foi transferido à mãe. O que havia no coração da mãe foi transferido ao filho. O que havia no coração do filho foi transferido ao povo de Deus.

Minha querida, o que se passa em seu coração? Você está sempre pronta a ouvir o coração de Deus e é praticante de sua palavra (Tg 1.22)?

Você tem transferido a seu filho o que está em seu coração? Uma das características da mãe obediente é educar os filhos com firmeza e determinação na disciplina do Senhor (Ef 6.4; 1Tm 2.15).

Você tem orado fervorosamente para que seu filho transfira a outras pessoas o que se passa no coração dele? A mãe do famoso evangelista Billy Graham orava diariamente para que aquilo que Billy pregasse tivesse a aprovação de Deus.[3]

Ore para colher a flor da obediência e peça a Deus que as coisas preciosas ao coração dele já assimiladas por seu coração obediente sejam também transferidas a seus filhos.

17 DE MAIO – JZ 13

A FLOR DA ADORAÇÃO
A MULHER DE MANOÁ

*Tomou, pois, Manoá um cabrito e uma oferta de manjares
e os apresentou sobre uma rocha ao Senhor...* Jz 13.19

"VINDE, ADOREMOS e prostremo-nos; ajoelhemos diante do Senhor" (Sl 95.6)! "Adorai ao Senhor na beleza da sua santidade" (Sl 96.9)! "Exaltai ao Senhor, nosso Deus, e prostrai-vos ante o escabelo de seus pés" (Sl 99.5)!

O ato de adoração ao Senhor que obedece a estes mandamentos revela sinceridade de coração: ajoelhar-se reverentemente, prostrar-se diante de Deus, exaltar o Todo-poderoso. Quando Manoá e sua mulher fizeram uma oferta a Deus em sinal de adoração, ele adicionou a última flor ao glorioso arranjo daquela mulher, cujo nome desconhecemos. Ao prostrar-se em adoração, Deus completou o buquê da sra. Manoá.

Esta rápida revisão dos fatos servirá para que nos juntemos a Manoá e a sua encantadora mulher em adoração a Deus:

- O casal não tinha filhos.
- O Anjo do Senhor apareceu à mulher de Manoá.
- Eles receberam a promessa do nascimento de um filho, que serviria a Deus.
- Em seguida, o Anjo apareceu a Manoá e à sua esposa.
- A promessa do nascimento de um filho foi repetida.
- O Anjo foi "maravilhoso" e "se houve maravilhosamente".

Quando Manoá e sua mulher viram o ato maravilhoso do Anjo do Senhor, caíram com o rosto em terra e adoraram! Eles adoraram a Deus por ele ser: Aquele que concede bênçãos, Aquele que responde às orações, o Protetor e Libertador de seu Povo, o Soberano Governador de todos os tempos, Aquele que cumpre as promessas e Aquele que é o supremo e maravilhoso Deus do universo.

Que tal, minha amiga, adicionar outros itens de louvor a essa lista dos grandes atributos de Deus e de seu glorioso caráter? Que tal cair com o rosto em terra em honra ao Deus Todo-poderoso? Grave na mente esta definição de adoração e assuma o compromisso de passar uma parte de seu tempo em sincera adoração:

> Adoração é uma reverência interior, uma prostração da alma
> diante da presença de Deus, uma incrível dependência dele...
> uma solene conscientização do Divino, uma secreta comunhão
> com alguém que não vemos.[4]

18 de Maio – Jz 13

A FLOR DO AMOR MATERNO
A MÃE DE SANSÃO

Depois, deu a mulher à luz um filho...
Jz 13.24

EM VÁRIOS PAÍSES, costuma-se homenagear as mães com uma rosa no Dia das Mães. Hoje, desejamos homenagear a mulher de Manoá com uma linda flor: a flor do amor de mãe. Esse botão demorou a chegar e temos a alegria de vê-la receber esse presente de Deus!

Conhecida em todos os livros de referência apenas como "a mulher de Manoá", finalmente foi acrescentada uma nova expressão para descrever essa encantadora senhora: agora ela passou a ser conhecida como "a mãe de Sansão". Essa meiga mulher, que viveu à sombra de dois homens – seu marido, Manoá, e seu filho famoso, Sansão, o juiz do povo de Deus e homem mais forte que já existiu –, aparentemente sentiu-se feliz e realizada, mesmo sem ter sido famosa. A mulher de Manoá foi mãe e isso talvez tenha sido suficiente para a sua realização pessoal.

Você se sente feliz pelo fato de a Bíblia apresentar um exemplo tão positivo de mãe? As Sagradas Escrituras nos ensinam estas verdades divinas sobre as mães:

- Herança do Senhor são os filhos (Sl 127.3).

- O fruto do ventre [é] seu galardão (Sl 127.3).

- [O Senhor] faz que a mulher estéril... seja alegre mãe de filhos (Sl 113.9).

Você não se sente feliz pelo fato de a Bíblia oferecer preciosos conselhos de Deus para a educação dos filhos? Aqui estão alguns conselhos sábios:

- Ensinar a criança no caminho em que deve andar (Pv 22.6).

- Criar os filhos na disciplina e admoestação do Senhor (Ef 6.4).

- Amar seus filhos (Tt 2.4).

Se você tem filhos, saiba que seu chamado para ser mãe é nobre e sublime, uma função sagrada, porque Deus confia essas crianças preciosas – criações especiais dele – a você. Portanto, ore diariamente por seus filhos. Ensine-lhes a Palavra de Deus com dedicação. Procure assemelhar-se a Cristo. Adore a Deus com seus filhos rotineiramente.

19 DE MAIO – RT 1

Forasteiras em terra estranha
Noemi

...e um homem... saiu a habitar na terra de Moabe, com sua mulher...
Rt 1.1

As famosas palavras iniciais do livro de Charles Dickens, *A lenda de duas cidades*, são as seguintes: "Era o melhor de todos os tempos, era o pior de todos os tempos".[5] Essas palavras também servem para descrever dez anos de vida de uma mulher chamada Noemi.

- *O melhor de todos os tempos.* Noemi e sua família – o marido, Elimeleque, e os dois filhos, Malom e Quiliom – saíram de Belém, sua cidade natal e passaram a ser forasteiros na terra de Moabe. Em razão da fome em Judá, a família instalou-se em Moabe, onde havia alimento. Sim, os tempos eram bons. Eles festejavam enquanto outras pessoas passavam fome. E, ó! como Noemi deve ter ficado feliz quando seus dois filhos se casaram! Cada um deles encontrou uma companheira em Moabe. Aqueles tinham sido tempos verdadeiramente muito felizes!

- *O pior de todos os tempos.* Em breve, a morte sobreveio à família. Primeiro, o amado marido de Noemi morreu e, em seguida, ela perdeu os dois filhos queridos. Foi um golpe triplo que se abateu sobre o coração e a vida daquela mulher e mãe. Como uma situação que havia sido tão boa transformara-se, de repente, em tristeza? Noemi não tinha mais ninguém no mundo, a não ser suas noras.

Minha querida, você já se sentiu como Noemi? Já mudou-se para um lugar imaginando que o futuro sorria para você, foi feliz e abençoada por algum tempo e depois enfrentou perdas e sofrimentos? Grave estas duas maravilhosas promessas do Senhor em seu meigo coração:

Eu é que sei que pensamentos tenho a vosso respeito, diz o Senhor; pensamentos de paz, e não de mal, para vos dar o fim que desejais (Jr 29.11).

Sabemos que todas as coisas cooperam para o bem daqueles que amam a Deus, daqueles que são chamados segundo o seu propósito (Rm 8.28).

Neste momento, que tal trilhar o caminho de esperança como Noemi, agarrando-se àquele que fez essas promessas? Nos próximos dias, que tal seguir a trilha de lágrimas de Noemi que a levou a experimentar a boa, agradável e perfeita vontade de Deus (Rm 12.2)?

20 de Maio – Rt 1

O longo caminho de volta para casa

Noemi

Saiu, pois, ela com suas duas noras do lugar onde estivera...
Rt 1.7

Quando estamos enfrentando uma situação difícil na vida, não é hora de desfalecer, de afundar, de sucumbir. É hora de confiar em Deus.

Quando sua vida sucumbiu, Noemi, uma mulher que amava a Deus, começou a aprender a confiar mais em Deus. Durante os dez anos em que viveu como estrangeira na terra de Moabe, Noemi perdeu o marido e os dois filhos. Nos anos anteriores, quando a fome se abateu sobre Belém, sua cidade natal, a família mudou-se para a terra de Moabe, onde havia alimento. No dia em que saiu de sua cidade natal rumo a uma nova terra, Noemi "partiu satisfeita". Porém, em Moabe, a situação modificou-se dramaticamente!

Foi então que Noemi tomou conhecimento da novidade. O Senhor voltara a dar pão ao seu povo de Belém. Assim, ela decidiu partir de Moabe e retornar para a terra de Judá. Porém, o caminho de volta para casa era longo e muitas coisas sucederam entre o Ponto A (Moabe) e o Ponto B (Belém)! Observe as paradas e as mudanças ao longo do caminho:

- As duas noras de Noemi iniciaram a viagem de volta com ela.
- Noemi insistiu para que as duas jovens viúvas retornassem ao lar materno.
- Noemi beijou suas noras e despediu-se delas.
- A nora de Noemi chamada Orfa retornou ao lar materno.
- A nora de Noemi chamada Rute acompanhou a sogra.

Por certo, Noemi não havia previsto tais acontecimentos em sua vida, mas, conforme vimos, ela estava aprendendo a confiar mais em Deus e em sua atuação por intermédio de pessoas, eventos e circunstâncias inesperados.

- *Que pessoas?* Antes, Noemi dependia de seu marido e filhos, mas então passaria a depender de sua nora, uma jovem viúva solitária.
- *Que eventos?* Com certeza, Noemi teria preferido que Deus agisse em sua vida por intermédio de seu marido e filhos, mas então confiava que ele usaria a morte deles para atuar em sua vida.
- *Que circunstâncias?* Noemi nunca imaginara que voltaria a Belém sem o marido e os filhos, mas seguiu naquela direção. O caminho de volta para casa era longo. Ela teria de confiar em Deus.

21 de Maio – Rt 1

A volta ao lar

Noemi

Então, ambas se foram, até que chegaram a Belém...
Rt 1.19

Todo mundo adora reunir-se! Os parentes que moram distante uns dos outros costumam reunir a família de tempos em tempos. Os bons amigos marcam encontros para contar as novidades sobre suas vidas. Os militares da reserva se reúnem para relembrar o tempo em que estiveram juntos na guerra. Os colégios e faculdades patrocinam reuniões e eventos para que seus ex-alunos permaneçam sempre em contato uns com os outros.

Contudo, milhares de anos atrás foi realizada uma reunião diferente. Não foi organizada por ninguém. Não foi para comemorar um evento feliz. Não foi aguardada com alegria. Ao contrário, foi uma reunião realizada por necessidade. Noemi, que morava em Belém, havia partido de sua cidade natal com o marido e os filhos, mas seus sonhos de construir um lar em outro lugar transformaram-se em pesadelo. O marido e os dois filhos de Noemi morreram e ela estava retornando para Belém viúva, acompanhada apenas de sua nora Rute, moça de uma terra distante. Noemi, cujo nome significa "agradável" sentia-se "vazia", caminhou mais de 110 quilômetros em estradas poeirentas para retornar a Belém. Quando suas amigas da cidade lhe deram as boas-vindas, dizendo: "Não é esta Noemi?", ela respondeu: "Não me chameis Noemi; chamai-me Mara [que significa 'amarga']... Ditosa eu parti, porém o Senhor me fez voltar pobre".

Deus age em nossa vida por intermédio de pessoas, eventos e circunstâncias, mas nunca para nos tornar amargas, sim, para sermos melhores! Lembre-se destas duas promessas: os pensamentos de Deus a nosso respeito são "pensamentos de paz e não de mal" para nos dar aquilo que desejamos (Jr 29.11), e "todas as coisas cooperam para o bem daqueles que amam a Deus" (Rm 8.28).

Além de lembrar-se dessas promessas de Deus, o que você pode fazer para ser próspera na terra de sua aflição (Gn 41.52)?

Seja sempre agradecida: É impossível uma pessoa ser amarga e agradecida ao mesmo tempo (Ef 5.20).

Ore sem cessar: Mesmo em meio às lágrimas, a oração é um cântico que o coração entoa a Deus (1Ts 5.17).

Estenda a mão a outras pessoas: Conforte as outras pessoas com o conforto que Deus lhe tem dado (2Co 1.4).

22 de Maio – Rt 2

Um "acaso"

Rute

Ela... chegou ao campo... que pertencia a Boaz...
Rt 2.3

A cidade era Belém. O alimento, uma necessidade premente.

O local, um campo de espigas.

A mulher era Rute, que "entrou na parte [do campo] que pertencia a Boaz, o qual era da família de Elimeleque".

Não existem "acasos" ou coincidências na vida dos filhos de Deus, apenas a soberania do Deus Todo-poderoso. Ele cuida de seus filhos e guia seus passos, às vezes de maneiras óbvias, outras vezes não. A soberania de Deus agia na vida de Rute naquele determinado dia em que ela se aventurou a buscar alimento em um campo que, depois, descobriu pertencer a Boaz, parente de seu falecido marido.

Rute saiu para colher espigas em sua nova cidade. Saiu sem rumo, sem companhia, mas estava com Deus. Ele dirigiu seus passos até aquele campo de propriedade de um parente que, mais tarde, tornou-se seu marido (Rt 4.13). Enquanto você analisa os "acasos" na vida de Rute, reflita sobre estas palavras do escritor e ministro do evangelho Matthew Henry, que viveu no século XVII:

> Deus comanda sabiamente os pequenos eventos; e aqueles que parecem completamente [incertos]... para a sua glória e para o bem de seu povo. Um grande número de acontecimentos importantes é produzido por um simples girar de botão, que pareceu... [casual ou acidental] para nós, mas foi dirigido intencionalmente pela Providência.[6]

Como mulher que ama a Deus, que tal procurar ver a mão do Senhor em todos os eventos, coincidências, acontecimentos fortuitos, casualidades e imprevistos da vida? Se você crê na soberania de Deus, se você crê em sua amorosa providência, considere todos os acontecimentos de sua vida como um toque de Deus agindo uma vez mais. Aprenda a:

- *Procurar* a mão de Deus.

- *Crer* que Deus está agindo em sua vida, em tudo o que lhe acontece e em todos os seus momentos difíceis.

- *Confiar* que Deus age em *todas as coisas* para o bem daqueles que o amam (Rm 8.28).

23 de Maio – Rt 2

Sob as asas de Deus
Rute

...sob cujas asas vieste buscar refúgio.
Rt 2.12

O PEQUENO LIVRO de Rute apresenta dois hinos maravilhosos cantados por duas pessoas que buscaram refúgio sob as asas de Deus.

• *O hino de Rute:* Fazia pouco tempo que Rute, uma mulher que amava a Deus, havia depositado sua confiança no Senhor de Israel. Apesar de ter sido criada nas terras pagãs de Moabe, Rute entregou seu coração e foi obediente ao Deus de Israel, o único e verdadeiro Deus. Em sua proclamação de fé a Noemi, sua desolada sogra, Rute proferiu palavras de devoção que ecoaram como um hino:

...aonde quer que fores, irei eu,
e onde quer que pousares, ali pousarei eu;
o teu povo é o meu povo,
o teu Deus é o meu Deus.
Onde quer que morreres, morrerei eu,
e aí serei sepultada (Rt 1.16,17).

• *O hino de Boaz:* Boaz foi um homem que amou a Deus. Ele era proprietário de terras e parente distante de Rute por parte do pai de seu falecido marido. Ao conhecer Rute, Boaz a abençoou e incentivou por ela ter passado a crer em Deus e disse-lhe palavras que também soaram como um hino:

O Senhor retribua o teu feito,
e seja cumprida a tua recompensa
do Senhor, Deus de Israel,
sob cujas asas vieste buscar refúgio (Rt 2.12).

Que palavras maravilhosas! Talvez Boaz considerasse Rute – a corajosa mulher que, andando a esmo por suas terras, trabalhava nas plantações de cevada com tanto esforço, sob o calor forte, colhendo o suficiente para alimentar a si mesma e a sua sogra viúva por um dia – uma jovem frágil e delicada. As palavras de Boaz deixam claro que aquela mulher, que amava a Deus, buscara refúgio sob suas asas – asas de proteção e segurança, asas carinhosas, fortes e cálidas. Na Bíblia Sagrada, Deus é comparado a uma ave que abriga seus filhotes sob suas asas (Sl 36.7). Boaz usou essa mesma metáfora para abençoar a mulher que, confiando em Deus, buscou refúgio sob suas asas.

Você confia em Deus e só nele? Depende totalmente daquele que a protege e cuida de você, filha dele? Está repousando sob as asas amorosas de Deus? Deus, nosso Pai celestial, tem a responsabilidade de protegê-la. Sua responsabilidade é confiar nele e descansar sob a sombra de suas asas.

24 de Maio – Rt 2

Falando por meio de hinos
Rute

...sob cujas asas vieste buscar refúgio.
Rt 2.12

Que bênção recebemos ontem quando lemos as palavras vindas do fundo do coração de duas pessoas que amaram tanto a Deus: Rute e Boaz! Foram palavras tão sublimes que pareciam verdadeiros hinos e cânticos de louvor ao Senhor (Ef 5.19). Em meio àquelas palavras de Boaz, vislumbrava-se o conforto de encontrar refúgio sob as asas de Deus.

Quando pensamos nessa imagem maravilhosa de repousar sob a sombra das asas de Deus (Sl 17.8), nos vem à mente um hino escrito por William O. Cushing em 1896. Aprecie a confiança do sr. Cushing manifestada neste hino e lembre-se de que estas palavras saíram de um coração que conheceu dor e sofrimento. Os médicos disseram a esse senhor, um pregador do evangelho, que ele não conseguiria mais falar. Depois de clamar as palavras do Salmo 17.8 em oração ("Esconde-me à sombra das tuas asas"), o piedoso sr. Cushing escreveu mais de trezentos hinos evangélicos.[7] Sejam quais forem as dificuldades e sofrimentos que você estiver enfrentando, procure também refúgio sob as asas do Senhor.

Sob suas asas

Sob suas asas habitarei em segurança,
Mesmo na noite escura e no violento temporal;
Nele sempre confiarei – sei que ele me guardará.
Agora sou seu filho, ele me resgatou do mal.

Sob suas asas, que refúgio encontrei!
Meu coração anseia por nele descansar!
Se na terra não existe bálsamo para minha dor,
Nele encontro conforto e bênçãos sem-par.

Sob suas asas, ó! que precioso momento!
Ali me esconderei até que venha a bonança;
Abrigado, protegido, nenhum mal me sucederá,
Descansando em Jesus estarei em segurança.

Coro: Sob suas asas, sob suas asas,
Quem me separará do amor de Deus?
Sob suas asas, minha alma habitará;
Em segurança, sempre com ele estará.

25 de Maio – Rt 2

A bondade do Senhor

Noemi

Bendito seja ele do Senhor, que ainda não tem deixado a sua benevolência...
Rt 2.20

O que você faria se...

- Fosse viúva,
- Seus filhos tivessem morrido,
- Sua nora fosse sua única companhia, e
- Precisasse de alimento?

Era exatamente essa a situação de Noemi depois da morte de todos os homens de sua família (Rt 1.3-5) e ao retornar a Belém na companhia de sua nora Rute (Rt 1.22). Idosa demais para trabalhar, Noemi passou a depender unicamente de Rute para sobreviver. Os tempos eram difíceis quando Rute foi colher alimento nas plantações de cevada. A lei de Moisés estipulava que os grãos caídos da colheita dos segadores deveriam ser deixados para os pobres (Lv 23.22). Essa lei aplicava-se muito bem a Noemi e Rute.

Porém, por trás dessa lei, a bondade do Senhor estava em ação. Rute, uma desconhecida, entrou "por acaso", pela soberana vontade de Deus, na propriedade de Boaz, seu parente. Boaz abençoou Rute por ela ter encontrado refúgio sob as asas do Senhor. Depois, abrigou Rute e Noemi sob suas asas e concedeu a Rute o privilégio de colher em suas plantações. Boaz também estendeu a mão àquelas duas mulheres necessitadas, dando-lhes mais alimentos, mais grãos e proteção.

Quando Rute relatou a Noemi a generosidade de Boaz, o coração de sua sogra alegrou-se pela primeira vez depois de muitos meses. Esperança e júbilo expulsaram de vez a amargura que havia enchido o coração da outrora feliz Noemi (Rt 1.20). De sua boca, partiu um louvor: "Bendito seja ele do Senhor, que ainda não tem deixado a sua benevolência nem para com os vivos nem para com os mortos". O coração desalentado de Noemi iluminou-se com o clarão da soberania de Deus agindo em sua vida, de seu amor imutável e de sua benevolência revelada por intermédio de Boaz.

A misericórdia de Deus para com essas duas viúvas carentes que o amavam e confiavam nele oferece a você pelo menos duas mensagens:

- *Mensagem 1:* Procure receber a bondade que o Senhor lhe estende por intermédio do bem que outras pessoas fazem a você.

- *Mensagem 2:* Estenda a bondade do Senhor a outras pessoas por intermédio do bem que você faz a outras pessoas.

26 de Maio – Rt 3

Amor recíproco
Noemi e Rute

Tudo quanto me disseres farei.
Rt 3.5

Conhecemos muito pouco a respeito dos costumes da pequena cidade de Israel onde Rute e Noemi moravam, mas o capítulo 3 do livro de Rute nos revela algumas informações interessantes.

Conforme você já sabe, Noemi era sogra de Rute, e ambas haviam perdido seus maridos. Ao chegarem a Belém, Noemi e Rute vislumbraram um futuro sombrio... até Boaz entrar em cena. Esse parente, com quem não se encontravam havia muito tempo, favoreceu generosamente as duas oferecendo-lhes alimento de suas plantações.

Reflita agora sobre a atitude dessas duas mulheres que demonstravam grande amor uma pela outra. Cada uma procurava melhorar a vida da outra (Fp 2.4); cada uma procurava o melhor para a outra ("O amor [...] não procura os seus interesses", 1Co 13.4,5).

Noemi queria o melhor para Rute: Noemi percebeu o respeito que florescia entre Rute e Boaz. Talvez, preferindo resistir a qualquer ressentimento por alguém querer tomar o lugar de seu finado filho no coração de Rute, Noemi tivesse vislumbrado um futuro de esperança para a sua nora como mulher casada. Foi então que essa mulher idosa e sábia começou a ensinar à jovem os costumes de sua terra, que a ajudariam encontrar um marido. Noemi disse a Rute:

- Exatamente como ela deveria se apresentar ("Banha-te, unge-te e põe os teus melhores vestidos") e

- Exatamente como ela deveria agir ("Quando ele repousar... lhe descobrirás os pés, e... ele te dirá o que deves fazer").

Rute queria o melhor para Noemi: Rute já sabia o que Boaz podia e queria proporcionar à idosa e necessitada Noemi (Rt 2.16). Rute também queria que Noemi se sentisse protegida. Portanto, a jovem obedeceu fielmente às instruções de Noemi para casar-se com Boaz.

Noemi e Rute nos apresentam dois exemplos maravilhosos de altruísmo. Cada uma queria o melhor para a outra. Que tipo de exemplo você oferece com sua vida? Está amando de verdade as outras pessoas? Deseja sempre o melhor para os outros? Ore hoje para ter uma atitude mais generosa, mais altruísta, em relação a seus semelhantes.

27 de Maio – Rt 3

Uma mulher virtuosa
Rute

...és mulher virtuosa.
Rt 3.11

Que alegria eu encontro nas palavras do dr. John MacArthur a respeito de Rute, uma das mulheres da Bíblia que amaram a Deus!

Rute não era de Israel, mas moabita. Rute não era judia, mas pagã. Rute não tinha marido, mas era viúva. Apesar disso, abandonou sua terra natal, sua família e sua religião para acompanhar Noemi na viagem de volta a Belém. Todos na cidade viam quanto Rute se preocupava com sua sogra (Rt 2.11). O proprietário de terras Boaz disse a Rute: "Toda a cidade do meu povo sabe que és mulher virtuosa".

Minha preciosa irmã, abra sua Bíblia e leia Provérbios 31.10-31, texto em que Deus retrata uma mulher piedosa, uma "mulher virtuosa", e depois leia abaixo o que o dr. John MacArthur escreveu sobre "Rute: A mulher de Provérbios 31".[8]

> A mulher "virtuosa" de Provérbios 31.10 é personificada pela "virtuosa" Rute, a quem se aplica a mesma palavra em hebraico (3.11). Apresentando uma semelhança espantosa, elas têm em comum pelo menos oito características pessoais... Ambas eram:
>
> 1. Devotadas à família (Rt 1.15-18; Pv 31.10-12,13);
>
> 2. Felizes no que faziam (Rt 2.2; Pv 31.13);
>
> 3. Diligentes em suas ocupações (Rt 2.7,17,23; Pv 31.14-18,19-21,24,27);
>
> 4. Delicadas quando falavam (Rt 2.10,13; Pv 31.26);
>
> 5. Dependentes de Deus (Rt 2.12; Pv 31.25b,30);
>
> 6. Zelosas quanto a seus vestidos (Rt 3.3; Pv 31.22,25a);
>
> 7. Discretas com os homens (Rt 3.6-13; Pv 31.11,12,23);
>
> 8. Fontes de bênçãos (Rt 4.14,15; Pv 31.28,29,31).

Ore neste momento para que Deus incuta cada uma dessas oito virtudes em seu coração e em sua vida, a fim de que todas as pessoas de sua cidade vejam que você também é uma mulher virtuosa!

28 de Maio – Rt 4

Um homem virtuoso
Rute

Boaz subiu à porta da cidade...
Rt 4.1

No capítulo 3 de Rute e no 31 de Provérbios, conhecemos a "mulher virtuosa", mas você sabia que o capítulo 4 de Rute detalha as qualidades do "homem virtuoso"? Esse homem era Boaz, um trabalhador e proprietário de terras que se tornou marido de Rute. Observe a lista divina das virtudes demonstradas na vida irrepreensível de Boaz. Ele era:

- *Diligente:* Boaz é descrito como um homem "de muitos bens" (Rt 2.1), e vimos que ele cuidava muito bem de sua propriedade, supervisionando-a atentamente.
- *Amável:* Boaz cumprimentava seus trabalhadores com cordialidade e deu as boas-vindas a uma mulher desconhecida chamada Rute (2.4,8).
- *Compassivo:* Ao observar Rute trabalhando, Boaz perguntou-lhe sobre sua situação e a defendeu (2.7).
- *Piedoso:* Boaz pediu a Jeová que abençoasse Rute por ela estar cuidando de Noemi (2.12).
- *Incentivador:* Boaz notou as qualidades marcantes de Rute e falou delas para incentivá-la (2.12; 3.11).
- *Generoso:* Ao ver que Rute necessitava de alimento e estava disposta a trabalhar, Boaz deu-lhe uma quantidade extra (2.15).
- *Bondoso:* Quando Rute relatou a bondade de Boaz, Noemi agradeceu a misericórdia de Deus demonstrada a elas por intermédio de Boaz (2.20).
- *Discreto:* Boaz demonstrou uma sábia discrição por ter mandado Rute de volta para casa antes do amanhecer (3.14).
- *Fiel:* Cumprindo sua promessa a Rute, Boaz "foi ao tribunal" a fim de retirar os obstáculos que o impediam de casar-se com ela.

Você é solteira? Se for, procure essas qualidades no homem com quem quer se casar. Seja exigente e escolha o melhor: um homem piedoso, diligente, fiel. Você já conhece a lista!

Você é casada? Lembre-se de valorizar e elogiar essas qualidades de seu querido marido e ore por elas.

Você é mãe? Incuta essas qualidades no coração e na mente de seus filhos (sua "Rutinha" e seu "Boazinho"...). Mostre a eles as sublimes qualidades de Deus e instrua-os a desenvolverem essas qualidades. Ensine cada filho a ser virtuoso e cada filha a amar um homem que possua qualidades piedosas.

29 de Maio – Rt 4

O coração de uma serva

Rute

...ela passou a ser sua mulher... e teve um filho.
Rt 4.13

Aqui está um pensamento que você deve pregar perto da pia da cozinha, colar na porta da geladeira, afixar no computador ou prender no espelho do banheiro:

Nossa verdadeira profissão é amar; enquanto isso, trabalhamos.

Rute, a valorosa mulher que passamos a conhecer nestes últimos dias, certamente apresenta muitas virtudes, mas talvez a sua qualidade mais notável seja a de ser uma serva. Vimos como ela ajudou incessantemente sua sogra viúva, Noemi. Durante várias semanas, Rute levantava-se antes do amanhecer, vestia com amor as roupas de trabalho, colhia grãos nas plantações de cevada em pleno calor do dia e voltava para casa tarde da noite levando alimentos para ela e Noemi (Rt 2.17,18). Quando Deus presenteou Rute com um excelente marido e um precioso bebê, sua alegria passou a ser completa! Agora tinha uma família para amar e servir!

Sim, Rute possuía um coração de serva. Assim como ela, você também pode trabalhar com amor enquanto:

- *Serve aos outros:* Para ter um coração de serva, é necessário tomar a decisão de servir aos outros, a quem quer que seja. Jesus foi o verdadeiro exemplo dessa atitude para nós, porque ele "não veio para ser servido, mas para servir" (Mt 20.28).

- *Serve a seu marido:* A Palavra de Deus é clara: "Tudo quanto fizerdes [inclusive servir a seu marido], fazei-o de todo o coração, como para o Senhor, e não para homens" (Cl 3.23).

- *Serve a seus filhos:* Existe um quadrinho para ser colocado na cozinha que diz: "Aqui prestamos culto a Deus três vezes por dia!" Isso se aplica não só às orações feitas na hora das refeições. Cada peça de roupa esfregada, cada cômodo arrumado, cada chão lavado, cada carona dada também é um ato de amor.

- *Serve à sua igreja:* Você, mulher casada ou solteira, pode pôr em prática um coração de serva em sua igreja. Há pobres que necessitam de refeições, bancos para consertar, cadeiras para empilhar, aulas bíblicas na Escola Dominical a ministrar...

O Novo Testamento apresenta o belo serviço prestado pelas servas de Deus que hospedavam os estrangeiros, lavavam os pés dos santos, socorriam os atribulados e dedicavam-se a todo tipo de boa obra (1Tm 5.10). Que você possa fazer parte dessas categorias sublimes!

30 de Maio – Rt 4

O CORAÇÃO DE UMA AVÓ
NOEMI

Noemi tomou o menino, e... entrou a cuidar dele.
Rt 4.16

Ao longo da vida, Noemi precisou descer do alto da sua felicidade e cair no vale profundo e sombrio da tristeza. Há muitos e muitos anos, quando Noemi saiu de Belém, ela "partiu ditosa"; mas, quando retornou, "voltou pobre" (Rt 1.21). Em Moabe, a família de Noemi, composta por quatro pessoas, aumentou com a inclusão de duas noras, mas a morte levou embora três pessoas: seu querido marido e seus dois amados filhos. Foi um momento de tristeza e de pobreza aquele em que a sofrida e pobre Noemi chegou a Belém acompanhada apenas de sua nora Rute, dizendo: "Chamai-me Mara", que significa "amarga" (1.20).

Porém, louvado seja o Senhor! Ele não deixou Noemi em seu vale de desespero, desânimo e pobreza. Deus abençoou Noemi com um neto e ela voltou a ser feliz. Como ela deve ter acolhido com satisfação aquela nova vida, repleta de amor, quando Deus fez bater mais forte dentro dela o coração de avó!

O pequenino Obede foi o primeiro neto de Noemi. Havia muitas décadas que ela não carregava um bebê nos braços. O que isso significou para ela?

- A continuação da herança de seu falecido marido (4.17).
- Uma pessoa para amar depois da perda de seus dois filhos (v. 15).
- Uma criança para cuidar e servir como ama-seca.
- Uma descendência que ajudaria a cuidar dela na velhice.
- Um "tônico restaurador" e uma esperança para o futuro!

Ser avó é um grande privilégio que Deus concede às mulheres. Quando você estiver conversando com qualquer avó, prepare-se para ouvir muitas histórias encantadoras e para ver uma pilha de fotografias guardadas com carinho! Porém, ser avó também traz novas oportunidades, novos desafios e novas responsabilidades às mulheres que amam a Deus. O coração de uma avó piedosa deve estar voltado para as práticas mencionadas abaixo, e para muito mais! Se você é avó, tem sido excelente nisso? Se não tem netos, ore por sua querida avó.

Seja um exemplo de atitudes piedosas.
Lembre-se de ocasiões importantes.
Ame sempre os pais de seus netos, sejam quais forem as circunstâncias!
Nunca demonstre favoritismo.
Tenha um bom relacionamento com cada um de seus netos.

31 de Maio – Rt 4

Uma coroa de estrelas

Rute

São estas, pois, as gerações de... Boaz.
Rt 4.18,21

Em Provérbios 12.4, lemos o seguinte: "A mulher virtuosa é a coroa do seu marido". Rute foi essa mulher de caráter virtuoso. Ela se casou com um homem chamado Boaz, de caráter virtuoso (veja 28 de maio). Foi um grande dia aquele em que se uniram essas duas pessoas ilustres que amavam a Deus!

Essa união deu prosseguimento a uma linhagem de pessoas que também amaram a Deus. O casamento frutificou e de ambos foi gerada uma descendência de servos piedosos que se estendeu por toda a eternidade. Cada descendente transformou-se em mais uma estrela na coroa de virtudes de Rute. Faça uma pausa para admirar estas pedras preciosas na genealogia de Rute e Boaz:

- *Boaz gerou a Obede:* Um estudioso da Bíblia disse: "Por intermédio do nascimento de Obede, Deus teceu, da maneira mais intricada possível, os fios da vida de Rute, formando a trama da história de seu povo. Ela foi a ascendência escolhida da qual, muito tempo depois, nasceu o Salvador do mundo".[9]

- *Obede gerou a Jessé:* Foi assim que Isaías profetizou: "Do tronco de Jessé sairá um rebento, e das suas raízes, um renovo" (Is 11.1). O Rebento e o Renovo eram o Senhor Jesus Cristo.

- *Jessé gerou a Davi:* A esperança de um rei e um reinado messiânicos foi cumprida no Senhor Jesus Cristo por meio da descendência de Davi, seu pai Jessé e seu avô Obede, que nasceu de Boaz e Rute.

- *Jesus Cristo:* A árvore genealógica ou o "livro da genealogia de Jesus Cristo, o filho de Davi" inclui estes nomes ilustres: Boaz, Obede, Jessé e Davi (Mt 1.1,5,6).

Você tem filhos, ou netos? Se sim, louvado seja o Senhor! Eles são um tesouro precioso, estrelas em sua coroa. Ore por eles fervorosamente! Incentive-os no conhecimento do Senhor vigorosamente! Assegure-se de que eles conheçam Jesus abundantemente! Ajude no crescimento espiritual deles amorosamente!

1º de Junho – 1Sm 1

Um tapete de generosidade
Ana

[ela] se chamava Ana...
1Sm 1.2

PREPARE-SE PARA CONHECER uma das mulheres mais encantadoras da Bíblia. Ela se chama Ana e seu nome significa "graciosa, amabilidade, graça e generosidade". Ana é uma das poucas mulheres das Sagradas Escrituras sobre as quais não existe nenhum comentário negativo.

Como Ana se tornou uma testemunha tão importante da grandiosa misericórdia de Deus? Para simplificar a resposta, saiba que uma série de fatores tristes contribuiu para isso, como *dificuldade, dor, sofrimento, sacrifício*. O Senhor sempre usa alguns fios escuros ao produzir o rico tecido que é a vida. Isso vale tanto para Ana como para todas as mulheres que amam a Deus (inclusive você, minha querida).

Antes de analisarmos mais de perto os vários fios utilizados pelo Senhor para tecer a vida de Ana, grave no coração as palavras comoventes desta poesia escrita por um autor desconhecido que amava a Deus, sabiamente intitulada de "O divino tecelão":

Minha vida é um entrelaçar
Constante com meu Senhor;
Ele trabalha sem cansar,
E escolhe cada cor.
Às vezes a tristeza ele tece,
E eu, orgulhoso, esqueço
Que só o Senhor tudo conhece,
E seu agir desconheço.
Quando silenciava o tear,
E as lançadeiras paravam
Deus podia o tecido mostrar
E explicar o que pensava.
Os fios escuros tão necessários são
Quanto os fios dourados e prateados
Nas mãos habilidosas do tecelão
E no desenho que ele tem planejado.

Tenha certeza de que o Tecelão Mestre também está tecendo os fios de sua vida, um acontecimento por vez, um momento por vez. Só ele conhece o desenho. Confie no Senhor ao vê-lo entrelaçar habilmente os fios para tecer o delicado fio de sua vida.

2 de Junho – 1Sm 1

Fio do sofrimento

Ana

Tinha ele duas mulheres: uma se chamava Ana...
1Sm 1.2

As jovens quase sempre sonham em se casar algum dia. Elas chegam a planejar por anos cada detalhe do dia do casamento, da lua-de-mel e da vida a dois. Na verdade, a maioria das revistas e livros destinados a noivas são adquiridos por jovens que sequer têm um noivo em vista! Elas simplesmente gostam de fantasiar o futuro.

Se, quando jovem, Ana sonhou com um casamento perfeito, seus sonhos transformaram-se em dura realidade. Ana se casou com Elcana, um levita pertencente a uma das famílias mais ilustres de sacerdotes. O marido de Ana deve ter sido um homem maravilhoso. Porém, alguns fatos no casamento deles, não muito agradáveis, eram como fios escuros de sofrimento tecidos na vida de Ana.

- *Ana dividia seu marido com outra mulher.* O marido de Ana tinha duas esposas. O nome de Ana é mencionado em primeiro lugar, indicando que provavelmente ela era a primeira esposa de Elcana e que, mais tarde, foi incluída outra mulher na família.
- *Ana não tinha filhos.* Ana não fora abençoada com o casamento feliz nem com a família pela qual ela tanto esperava. Em vez das risadas e da algazarra de crianças, no lar de Ana talvez se ouvissem tristes soluços de choro contido. A Bíblia menciona simplesmente: "O Senhor lhe havia cerrado a madre".
- *Ana era hostilizada pela outra mulher de seu marido.* Ofensas e insultos eram dirigidos à encantadora Ana. Penina, a segunda mulher de Elcana e rival de Ana, "a provocava excessivamente para a irritar".

Dark threads the weaver needs[1] [os fios escuros de que o tecelão necessita] é o título de um livro inspirado sobre o sofrimento e esse título tem a ver com a preciosa vida de Ana. Você é capaz de juntar todos os fios escuros do sofrimento de sua vida e depositá-los cuidadosamente nas mãos sábias e maravilhosas de Deus? Ele os usará para transformar sua vida em uma magnífica peça de tapeçaria que testemunhe de sua glória!

3 de Junho – 1Sm 1

Fio de reverência

Ana

Ana subia à Casa do Senhor...
1Sm 1.7

NA ALMA DE ANA, entrelaçado ao fio escuro do sofrimento, achava-se o magnífico fio dourado da reverência a Deus. A vida de Ana era repleta não só de problemas, mas também de fervorosa adoração. Em determinado dia do ano, Ana caminhava ao lado do marido até a casa do Senhor para adorá-lo e oferecer sacrifícios a ele.

Esse ato de devoção era uma prova de amor a Deus. Periodicamente, com sinceridade e reverência, as mulheres que amavam ao Senhor apresentavam-se diante dele para adorá-lo. Reflita sobre o que significa adoração e alguns de seus benefícios.

1. *Adoração é comunhão com Deus.* Não sabemos se Ana conversava com seu marido a respeito dos insultos que recebia da outra mulher dele. Só sabemos que Ana adorava a Deus e tinha comunhão com ele. Jeová era definitivamente aquele para quem ela podia contar todos os seus problemas.

2. *Adoração é o primeiro passo para adquirir sabedoria.* Como você enfrenta uma situação difícil? Ana recorria a Deus para saber lidar com suas dificuldades cotidianas. Adorando a Deus, era conduzida no caminho da sabedoria: sabedoria dele.

3. *Adoração é uma reverência interior.* É relativamente fácil fazer coisas para Deus: dar dinheiro, trabalhar na igreja, participar regularmente de uma atividade religiosa. Porém, a verdadeira adoração é pessoal; ela brota do coração, não de uma atividade exterior.

4. *"A adoração estimula a consciência* a conhecer a santidade de Deus, alimenta a mente com a beleza de Deus, abre o coração para o amor de Deus e submete a vontade ao propósito de Deus."[2] Existe outra atividade mais importante?

Minha querida, quando você estiver sofrendo, adore a Deus! Quando estiver confusa, adore a Deus! Quando estiver se sentindo sozinha, adore a Deus! Quando estiver ansiosa, adore a Deus! Quando for criticada, adore a Deus! Habitue-se a depositar diariamente nas mãos de Deus os fios dourados de sua adoração. Permita que o Senhor entrelace uma profusão desses fios dourados com os fios escuros das dificuldades ao tecer sua vida.

4 de Junho – 1Sm 1

O CORDÃO DA ORAÇÃO

ANA

...levantou-se Ana, e... orou ao Senhor...
1Sm 1.10

PARA FINALIZAR SUA OBRA, o tecelão usa um fio bem grosso e forte, difícil de arrebentar, que suporte o peso do tapete ao pendurá-lo na parede. Na vida de Ana, esse fio representava o cordão da oração. Veja como tudo aconteceu.

Ana estava passando por muitas aflições. Dividia seu marido com a segunda mulher dele; não tinha filhos e sua rival a provocava excessivamente. As lágrimas passaram a ser seu alimento. Ana chorava e não conseguia comer. Com amargura na alma e angústia no coração, seu ânimo se abateu. Qualquer pessoa em seu lugar teria sucumbido... ou explodido! Ana, porém, orou. Sua alma talvez estivesse sombria, mas sua fé era radiante no momento em que se ajoelhou e entregou em oração as mágoas e decepções nas mãos do Senhor.

O idioma hebraico tem muitas palavras para designar o ato da oração, mas o termo específico usado para descrever a oração sincera de Ana na casa do Senhor é *palal*, que significa "suplicar, fazer uma petição".[3] Em seu sofrimento, Ana suplicou a Deus. Ela fez uma petição ao Todo-poderoso. Elevou seu pedido a Deus.

Querida serva de Deus, faça um inventário de sua vida. Ana tinha problemas conjugais. E você? Ela não podia ser mãe, algo que desejava muito. Você quer alguma coisa que lhe tem sido negada? Provocação, crueldade e zombaria faziam parte do cotidiano de Ana. Você tem sofrido algum tipo de ofensa?

Enquanto sofria por causa do que não possuía, a preciosa Ana agarrou-se àquilo que tinha – o forte cordão da oração – e levou seus problemas ao trono celestial de Deus. Mesmo estando fraca de tanto chorar de tristeza, Ana descobriu que sua fé era forte o suficiente para segurar firme o único elemento que a prendia a Deus: a oração!

Você também pode desfrutar os benefícios de agir como Ana:

- Se você agarrar-se à oração, estará mais próxima de cumprir a vontade de Deus.

- Se você se exercitar na oração, estará desenvolvendo fortes músculos espirituais.

- Se você se pendurar na oração em tempos de turbulência, encontrará uma âncora, mesmo que a tempestade seja longa e violenta.

- Se você se agarrar a Deus por meio da oração, estará seguindo o caminho que ele traçou para a sua vida.

5 de Junho – 1Sm 1

Fio da devoção

Ana

[Ela] fez um voto...
1Sm 1.11

Os fios são arrumados no lugar e a lançadeira trabalha rápido. Deus tece o divino desenho que é a vida de Ana. Ele usou fios escuros, como o preto e o cinza-chumbo do sofrimento, bem como os fios dourados e resplandecentes da adoração de Ana. Já vimos que Ana está segura em Deus, presa pelo forte cordão da oração. Surgem, então, alguns fios prateados enquanto ela conversa com Deus e lhe faz um voto.

A tensão no lar de Ana aumentava dia-a-dia. Seu casamento não transcorria como ela havia esperado. Sua vida familiar também estava na mesma situação: ela não tinha filhos. E seu relacionamento com a outra mulher de seu marido era insuportável.

A situação de Ana parecia desesperadora, e o mesmo acontecia com seu povo, a nação de Israel: "Naqueles dias, não havia rei em Israel; cada um fazia o que achava mais reto" (Jz 21.25) e "a palavra do Senhor era mui rara" (1Sm 3.1). O que acontecera com os planos de Deus para o seu povo escolhido? Com tudo o que ele prometera? Onde estavam os líderes que ele disse que providenciaria? Deus se mantinha em silêncio e seu povo estava perdido.

É verdade que o desejo de Ana de ter um filho era um assunto muito pessoal. Um bebê traria alegria ao seu coração, iluminaria sua vida e silenciaria os críticos. Porém, enquanto o tempo predeterminado e perfeito de Deus não chegava, os anseios e aspirações de Ana foram sendo lentamente transformados, e ela passou a buscar a vontade de Deus cada vez mais. O tempo que Ana passou querendo e aguardando a chegada de um bebê foi suficiente para que Deus trabalhasse nela e incutisse o desejo de algo mais precioso do que simplesmente ter um filho só para si. Ela passou a desejar ter um filho para o Senhor!

Ana fez, então, um voto: "Senhor dos Exércitos, se benignamente atentares para a aflição da tua serva... e lhe deres um filho varão, ao Senhor o darei por todos os dias da sua vida". Se Deus lhe concedesse um filho, ela o devolveria ao Senhor.

Como mulher de fé, aquilo que você almeja se destina a propósitos egoístas, para "esbanjardes em vossos prazeres" (Tg 4.3), ou seus desejos concentram-se em Deus e em seus sublimes propósitos? Pare um pouco para avaliar e ajustar os anseios e motivos que se encontram por trás de suas orações.

6 de Junho – 1Sm 1

Fio da virtude

Ana

...eu sou mulher atribulada de espírito...
1Sm 1.15

"Você não está entendendo!" "Espere um pouco! Não foi isso o que aconteceu!" "Deixe-me contar o meu lado da história!"

Observe os pontos de exclamação. Frases como essas são geralmente proferidas aos gritos por alguém que foi mal compreendido ou falsamente acusado.

Ana, uma mulher que amava a Deus, completamente dedicada a ele, foi mal compreendida e falsamente acusada. Contudo, percebemos, por sua maneira de reagir, que sua vida era permeada das suaves virtudes da graça e da benevolência, a despeito das circunstâncias difíceis em que ela vivia.

Em seu sofrimento, proveniente da infertilidade e das palavras cruéis e impiedosas de outra mulher, Ana buscou refúgio em Deus. Chorando, com a alma angustiada e aflita, Ana orou ao Senhor, fazendo súplicas com o coração, não com os lábios. Nunca Ana sentira tal agonia e nunca orara com tanto fervor. Nunca fizera um voto tão sério a Deus como naquele dia.

Apesar disso, enquanto Ana orava fervorosamente em sincera adoração ao Senhor, ela foi mal compreendida! Eli, o sacerdote, sentado próximo a Ana, viu que ela movimentava os lábios em súplica a Deus sem proferir nenhuma palavra. Concluiu que ela estava embriagada: "Até quando estarás tu embriagada? Aparta de ti esse vinho", disse, em tom de acusação.

Aprenda uma ou duas lições com Ana sobre as suaves virtudes da graça e da benevolência. Ela não retrucou nem ficou na defensiva; apenas explicou delicadamente sua situação: "Eu sou mulher atribulada de espírito". Ela conhecia e punha em prática a verdade contida em Provérbios 31.26: "Fala com sabedoria, e a instrução da bondade está na sua língua". Veja quais são as regras de Deus para falar com integridade:

1. Fale com sabedoria e bondade (Pv 31.26).
2. Pense antes de falar (Pv 15.28).
3. Aprenda a falar com brandura (Pv 15.1).
4. Fale palavras meigas (Pv 16.21).
5. Instrua ao falar (Pv 16.23).
6. Modere suas palavras (Pv 10.19).

Você quer saber como Eli reagiu diante do modo delicado de Ana? Ele impetrou a bênção sacerdotal sobre ela!

7 de Junho – 1Sm 1

Fio da fé

Ana

...e o seu semblante já não era triste.
1Sm 1.18

Finalmente, a provação de Ana chegara ao fim! Depois de tanto sofrimento por ter de dividir o marido com outra mulher, de receber dela ofensas constantes, de lidar com o desgosto de não poder gerar filhos, e de ser mal compreendida pelo sacerdote do templo, Ana constatou que, enfim, sua infelicidade tinha cedido lugar à alegria.

O que provocou essa mudança radical em suas emoções? A Bíblia nos conta que Eli impetrou a bênção sacerdotal sobre Ana: "Vai-te em paz, e o Deus de Israel te conceda a petição que lhe fizeste".

E qual foi a petição de Ana? Fazia muito tempo que nossa querida amiga aguardava e orava para ter um filho. Ana havia feito um voto a Deus de, se ele lhe concedesse um filho, entregá-lo ao Senhor "por todos os dias da sua vida".

Nessa fase da história da vida de Ana, aparece um novo fio na peça de tapeçaria de Deus: o azul da fé confiante que ela depositava no Senhor – fé que se estendia até o céu azul e a unia ao Pai celestial. Observe, porém, que o maravilhoso fato que marcou o fim da tristeza e o começo da alegria de Ana, provando sua grande fé, foi que:

Nada havia mudado!

Nada mudara em sua vida, mas Ana creu e, assim, alegrou-se na promessa. Que fé grandiosa! Depois de ter recebido a bênção de Eli, essa mulher, que tinha jejuado, chorado e orado com a alma angustiada e desesperada, seguiu seu caminho, "comeu, e o seu semblante já não era triste". Ela ainda não tinha um bebê em seus braços – nem sequer estava grávida! –, mas acreditou com fé que um dia geraria um filho.

Minha querida serva de Deus, será que o fio azul celestial da fé faz parte da peça de tapeçaria que é sua vida? Sua fé, revelada nos acontecimentos rotineiros do dia-a-dia, evidencia uma confiança em Deus que alcança os céus? Quando Deus lhe fala por meio da Palavra, você acredita nele? Você se apega às "preciosas e mui grandes promessas" de Deus (2Pe 1.4)? Você confia no que Deus diz, mesmo quando nada em sua vida parece estar mudando para melhor? Há uma canção infantil que nos faz lembrar do seguinte: "Fé é acreditar no que Deus diz que fará".

8 de Junho – 1Sm 1

Fio da alegria

Ana

[Ana] concebeu e... teve um filho...
1Sm 1.20

A ALEGRIA TEM MAIS SIGNIFICADO na vida de uma pessoa que enfrentou tempos difíceis. E como foram tristes e sombrios os eventos na vida de Ana, aquela mulher que amava tanto a Deus!

De repente, porém, somos surpreendidos pela enorme felicidade que invadiu o coração de Ana, iluminando e trazendo cor à sua existência. Como vimos, Ana havia atravessado tempos sombrios, apesar de seu grande amor a Deus. Ela enfrentou problemas em casa, pois precisava dividir o amor de Elcana, seu marido, com a outra esposa dele. Ela passou por problemas pessoais, porque depois de tantos anos de casada não havia gerado um filho para amar. Ela teve problemas sociais, porque a outra esposa, que dera vários filhos e filhas a Elcana, a ofendia e a insultava constantemente. E ela sofreu problemas de constrangimento em público, quando o sacerdote do templo censurou-a por seu modo de orar.

A alegria, contudo, entrou em cena quando Ana recebeu a bênção do sacerdote e, posteriormente, concebeu e deu à luz um menino. Nunca, nunca, nunca se esqueceria de quem lhe dera aquele precioso bebê: Deus, o Criador da vida, ouvira suas orações e respondera presenteando-a com um filho. Foi por isso que Ana deu ao menino o nome de *Samuel* – que significa "nome de Deus" e "pedido a Deus" – dizendo: "Do Senhor o pedi". Samuel sempre se lembraria da misericórdia de Deus para com sua piedosa e fervorosa mãe e para com todos os que invocam o seu santo nome.

Você compartilha a alegria de Ana? Mesmo que passe por inúmeras dificuldades, os outros conseguem perceber em você o brilho da alegria? Você é agradecida a Deus por sua bondade e misericórdia? O salmista diz a si mesmo, a você e a mim: "Bendize, ó minha alma, ao Senhor, e não te esqueças de nem um só de seus benefícios" (Sl 103.2).

Mesmo que sua existência pareça sombria neste momento, reflita sobre a ordem que Paulo dá a nós, crentes em Jesus: "Alegrai-vos sempre no Senhor" (Fp 4.4). Devemos nos alegrar no perdão, na redenção e no relacionamento com Deus, que Cristo tornou possível na cruz ao morrer por você e por mim. Que o brilho da alegria possa cintilar em qualquer situação sombria que você enfrentar!

9 de Junho – 1Sm 1

Fio do amor
Ana

...a mulher... criou o filho ao peito, até que o desmamou.
1Sm 1.23

BELÍSSIMOS E VIBRANTES são os tons usados por Deus ao tecer o magnífico tecido para produzir a obra de arte que foi a vida da humilde Ana.

Nasceu um bebê! Não era um nascimento comum. Era o bebê de Ana, a mulher que fora estéril por tanto tempo! Ela, então, tinha um trabalho a fazer e devia fazê-lo depressa!

Teria apenas alguns anos para educar seu filho para Deus, pois, afinal, além de o pequenino Samuel ter sido "pedido a Deus" (o significado de seu nome) e concedido *por* Deus, ele também havia sido prometido a Deus e deveria ser entregue *a* Deus. Quanto tempo Ana teve para dedicar amor ao pequenino Samuel e incutir nele as verdades de Deus? Somente dois ou três breves anos até ele ser desmamado.

Pergunta: Como uma mãe, no tempo de Ana ou no nosso, cria um filho para Deus?

Resposta: Seguindo as orientações de Deus para criar filhos.

1. *Ame a Deus de todo o seu coração* (Dt 6.5). Para educar um filho para Deus, você, mãe (ou avó!), precisa amar a Deus sobre todas as coisas. Você só pode transmitir aquilo que possui.

2. *Ensine a Palavra de Deus a seu filho* (Dt 6.7). A Palavra de Deus ensina, repreende, orienta e educa seu filho à medida que ele cresce (2Tm 3.16).

3. *Ensine os caminhos de Deus a seu filho.* Provérbios 22.6 aconselha: "Ensina a criança no caminho em que deve andar". A mãe deve "educar o filho de acordo com as exigências da vida" e "instruir o jovem a seguir seu caminho".[4] O caminho de Deus é "o caminho em que ele deve andar"!

4. *Lembre-se do Senhor em todo o tempo* (Dt 6.7). Sua devoção a Deus e a Jesus mostra a seu filho o caminho para a vida eterna. À medida que cada acontecimento da vida se desenrola, reconheça o domínio e o poder de Deus, sua soberania e amor, sua proteção e provisão. Seus filhos observarão!

5. *Adore ao Senhor* (Dt 6.13). Sua devoção a Deus, e a Jesus, mostra a seu filho o caminho da vida eterna.

Querida mãe ou avó, não deixe passar nem mais um minuto! Decida *hoje* e faça o que for possível *agora* para educar cada criança que você ama e entregá-la ao Deus que você ama.

10 de Junho – 1Sm 1

Fio de sacrifício

Ana

...também o trago como devolvido ao Senhor...
1Sm 1.28

O amor de Ana fluía caloroso e abundante. Como Ana amava seu filhinho, sem esquecer um dia sequer que Samuel havia sido pedido a Deus e concedido por ele!

Ana também nunca esqueceu de que Samuel devia ser entregue ao sumo sacerdote de Deus para servir ao Senhor todos os dias de sua vida. Veja bem, quando a estéril e desgostosa Ana pediu um filho ao Senhor, ela também prometeu devolvê-lo a Deus para servir-lhe por toda a vida. E, finalmente, o dia chegou.

Quando ela e seu marido se aproximavam da casa do Senhor com o filho e o sacrifício necessário para o cumprimento do voto, Ana sabia que estaria entregando a Deus o maior sacrifício pessoal de todos, a fonte de sua suprema alegria. Entregava a Deus seu bem mais querido, mais valioso: seu único filho: Samuel.

Enquanto você imagina a cena daquela pequena família caminhando rumo a Siló, imagine também esplêndidos matizes de vermelho sendo adicionados ao tecido da vida nobre de Ana, registrando sua oferta tão valiosa. O vermelho parece a cor mais adequada para o sacrifício: o vermelho vivo, valioso e raro do genuíno sacrifício.

O que você pode oferecer a Deus que seja valioso?

- *Seus filhos?* Deus deu seu único Filho (Jo 3.16) e Ana também fez o mesmo. Você deu seus filhos a Deus para que ele possa usá-los de qualquer modo e em qualquer lugar para o seu serviço e os seus propósitos?

- *Sua obediência?* O próprio Samuel disse, algum tempo depois: "Tem, porventura, o Senhor tanto prazer em holocaustos e sacrifícios quanto em que se obedeça à sua palavra? Eis que o obedecer é melhor do que o sacrificar" (1Sm 15.22). Que tipo de obediência Deus está pedindo a você?

- *Seu tempo?* Tempo perdido é tempo subtraído de Deus.[5] Assim como cada fio é valioso, cada instante também é valioso.[6]

- *Seu dinheiro?* Quando o rei Davi depositou sua oferta no altar ao Senhor, abriu o coração a Deus: "Não oferecerei ao Senhor, meu Deus, holocaustos que não me custem nada" (2Sm 24.24). Dádivas de amor custam muito.

Segure tudo o que vem de Deus com as mãos abertas, não com as mãos fechadas. Nesse "tudo", estão incluídos seus tesouros mais queridos e preciosos!

11 de Junho – 1Sm 2

Fio da glória

Ana

Então, orou Ana...
1Sm 2.1

O QUE É REALMENTE IMPORTANTE na vida cristã? Ana sabia a resposta. Ela sobressai nas páginas da Bíblia como a mulher que conheceu sofrimento e problemas (esterilidade, perseguição, incompreensão, perda) e, ainda assim, glorificou a Deus publicamente. Quando nossa corajosa Ana enfrentou a hora mais difícil de sua vida, ao deixar na casa do Senhor o filho tão aguardado para que fosse educado por outra pessoa, vemos que não se preocupou consigo mesma, com seus problemas, nem com seu sacrifício; concentrou-se apenas em seu grandioso Deus. Expressões de exultação e glória brotaram do coração agradecido de Ana quando declarou solenemente: "O meu coração se regozija no Senhor, a minha força está exaltada no Senhor" (1Sm 2.1).

Evidentemente, o coração de Ana concentrava-se em Deus; portanto, não nos causam surpresa suas palavras de adoração e louvor mesmo diante de um momento tão difícil. Seus lábios proferiram as palavras vindas do coração, registradas na Bíblia Sagrada, para que mulheres de todas as eras, como você, as lessem, apreciassem, aprendessem e imitassem. Observe a essência do cântico comovente de Ana:

- *Salvação de Deus:* "[Eu] me alegro na tua salvação" (v. 1).
- *Santidade de Deus:* "Não há santo como o Senhor" (v. 2).
- *Força de Deus:* "Rocha não há, nenhuma, como o nosso Deus" (v. 2).
- *Sabedoria de Deus:* "O Senhor é o Deus da sabedoria" (v. 3).
- *Poder de Deus:* Só Deus tem o poder de dar força aos fracos, alimentar os famintos, transformar as estéreis em férteis, ressuscitar os mortos, curar os enfermos, tornar ricos os pobres, e fazer com que os humildes sejam exaltados (v. 4-8).
- *Julgamento de Deus:* "Os que contendem com o Senhor são quebrantados" (v. 10).

Que esplêndido cântico de glória você, mulher que ama e serve a Deus, também pode entoar a ele da mesma forma que Ana! Então, que tal memorizar partes do salmo de louvor de Ana e compor um cântico só seu? Medite sobre os atributos e ações de Deus que ela menciona. E, em cada acontecimento ou dificuldade da vida, procure concentrar-se na pessoa e no poder de Deus, e não nas circunstâncias. Tenha confiança na soberania de Deus e em seu amor, que controla todos os acontecimentos de sua vida.

12 de Junho – 1Sm 2

Fio da visão

Ana

Sua mãe lhe fazia uma túnica pequena...
1 Sm 2.19

Como a mãe que ama a Deus e a família preenche os dias quando o ninho fica vazio? Esse foi o desafio seguinte enfrentado por Ana. Após muitos anos de sofrimento, dor e oração, o capítulo 1 de 1Samuel conta toda a história, Deus finalmente agraciou Ana com um filho. Enquanto educava Samuel com amor, seus dias transcorreram felizes, alegres e divertidos. Ana, porém, desejara tão ardentemente ter um filho que fez o voto de dá-lo ao Senhor "por todos os dias da sua vida" (1Sm 1.11). Por amar a Deus de forma tão genuína, Ana manteve sua promessa e caminhou 25 quilômetros para levar seu filho à casa do Senhor.

Fazemos novamente a pergunta: Como a mulher que ama a Deus e a família preenche os dias quando o ninho fica vazio? Observe o exemplo de Ana. Em vez de entregar-se à tristeza, Ana amou seu filho a distância. Todos os anos, ela fazia uma túnica pequena e a levava para ele.

Ana, cuja vida havia se constituído num delicado trabalho de tapeçaria do Senhor, tornara-se também uma tecelã, fazendo roupas para a geração seguinte. Imagine a rica variedade de cores que Ana escolhia cuidadosamente para tecer as roupas de Samuel. Imagine também as lembranças que lhe vinham à mente ao usar fios escuros, azuis, cintilantes, prateados e dourados, ou de cores vivas, como amarelo e vermelho, eles lembravam as lições que aprendera do Senhor ao longo dos anos. Com certeza, Ana, que orou com tanto fervor para ser mãe, também orava ao tecer as túnicas do filho. Não existe investimento mais seguro do que as orações que você faz por seus filhos!

Pense agora de que maneira você pode seguir o exemplo de Ana. O que *você* pode fazer hoje para amar seus filhos e netos ao longo da vida? A mãe da escritora Elisabeth Elliot orava e escrevia cartas. Por mais de 45 anos, ela escreveu duas cartas por semana a cada um de seus seis filhos (ou seja, doze cartas por semana, antes de existirem computadores!).[7]

Você, mãe carinhosa e mulher de oração, ajude seus filhos hoje, e todos os dias, com suas orações e com seu amor. A fidelidade dessa dedicação representa um investimento vital, líquido e certo para a geração seguinte.

13 de Junho – 1Sm 2

FIO DO CRESCIMENTO

ANA

Ana... concebeu e teve três filhos e duas filhas...
1Sm 2.21

JESUS DISSE: "Se o grão de trigo, caindo na terra, não morrer, fica ele só; mas, se morrer, produz muito fruto" (Jo 12.24). No caso de Ana, o "grão de trigo" que caiu na terra e morreu foi seu filho pequeno, que ela deixou com o sacerdote em Siló (1Sm 1.28). Ah! Mas Samuel não morreu no sentido literal. Ana, estéril por muito tempo, suplicara fervorosamente a Deus que lhe desse um filho. Em suas orações comoventes, prometeu entregar o filho a Deus "por todos os dias da sua vida". Fiel à sua palavra, Ana sofreu, em certo sentido, a morte do filho.

No entanto, *depois* que Ana cumpriu seu voto, *depois* que entregou seu filho pequeno a Deus, *depois* que aparentemente perdera seu único filho, "abençoou, pois, o Senhor a Ana, e ela concebeu e teve três filhos e duas filhas". Outras cinco crianças vieram encher aquela casa tão vazia depois de Samuel ter sido levado à casa do Senhor. A semente do sacrifício de Ana germinou e deu frutos, muitos frutos! Sua fé cresceu, sua família cresceu, seu amor cresceu, sua alegria cresceu e sua influência cresceu, porque ela teve a oportunidade de criar outros cinco filhos.

Ana aprendeu muitas lições, representadas aqui pelo vibrante fio verde do crescimento, entrelaçado na peça de tapeçaria de sua vida. Ao dar uma última olhada nesse tapete, aprenda com Ana alguns ensinamentos úteis ao seu crescimento:

1. Ana aprendeu, desde o início, a enfrentar a angústia que acompanha a esterilidade. Você demonstra solidariedade e sensibilidade para com as pessoas que não têm filhos?
2. Ana aprendeu a levar seus problemas a Deus. Você conta a Deus seus problemas ou apenas a seus amigos e amigas?
3. Ana aprendeu a suplicar ao Senhor. Você aprendeu a importância de uma súplica sincera feita por meio da oração (Tg 5.16)?
4. Ana aprendeu que os filhos são dádivas do Senhor. O fato de você saber que seus filhos são dádivas de Deus influencia o seu modo de educá-los (Sl 127.3)?
5. Ana aprendeu a importância de educar um filho para Deus. Você educa diligentemente seus filhos, que lhe foram cedidos por Deus por empréstimo, para que eles sirvam ao Senhor?

14 de Junho – 1Sm 19

Deixar para unir-se
Mical

Mical desceu Davi por uma janela; e ele se foi, fugiu e escapou.
1Sm 19.12

Conheça Mical, a jovem filha de Saul, primeiro rei de Israel, e primeira mulher de Davi, o herói, guerreiro e rei do Antigo Testamento. Veja como foi turbulenta a vida de Mical e Davi:

- *Davi devia casar-se com Merabe,* a filha mais velha de Saul, mas Saul entregou-a a outro homem (1Sm 18.9).

- *Davi devia morrer.* Saul exigiu que fosse posto à prova antes do casamento: teria de matar cem filisteus, e certamente acabaria morto nessa empreitada. Davi, porém, matou duzentos filisteus e não morreu (18.20-27)!

- *Davi devia ser assassinado* pelo pai de sua noiva. Saul enviou mensageiros à casa de Davi para que o vigiassem e o matassem, mas Mical agiu rapidamente e ajudou o marido a fugir.

Apesar de Mical estar longe de ter sido a companheira ideal de Davi, certamente contribuiu para a realização dos propósitos de Deus ao obedecer a um dos princípios do Senhor para o casamento: a mulher deve deixar pai e mãe para unir-se a seu marido (Gn 2.24). A vida de Davi foi poupada porque Mical o ajudou a fugir dos mensageiros de seu pai. Em vez de ser um "laço" para Davi, conforme o pai esperava (1Sm 18.21), Mical foi muito útil para salvar a vida dele. Naquela altura de seu relacionamento com Davi, Mical demonstrou um amor cheio de cumplicidade e de fidelidade ao marido.[8]

Reflita sobre sua lealdade a seu marido. Você lhe dá apoio como líder e provedor do lar? Você evita criticá-lo diante de seus pais e de outras pessoas? Permanece ao lado de seu marido, como forte aliada, diante dos pais dele e dos seus? Acompanha seu marido como líder de sua família e na direção que ele escolhe?

Você pode cultivar uma união mais sólida com seu querido marido se:

1. *Falar bem dele.* A Bíblia diz que não devemos difamar ninguém (Tt 3.2), e isso inclui seu marido!

2. *Ver as qualidades positivas dele,* e não esquecer de elogiá-las.

3. *Orar por ele.* A oração muda tanto o marido como a mulher!

15 de Junho – 1Sm 22

A MÃE DE UM GRANDE HOMEM
A MÃE DE DAVI

Deixa estar... minha mãe convosco...
1Sm 22.3

IMAGINE SER A MÃE de alguém criado segundo o coração de Deus! Davi foi uma criança assim e sua mãe provavelmente contribuiu grandemente para isso. Observe estes fatos e características acerca de seu filho Davi, mencionados em 1Samuel:

- Davi era um dos oito filhos de Jessé (16.10,11).
- Davi era um pastor responsável (16.11).
- Davi era cantor (16.18).
- Davi levava alimento para os seus irmãos (17.17).
- Davi obedecia a seu pai (17.20).
- Davi confiou em Deus quando enfrentou o gigante Golias (17.40,41).
- Davi passou a ser um fugitivo sem ser culpado de nenhum crime (19.12).
- Davi protegeu a mãe, o pai e os irmãos (22.1-3).
- Davi era um homem "segundo o coração [de Deus]" (13.14; At 13.22).

Pense por alguns instantes em outras mães de grandes homens. A sra. Graham descrevia-se como "uma simples esposa de um fazendeiro produtor de leite", mas deu ao mundo o evangelista Billy Graham. A sra. Briscoe nunca deu aulas de Bíblia, nunca dirigiu uma reunião de senhoras e nunca trabalhou como missionária, mas deu ao mundo Stuart Briscoe, pastor, professor de Bíblia, evangelista e líder cristão. E a sra. Bright, descrita como "uma mulher comum", deu ao mundo Bill Bright, o fundador da Cruzada Universitária Internacional para Cristo.

De que maneira uma mulher como você pode se tornar mãe de alguém que ame sinceramente ao Senhor, um homem ou mulher que realize grandes coisas para o reino de Deus? Você se tornará parceira de Deus em dar ao mundo um filho piedoso se:

- *Buscar* a Deus de todo o coração (Lc 10.27).
- *Plantar* a semente da fé no coração de seu filho (1Co 3.8).
- *Orar* por seu filho (Pv 31.2).
- *Preparar* seu filho para ser um grande colaborador na obra de Deus ensinando-lhe a andar nos caminhos de Deus (Pv 22.6).

16 de Junho – 1Sm 25

Diamantes escondidos

Abigail

Abigail... era sensata...
1Sm 25.3

ABIGAIL. Grave bem o nome dessa mulher. Nos dias seguintes, você ficará feliz por aprender mais sobre essa formosa mulher que amava a Deus. A vida de Abigail, nome que significa "motivo de alegria", trará grande contentamento a seu coração à medida que você for descobrindo diamantes escondidos, verdadeiras joias de virtude e piedade extraídas das adversidades que povoaram a vida diária de Abigail.

Quando refletimos sobre a situação de Abigail, vemos que tinha poucos motivos para alegrar-se. Várias dificuldades e tristezas enchiam a vida da querida Abigail. Aparentemente, não existia amor em seu casamento, e ela não tinha filhos. Seu marido, Nabal (cujo nome significa literalmente "tolo"), era de fato um tolo, "duro e maligno em todo seu trato", um patife e beberrão.

Contudo, a primeira qualidade semelhante a um diamante de intenso brilho que encontramos na vida de Abigail é a fidelidade. Nesse diamante, vemos sua lealdade, integridade, firmeza de caráter e confiança, bem como sua fidelidade à Palavra de Deus e às pessoas que faziam parte de sua vida. A Bíblia instrui as servas de Deus a edificar sua casa (Pv 14.1) e atender ao bom andamento de seu lar (Pv 31.27). A querida Abigail obedeceu fielmente a essas duas instruções. Quando seu marido agiu como tolo, pondo em risco a vida de todos de sua casa, recusando-se a ser generoso com o poderoso Davi, Abigail agiu rapidamente, apaziguando a ira de Davi e salvando seu marido, seus servos e ela própria. O diamante resplandecente da fidelidade de Abigail brilhou em meio às dificuldades. Mesmo diante de uma situação problemática, Abigail foi fiel ao marido, à família, ao trabalho no lar e a Deus, a quem ela amava.

E quanto a você, querida serva de Deus? Talvez sua vida também pareça enterrada sob grandes camadas de pó e entulho; mas, apesar disso, sua fidelidade a Deus, quaisquer que sejam as circunstâncias, brilhará se você permanecer fiel em tudo (1Tm 3.11). Que você nunca subestime o brilho e a beleza da fidelidade aos olhos de Deus. Afinal, Deus está muito mais preocupado com o fato de sermos fiéis a seus mandamentos do que de sermos bem-sucedidas aos olhos do mundo!

17 de Junho – 1Sm 25

Tempo de agir
Abigail

Então, Abigail tomou, a toda pressa, duzentos pães...
1Sm 25.18

"Como ele pôde fazer isso! Como meu marido pôde dizer *não* a Davi?"

Talvez a fiel Abigail tivesse pensado coisas assim. Seus leais servos, que também não podiam acreditar no que Nabal, o marido de Abigail, tinha feito, avisaram-na de que seu lar estava em perigo. Os homens de Davi estavam famintos. Seus mensageiros vieram em paz e trataram os servos de Abigail com respeito quando pediram comida. Em vez de despachá-los, Nabal deveria tê-los ajudado, porque todos sabiam que o poderoso guerreiro Davi era capaz de aniquilar tudo o que estivesse em seu caminho. Afinal, matara dez mil pessoas (1Sm 21.11)!

"O que devo fazer, Senhor?" talvez Abigail tivesse orado assim. Deus concedeu-lhe sabedoria para o bem de todos os de sua casa, inclusive do arrogante Nabal. Abigail apressou-se. Com a ajuda dos servos, levou a Davi o alimento de que ele necessitava: pão, vinho, carne, trigo, frutas e bolos, em quantidade suficiente para ele e seus homens.

E Abigail fez mais do que levar alimento ao irado Davi. Também "prostrou-se sobre o rosto diante de Davi, inclinando-se até a terra". Abigail pediu mais uma coisa àquele homem poderoso: que poupasse a vida de seu marido e de seus servos.

Quando surgem as crises, devemos agir como Abigail: com sabedoria. Louve a Deus porque ele nos concede tudo o que necessitamos para viver como cristãs. Nesse "tudo" está incluída a sabedoria! Que fontes de sabedoria estão ao seu alcance, preciosa imitadora de Abigail?

1. *Conhecer ao Senhor: "O conhecimento do Santo é prudência" (Pv 9.10).*

2. *Temer ao Senhor: "O temor do Senhor é o princípio da sabedoria" (Pv 9.10).*

3. *Reconhecer ao Senhor: "Reconhece-o em todos os teus caminhos" (Pv 3.6).*

4. *Pedir ao Senhor: "Se, porém, algum de vós necessita de sabedoria, peça-a a Deus, que a todos dá liberalmente" (Tg 1.5).*

Habitue-se a pedir a Deus que a guie... antes de agir!

18 de Junho – 1Sm 25

Tempo de falar

Abigail

Lançou-se-lhe aos pés e disse...
1Sm 25.24

Antes de tudo, reflita sobre o princípio paradoxal a respeito de nosso modo de falar, encontrado em Provérbios 25.15: "A língua branda esmaga ossos". Depois, com base nesse princípio, analise a situação de Abigail.

Abigail, uma mulher bela e inteligente, tinha de enfrentar dois homens poderosos. Um deles era seu marido (que agira tolamente) e o outro, o famoso guerreiro Davi (que estava prestes a agir tolamente). O que havia acontecido? Quando Davi necessitou de comida para os homens de seu exército, Nabal recusou-se a fornecê-la. Diante disso, Davi resolveu matá-lo e destruir tudo o que ele possuía.

Se havia um momento de falar palavras brandas com poder para esmagar ossos (e decisões inflexíveis), esse momento chegara! Contudo, outro princípio bíblico de sabedoria nos lembra de que há "tempo de estar calado e tempo de falar" (Ec 3.7).

Tempo de falar com Davi: Abigail proferiu palavras sábias inspiradas por Deus e com o máximo respeito. Ela falou de modo inteligente, fazendo um apelo a seu futuro rei, dizendo que havia um propósito muito maior do que uma agressão física a seu marido como vingança por sua tolice.

Tempo de falar com Nabal: Abigail aguardou sabiamente para falar com Nabal, porque ele estava "mui embriagado" e não seria capaz de compreender que, por pouco, não morrera nas mãos de Davi.

Hoje Deus nos mostra outra qualidade, semelhante a um diamante, na vida da preciosa Abigail: a discrição. A situação era crítica. Abigail, prestes a perder tudo, inclusive a vida de seus servos inocentes, agiu com discrição. Ela demonstrou ser criteriosa no momento certo (*quando* falou), na escolha das palavras (*o que* falou) e na maneira de agir *(como* falou). Sua fala surtiu efeito com aqueles dois homens que se opunham obstinadamente. As decisões de ambos, duras como pedras, foram quebradas por uma língua branda!

A discrição é uma virtude difícil de ser conseguida, mas você, querida filha de Deus, pode ser mais discreta e desfrutar seus benefícios. Como?

- *Valorizando a discrição:* Compreenda sua importância no relacionamento humano.
- *Desejando ser discreta:* Uma das marcas da sabedoria é procurar ter características piedosas.
- *Aprendendo a ser discreta:* Analise a sábia discrição de Abigail.
- *Usando a discrição:* Invoque o Espírito Santo para ajudá-la a aprender a ser reservada, acalmar suas emoções e capacitá-la a agir com discrição.
- *Orando para ser discreta:* Peça a Deus que lhe conceda essa qualidade semelhante a um diamante.

19 de Junho – 1Sm 25

Tempo de concluir
Abigail

...e ela seguiu os mensageiros de Davi, que a recebeu por mulher.
1Sm 25.42

Pare alguns instantes para refletir sobre a majestade e magnificência do Senhor! Há um corinho que diz: "O nosso Deus é um Deus grandioso!" Por ser onisciente (aquele que sabe todas as coisas), o nosso Deus conhece todos os detalhes sobre nossa situação. Ele sabe por que acontecem e como os usará para realizar sua obra em nossa vida. Portanto, faça uma pausa agora e medite sobre o fato de Deus ser onisciente. Depois, analise como ele agiu na vida de Abigail.

- *Um fim.* O marido da meiga Abigail era um homem vulgar e extravagante, um tolo irreverente, que pôs em risco aqueles que estavam sob seus cuidados ao ofender o poderoso Davi. No entanto, o rápido raciocínio, a ação pronta e as palavras sábias de Abigail salvaram a vida de todos, inclusive a de Davi. No final, ninguém precisou fazer coisa alguma contra o tolo Nabal. A Bíblia menciona simplesmente: "Feriu o Senhor a Nabal, e este morreu". *Deus* foi em socorro de Abigail e, no caso dela, o *Senhor* agiu criteriosamente e pôs fim à sua situação problemática.

- *Um começo.* Com o fim da vida de Nabal, veio o casamento de Abigail com Davi e um novo e promissor começo: "Ela seguiu os mensageiros de Davi, que a recebeu por mulher". No plano de Deus, em seu tempo certo, Abigail deixou de ser mulher de um homem ímpio para casar-se com um homem de Deus. Davi, um homem segundo o coração de Deus (At 13.22), cuidou de Abigail pelo restante de sua vida.

- *Uma bênção.* Aparentemente, Abigail e Nabal não tiveram filhos. Porém, Deus abençoou seu casamento com Davi concedendo-lhe um belo filho chamado Quileabe, que quer dizer "Deus é meu juiz" (2Sm 3.3). Por certo, Abigail conhecia muito bem o significado do nome de seu filho!

Deus modelou cuidadosamente os detalhes da vida de Abigail e você pode ter a certeza de que ele modela os da sua também. Tenha ânimo! Deus ordena: "Aquietai-vos e sabei que eu sou Deus" (Sl 46.10). Há um tempo de agir, mas há também um tempo de confiar, aquietar-se e saber que Deus, a seu tempo e à sua maneira, faz que todas as coisas sejam belas. Aquiete-se enquanto aguarda para ver a mão do Senhor trabalhando em sua vida!

20 de Junho – 1Sm 25

Caráter encantador
Abigail

...e ela seguiu os mensageiros de Davi, que a recebeu por mulher.
1Sm 25.42

É difícil dizer adeus a Abigail! Sua vida foi um exemplo da verdadeira graça feminina, conforme revela o que vimos de seu caráter encantador. Sempre que se fala de Abigail, em comentários bíblicos, livros de referência, anotações bíblicas, sermões, aulas de Escola Dominical, quer em círculos judaicos ou cristãos, as expressões usadas são sempre positivas. Abigail é descrita como inteligente e bonita, afetuosa e cativante, dona-de-casa prudente, mulher cheia de palavras de razão e de fé, a quem Deus concederia proteção e sabedoria. Abigail conquistou tudo isso enquanto caminhava pelo difícil terreno, cheio de desafios, da administração de um lar em que o marido era um tolo e beberrão.

Antes de analisar a vida de outras mulheres que amaram a Deus, observe mais uma vez o caráter encantador de Abigail. Na vida de Abigail, a beleza surgiu da disposição dos seguintes traços de caráter:

- *Sabedoria:* Além de agir com sabedoria, Abigail também falou com sabedoria, atuando como pacificadora, de acordo com os caminhos de Deus.

- *Discrição:* Elevando-se acima da atitude precipitada, emocional, imprudente e irada de Davi, a doce voz de Abigail, a voz da razão, acalmou a todos. Sempre cautelosa e humilde, fez Davi lembrar-se da infalível justiça de Deus e de sua habilidade para agir a favor dele, bem como do grande futuro que ele reservava para Davi. Sua voz mansa acalmou um leão! Na verdade, acalmou dois leões: o irado Davi *e* o tolo Nabal. Deus também pôs as palavras certas nos lábios de Abigail e mostrou-lhe o momento certo de enfrentar seu insensato marido.

- *Fidelidade:* Abigail foi fiel em tudo, como esposa de Nabal; como patroa de seus servos; como apaziguadora de Davi e, posteriormente, como sua esposa; e como mulher que amou a Deus.

Quando os outros observam as qualidades que compõem o seu caráter, o que notam? Esperamos que vejam em você as mesmas qualidades de Abigail: humildade, sabedoria, discrição, fidelidade e piedade, e constatem que são qualidades tão belas a ponto de tirar o fôlego de qualquer um!

21 de Junho – 2Sm 4

Cumprindo o dever
A ama de Mefibosete

...sua ama o tomou e fugiu...
2Sm 4.4

CONFUSÃO E MEDO reinavam em Israel. Os filisteus estavam a caminho! O rei Saul morrera no campo de batalha. Seus filhos também morreram, inclusive o leal amigo de Davi, Jônatas (1Sm 31). Quando a notícia da morte deles chegou aos ouvidos de determinada mulher, ela precisou tomar uma decisão corajosa. Não conhecemos o nome dessa mulher, mas sabemos que ela ocupava a importante função de ama de Mefibosete, o filho de 5 anos de Jônatas, neto de Saul.

Agindo rapidamente para salvar a vida do menino, essa serva leal e corajosa pegou a criança no colo e levou-a para um lugar seguro. Porém, enquanto fugia, apressada, o jovem príncipe caiu e ficou aleijado pelo restante da vida.

Como essa corajosa mulher enfrentou essa consequência tão desastrosa? Não sabemos ao certo, mas podemos imaginar que tenha carregado essa culpa até o fim da vida. Contudo, tentara fazer o que era certo e agira com sinceridade de coração, amor e devoção.

Você já realizou um gesto de devoção que falhou, foi inútil ou trouxe consequências negativas? Você tem sido forçada a conviver com a culpa de um ato bem-intencionado, cujas consequências foram negativas? Tenha coragem! Analise o desfecho do ato heroico dessa querida ama, de acordo com o balancete de Deus:

Débito	Crédito
• Mefibosete ficou aleijado para sempre.	• A vida de Mefibosete foi salva. • A descendência de Saul e de Jônatas prosseguiu. • Mefibosete recebeu os cuidados de Davi pelo restante da vida (2Sm 9). • Davi foi abençoado por ter sido capaz de cumprir uma promessa feita a seu amigo Jônatas, pai de Mefibosete (1Sm 20.15).

Faça agora um balanço de sua vida, daquilo que Deus está operando, apesar dos débitos que possam ser relacionados em sua lista. Pergunte também a si mesma se vai permitir que um fato negativo obscureça os inúmeros pontos positivos e bênçãos redentoras que vêm das mãos de Deus. Enquanto o consolo da verdade acerca do poder de Deus nos enche de segurança, ele usa todas as coisas, inclusive os fatos negativos de nossa vida, para o nosso bem, para o seu supremo propósito de nos tornar mais semelhantes a Cristo (Rm 8.28,29).

22 de Junho – 2Sm 12

Amada do Senhor

Bate-Seba

...teve ela um filho...
2Sm 12.24

Perdão! O simples som dessa preciosa palavra traz alegria ao coração de cada pecador arrependido. Como é bom saber que nosso bondoso e misericordioso Deus declarou: "Pois perdoarei as suas iniquidades e dos seus pecados jamais me lembrarei" (Jr 31.34). Louvado seja o Senhor!

Hoje, vamos separar alguns instantes para refletir sobre Bate-Seba. Os fatos iniciais que conhecemos sobre sua vida estão longe de demonstrar atitudes piedosas! Na verdade, Bate-Seba é mais conhecida como adúltera, a mulher que participou da infidelidade do rei Davi. Esse pecado resultou em gravidez e na morte de seu marido e de seu filho recém-nascido. São fatos verdadeiramente sombrios, terríveis!

Contudo, como o sol que surge depois da chuva, o perdão purificador de Deus apareceu, com seus raios brilhantes e cálidos, logo que Davi, o novo marido de Bate-Seba, reconheceu o pecado de ambos. Estas foram suas palavras, saídas de um coração contrito:

Pois eu conheço as minhas transgressões...

Cria em mim, ó Deus, um coração puro...

Restitui-me a alegria da tua salvação (Sl 51.3,10,12).

Depois da reconciliação de Davi com Deus, Bate-Seba, ao que parece, recebeu o mesmo perdão divino e desfrutou a bondade do Senhor. Logo, ele a abençoou com outro filho, a quem ela chamou de *Salomão*, que significa "amado do Senhor". Deus escolheu Salomão para ser rei de Israel e ele é citado como ascendente de Jesus Cristo (Mt 1).

Amada do Senhor, a vida de todas as pessoas é maculada e manchada com o pecado. Todavia, nós, mulheres que amamos a Deus e amadas por ele, podemos desfrutar a promessa e a realidade de seu perdão. Um comentarista escreveu o seguinte sobre o perdão: "Quando ficamos preocupados com os pecados dos quais Deus disse que jamais se lembrará, estamos duvidando de sua misericórdia e privando-nos do poder e do progresso espiritual".[9] Nenhum pecado, por mais terrível que seja, pode arruinar uma vida inteira. Reconheça sua transgressão perante Deus, receba sua purificação e perdão e, com a alegria renovada pela salvação que você recebeu mediante Jesus Cristo, viva um futuro brilhante.

23 de Junho – 1Rs 1

Assumindo uma posição
Bate-Seba

Apresentou-se, pois, Bate-Seba ao rei na recâmara...
1Rs 1.15

Há um versículo fascinante na Bíblia que instrui as mulheres que amam a Deus a enfeitar seus corações com o adorno "incorruptível de um espírito manso e tranquilo" (1Pe 3.4). Trata-se de um belo conceito, mas muitas mulheres (e talvez você seja uma delas!) perguntam a si mesmas: "Então, isso significa que nunca posso dizer o que penso?" No caso de Bate-Seba, temos mais um exemplo de que há "tempo de estar calado e tempo de falar" (Ec 3.7). A querida Bate-Seba agiu com discernimento, de acordo com os cinco princípios que indicam o tempo certo de falar:

- *Primeiro, escolha o momento certo.* Davi prometera a Bate-Seba que Salomão, o filho de ambos, lhe sucederia como rei de Israel. Contudo, Davi estava prestes a morrer sem que tivesse nomeado Salomão e desconhecia a rebelião política que se iniciava no reino de Israel. Aquele parecia o momento certo de falar.

- *Segundo, escolha o assunto certo.* Se a descendência de Davi deveria continuar por meio de Salomão, ele precisava tomar uma atitude. A sucessão ao trono aparentemente era o assunto certo a ser discutido.

- *Terceiro, aja pelo motivo certo.* Deus designara Salomão, e não Davi, para edificar a casa do Senhor (1Cr 22.9,10). Como isso seria possível se Salomão não subisse ao trono? Esse assunto tão importante parecia o motivo certo para agir e falar.

- *Quarto, tenha sensibilidade para encontrar o momento certo.* Provérbios 20.18 diz o seguinte: "Faze a guerra com prudência". Natã, o profeta, aproximara-se de Bate-Seba aconselhando-a a falar, e chegou a instruí-la sobre o que deveria dizer. O conselho desse homem piedoso parecia chegar no momento certo.

- *Quinto, fale de modo certo.* O modo *como* dizemos o que pensamos é geralmente mais importante do que *aquilo* que dizemos! E como Bate-Seba disse o que pensava? Antes de tudo, curvou-se respeitosamente em atitude de reverência ao marido, prostrando-se com o rosto no chão, e aguardou até que ele perguntasse o que ela desejava.

Os princípios acima também são indicados para nós. Aguarde o momento certo. Escolha os assuntos certos. Ore pelos motivos certos. Aja de acordo com o conselho certo. Peça da maneira certa. Tente seguir esses conselhos da próxima vez em que precisar tomar alguma atitude!

24 de Junho – 1Rs 10

Disposição de espírito
Rainha de Sabá

Tendo a rainha de Sabá ouvido a fama de Salomão... veio prová-lo...
1Rs 10.1

No século 6 a.C., não existia uma rede de divulgação de notícias sobre Salomão, o rei de Israel. As informações eram passadas bem devagar, conforme o passo das pessoas ou o andar dos camelos e dos jumentos. Lentamente, as notícias sobre esse rei sábio que servia a um Deus poderoso chegaram até Sabá, localizada a quase dois mil quilômetros ao sul de Jerusalém. Sentada em seu palácio, a rainha de Sabá deve ter refletido cuidadosamente sobre as várias informações recebidas. Certamente, ninguém poderia ser tão sábio e nenhum deus poderia ser tão extraordinário assim. Porém, e se fosse verdade? As informações poderiam ser verdadeiras! Ela precisava ver com os próprios olhos!

A viagem a Jerusalém foi longa e dispendiosa. Os estudiosos calculam que a comitiva, composta de soldados, presentes, animais, suprimentos e servos, viajou mais de trinta quilômetros por dia durante 75 dias. Mas nada disso importava! Nenhum esforço era grande demais e nenhum preço alto demais em se tratando de assunto referente à sabedoria! E assim, com uma pontinha de curiosidade a respeito de Salomão, talvez querendo também adquirir sabedoria (Mt 12.42), aquela rainha partiu para Israel.

Quanto maior o esforço, tanto mais doce será o sabor do prêmio. Quanto mais alto o preço, tanto mais valioso será o tesouro. Assim é com a sabedoria, cara mulher que a tem buscado, como você mesma descobrirá!

Reflita sobre o esforço que você empreende para adquirir sabedoria. Você passa cinco minutos por dia lendo um capítulo de Provérbios, o livro de sabedoria da Bíblia? Esforça-se para participar de aulas, palestras ou seminários dirigidos por pessoas sábias e piedosas? Reserva um tempo em sua agenda para pedir conselhos de uma pessoa sábia? Gosta de passar um fim de semana participando de alguma conferência que a ajude a tornar-se sábia nos caminhos de Deus?

Vivemos em uma sociedade comodista, de recompensas instantâneas. Queremos obter todas as coisas sem esforço e queremos já! No entanto, vemos no exemplo dessa famosa rainha uma disposição para sacrificar-se e empenhar-se, realizando o possível na tentativa de encontrar respostas para as questões da vida. Siga hoje o exemplo dessa mulher e tente obter uma preciosa pérola de sabedoria e amanhã adicione outra ao seu esplêndido colar e mais outra depois de amanhã! A sabedoria é o verdadeiro ornamento da alma!

25 de Junho – 1Rs 10

Sabedoria no coração
Rainha de Sabá

...a rainha de Sabá... veio prová-lo com perguntas difíceis.
1Rs 10.1

Você já conhece bem a cena. Está planejando viajar de férias. O calendário está à sua frente. Já conversou com o agente de viagens. Recebeu folhetos, mapas e guias. E economizou dinheiro (assim espero). Você está precisando de um descanso!

Por que você tira férias? Em primeiro lugar na lista da maioria das pessoas, encontra-se o tópico "DD": "Descansar e Descontrair". Porém, existem outros motivos, como sair para contemplar novas paisagens, conhecer um pouco mais de história ou participar de um safári fotográfico.

A rainha de Sabá, no entanto, tinha o mais nobre de todos os propósitos quando partiu em viagem. Observe que ela estava em busca de sabedoria. Jesus disse que essa "rainha do Sul... veio dos confins da terra para ouvir a sabedoria de Salomão" (Mt 12.42). Sua jornada, feita com uma caravana de camelos partindo do sul da Arábia até Jerusalém e atravessando um deserto de quase dois mil quilômetros, serve de exemplo para todas nós. Por quê? Porque ela viajou para ver e ouvir a sabedoria do rei Salomão, a sabedoria do Senhor, e aprender mais sobre o Deus em quem ele confiava.

A rainha de Sabá, conhecida por sua extraordinária beleza, riqueza e magnificência, aparentemente tinha tudo o que desejava, mas seu maior bem era um coração que ansiava por sabedoria. Gastou alegremente o que possuía para obtê-la. Buscou o prazer que não era transitório e sua busca tinha uma finalidade. Ela fez o que todas nós, que amamos a Deus, necessitamos fazer: partiu em busca de sabedoria.

Provérbios 16.16 diz o seguinte: "Quanto melhor é adquirir a sabedoria do que o ouro!" Então, que tal planejar sua busca? Em primeiro lugar, faça uma revisão da lista abaixo e descubra recursos para ajudá-la a cultivar um coração sábio. Depois, acrescente outras ideias:

- Livros para ler.
- Estudos bíblicos para realizar.
- Seminários ou conferências dos quais participar.
- Pessoas para conhecer e com quem aprender.
- Aulas para assistir em uma faculdade cristã.

"O que adquire entendimento ama a sua alma" (Pv 19.8).

26 de Junho – 1Rs 10

A VERDADEIRA RIQUEZA

Rainha de Sabá

Deu ela ao rei cento e vinte talentos de ouro...
1Rs 10.10

É DIFÍCIL IMAGINAR a fortuna da rainha de Sabá. Essa mulher notável deu a Salomão, o rei de Israel, o equivalente a 3,5 milhões de dólares em ouro e uma quantidade jamais calculada de especiarias e pedras preciosas. Por quê? Porque essa riquíssima rainha do sul da Arábia carecia de uma única coisa: o verdadeiro conhecimento de Deus e a sabedoria trazida por esse conhecimento. Não existe preço para se conhecer a sabedoria de Deus, porque "o temor do Senhor é o princípio da sabedoria" (Pv 9.10). A riqueza material que essa sábia rainha deu de presente a Salomão não era nada, comparada ao conhecimento de Deus e à sabedoria que ela acabara de encontrar!

Já sabemos alguns detalhes da viagem empreendida por essa rainha "curiosa", a fim de conversar com o rei Salomão sobre a vida e sobre Deus. E seus esforços foram recompensados. Ela obteve a sabedoria que procurava, depois de ouvir as respostas de Salomão às suas perguntas difíceis, de observá-lo adorando a Deus e de ver a ordem que reinava em sua casa e em seu governo. Mais tarde, quando a caravana da rainha viajava de volta a Sabá, atravessando novamente os quase dois mil quilômetros pela areia do deserto, a rainha carregava consigo o maior de todos os tesouros: um coração sábio.

Nem sempre é necessário ter muito dinheiro para adquirir sabedoria. Os elementos essenciais são um coração em busca de mais conhecimentos e uma visão das coisas eternas. Reflita sobre as seguintes despesas diárias:

• Uma ida a um restaurante do tipo *fast food*: cerca de vinte reais para duas pessoas.

• Um vidro de base para maquiagem: cerca de vinte reais.

• Um CD: cerca de vinte reais.

• Um mês de assinatura de TV a cabo: cerca de cinquenta reais.

Geralmente não prestamos muita atenção ao dinheiro gasto em coisas como essas, que não têm nenhum significado na eternidade. Que tal, então, dispor-se alegremente a investir algum dinheiro para adquirir a inigualável sabedoria de Deus? Que tal gastar os mesmos vinte reais em um bom livro, vinte reais em um estudo bíblico e cinquenta reais em um curso bíblico? Jesus nos disse: "Onde está o teu tesouro, aí estará também o teu coração" (Mt 6.21). Procure ter um coração que busque adquirir sabedoria!

27 de Junho – 1Rs 10

O CAMINHO PARA A SABEDORIA
RAINHA DE SABÁ

O rei Salomão deu à rainha de Sabá tudo quanto ela desejou e pediu...
1Rs 10.13

QUE ALEGRIA tem sido acompanhar a jornada da famosa rainha de Sabá em busca de sabedoria! Devemos aplaudí-la e agradecer a Deus a vida dessa mulher! Ela é realmente digna de admiração. O próprio Jesus elogiou essa excepcional "rainha do Sul". Por quê? Porque quando ouviu falar da sabedoria de Salomão e da fama do Deus a quem ele adorava, a rainha de Sabá dispôs-se a descobrir as respostas pessoalmente e "veio dos confins da terra para ouvir a sabedoria de Salomão" (Mt 12.42).

Conforme um estudioso assinalou, a rainha de Sabá trilhou o caminho da sabedoria seguindo estes sete passos:[10]

- Passo nº 1: Ela ouviu. Seus ouvidos estavam atentos (Pv 20.12).
- Passo nº 2: Ela foi até Salomão sem se importar com o cansaço ou com despesas.
- Passo nº 3: Ela teve uma longa conversa com o homem mais sábio da época.
- Passo nº 4: Ela viu. Seus olhos estavam atentos (Pv 20.12).
- Passo nº 5: Ela disse: "Bendito seja o Senhor, teu Deus".
- Passo nº 6: Ela demonstrou gratidão por uma sabedoria que não tem preço.
- Passo nº 7: Ela voltou para a sua terra plena do conhecimento de Deus.

Se você deseja imitar a rainha de Sabá e ter um coração sábio, faça uma pausa neste momento e agradeça a Deus a sabedoria que ele coloca à sua disposição também. Depois, siga estes passos extraídos da Bíblia e continue a trilhar o caminho da sabedoria hoje e pelo restante de sua vida. Se você fizer isso, além de ser uma mulher que ama a Deus, também será uma mulher que possui as verdadeiras riquezas da sabedoria e do conhecimento.

- *Peça:* "Se, porém, algum de vós necessita de sabedoria, peça-a a Deus... e ser-lhe-á concedida" (Tg 1.5).
- *Cresça:* "...na graça e no conhecimento de nosso Senhor e Salvador Jesus Cristo" (2Pe 3.18).
- *Deseje:* "...o genuíno leite espiritual, para que por ele vos seja dado crescimento para salvação" (1Pe 2.2).
- *Busque:* "...as coisas lá do alto, onde Cristo vive" (Cl 3.1).
- *Pense:* "...nas coisas lá do alto, não nas que são aqui da terra" (Cl 3.2).

Trilhe esse caminho, minha amiga, sabendo que Deus honrará seus esforços e a abençoará com sua sabedoria.

28 de Junho – 1Rs 17

A UM PASSO DA MORTE
A VIÚVA DE SAREPTA

...ordenei a uma mulher viúva que te sustente.
1Rs 17.9

PALAVRAS TERRÍVEIS, sombrias, palavras como seca, pobreza, desnutrição, fome, morte e desespero descrevem o cenário de miséria em que vivia essa mulher que amava a Deus. O local onde a história dessa viúva se passa era a terra árida de Sarepta. A seca pedida em oração por Elias, o profeta de Deus (Tg 5.17), tinha-se espalhado pela região litorânea de Israel, chegando até Sarepta, cidade de um povo pagão que adorava Baal.

Essa mulher, em cuja despensa quase não havia mais alimento, estava destinada a morrer com seu filho antes que o sol nascesse no dia seguinte. Porém, assim que ajuntou o último feixe de lenha para acender o fogo e assar o único pão que poderia ser feito com seu último punhado de farinha e suas últimas gotas de azeite, Elias chegou. Como ele se atrevia a pedir-lhe um pedaço de pão para comer? Que absurdo!

A chegada de Elias, contudo, iluminou a escuridão em que aquela pobre família, sem pai, se encontrava. Deus enviara Elias, cujo nome significa "o Senhor é Deus", para ser alimentado pela viúva de Sarepta. Porém, para alimentar Elias, ela teria de confiar no Deus daquele homem e usar, pela fé, os últimos recursos terrenos que possuía.

E você? Quais são as circunstâncias em que você vive e quais são suas necessidades? Você está com a alma desnutrida? Ou com a mesma desnutrição física da viúva de Sarepta? Ou sentindo o gosto amargo do desespero? A Bíblia nos diz: "Sê forte e corajoso; não temas, nem te espantes, porque o Senhor, teu Deus, é contigo" (Js 1.9). Diante dessa verdade, você tem as seguintes opções:

Pare!   Pare de afligir-se e comece a pôr sua fé para trabalhar! Não ande ansiosa por coisa alguma; em tudo, porém, sejam conhecidas diante de Deus as suas petições. Só então você sentirá a paz do Senhor (Fp 4.6,7).

Olhe!   Olhe para Deus com fé. Invoque o Senhor. Ele lhe responderá e lhe mostrará coisas grandes e ocultas, que você não conhece (Jr 33.3).

Escute!   Escute as promessas do Senhor. Ele promete suprir cada uma de suas necessidades por intermédio de Jesus Cristo, segundo a sua riqueza em glória (Fp 4.19).

Prossiga!   Prossiga sendo uma mulher de fé, generosa e benevolente. "Dai, e dar-se-vos-á" (Lc 6.38).

29 de Junho – 1Rs 17

Um punhado para repartir

A viúva de Sarepta

...fez [ela] segundo a palavra de Elias...
1Rs 17.15

"Quando a preocupação gira em torno de nosso pão, trata-se de um assunto material. Quando a preocupação gira em torno do pão de nosso vizinho, trata-se de um assunto espiritual."[11]

Aquilo que iniciara como uma questão material para a viúva de Sarepta transformou-se, rapidamente, em questão espiritual quando Elias, o servo de Deus, aproximou-se dela e atreveu-se a lhe pedir comida. Será que Elias sabia que ela estava ajuntando lenha para preparar a última refeição para si mesma e para o seu filhinho antes de morrerem de fome? Tudo o que aquela pobre mulher possuía era um punhado de farinha e um pouco de azeite, apenas o suficiente para a última refeição.

Contudo, pela fé e preferindo confiar no Deus a quem Elias obedecia, essa corajosa mulher decidiu dividir com ele seus últimos mantimentos. Abriu a mão e o coração para ele.

Outras pessoas que, como a viúva de Sarepta, atravessaram tempos difíceis também optaram por confiar em Deus e amar a seus semelhantes, dividindo com eles o que possuíam:

- *As viúvas da igreja primitiva* exerceram o ministério da hospitalidade. Assim como a viúva de Sarepta fez com Elias, elas ofereceram alimento e abrigo aos necessitados (1Tm 5.10).
- *Corrie ten Boom* arriscou a vida para esconder e alimentar judeus na Segunda Guerra Mundial – um "assunto espiritual" que a levou a ser presa em um campo de concentração alemão.
- *George Muller* invocou a Deus para conseguir o pão diário para dois mil órfãos, e fez isso durante vinte anos!

Minha preciosa irmã, por meio do exemplo desses homens e mulheres, cheios de fé e generosidade, Deus a chama para ser uma doadora espiritual, repartir o que possui com outras pessoas. Olhe ao seu redor e veja se há alguém necessitado. Então:

- Comece em casa, proporcionando constantemente alimentos para a sua família.
- Amplie esse ministério espiritual doméstico e transforme-o em ministério de hospitalidade (que significa "amar pessoas estranhas") e abra a porta de sua casa a outras pessoas.
- Ajude a estocar comida na igreja para alimentar os necessitados.
- Faça uma visita ao projeto missionário de sua cidade.
- Ore para que Deus lhe dê uma ideia do que você pode fazer para saciar a fome do mundo.

30 de Junho – 1Rs 17

Um punhado de fé
A viúva de Sarepta

...fez [ela] segundo a palavra de Elias...
1Rs 17.15

ALIMENTO E FÉ. Geralmente não pensamos nessas duas palavras juntas. No entanto, nas ações da viúva de Sarepta, a fé está no âmago do tema "alimento". Vivendo em tempos de grande seca e fome, todos os habitantes daquela terra economizavam o pouco que tinham para sobreviver, inclusive a viúva e seu filhinho. Mas Deus aproximou seu profeta Elias daquela viúva para que ambos se beneficiassem.

A fim de sobreviver, a viúva precisava dar seu último punhado de alimento ao mensageiro de Deus, mas aquele pequeno ato exigiria uma enorme fé! A Bíblia define fé como "a certeza de coisas que se esperam, a convicção de fatos que se não veem" (Hb 11.1), e essa querida mulher esperou e agiu pela fé:

- *Ao acreditar* nas palavras de Elias: "Não temas [...]. Porque assim diz o Senhor Deus de Israel: A farinha da tua panela não se acabará, e o azeite da tua botija não faltará, até ao dia em que o Senhor fará chover sobre a terra";
- *Ao abrir* a mão para o profeta de Deus; e
- *Ao dar* tudo o que lhe restara ao homem de Deus.

Qual foi o resultado de tamanha fé? Essa viúva, seu filho e Elias foram abençoados por Deus. Por mais de mil dias, Deus milagrosamente supriu alimento para os três. Ela constatou que o povo de Deus caminha pela fé, e não pela visão (2Co 5.7).

Pela visão...	*Mas pela fé ela confiou e...*
Não havia mais comida.	Deus forneceu o pão diário.
Os mantimentos se limitavam a um punhado de farinha.	Deus proveu alimentos durante três anos.
Todos estavam perecendo.	Deus sustentou aquelas três pessoas fiéis.
A morte era certa.	Deus preservou a vida.

Você está caminhando pela fé? Existe algum passo que você precisa dar confiando em Deus para obter os resultados? Existe alguma coisa de que você necessite para libertar as amarras de sua vida e deixar que Deus a conduza? Você tem fé, mesmo que seja um pequeno punhado? Não tenha medo, minha querida amiga. Você pode ser rica na fé, mesmo sem possuir nada, porque é pela fé que herdamos as promessas. Portanto, ore neste instante: "Senhor, eu creio; ajuda-me na minha falta de fé" (Mc 9.24). Enquanto isso, derrame seu pequeno punhado de fé nas mãos do Deus Todo-poderoso para uso dele e para que ele a abençoe.

1º DE JULHO – 1Rs 17

UM CORAÇÃO CHEIO DE FÉ
A VIÚVA DE SAREPTA

...conheço agora... que a palavra do Senhor na tua boca é verdade.
1Rs 17.24

VOCÊ JÁ TEVE A OPORTUNIDADE de sentar-se à beira-mar e observar o ritmo das ondas batendo na areia da praia e acariciando seus pés? Elas quebram em ritmo cadenciado e contínuo. Enquanto uma quebra e recolhe-se para dentro do mar, outra vem logo em seguida, formando uma espuma branca. O processo se repete, às vezes, com pequenos intervalos.

Grave essa imagem na mente enquanto pensa na pobre viúva de Sarepta e reflita sobre a sua vida. Observe que nossa vida também tem um ritmo: do sofrimento e da confiança. À medida que as provações da vida surgem, em ritmo cadenciado e contínuo, temos a oportunidade de reiterar nossa confiança no Senhor em cada nova situação.

A viúva de Sarepta confiou em Deus no momento de uma provação que ameaçava sua vida. Aquela mulher possuía um pouco de farinha, apenas o suficiente para preparar a última refeição antes de morrer com seu filho de inanição, mas usou seu punhado de farinha, um punhado de fé, para assar um pão para Elias, o profeta de Deus. Só depois disso, ela assou outro para si e seu filho. Exaltando a fé daquela mulher, Deus abriu as janelas do céu e proveu alimento para ela, para o seu filho e para Elias... por três anos!

De repente, porém, aquela viúva e mãe sofreu um novo golpe. Seu filhinho, o único que tinha, morreu. Quando essa onda de sofrimento cobriu sua vida frágil, a desesperada viúva teve de usar outro punhado de fé e confiar em que Deus a ajudaria novamente. Depois que Elias fez o menino reviver, aquela mulher, com o coração cheio de fé, declarou: "Conheço agora que... a palavra do Senhor na tua boca é verdade" (1Rs 17.24).

Nossas preocupações nunca terminam, minha querida. Nossas provações nunca cessam. Elas vão e vêm, da mesma forma que a rebentação na areia da praia, vão formando novas ondas, em ritmo cadenciado constante, dia após dia. Que novo problema ou provação você enfrenta hoje que pode ser entregue nas mãos de Deus neste momento? Quando você estiver enfrentando novos problemas e provações, lembre-se de que a misericórdia e a compaixão de Deus se renovam a cada manhã. Ele está sempre presente para acudí-la e proporcionar-lhe uma nova porção de suas misericordiosas bênçãos a cada novo problema (Lm 3.22,23).

2 DE JULHO – 1Rs 17

BÊNÇÃOS PROFUSAS
A VIÚVA DE SAREPTA

...conheço agora... que a palavra do Senhor na tua boca é verdade.
1Rs 17.24

"DAI, E DAR-SE-VOS-Á; boa medida, recalcada, sacudida, transbordante, generosamente vos darão" (Lc 6.38). Embora estas palavras tenham sido proferidas por Jesus mais de oitocentos anos depois, a viúva de Sarepta foi testemunha dessa promessa. Sua fé foi posta à prova quando o profeta Elias lhe pediu o último pão que ela preparava para si e seu filho antes de ambos morrerem de fome. A viúva deveria oferecer o pão a Elias ou repartí-lo entre ela e seu filho?

Quando ofereceu o pão a Elias, Deus começou a abençoá-la grandemente em razão de sua fé. Observe algumas bênçãos que ele concedeu a ela:

1. *A bênção de alimentar Elias.* Deus usou essa pobre viúva para proporcionar alimento a seu servo Elias, porque ela deu a ele o pão feito com seu último punhado de farinha. Como é maravilhoso alguém ser usado para os propósitos do reino de Deus!

2. *A bênção da vida.* Depois que a viúva de Sarepta repartiu com Elias o último punhado de farinha que possuía, uma atitude de fé em Deus, ele a alimentou milagrosamente. Aquela minúscula porção de farinha foi devolvida a ela e a seu filho na "boa medida, recalcada, sacudida, transbordante". Nos três anos seguintes, Deus alimentou aquela mulher, seu filho e Elias!

3. *A bênção de um filho ressuscitado.* Quando a tragédia se abateu sobre seu filho e ele morreu, Elias clamou a Deus, e o menino foi milagrosamente ressuscitado.

4. *A bênção do maravilhoso conhecimento de Deus.* A provisão de alimento físico foi o ponto de partida para que aquela mulher recebesse a provisão de alimento espiritual, ou seja, um amplo conhecimento de Deus e uma fé incontestável de que a palavra do Senhor é a verdade.

5. *A bênção de ter sido exaltada por Jesus.* Para essa mulher que amou a Deus, Jesus concedeu sua bênção com estas palavras: "Muitas viúvas havia em Israel no tempo de Elias... e a nenhuma delas foi Elias enviado, senão a uma viúva de Sarepta" (Lc 4.25,26).

Há uma poesia que diz: "Ofereça ao Senhor o melhor que você possui, e terá de volta o que há de melhor".[1] O que você, mulher que ama a Deus, tem a oferecer-lhe? Faça-o agora e comece a colher bênçãos profusas!

3 de Julho – 1Rs 17

História de duas mulheres
A viúva de Sarepta

...conheço agora... que a palavra do Senhor na tua boca é verdade.
1Rs 17.24

A história de duas mulheres, registrada em 1Reiss 17-19, inicia-se centralizada em Elias. Esse fiel profeta depara-se com duas mulheres, cujos corações e atitudes eram diametralmente opostos: uma, a humilde viúva de Sarepta; outra, a rainha Jezabel, mulher do perverso rei Acabe. Observe as três fases pelas quais Elias passou:

- *Fase 1: Profecia.* Instruído por Deus para condenar os atos maldosos de Acabe e Jezabel, Elias transmitiu a mensagem: "Nem orvalho nem chuva haverá nestes anos" (1Rs 17.1).
- *Fase 2: Pobreza.* Logo a seguir, o cumprimento da mensagem de Deus atingiu Elias, o seu mensageiro, que também se viu prestes a morrer de fome e sede.
- *Fase 3: Provisão.* Enquanto Elias lutava para sobreviver em razão da seca e da fome, Deus o conduziu à casa de uma viúva pobre e faminta, que morava em Sarepta. Além de abrir a porta de sua casa a Elias, ela também foi generosa, oferecendo-lhe o último alimento que possuía. Por último, ela abriu seu coração para aceitar o Deus de Elias.

A Bíblia nos diz: "Os olhos do Senhor estão em todo lugar, contemplando os maus e os bons" (Pv 15.3). Na história da vida dessas duas mulheres, vemos o mal e o bem:

A viúva de Sarepta	Jezabel
Era pobre, porém generosa.	Era rica e má.
Cuidou de Elias.	Prometeu matar Elias.
Acreditou no Deus Todo-poderoso.	Acreditava em Baal.
Não possuía nada, mas possuía tudo.	Possuía tudo, mas não tinha nada.
É mencionada na Palavra de Deus.	Morreu de forma brutal.

Antes de nos despedirmos da maravilhosa viúva de Sarepta, analise o esplêndido exemplo que ela nos deixou. A quem você pode ajudar hoje? Como ser útil ao povo de Deus? O que fazer para ajudar uma pessoa necessitada? Lembre-se de que "mais vale o pouco do justo que a abundância de muitos ímpios" (Sl 37.16). Abra seu coração... sua mão... e seu lar. Empenhe-se em confortar os aflitos e socorrer os necessitados, mesmo que seus recursos materiais sejam ínfimos. Descubra como é bom praticar atos de generosidade e receba as bênçãos de Deus servindo-lhe dessa maneira!

4 DE JULHO – 2Rs 4

Um milagre de misericórdia
A viúva de um profeta

Certa mulher... clamou a Eliseu...
2Rs 4.1

A Bíblia revela um Deus que cuida das necessidades diárias de seus filhos. No emocionante milagre de misericórdia registrado em 2Reis 4, vemos um exemplo do carinhoso cuidado de Deus para com seu povo quando ele acudiu a viúva de um profeta e sua família. Eis o que aconteceu.

A viúva aproximou-se de Eliseu, o profeta de Deus, clamando: "É chegado o credor para levar os meus dois filhos para lhe serem escravos" (2Rs 4.1). Essa viúva, que amava a Deus, tinha dois problemas: uma dívida que não podia saldar e uma família que não conseguia sustentar. Com uma dívida tão grande e sem marido, o mais provável era que seus filhos se tornassem escravos, mas Eliseu deu-lhe as seguintes instruções: "Vai, pede emprestadas vasilhas a todos os teus vizinhos; entra, e fecha a porta, e deita o teu azeite em todas aquelas vasilhas".

Com a esperança renovada e agindo pela fé, ela se pôs a trabalhar. Tendo à sua volta as vasilhas de seus vizinhos, ela começou a despejar... despejar... despejar! Deus transformou milagrosamente o pouco em muito, e o mínimo de azeite que ela possuía encheu todas as vasilhas, fornecendo azeite suficiente para a viúva pagar suas dívidas *e* cuidar de seus filhos até que eles tivessem idade para trabalhar. Como aquela viúva desesperada e sua família devem ter louvado a Deus quando, por trás das portas fechadas, ele lhes revelou seu poder, seu amor e sua provisão!

Deus estende seu amor a você também, minha amiga. Pense na maneira como sua vida tem sido tocada pela misericórdia de Deus. Ele lhe concede o pão diário? Você já sentiu o conforto que ele lhe dá em tempos de tristeza? Você sentiu a presença dele em momentos de aflição? A graça de Deus tem sido o bastante... o suficiente... em tudo o que você necessita e em todas as suas provações? De que forma você tem sentido que as misericórdias do Senhor se renovam a cada manhã? Como mulher que ama a Deus, você tem o privilégio de receber a provisão de Deus para todas as suas necessidades e a solução para todos os seus problemas. O salmista diz o seguinte: "O Senhor é o meu pastor; nada me faltará" (Sl 23.1). Outra pessoa declarou a mesma coisa usando estas palavras: Tendo "o Senhor como o meu pastor, nunca terei falta de nada".[2]

5 DE JULHO – 2Rs 4

O CORAÇÃO HOSPITALEIRO
A MULHER SUNAMITA

[Ela] o constrangeu a comer pão...
2Rs 4.8

VIMOS ONTEM como Deus forneceu alimento a uma mulher necessitada por ela ter obedecido às instruções do profeta Eliseu. Hoje, a misericordiosa provisão é destinada a outra mulher que amou a Deus, cujo nome desconhecemos, por ela ter oferecido alimento a Eliseu.

Essa generosa mulher sunamita é descrita em várias traduções da Bíblia como "extraordinária", "eminente" e "notável". Ela usou seu lar para o Senhor, abrindo as portas e o coração para acolher Eliseu. Quando soube que o profeta passava periodicamente pela cidade, convenceu-o a entrar em sua casa e a fazer uma refeição à hora que quisesse! Essa mulher sunamita dominou a fina arte da hospitalidade bíblica, a prática de "amar forasteiros", o costume de hospedar forasteiros e demonstrar generosidade. E ela fez isso "sem murmuração" (1Pe 4.9)!

Ficamos admiradas diante da bondade dessa mulher (ela percebeu que Eliseu não tinha onde comer) e de sua benevolência (ela tomou uma atitude diante do que presenciou e abriu as portas de seu coração para hospedar aquele forasteiro em seu lar). E como foi hospitaleira ao proporcionar todo o conforto possível a Eliseu!

Você quer ver seu nome incluído no rol das mulheres hospitaleiras da Bíblia... mulheres como a sunamita... como Maria e Marta que abriram seu lar e seus corações para Jesus (Lc 10.38)... e como as mencionadas em 1Timóteo 5.10, que abrigavam forasteiros, lavavam os pés dos santos e confortavam os aflitos? O Novo Testamento exorta: "Não negligencieis a hospitalidade" (Hb 13.2).

Preste atenção à sabedoria de Agostinho, um dos pais da igreja primitiva: "O amor tem mãos para ajudar outras pessoas. Tem pés para correr e acudir os pobres e necessitados. Tem olhos para ver a miséria e a pobreza. Tem olhos para ouvir os lamentos e a tristeza dos homens". Peça a Deus que abra seu coração para os necessitados e que o preencha com "amor aos forasteiros". Ore para ter:

- Um coração dedicado.
- Olhos que enxerguem.
- Uma alma compassiva.
- Recursos para ajudar.
- Dinheiro para repartir.
- Mãos abertas.
- Vigor para servir.

6 DE JULHO – 2Rs 4

Um coração de bondade

A mulher sunamita

[Ela] o constrangeu a comer pão...
2Rs 4.8

SE VOCÊ JÁ DESEJOU SABER o que significa bondade e compaixão, a mulher sunamita é uma das respostas de Deus à sua pergunta. Nela encontramos uma mulher maravilhosa, de caráter nobre e muito bondosa. Seu coração, sempre atento, observava as necessidades das outras pessoas e o profeta Eliseu foi um dos que contaram com a generosidade dessa senhora. Ao observar que, em suas viagens, o profeta passava periodicamente pela cidade e diante de sua casa, ela imaginou que ele não tinha onde comer. Movida pela compaixão, ela insistiu em que ele fizesse todas as refeições em sua casa.

Querida serva de Deus, que também possui caráter nobre, nosso amor por Deus e o amor dele por seu povo são vivenciados quando amamos as outras pessoas e praticamos atos de generosidade. Na verdade, todos os crentes são chamados a manifestar o amor de Deus:

- "Revesti-vos... de bondade" (Cl 3.12).
- "Andai no Espírito... o fruto do Espírito é... bondade" (Gl 5.16.22).
- "Sede uns para com os outros benignos" (Ef 4.32).
- "...o servo do Senhor... deve ser brando para com todos" (2Tm 2.24).
- "...a fim de instruírem as jovens recém-casadas a... serem... bondosas" (Tt 2.4,5).

No exemplo da mulher sunamita, vemos que:
A bondade observa. Aquela mulher tinha o hábito de observar e ouvir os que a rodeavam, prestar atenção e estar sempre vigilante acerca das necessidades dos outros.
A bondade cuida. Aquela mulher cuidou sinceramente do bem-estar de Eliseu por ter observado que ele não tinha onde comer nem dormir.
A bondade age. Ela percebeu a situação de Eliseu e perguntou a si mesma: "O que posso fazer para facilitar a vida dele? Como posso tirar o peso dos ombros dele?" E, depois, convidou-o a fazer as refeições em sua casa todas as vezes que passasse pela cidade.

Um coração bondoso é um jardim que cultiva as raízes de pensamentos bondosos, as flores de palavras bondosas e os frutos de atos bondosos. Que tal pôr as seguintes regras em prática e cultivar um coração de bondade?

- Ore pelos outros.
- Confesse qualquer rancor em relação a alguém.
- Peça a Deus que encha seu coração de bondade.
- Olhe para a vida de Jesus, que representa a bondade de Deus em forma humana.
- Pratique a bondade em casa.

7 de Julho – 2Rs 4

Um coração bondoso e piedoso

A mulher sunamita

Façamos-lhe, pois, em cima, um pequeno quarto...
quando ele vier à nossa casa, retirar-se-á para ali. 2Rs 4.10

Há um cântico muito conhecido que declara esta verdade bíblica: "Eles saberão que somos cristãos pelo amor que demonstramos".[3] Se seu coração estiver cheio da bondade do Senhor, você pode ter certeza de que as pessoas a seu redor reconhecerão seu amor a Deus e o lugar que ele ocupa em seu coração. Todos observarão e serão abençoados por causa da presença verdadeira do amor de Deus em você.

A presença do amor de Deus transpareceu na mulher sunamita quando ela cuidou de Eliseu, o profeta amado de Deus. Ao observar que ele necessitava de alimento e descanso, aquela mulher piedosa partiu para a ação, porque, como você sabe, a bondade de coração conduz naturalmente a atitudes bondosas. Primeiro, ela insistiu em que o profeta aceitasse comer em sua casa. Depois, perguntou ao marido se eles poderiam construir um quarto pequeno em que o profeta de Deus pudesse dormir, estudar e orar. Quando o quarto ficou pronto, Eliseu passou a ter outro lar. Como ele deve ter aguardado com ansiedade as vezes em que podia parar em Suném para descansar de suas exaustivas viagens!

Analise atentamente essa mulher sunamita e observe suas ações piedosas:

- Ela tomou a iniciativa de atender a necessidades específicas.

- Ela deixou de lado seu conforto e se dispôs a trabalhar para atender às necessidades de outra pessoa.

- Ela preparou com antecedência o necessário para o bem-estar de outra pessoa.

- Ela ofereceu o melhor que possuía para ajudar Eliseu.

Você quer saber como Deus é? Olhe para a sua bondade, que é considerada a soma de todos os atributos de Deus e que expressa a suprema benevolência, santidade e excelência do caráter divino.[4] Envolva-se na presença desse caráter para que você possa ser transformada pela luz da bondade de Deus.

Você reflete em sua vida o que vê quando atenta para a bondade de Deus e ajuda outras pessoas a verem também essa beleza sem-par. Por meio de atos de bondade, demonstre como é o Deus que você conhece pessoalmente. O apóstolo Paulo nos recomenda: "Façamos o bem a todos" (Gl 6.10). A quem você ajudará hoje?

8 de Julho – 2Rs 4

Um coração contente
A mulher sunamita

Concebeu a mulher e deu à luz um filho...
2Rs 4.17

A mulher sunamita nunca colocou uma conta debaixo da porta do quarto de Eliseu durante os dias em que ele passou na casa de sua família. Ela não tinha motivos para fazer isso, porque a conta era sempre a mesma:

Quarto	R$ 0,00
Pensão	R$ 0,00
Saldo devedor	R$ 0,00

Profundamente comovido pela hospitalidade daquela mulher piedosa, Eliseu perguntou a seu servo: "Que se há de fazer por ela?" Talvez o servo de Eliseu estivesse pensando na mesma pergunta, porque ele também havia sido abençoado pela misericórdia dela. O servo respondeu: "Ela não tem filho, e seu marido é velho".

Então era isso! Um filho a quem amar, que cuidaria dela no futuro! "Chama-a", exclamou Eliseu. E ele informou àquela mulher generosa, mas que não tinha filhos: "Por este tempo, daqui a um ano, abraçarás um filho" (v. 16). E aconteceu conforme Eliseu dissera: ela concebeu e deu à luz um filho. O salmista disse o mesmo em outras palavras: "Faz que a mulher estéril viva em família e seja alegre mãe de filhos. Aleluia!" (Sl 113.9).

A história da mulher sunamita teve um final feliz, mas não esqueça desta importante mensagem: aparentemente aquela preciosa irmã vivia contente mesmo antes de ter um filho. Ela parecia contente por viver com seu povo, contente por viver sem filhos, contente por dedicar amor a seu marido, contente por estender sua hospitalidade a homens como Eliseu e seu servo. Nessa mulher, não vemos nenhum traço de amargura ou arrependimento sobre o andamento de sua vida. Ela parecia ter "aprendido" a ser contente.

Contudo, ela certamente sentiu uma enorme alegria quando seu filho nasceu! Mas ela aprendera lições mais importantes nos dias e nas décadas que precederam àquele maravilhoso acontecimento. Com certeza, ela aprendera que:

...estar contente é compreender que, se eu não estiver satisfeita
com o que tenho, nunca estarei satisfeita com o que desejo.
...estar contente é compreender que Deus tem-me dado tudo
de que preciso para a minha felicidade neste momento.[5]

Aprenda essas lições e saiba o que é um coração cheio de paz e contentamento. Depois, no lugar onde você está, louve a Deus, sejam quais forem as circunstâncias.

9 de Julho – 2Rs 4

Um coração cheio de tristeza
A mulher sunamita

[Seu filho] ficou sentado até ao meio-dia, e morreu.
2Rs 4.20

A ALEGRIA desapareceu e a alma da mulher sunamita ficou de luto. O som das risadas desapareceu, e ela começou a chorar. Seu filho estava morto.

Eliseu profetizara que, após anos de um casamento sem filhos, aquela mulher piedosa e hospitaleira teria um bebê para alegrar seu lar. Sons de júbilo devem ter enchido os corredores da casa enquanto ela e seu marido louvavam a Deus por tão grande bênção! Mas agora só se ouviam sons de tristeza.

Em um dia muito quente, o menino saíra para ajudar o pai na colheita. De repente, começou a gritar: "Ai! a minha cabeça!" Depois de ser levado para casa, o menino sentou-se sobre os joelhos da mãe e ali ficou até morrer. A morte fizera uma visita inesperada àquele lar feliz de Suném.

O que uma pessoa faz quando tem um coração cheio de tristeza e uma alma profundamente angustiada? Não existem respostas simples, mas podemos confiar em que receberemos a provisão de Deus para esses tempos difíceis.

A provisão da graça de Deus. Seja qual for a provação que você enfrentar hoje, ou durante a vida, Deus promete que sua graça é suficiente para você (2Co 12.9). Você está sofrendo por causa de:

• Enfermidades, fraquezas? A graça de Deus é suficiente para você.
• Injúrias, insultos? A graça de Deus é suficiente para você.
• Necessidades, privações? A graça de Deus é suficiente para você.
• Perseguições, opressões? A graça de Deus é suficiente para você.
• Aflições, dificuldades? A graça de Deus é suficiente para você.

A provisão da compaixão de Deus: Que bênção saber que, em qualquer circunstância da vida, Jesus é o nosso grande Sumo Sacerdote! Ele, que esteve aqui na Terra e foi tentado como nós, pode compadecer-se de nossas fraquezas (Hb 4.15).

A provisão do conforto de Deus: Não desanime, querida sofredora. Porque o "Deus de toda a consolação... nos conforta em toda a nossa tribulação" (2Co 1.3,4). Em *toda* a nossa tribulação!

A provisão das promessas de Deus: Quando não houver mais nada em que confiar, apoie-se nas promessas de Deus. Elas não falham. Um autor de hinos escreveu o seguinte: "Mesmo que as violentas tempestades da dúvida e do medo invistam contra você, / Pela palavra viva de Deus, você triunfará, / Se estiver firmemente apoiado nas promessas de Deus!"[6]

10 DE JULHO – 2Rs 4

Um coração esperançoso

A mulher sunamita

Partiu ela... e foi ter com o homem de Deus...
2Rs 4.25

"Expectativa do que é bom." É assim que a esperança é definida por nós, os crentes.[7] E esperança é a próxima importante e piedosa qualidade revelada na vida daquela nobre mulher de Suném. Porém, a estrada que conduz à esperança geralmente é permeada de tristezas e adversidades.

A tragédia abateu-se sobre o coração e o lar, antes tão felizes, da mulher sunamita. Seu filho único, o menino que trouxera indescritível alegria àquele lar sem filhos, que levaria adiante o nome de seu marido idoso, e que também cuidaria da mãe nos anos que se seguiriam, morreu repentinamente enquanto ela o segurava em seus braços.

"Expectativa do que é bom." Fortalecida pela esperança, a sunamita decidiu recorrer ao profeta de Deus para ver se Eliseu poderia fazer alguma coisa quanto à tragédia que se abatera sobre sua vida tão feliz. Ela teve esperança e agiu! Sua esperança a fez agir pela fé.

- A fé deitou seu filho morto na cama do profeta Eliseu... com esperança.
- A fé respondeu à pergunta de seu marido, dizendo "Não faz mal"... com esperança.
- A fé arreou um jumento e viajou quase cinquenta quilômetros até o monte Carmelo para falar com Eliseu, o homem de Deus... com esperança.
- A fé respondeu à pergunta do servo de Eliseu, dizendo "Tudo bem"... com esperança.
- A fé a fez cair por terra e abraçar os pés de Eliseu... com esperança.
- A fé recusou-se a obedecer ao servo do profeta, preferindo aguardar o profeta... com esperança.
- A fé aguardou do lado de fora do quarto enquanto Eliseu orava a Deus sete vezes... com esperança.
- A fé *e* a esperança foram recompensadas quando a mulher sunamita carregou seu filho nos braços... vivo!

"Expectativa do que é bom." A Bíblia nos diz que "é necessário que aquele que se aproxima de Deus creia que ele existe e que se torna galardoador dos que o buscam" (Hb 11.6). Deus recompensará a fé que você tem nele. Você deve agir com fé e levar todas as suas esperanças, todas as suas expectativas do que é bom, ao "Deus da esperança" (Rm 15.13), o Galardoador das expectativas do que é bom.

11 de Julho – 2Rs 5

Uma obra-prima sem nome
A serva da mulher de Naamã

...levaram cativa uma menina, que ficou a serviço da mulher de Naamã.
2Rs 5.2

"Eu lhe digo que metade de meu trabalho está fora, não dentro da pintura!"

Foi o que disse a premiada artista Nita Engle[8] pela produção da capa da *Reader's Digest*, quando expressou, com as próprias palavras, um princípio básico da arte: *Menos significa mais.*

Hoje, vamos fazer uma pausa para contemplar outro retrato na galeria de mulheres que amaram a Deus. Primeiro, observe que o Senhor usa menos de vinte palavras para descrevê-la (leia o texto e confira!), mas isso é tudo o que necessitamos para "ter uma ideia" de seu retrato. Segundo, reflita que essa mulher que vive na eternidade é uma obra-prima sem nome.

Agora, observe quantas coisas podemos extrair de tão pouco, enquanto analisamos a vida dessa jovem serva:

- *Sua situação.* Levada com os prisioneiros de guerra para ser escrava de Naamã, o general vitorioso da Síria, essa serva perdera tudo o que possuía: sua liberdade, sua terra, seu povo, sua família, seu local de adoração, o povo de Deus. Ela perdera tudo, menos a fé. Observe a boa intenção da jovem em relação ao patrão leproso. Como um pássaro canoro preso em uma gaiola, a jovem entoou a canção do Senhor em uma terra estranha, falando à mulher de Naamã sobre o poder do Deus de Israel de curar a enfermidade de seu marido.

- *Seu coração.* Apesar de ser apenas uma menina, ela amava a Deus de todo o coração, era leal e fiel a ele. Foi por isso que, quando falou, as pessoas a ouviram com atenção!

- *Sua influência.* É verdade que o Artista e Mestre não incluiu muitos detalhes na obra-prima sem nome que é a vida dessa menina, embora sua fé tenha influenciado as pessoas de sua época e servido de exemplo para nós. Por essa jovem que amava a Deus ter falado dos poderes de cura do profeta Eliseu à sua patroa (a qual contou a seu marido leproso, o qual contou ao rei da Síria, o qual escreveu ao rei de Israel, o qual falou com Eliseu, o qual deu instruções a Naamã, o leproso), Naamã foi curado e todo o povo da Síria testemunhou o poder de Deus.

Minha amiga, assim como essa obra-prima sem nome, de que forma seu coração fiel e sua influência recebida do Senhor podem ser úteis às pessoas que a cercam? Peça a Deus que leve embora qualquer ressentimento enraizado por causa de perdas que você tenha sofrido e que ele faça de você uma obra-prima admirável, uma fonte de alívio e bênçãos para os outros, mesmo para os que lhe causaram sofrimento.

12 DE JULHO – 2Rs 8

Um coração de fé

A mulher sunamita

Levantou-se a mulher e fez segundo a palavra do homem de Deus...
2Rs 8.2

A GENEROSA MULHER SUNAMITA que conhecemos dias atrás foi abençoada pelo Senhor: ela possuía um marido a quem amar; uma casa onde viver; a amizade com Eliseu, o profeta de Deus, e um filho após anos de esterilidade.

Porém, o coração fiel desenvolve-se por meio do sofrimento e isso não faltou na vida daquela mulher piedosa! A esterilidade era uma condição humilhante, e a morte de seu filho único foi uma provação aterradora. (Graças a Deus, Eliseu ressuscitou milagrosamente o menino!) Porém, de repente, a morte bateu de novo à porta de seu lar feliz, e ela mergulhou na tristeza da viuvez. Eliseu previu tempos sombrios mais uma vez: aproximava-se um período de fome por sete anos e a viúva precisava deixar Israel, se quisesse sobreviver.

A Bíblia ensina que "o sábio dá ouvido aos conselhos" (Pv 12.15). Bem, minha querida irmã, a mulher sunamita demonstrou sabedoria e pôs sua fé em prática ao seguir o conselho de Eliseu. Com fé no coração, acreditou nas palavras de Eliseu e agiu. Com fé no coração, ela não levou em consideração o sacrifício e a inconveniência, deixou sua casa e seguiu o conselho de Eliseu. Com fé no coração, deixou para trás o conforto, a terra que amava e na qual sentia prazer em viver (2Rs 4.13), seu lar, suas propriedades, sua herança, sua segurança... para cumprir a vontade de Deus, até então desconhecida.

Mas ainda não chegamos ao fim da história dessa mulher! Sua fé foi acompanhada por transbordantes recompensas. Transcorrido o período de fome, ela retornou a Israel, pediu ao rei que lhe devolvesse suas propriedades e recebeu tudo de volta *mais* o que a terra rendera durante sua ausência. Com fé no coração, em primeiro lugar a nobre mulher acreditou na Palavra de Deus, mesmo sem nada ver, e foi recompensada por ver o que confiara a ele.

Prezada seguidora de Deus, contemple a beleza e a força de um coração fiel! Ó, que bom se o nosso fosse assim! Existe algum problema em sua vida hoje? Cultive um coração fiel acreditando na Palavra de Deus, confiando nele e seguindo suas instruções. Depois, desfrute as inúmeras recompensas da fé.

13 DE JULHO – 2Rs 11

Outro coração de bondade
Jeoseba

Mas Jeoseba... o furtou dentre os filhos do rei...
2Rs 11.2

Como isso aconteceu? Como a casa de Davi, a tribo de Judá, a ascendência do aguardado Messias, podia estar à beira da extinção?

Essa importante pergunta aponta para uma mulher sozinha: a malvada Atalia. Na esperança de concretizar seu sonho de governar Israel, ela assassinou todos os seus netos que tinham possibilidade de herdar a coroa. Imagine só, alguém matar os próprios netos! Os herdeiros do trono estavam todos mortos, exceto um.

A esperta Jeoseba preservou a vida de um dos herdeiros. Jeoseba, mulher do sumo sacerdote de Deus, pegou furtivamente seu sobrinho Joás, salvando-o do massacre da família real promovido por Atalia e escondeu-o na casa do Senhor por seis anos, até o dia em que ele pôde ser coroado rei. Hoje damos graças a Deus pela vida dessa mulher corajosa e por seu valor: o Messias, nosso Senhor, nasceu da descendência de Judá, cujo descendente, Joás, foi salvo por Jeoseba.

Jeoseba e Atalia apresentam um completo contraste entre o bem e o mal.

Jeoseba	Atalia
– Seu nome significa "Jeová é juramento".	– Seu nome significa "atormentada por Deus".
– Adorava a Jeová.	– Adorava a Baal.
– Dedicava-se às coisas de Deus.	– Dedicava-se a promover culto a Baal em Judá.
– Era casada com um sumo sacerdote piedoso.	– Era filha dos malvados Acabe e Jezabel.
– Agiu para salvar uma vida.	– Objetivava destruir vidas.
– Foi usada pelo Senhor para salvar a descendência de Judá.	– Tentou extinguir a descendência de Judá.

Avance agora alguns anos e veja o que o pequeno Joás realizou para Deus. Joás tornou-se rei de Judá e reinou quarenta anos em Jerusalém. Foi um dos reis que fez "o que era reto perante o Senhor", comandou e supervisionou a restauração da casa de Deus, que havia sido negligenciada (2Rs 12.1-16).

Se você já desejou realizar grandes coisas para Deus, concentre-se em fazer o que é bom! Por causa de uma mulher que adorava a Deus, agiu por amor a ele e dedicou-se a seus propósitos, o bem triunfou sobre o mal. O filósofo inglês Edmund Burke, do século 18, observou: "Para que o mal triunfe, basta apenas que os homens de bem não façam nada".

14 de Julho – 2Rs 22

Três importantes traços de caráter
Hulda

[Eles] foram ter com a profetisa Hulda... e lhe falaram.
2Rs 22.14

Se você pretende conhecer a Terra Santa, não deixe de visitar a Cidade Velha de Jerusalém. Um ponto importante para ser visitado por todos os que amam a Deus é o Monte do Templo, local onde o rei Salomão construiu o primeiro templo, no ano 950 a.C. Ao caminhar por essa esplêndida região, você verá uma bela entrada com duas portas, no lado sul dos muros da cidade, chamada "Porta de Hulda".

Quem foi Hulda? Mencionada como mulher de Salum, responsável pelo guarda-roupa real, Hulda pertencia a um pequeno grupo de mulheres que chegaram à posição de "profetisa". Era raro Deus falar a seu povo por intermédio de uma mulher, mas, quando alguns operários desenterraram o livro da Lei durante a campanha do rei Josias para a purificação e restauração da casa do Senhor, o rei ordenou a eles que consultassem Hulda. Três traços de caráter fizeram dela – e podem fazer de você também – uma mulher útil para o povo de Deus. Ela era:

- *Acessível.* Hulda morava na parte central da cidade e estava pronta a aconselhar qualquer pessoa que a interrogasse acerca de Jeová.

Você é uma pessoa acessível? Permite que os outros se aproximem de você? Responde a todos os recados telefônicos e cartas? Anda pelo mesmo caminho que outras mulheres andaram? Está sempre disponível para ser usada pelo Senhor?

- *Crente.* Hulda acreditava na verdade de Deus de todo o coração. O que a Palavra de Deus dizia, ela acreditava e transmitia ao povo! Agraciada por Deus, Hulda profetizou a destruição do reino de Judá, que ocorreria em pouco tempo, porque o povo desobedecera aos mandamentos de Deus. Pelo fato de ter uma fé genuína e de falar corajosamente a verdade, o povo sensibilizou-se e o reino de Judá teve sua vida espiritual reavivada, reformada e renovada.

Você crê fervorosamente na santa Palavra de Deus, em cada palavra que ela contém? Acredita fervorosamente na Palavra de Deus, amando-a e vivendo de acordo com suas doutrinas, repartindo com outras pessoas os conhecimentos que você adquire?

- *Conselheira.* Todos aceitaram as palavras de Hulda como vindas do Senhor. Ela transmitiu a verdade de Deus – sua sabedoria, os preceitos de sua palavra – e exigiu obediência.

E você, preciosa irmã? Quando alguém lhe conta um problema, você invoca a misericórdia de Deus e expõe a sabedoria de Deus, e não a sabedoria dos homens? Guie-se por esses traços de caráter para ser útil no reino de Deus!

15 DE JULHO – 1Cr 25

ADOREMOS AO REI
AS FILHAS DE HEMÃ

*Deus [o] exaltou... dando-lhe... três filhas...
para o canto da Casa do Senhor...* 1Cr 25.5,6

COMO SERIA nossa adoração a Deus se não houvesse música? Um observador, cujo nome desconhecemos, disse: "Os hinos exalam o louvor dos santos!"

Mencionado em apenas alguns versículos da Bíblia, há um trio de mulheres que amaram a Deus e as três eram habilidosas com a música. Hemã, o pai dessas mulheres, foi o homem designado pelo rei Davi para reger a música no templo. Ele tinha catorze filhos e três filhas que entoavam cânticos ao Senhor e tocavam instrumentos durante os cultos. Eles tinham a honrosa incumbência de colaborar na liturgia de louvor no templo e de participar dos cânticos na casa do Senhor.

Ao longo dos séculos, mulheres que amaram a Deus, como as filhas de Hemã, tiveram participação ativa nos cultos formais. Davi descreveu desta forma um culto de adoração de sua época: "O cantores iam adiante, atrás os tocadores de instrumentos de cordas, em meio às donzelas com adufes" (Sl 68.25). O relato de Neemias sobre os primeiros cativos que retornaram a Jerusalém foi escrito na presença de 245 cantores e cantoras (Ne 7.67).

Aceite esse convite, fiel seguidora de Deus, para fazer parte do ministério das filhas de Hemã e adore o Rei dos reis com salmos, hinos e cânticos espirituais (Cl 3.16). Como?

- *Participando.* Você tem algum talento? Sabe tocar um instrumento musical, afiná-lo, cantar um solo? Ofereça seu talento ao Senhor e ao povo dele.

- *Colaborando.* Alguém pode dar a isso o nome de "participação coletiva", mas, quando sua congregação cantar, colabore cantando de todo o coração, aclamando a Deus (Sl 66.1)!

- *Valorizando.* Aprenda mais sobre a música de louvor que tem sido passada de geração a geração. Cada hino tem uma história e foi escrito com uma finalidade, nascendo de um relacionamento pessoal e de experiências de vida do seu autor com o Criador.[9]

- *Incorporando.* Faça que hinos de louvor e adoração ao Senhor estejam sempre presentes em seu dia-a-dia.

- Examine-os cuidadosamente para ter um coração puro.

- Cante-os para ter um espírito alegre.

- Grave-os na memória para possuir um tesouro de louvor.[10]

16 de Julho – Ne 3

Trabalhando para o Senhor

As filhas de Salum

...reparou Salum... ele e suas filhas.
Ne 3.12

"Mulher virtuosa [de espírito forte, resoluta e corajosa], quem a achará?" É a indagação feita em Provérbios 31.10. Anime-se, minha querida! Levante uma faixa com os seguintes dizeres: "Encontrei não só uma, mas várias *mulheres virtuosas!*" Grite para que todos possam ouvir!

E onde elas estavam? Ao lado de um muro destruído na antiga cidade de Jerusalém. E o que estavam fazendo? Trabalhando. Restaurando. Labutando sob a liderança de Neemias. Ajudando os homens de Israel a reconstruir o muro ao redor de Jerusalém.

Setenta anos depois de aquela linda cidade ter sido destruída e de o povo de Deus ter sido levado como escravo para Babilônia, os judeus retornaram a sua terra natal e reconstruíram o templo de Jerusalém.

Posteriormente, Neemias organizou a reconstrução dos muros que protegiam a cidade de Deus... e as mulheres o ajudaram.

Aquelas mulheres maravilhosas, as filhas de Salum, que amavam a Deus, têm algumas lições a nos ensinar:

1. *Elas nos servem de exemplo.* Sempre zelosas pelas coisas de Deus, trabalharam como voluntárias para a glória do Senhor. Nós, como servas de Deus, cuidamos da casa, do marido e dos filhos, mas devemos cuidar também de assuntos mais abrangentes relacionados à nossa fé e ao que Deus representa em nossa vida. Você se preocupa com as coisas do Senhor a ponto de trabalhar diligentemente em prol de seus propósitos, sua verdade, seus valores e seu reino aqui na terra?

2. *Elas nos servem de inspiração.* Deus observa nossas boas obras. O capítulo 3 de Neemias menciona nomes, detalhes e realizações que ficaram registrados para sempre. Esse trecho bíblico nos convida a refletir sobre a pergunta: "Você está fazendo a sua parte, desempenhando-a bem e de todo o coração para o reino de Deus?"

3. *Elas nos lançam um desafio.* Enfrentando oposição, zombaria, ameaças e intimidações, elas olharam para o Senhor e conseguiram força para preservar suas virtudes morais, firmeza de caráter e vigor físico. Você é uma mulher perseverante, que deposita sua fé no Senhor para obter sua misericórdia, determinada a seguir em frente, sempre trabalhando para ele?

Oração: Senhor, que meu coração possa ser dedicado ao teu trabalho. Que nenhuma tarefa que eu realize para o teu reino seja grande demais e que nenhum esforço seja pequeno demais.

17 de Julho – Et 1

A beleza da fé

Ester

...que Vasti não entre jamais na presença do rei Assuero;
e o rei dê o reino dela a outra que seja melhor do que ela. Et 1.19

Era uma vez uma rainha chamada Ester. Ela era a mulher mais formosa do imenso império persa do rei Assuero.

Essas frases parecem o início de um conto de fadas, mas a história de Ester, narrada na Bíblia, começa com palavras semelhantes: "Nos dias de Assuero..."

Um momento! Antes de mergulhar na história de Ester, precisamos refletir sobre a história que prepara o caminho para as cenas que veremos a seguir. O drama inicia-se com outra mulher, também rainha, cujo nome é Vasti. O resumo da história diz que Vasti, mulher do rei Assuero, recusou-se a obedecer a uma ordem do marido e foi destituída de sua posição de rainha para que fosse encontrada "outra melhor do que ela".

Não conhecemos todos os detalhes da exoneração de Vasti, mas sabemos que por trás dos fatos (e isso acontece na vida de qualquer pessoa) Deus reina com absoluta soberania e está sempre trabalhando na vida de seu povo. O primeiro passo de seu plano perfeito foi remover a rainha a fim de abrir caminho para Ester. A expulsão de Vasti abriu uma vaga para o trono e as portas do palácio para Ester, uma judia humilde, desconhecida e plebeia.

Reflita por alguns instantes a respeito das pessoas, eventos e circunstâncias de sua vida e veja como Deus está trabalhando diariamente nesses detalhes. Como mulher que ama a Deus, sua fé a faz acreditar que Deus está cumprindo seus propósitos por meio das pessoas, eventos e circunstâncias que ele coloca em seu caminho? Os detalhes talvez não estejam muito claros ainda, mas você pode ter a certeza de que Deus reina com absoluta soberania e está elaborando seu plano perfeito, dentro de seu tempo perfeito e de maneira perfeita. É nessa confiança que está a beleza da fé.

Que tal aplicar à sua vida e ao seu coração os sentimentos contidos nesta linda oração escrita por uma pessoa piedosa, cujo nome desconhecemos?

Gosto muito de pensar que Deus
Fornece o necessário para cada dia;
Os eventos da vida estão nas mãos dele,
Por isso eu apenas posso dizer:
"Dá-me o meu quinhão em teu tempo certo
E dentro de teu critério perfeito".

18 de Julho – Et 2

A BELEZA DE SER ÚTIL

ESTER

[O rei] pôs-lhe na cabeça a coroa real e a fez rainha...
Et 2.17

O QUE É NECESSÁRIO FAZER para adquirir a beleza de ser útil a Deus? Podemos ter uma ideia ao ler a história da vida de Ester, a heroína do Antigo Testamento cujo nome significa "estrela". Ela é a mulher que Deus usou de maneira tão dramática para salvar o povo judeu.

Você também pode ser útil a Deus baseando-se no exemplo de Ester:

- **Herança.** Ester, uma jovem judia da tribo de Benjamim, foi levada para a Babilônia, onde seu povo trabalhava como escravo por volta do ano 600 a.C.
Reflita sobre sua herança. Que lições de vida você aprendeu com as experiências de seus antepassados em termos de determinações, lutas, crença e sofrimento?

- **Pais.** Ester ficou órfã de pai e mãe quando era menina, mas um tio fiel e amoroso tomou conta dela e a educou como sua filha.
Reflita sobre seus pais. Se você também for órfã de pai e mãe, aceite com gratidão as pessoas que Deus lhe proporcionou para moldar sua vida.

- **Tutela.** Todos nós fomos ensinados por muitos professores, e Ester não foi exceção à regra. Ela aprendeu não só com seu tio Mordecai, mas também com Hegai, um eunuco gentio do palácio do rei Assuero que lhe ensinou o que fazer e o que não fazer para agradar ao rei.
Reflita sobre seus mestres. Seja agradecida pelos vários professores e professoras que Deus pôs em seu caminho para instruí-la e guiá-la até hoje para ser útil a ele.

- **Vantagens.** Ester, uma mulher de extraordinária beleza física, recebeu sabedoria de Mordecai e tratamento preferencial de Hegai.
Reflita sobre suas vantagens pessoais. Identifique as condições, circunstâncias e oportunidades que Deus lhe proporcionou para que você seja útil a seu reino.

- **Respeito.** Ester também recebeu tratamento respeitoso quando foi apresentada como rainha do palácio do rei Assuero.
Reflita sobre o tratamento respeitoso que você receberá um dia por fazer parte do sacerdócio real (1Pe 2.9) e ser filha do Rei do Universo!

Minha querida, o Deus de Ester também é o seu Deus. Como o Senhor Onipotente, ele está sempre trabalhando em cada detalhe de sua vida preciosa. Agradeça-lhe agora sua presença ativa, transformadora e amorosa em sua vida.

19 DE JULHO – ET 4

A BELEZA DA CORAGEM
ESTER

...se [eu] perecer, pereci.
Et 4.16

Hoje vamos fixar os olhos na beleza de duas mulheres cuja coragem reflete uma fé inabalável no Senhor.

- *A primeira mulher é a rainha Ester.* Essa linda judia que amava a Deus era casada com um rei pagão temperamental. Quando tomou conhecimento de uma conspiração para matar todos os judeus, ela sabia que precisava comparecer, sem ser chamada, diante do marido e suplicar pela vida de seu povo. O plano de Ester pôs sua vida em risco, porque quem se apresentasse diante do rei sem ser convidado (até mesmo a esposa) arriscava-se a morrer. Porém, a coragem de Ester, sustentada pela fé que tinha em Deus, a fez afirmar com ousadia: "Se perecer, pereci". O ato heroico de Ester foi inspirado na necessidade urgente de agir a favor do povo de Deus e em sua fé destemida no Deus que ela amava. O resultado? A vida de Ester foi poupada, e a do povo de Deus também.

- *A segunda mulher é Betty Scott Stam.* Betty Stam viveu poucas décadas porque, em 1931, sua fé corajosa e destemida a levou a trabalhar na China como missionária. Capturada em uma rebelião comunista, essa mulher, cujo lema de vida foi "Para mim, o viver é Cristo, e o morrer é lucro" (Fp 1.21), ajoelhou-se ao lado do marido, curvou a cabeça e foi decapitada. Posteriormente, setecentos alunos do Instituto Bíblico Moody compareceram ao culto em memória de Betty Stam e consagraram suas vidas para trabalhar como missionários sempre que e onde quer que Deus os chamasse.[11] O talentoso pregador inglês C. H. Spurgeon disse o seguinte: "Os santos sofredores são sementes vivas".

Será que você pode escrever seu nome ao lado do dessas duas mulheres extraordinárias que amaram a Deus exibindo de forma brilhante a beleza da coragem enraizada no amor e na fé por ele? Você valoriza mais as coisas de Deus do que as coisas deste mundo? Você adota em sua vida o lema de fé que diz: "Para mim, o viver é Cristo, e o morrer é lucro"? Você é capaz de gritar diante da morte: "Se perecer, pereci"? Permita que as palavras abaixo, que nutriram a vida de Betty Stam, lhe deem mais coragem para enfrentar a vida:

Medo? De quê?
De sentir a alegria do espírito liberto?
De passar da dor para a paz perfeita,
De ver cessarem as lutas e as tensões da vida?
Medo... de quê?[12]

A BELEZA DA SABEDORIA

ESTER

Qual é a tua petição, rainha Ester? E se te dará. Que desejas? Cumprir-se-á...
Et 7.2

HÁ UM SÁBIO VERSÍCULO BÍBLICO que diz: "A longanimidade persuade o príncipe" (Pv 25.15). A beleza que Deus concedeu à rainha Ester nos oferece um exemplo de como este poderoso preceito foi posto em prática.

Ester, uma mulher judia, ficou sabendo que Hamã, o homem de confiança de seu marido, o rei Assuero, recebera permissão "para que se destruíssem, matassem e aniquilassem de vez a todos os judeus" (Et 3.13). Ester também sabia que apenas seu marido, o rei, podia intervir para salvar a vida dela e de seu povo, e que ela precisava persuadi-lo a fazer isso!

Que bela pintura, feita por Deus, é a vida de Ester! Ela nos ensina como ser persuasiva com graça, sabedoria e paciência, se seguirmos alguns passos práticos:

Passo 1: Pare. Antes de tentar endireitar uma situação errada, Ester não fez nada. Ela não se precipitou nem agiu impensadamente.

Passo 2: Espere. O tempo é um bem precioso que não pode ser desperdiçado. A espera deu tempo para que Ester reunisse os fatos (Et 4.5).

Passo 3: Consulte. A espera também proporcionou um tempo importante para Ester aconselhar-se com o sábio tio Mordecai (Et 4.12-14).

Passo 4: Ore. A espera também proporcionou tempo para que Ester jejuasse e orasse a respeito de sua missão e de como deveria aproximar-se do rei (Et 4.16).

Passo 5: Decida. Tempo, conselho e oração foram importantes para que Ester preparasse um plano de ação e o levasse adiante com a atitude triunfante de "Se perecer, pereci" (Et 4.16).

Passo 6: Aja. Antes de pedir o que queria, Ester preparou um banquete para o rei Assuero e para Hamã, com o objetivo de examinar o terreno e de saber qual era o estado de espírito do rei (Et 5.5).

Passo 7: Concilie. Perspicaz e compreendendo a situação, Ester aguardou sabiamente e preparou outro banquete antes de pedir ao rei que salvasse seu povo (Et 5.8). Durante o segundo banquete, Ester fez seu pedido, e o rei concordou em proteger o povo judeu!

Você também pode seguir os mesmos passos de sabedoria de Ester. Que tal segui-los na próxima vez que enfrentar um desafio? A confiança na sabedoria de Deus faz que ele e você trabalhem juntos para realizar a vontade do Senhor à maneira dele.

21 DE JULHO – ET 7

A BELEZA DAS PALAVRAS MEIGAS
ESTER

Qual é a tua petição, rainha Ester? E se te dará. Que desejas? Cumprir-se-á...
Et 7.2

O LIVRO DE PROVÉRBIOS ENSINA: "A longanimidade persuade o príncipe, e a língua branda esmaga ossos" (25.15). Você descobrirá hoje que, quando agimos com sabedoria e paciência, a meiguice pode realizar coisas difíceis.

Ontem, admiramos a sabedoria da rainha Ester ao persuadir seu poderoso marido, o rei Assuero, a anular um edito de morte contra seu povo, os judeus. Hoje, vamos apreciar o uso que Ester fez das palavras meigas, da "língua branda", para que o coração de seu marido se voltasse *contra* Hamã, o segundo homem mais importante do reino e instigador do plano maligno para aniquilar os judeus, e *a favor* do povo hebreu.

Porém, antes de tudo, é importante observar o que Ester *não* fez ao tomar conhecimento do plano contra seu povo. Em nenhum lugar dos dez capítulos que narram a história da vida de Ester, você encontrará raiva ou agitação, violência ou pânico, precipitação ou reação. Ester sabia que emoções descontroladas não lhe ajudariam a impedir a desgraça. Portanto, preferiu usar como arma palavras meigas, gentis, persistentes e persuasivas.

Quais as características das "palavras meigas" de Ester? E, mais importante ainda, quais são as características das suas palavras, minha querida amiga?

- *Palavras de respeito.* Quando Ester dirigiu-se a seu marido, disse: "Se bem te parecer...", "Se achei favor perante o rei..." e "farei segundo o rei me concede" (5.4,8).
- *Palavras de hospitalidade.* A graciosa Ester fez um convite meigo ao rei: "Venha o rei... hoje ao banquete que eu preparei" (5.4).
- *Palavras de prudência.* Ao perceber que o momento não era adequado para o seu pedido, Ester foi sábia e convidou o rei "ao banquete que... hei de preparar amanhã" (5.8).
- *Palavras diretas.* Quando chegou o momento certo, Ester pediu corajosamente: "Se bem parecer ao rei, dê-se-me por minha petição a minha vida, pelo meu desejo, o meu povo" (7.3).
- *Palavras sucintas.* Ester proferiu palavras de respeito, de hospitalidade, de prudência e diretas cuidadosamente escolhidas. Ela falou apenas o necessário e, é claro, com muita elegância e graça.

Que Deus nos conceda a beleza das palavras meigas!

22 de Julho – Et 8

A BELEZA DO PLANO DE DEUS

ESTER

Então ela se levantou, pôs-se de pé diante do rei.
Et 8.4

EM QUE LUGAR Deus plantou sua vida? O que cada novo dia lhe reserva? Talvez você não esteja cercada por circunstâncias ideais, nem esteja no lugar que escolheu. Porém, independentemente de onde você se encontrar hoje, de quem estiver fazendo parte de sua vida hoje, do que lhe acontecer hoje, lembre-se de que tudo faz parte do plano de Deus para você. Ele tem um propósito grandioso para a sua vida. Ester conheceu a beleza do plano de Deus, e o propósito de sua existência nasceu das sementes lançadas no solo da tristeza e do sofrimento. Analise este resumo da biografia de Ester:

- *Naturalidade:* Estrangeira, nascida em terra estranha, de um povo escravo.
- *Filiação:* Pai e mãe mortos.
- *Endereço:* Harém do rei; levada para lá contra a vontade.
- *Posição:* Rainha e esposa de um rei pagão alcoólatra e impulsivo.

Embora essas qualificações não fossem ideais, Deus usou Ester poderosamente para cumprir seu plano. Em uma época de crise, em que a nação israelita estava ameaçada de extermínio, Ester se deu conta de que era o único elo entre o rei e seu povo, os judeus. Como rainha, ocupava um lugar importante na corte, portanto era exatamente a pessoa que Deus poderia usar como instrumento para libertar seu povo. Ela foi elevada à posição de rainha por causa da situação em que seu povo vivia (Et 4.14).

Você, também, pode ser usada pelo Senhor. Para tanto, basta ser fiel a ele em tudo o que fizer *hoje*, às pessoas que cruzarem seu caminho *hoje*, às circunstâncias de *hoje*. Grave a esperança dessas palavras no coração *hoje*. Descubra a beleza de fazer parte do plano de Deus e de praticar um ato heroico, conforme definido abaixo:

A HEROÍNA

A heroína não tem a pretensão de ocupar essa posição. Provavelmente, ela se surpreende mais do que as outras pessoas ao ser reconhecida como tal. Ela estava presente quando ocorreu a crise... e teve a mesma reação de sempre. Estava simplesmente fazendo o que precisava ser feito! Fiel e cumpridora de seus deveres, encontrava-se preparada quando a crise surgiu. Estava onde deveria estar, fazendo o que deveria fazer, reagindo como de costume às circunstâncias, à medida que surgiam. Dedicada ao dever, ela praticou um ato heroico![13]

23 de Julho – Et 9

A beleza da lembrança
Ester

Determinaram os judeus... que estes dias seriam lembrados...
Et 9.27,28

O princípio da boa administração nos ensina a anotar todos os eventos especiais, no início do ano, em um calendário. Com essa prática, temos a certeza de nos lembrarmos das ocasiões importantes no decorrer do ano.

Há mais de 2.400 anos, a rainha Ester e seu tio Mordecai fizeram algo semelhante, ao estabelecerem uma maneira de recordar como, mais uma vez, Deus libertara os judeus do perigo. O povo de Deus tinha atravessado tempos sombrios. O rei Assuero emitira um edito dando permissão a seus súditos "para que se destruíssem, matassem e aniquilassem de vez a todos os judeus, moços e velhos, crianças e mulheres... e que lhes saqueassem os bens" (Et 3.13).

Imagine a preocupação! O medo! O pranto! O pavor! A vida estava no fim para o povo de Deus! Eles nada podiam fazer para se salvar! Contudo, confiante no Senhor, Ester encontrou coragem para pedir a seu marido, o rei Assuero, que concedesse dois dias para que seu povo se defendesse da sentença de morte. O rei atendeu ao pedido dela e os judeus venceram os inimigos!

Agora, pense na alegria! No júbilo! No doce sabor da vitória! No alívio! A vida dos judeus *não* estava no fim! E, para comemorar tal conquista, os israelitas instituíram o dia seguinte à vitória como um dia de festa e alegria, de troca de presentes.

Para que os judeus daquela época e suas gerações seguintes *jamais* esquecessem que Deus transformara a tristeza do povo em alegria e o pranto em júbilo, Ester e Mordecai instituíram a Festa do Purim, uma data que deveria ser comemorada anualmente. Até o dia de hoje, 2.400 anos depois, o Purim ainda é comemorado pelos judeus no mundo inteiro. Todos os anos, os judeus fiéis recordam-se do ato misericordioso de Deus ao salvar suas vidas.

E você? Esforça-se por lembrar a bondade de Deus para com você e comemora a atuação dele em sua vida? O Natal (a encarnação de Deus) e a Páscoa (a obra redentora de Deus pelos pecados do mundo) são eventos dignos de comemoração. Datas de nascimento espiritual e de batismo também são oportunidades para você comemorar o cuidado de Deus por sua vida. O salmista nos exorta a lembrar: "Bendize, ó minha alma, ao Senhor, e *não te esqueças de nem um só de seus benefícios* [...] quem da cova redime a tua vida" (Sl 103.2,4, destaque da autora). Que possamos nos lembrar da grande bondade e amor de Deus!

24 DE JULHO – ET 9

A BELEZA QUE VEM DO SENHOR
ESTER

*Então, a rainha Ester [...] e o judeu Mordecai
escreveram, com toda a autoridade...* Et 9.29

NÃO FOI ENCANTADORA a história da rainha Ester? A Bíblia nos fala de sua delicada beleza física, que ela "era jovem bela, de boa aparência e formosura", uma das "moças para o rei, virgens de boa aparência e formosura" (Et 2.7; 2.3). Porém, o principal fato da narrativa bíblica sobre a fama adquirida por Ester e sobre a maneira como Deus a usou para salvar seu povo é que só o Senhor pode criar a verdadeira beleza que procede do coração de mulheres como Ester. É essa lição, extraída de sua vida, que nós, mulheres que amamos a Deus, queremos pôr em prática.

Antes de terminarmos de analisar a história de Ester, vamos refletir mais uma vez sobre sua beleza infinita:

- *A beleza da aceitação.* Embora Ester fosse órfã de pai e mãe, não vemos nela nenhum traço de amargura ou ressentimento que prejudicasse sua beleza. Ela aceita sua situação graciosamente.
- *A beleza do caráter.* Os estudiosos descrevem Ester com palavras como fiel, corajosa, piedosa, sábia e resoluta. Todas se referem ao caráter.
- *A beleza do espírito.* A Bíblia deixa claro que Ester possuía a beleza de um espírito manso e tranquilo, que, conforme sabemos, é muito precioso aos olhos de Deus (1Pe 3.4). Ester demonstrou ter um espírito gracioso, precavido, paciente e discreto.

De onde vem essa beleza? Vem de um coração que se enfeita com uma profunda confiança em Deus (1Pe 3.5) e do temor ao Senhor (Pv 31.30). Vem de confiar em Deus em busca de sustento em tempos difíceis (Sl 55.22). Vem de crer que Deus a fortalecerá quando sua fé for desafiada, a morte for iminente ou os relacionamentos forem tensos (Fp 4.13). Vem de saber que a graça de Deus é suficiente para nós, em quaisquer circunstâncias da vida (2Co 12.9,10).

Procure encontrar essa beleza interna e eterna, beleza que vem do Senhor e está ao alcance de todas as mulheres que amam a Deus. Procure encontrá-la ao estudar as palavras inspiradas da Bíblia. Procure encontrá-la enquanto ora. Procure buscar ao Senhor para que a beleza de sua força, fé, coragem e sabedoria preencham seu coração.

25 DE JULHO – SL 45

UM CÂNTICO DE AMOR

A NOIVA

Ouve, filha...
Sl 45.10

NÃO SE OUVIU a Marcha Nupcial de Mendelssohn enquanto a noiva atravessava a igreja. Não se viram filmadoras, nem *flashes* de fotografias. Mas havia o transbordar de "Um cântico de amor", vindo da alma de um observador anônimo. Por meio de palavras comoventes, esse artista, cujo nome desconhecemos, exaltou a noiva e o noivo. Utilizando expressões graciosas, o poeta declara: "De boas palavras transborda o meu coração... a minha língua é como a pena de habilidoso escritor" (Sl 45.1).

Como mulheres que amam a Deus, observamos que essas palavras do escritor à princesa noiva dizem respeito a suas novas responsabilidades. Apesar de sabermos que esse salmo louva a beleza de nosso Senhor Jesus Cristo, nele encontramos conselhos sábios para as nossas vidas como esposas.

Novos relacionamentos. Para a futura esposa, o salmista aconselha: "Esquece o teu povo e a casa de teu pai" (v. 10). Essas sábias palavras traduzem as instruções dadas por Deus a Adão e Eva, o primeiro casal que viveu na Terra. Ao estabelecer os princípios do casamento, a Palavra de Deus diz o seguinte: "Por isso deixa o homem pai e mãe e se une à sua mulher" (Gn 2.24). Deixar e unir são o primeiro passo fundamental para um casamento bem-sucedido.

Novas responsabilidades. A união de um homem e uma mulher para a vida inteira significa novas responsabilidades. As antigas formas de lealdade não podem competir com as novas. A partir do dia do casamento, essa noiva (como qualquer noiva ao longo dos tempos) devia permanecer ao lado do marido:

• Sendo sua companheira.

• Trabalhando com ele para melhorar a vida das pessoas que os rodeiam.

• Ensinando à geração seguinte a verdade de Deus.

• Apreciando seu papel de esposa.

• Proporcionando alegria ao marido.

Nova identificação. A descrição dessa noiva lhe traz uma nova visão para o seu casamento? Que riquezas Deus nos tem dado no casamento! Que privilégio de melhorar a vida de nosso companheiro, de abençoar nossa família e de compartilhar a alegria de trabalhar para o reino de Deus... juntos!

26 DE JULHO – SL 68

UM CÂNTICO DE FÉ

VIÚVAS

Cantai a Deus... juiz das viúvas...
Sl 68.4,5

ENTOE LOUVORES AO SENHOR! Toda a glória seja dada a ele! Por quê? Dentre inúmeros motivos, louve ao Senhor porque ele é "juiz das viúvas".

Embora a viuvez não seja um assunto agradável, o *fato* é que a maioria das esposas vive mais do que os maridos. A relação entre o número de viúvas e viúvos é de quase quatro para um. Contudo, a *verdade* é que Deus toma conta das viúvas. Ele as sustenta, livra-as dos perigos e protege-as contra as injustiças.

A proteção de Deus às viúvas é uma das muitas mensagens poderosas do maravilhoso Salmo 68 do rei Davi. Trata-se de um hino que mostra a absoluta vitória do Deus de Israel e de seu povo. Davi utiliza seis nomes diferentes ao se referir a Deus (Senhor, o Senhor, Deus, Todo-poderoso, o Senhor Deus e Deus o Senhor), e de seu coração, mente e lábios fluem um transbordar de adoração e louvor ao celebrar o Rei Poderoso. Por que Davi louva a Deus? Por que você e eu o louvamos? O Salmo 68 nos diz:

- *Porque ele julga os iníquos.* Nosso Deus invisível jamais está ausente! E, quando ele se levanta, seus inimigos são julgados, condenados e dispersos, mas seu povo é preservado, protegido e liberto!

- *Porque ele sustenta os necessitados.* Deus cuida daqueles que perderam suas famílias, principalmente dos órfãos e das viúvas (Êx 22.22-24 e Tg 1.27). Ele "faz que o solitário more em família" (Sl 68.6). Isto significa que o Todo-poderoso abriga o solitário.

- *Porque ele nos concede bênçãos diárias.* Deus, que constantemente trabalha em nossa vida, sempre nos sustenta com seu zelo infinito, carrega incansavelmente nosso fardo e nos assegura a vitória dia após dia.

Portanto, independentemente da situação em que você se encontra hoje, que tal entoar um cântico de louvor e de fé a Deus? Mesmo diante das dificuldades da vida, confie no Senhor, porque no tempo certo ele cumprirá todas as suas promessas. Nas provações diárias, ele é o Deus sempre presente, que abençoa e liberta seu povo. Se você se sente sozinha, desamparada ou inferiorizada, deposite suas esperanças no Senhor Deus, que conforta e cuida das viúvas, dos prisioneiros, dos órfãos e de todas as outras pessoas necessitadas. Louvemos ao Senhor!

27 de Julho – Sl 113

Um cântico de alegria
Mãe alegre

Faz que a mulher estéril viva em família e seja alegre mãe de filhos.
Sl 113.9

"Aleluia!" Assim começa o Salmo 113, um dos Salmos que mais exalta o nome do Senhor. A exclamação *Aleluia*, em hebraico (que significa "Louvai ao Senhor!"), aparece nesse hino de louvor convocando Israel, e a todos os que amam a Deus, a louvá-lo!

Nesse poema de adoração, Deus é descrito como o Deus do céu e da terra, o Deus do cosmo e do lar, o Deus da eternidade e do presente. O Senhor está acima de tudo, contudo ele se comove com os problemas das pessoas humildes, do pobre, do necessitado e da mulher estéril.

Você tem filhos? Se tem, não esqueça:

- *A origem deles.* Os filhos são herança do Senhor (Sl 127.3). Cada um de nossos filhos é uma dádiva misericordiosa de Deus (Gn 33.5). Agradeça ao Senhor todos os dias cada uma dessas bênçãos preciosas!

- *Qual deve ser a sua atitude.* Deus tem um plano para as mães e espera que a atitude delas seja de alegria, tema do Salmo 113. Aleluia! Deixe sua alegria fluir!

- *O propósito de Deus.* Deus exorta os pais crentes a transmitir às gerações seguintes as grandes verdades sobre ele (Dt 4.9). Dessa maneira, seu povo tem sido abençoado ao longo dos tempos.

- *Os sentimentos das outras pessoas.* Quando você estiver na companhia de mulheres sem filhos, seja compreensiva e ore a Deus por elas.

Você quer ter filhos? Se quer:

- *Espere com paciência.* O Salmo 113 nos lembra do cântico de Ana (1Sm 2, 11 de junho), que esperou no Senhor por tanto tempo e com tanta paciência!

- *Espere orando.* Enquanto esperava pacientemente, Ana jejuou, orou por um filho e prometeu entregá-lo para o serviço do Senhor assim que ele nascesse. A oração é sempre apropriada, seja o que for que você estiver esperando! E também apropriados são os cânticos de alegria que você entoa enquanto espera no Senhor!

28 DE JULHO – SL 128

Um cântico de paz

A esposa frutífera

Tua esposa, no interior de tua casa, será como a videira frutífera...
Sl 128.3

O QUE TORNA UM LAR FELIZ? No coração de qualquer lar feliz e cheio de paz, está uma esposa alegre, que produz em abundância o fruto do amor, da felicidade, do calor humano e da vida.

Nesse outro cântico da Bíblia, entoado por peregrinos enquanto subiam o monte santo de Jerusalém para adorar, são exaltadas as bênçãos de um lar organizado e tranquilo. Esse hino inicia-se com a palavra *bem-aventurado*. Afinal, feliz é o lar onde a esposa é como a videira frutífera. Tranquila é a família que floresce sob os cuidados de uma esposa e mãe que, assim como a videira frutífera, oferece sombra e abrigo no aconchego de seu lar.

Que mensagem Deus tem para nós, mulheres que o amam, por meio dessa encantadora linguagem poética, que evoca imagens de frutas e vinho, coração e lar?

- Você é o centro de seu lar. Na época dos salmistas, a casa oriental era construída em torno de um espaço aberto, no qual plantavam lindos jardins, com videiras e árvores que produziam flores e frutos. Todos os cômodos da casa davam para esse pátio, um local muito bonito e arejado, isolado e cheio de cor. Não importa se casada ou solteira, você é o centro de seu lar, e sua função é transmitir paz e alegria a todos da casa, da mesma forma que os pátios internos das casas orientais.

- Você é o conforto de seu lar. Nas terras quentes e ensolaradas dos tempos bíblicos, a videira proporcionava o conforto de uma sombra agradável e protetora. Assim como as videiras, você tem a missão de proporcionar abrigo e conforto à sua querida família.

- Você é o adorno de seu lar. A beleza dos lares palestinos era realçada pelos efeitos ornamentais que consistiam em trançar os galhos das videiras formando desenhos na parede ou nas treliças. As videiras também eram usadas para proporcionar sombra no pátio interno da casa. Deus compara a sua missão no lar com essas videiras. Como mulher feliz, que ama a Deus, você é uma bênção para os seus queridos e realça a beleza do lar com sua presença graciosa e elegante.

Que bênção apreciar a bela imagem poética de Deus neste salmo, pôr em prática seu maravilhoso plano para a sua vida e oferecer um lindo cântico de paz aos membros de sua família!

29 de Julho – Sl 144

Colunas de virtude
Filhas

Que... nossas filhas [sejam] como pedras angulares, lavradas como colunas de palácio. Sl 144.12

Ontem, enquanto meditava sobre a estrutura de um lar oriental, você, mulher que ama a Deus, sentiu-se inspirada ao perceber que é o centro e o coração de seu lar? Hoje, nas palavras do salmista ao descrever as colunas de sustentação de um palácio, Deus nos oferece outro exemplo admirável de mulheres que o amaram. Usando uma linguagem poética comovente, o rei Davi, arquiteto por excelência (1Cr 28.9-21), recomenda que nós e nossas filhas sejamos "pedras angulares, lavradas como colunas de palácio" (Sl 144.12). Devemos ser semelhantes às colunas de um palácio, moldadas e adaptadas para a estrutura do palácio de um rei.

Nesse salmo de Davi, escrito muito tempo atrás, revela o desejo eterno de Deus de que suas filhas sejam fortes, úteis e atraentes também. A mensagem é clara, atravessou séculos e chegou aos nossos corações, exortando-nos a seguir os padrões de beleza e de utilidade divinos.

- *Um chamado ao aprimoramento.* As colunas descritas por Davi eram funcionais (sustentavam o edifício) e decorativas (acrescentavam beleza). Elas precisavam ser o mais resistente possível, além de agradáveis aos olhos.

- *Um chamado à elegância.* Altas e imponentes, as colunas eram verdadeiras obras de arte e enfeitavam o entorno do palácio com sua escultura perfeita, elegância de estilo e beleza serena.

- *Um chamado à resistência.* As referências a colunas e pedras angulares enfatizam o vigor e a força, porque delas depende uma construção que deve durar muitos anos. As colunas tinham a finalidade de suportar e sustentar um edifício.

Maravilhe-se, querida filha de Deus! Reflita sobre a glória e a magnificência das colunas de Deus: as mulheres que amaram ao Senhor ao longo dos séculos. Analise a "arquitetura" delas, seu aprimoramento, elegância e resistência. Ouça com atenção a voz de comando dessas mulheres: "Busque o aprimoramento! Ambicione a elegância! Desenvolva a resistência!" Esse comando tem duas finalidades: primeira, proporcionar sólida base para outras pessoas; segunda, ensinar e educar suas filhas (a quem Deus tanto tem abençoado) a cultivar esse tipo de beleza piedosa.

30 DE JULHO – SL 146

UM CORO DE ALELUIAS

VIÚVAS

O Senhor guarda... a viúva...
Sl 146.9

O IDIOMA HEBRAICO define a viúva como "silenciosa". Essa palavra nos transmite uma sensação de sofrimento e tristeza. Todas nós conhecemos alguma viúva e, talvez, muitas de nós sejam viúvas. Deus, porém, declara, nesse magnífico salmo de júbilo e louvor triunfante, que ele protege as queridas e desoladas viúvas. Ao longo da Bíblia, notamos que o cuidado extremo de Deus para com as viúvas é manifesto na lei (Dt 10.18) e em sua igreja (1Tm 5.3-16). Deus sustenta, protege, defende e ampara esse grupo de seguidoras silenciosas e entristecidas.

Nosso Deus misericordioso, compassivo e poderoso proporciona felicidade para os tristes, alegria para os infelizes, bênçãos para os carentes e deleite para os desesperados. Por isso, grave em seu coração o poder e as promessas de Deus contidas no salmo 146, um dos cinco coros de "Aleluia" (146 a 150) que iniciam e terminam com "Aleluia!" ou "Louvai ao Senhor!"

Deus é...	*Deus é um Deus que...*
... o Criador Todo-poderoso.	... cumpre suas promessas.
... Advogado.	... garante os direitos dos necessitados.
... generoso e misericordioso.	... levanta os abatidos.
	... fortalece os fracos.
	... acode os desamparados.

Sua vida tem sido difícil? Você já se sentiu esmagada pelas exigências, injustiças ou provações da vida? Fica imaginando como suas necessidades serão atendidas? Então, você é candidata a participar de um dos projetos especiais de Deus! Ele gosta de cuidar dos necessitados e oprimidos. Ele estende sua mão aos fracos e aflitos. Ele sustenta e protege aqueles que estão abandonados.

Há outro salmo que exclama: "Bem-aventurado é o povo cujo Deus é o Senhor!" (144.15). Você faz parte desse povo, querida amiga. Que tal, então, levantar sua voz, por mais fraca, cansada, triste ou magoada que você esteja, e juntar-se a um coro de aleluias? Ao longo do tempo, pessoas necessitadas entoam cânticos em louvor ao nosso Deus grandioso, sabendo que sua misericórdia, mais uma vez, será suficiente para elas.

31 DE JULHO – PV 1

A LEI DA MÃE

MÃES

Filho meu... não deixes a instrução de tua mãe.
Pv 1.8

A MULHER QUE AMA A DEUS sente, sem dúvida, um amor profundo e constante por sua palavra. E, se ela for mãe, seus filhos devem ser os primeiros a se beneficiar desse entusiasmo.

No livro de Provérbios, Deus exorta os filhos a nunca abandonar os ensinamentos das mães, sugerindo que nós, mães, *fomos encarregadas por Deus de ensinar a eles a palavra*. Podemos fazer muitas coisas por nossos filhos, mas ensinar-lhes a Palavra de Deus é a mais importante de todas. Por quê? Porque a Palavra de Deus significa salvação para hoje e por toda a eternidade.

- *Tome algumas decisões sérias.* O princípio fundamental da maternidade é oferecer aos filhos o que eles necessitam, e não o que eles desejam. Toda mãe que ama a Deus deve refletir sobre essas decisões: encontrarei tempo em minha agenda lotada para ensinar a Palavra de Deus a meus filhos? Será que vou me esforçar para falar de Deus continuamente? Desligarei a TV para ler a Palavra de Deus a meus filhos ou lhes contar uma história da Bíblia?

- *Reconheça seu papel de professora.* Ruth Graham, a encantadora esposa de Billy Graham, diz o seguinte a respeito da maternidade: "É a função mais bela e mais gratificante do mundo, que não é superada nem mesmo pela pregação". E ela complementa: "Talvez a maternidade seja uma pregação!" Você consegue enxergar de que maneira seu papel como mãe pode se tornar uma pregação? O que você está fazendo para transmitir as verdades bíblicas a seus filhos?

- *Reflita sobre essas mães mencionadas na Bíblia.* Joquebede ficou junto de seu bebê, Moisés, por apenas três anos, e, mesmo assim, nesse breve período transmitiu as verdades bíblicas ao filho. Isso o habilitou a liderar o povo de Deus depois de adulto (Êx 2). Ana teve a companhia de Samuel também por três anos antes de levá-lo ao templo, mas o que ela ensinou ao filho foi suficiente para transformá-lo em outro líder poderoso do povo de Deus (1Sm 1; 2).

- *Reflita sobre si mesma.* Você tem plantado sementes do amor e da verdade de Deus no coração de seus filhos? Nunca é cedo demais, nem tarde demais, para começar. Fazer alguma coisa é sempre melhor do que não fazer nada![14]

1º DE AGOSTO – Pv 4

AMOR DE MÃE
MÃE

Quando eu era... tenro e único diante de minha mãe.
Pv 4.3

SILÊNCIO! Ouça e preste muita atenção! O rei Salomão, o homem mais sábio que já existiu, está nos dizendo algo a respeito de como ele se tornou sábio. Embora ciente de que sua sabedoria era um dom do Senhor, Salomão também reconheceu o mérito à sua mãe. Mais tarde, ao contar suas memórias de infância ao filho, Salomão fala do amor de sua mãe Bate-Seba (veja 22 e 23 de junho) e sente saudade do passado: "Quando eu era... tenro e único diante de minha mãe". Em outras palavras: "Eu era precioso e muito amado por minha mãe".

Analise cuidadosamente o que acontece aqui. A sabedoria e o conhecimento de Deus foram transmitidos de geração a geração por pais dedicados, que, por sua vez, os repassaram a seus filhos. A corajosa e fervorosa mãe Edith Schaeffer descreve muito bem esse processo: "A família é um veículo de transmissão perpétua da verdade!"[1]

O amor faz de nós, mães, as mais eficientes professoras e "transmissoras" que existem, porque nosso amor ajuda a abrir as portas do coração, da mente e da alma de uma criança para a verdade de Deus. O amor abre caminho para a sabedoria de um coração ser passada a outro. O amor lavra o solo do coração jovem e prepara-o para receber o dom, o aperfeiçoamento e a preservação da vida, que provêm de Deus.

Como mães que amamos nossos filhos, prestemos atenção às responsabilidades que Deus nos destinou:

- *Permaneça... fiel como professora da verdade.* Transmitir a verdade à geração seguinte é um dos principais mandamentos de Deus para nós (veja Dt 6.6,7). Como mães, fomos encarregadas por Deus de ensinar sua verdade e seus caminhos a nossos filhos.

- *Ore... fervorosamente.* "Muito pode, por sua eficácia, a súplica do justo" (Tg 5.16). Portanto, ore diariamente por si mesma, para que o seu amor a Deus aumente cada vez mais, e ore por seus filhos, para que também aprendam a amá-lo.

- *Fale... com regularidade e desembaraço.* Fale corajosamente, e sempre que puder, sobre o Senhor. Costumamos conversar sobre o que é importante para nós, e, quando deixamos de falar de Deus, transmitimos a nossos filhos a mensagem de que ele não é importante.

- *Aja... hoje.* O que você vai fazer hoje para compartilhar seu amor a Deus com seus filhos?

2 de Agosto – Pv 5

Uma fonte de alegria
Esposa

...alegra-te com a mulher da tua mocidade.
Pv 5.18

Antes de começar a escrever, o poeta deve ter se questionado sobre a melhor maneira de transmitir aquela mensagem. Ele tinha algo em mente, incutido por Deus em seu coração, para ser transmitido a outras pessoas. O amor entre o marido e a esposa era um assunto vital. Como o poeta transmitia a seu filho o significado, a beleza e o valor de tal mensagem?

Ele escolheu usar a linguagem figurada, que fala aos nossos corações até hoje. Depois de abastecer a caneta, molhando-a em um líquido escuro usado como tinta, a pena deslizou com rapidez e impetuosidade sobre o pergaminho áspero. *Seja generoso com a linguagem, ele diz a si mesmo, para que todos visualizem as surpreendentes figuras que Deus utiliza para falar sobre o casamento!*

"Alegra-te com a mulher da tua mocidade", inicia Salomão. E, em seguida, à medida que ele tenta transmitir que a esposa é uma dádiva especial de Deus para o marido, as imagens começam a desenrolar-se. A esposa é:

- *Como uma cisterna* construída no pátio interno da casa para recolher água, um item essencial a todos os lares (Pv 5.15).
- *Como a água* que nutre a vida (v. 15).
- *Como água corrente,* límpida e refrescante (v. 15).
- *Como um poço,* que encontra debaixo da terra uma fonte de água para sustentar a vida (v. 15).
- *Como uma corça de amores,* cuja ternura por sua cria supera a de todos os outros animais (v. 19).
- *Como uma gazela graciosa,* a imagem perfeita da elegância (v. 19).

Minha querida "corça de amores", se você for casada, seu marido deve sentir-se alegre e feliz por tê-la a seu lado, a mulher de sua mocidade! Ele deve ser grato a Deus por você ser uma dádiva especial em sua vida e viver feliz a seu lado. É essa a mensagem que esse provérbio tem para ele.

A pergunta de Deus para você é a seguinte: "Você é uma esposa que faz seu marido feliz? É uma esposa que proporciona alegria, prazer, companheirismo e satisfação?" A mensagem de Deus para você é esta: ame seu marido (Tt 2.4). Como tem sido seu procedimento? E o que pode fazer hoje para ser uma bênção, uma fonte de alegria para o seu querido companheiro?

3 de Agosto – Pv 9

Uma casa edificada com sabedoria
Mulheres

A sabedoria edificou a sua casa...
Pv 9.1

Você já orou para ter sabedoria, querida serva de Deus? E já parou para pensar o que significa e o que torna uma mulher sábia? Anime-se! Deus lhe permite agora penetrar na vida e no lar de uma mulher sábia. Ele descreve a maior realização dessa mulher em apenas seis palavras: "A sabedoria [personificada como mulher] edificou a sua casa". Olhe pela janela de Provérbios 9.1-6 (leia com atenção!) e veja como é a casa dessa mulher sábia, observando os detalhes do lugar. O que você vê? Indiscutivelmente, um lar muito gracioso!

- *Um lugar de paz.* Em vez de discussões, brigas, bate-bocas e gritarias, a ordem do dia é paz. A casa da mulher sábia é um refúgio.

- *Um lugar de tranquilidade.* Para aqueles que chegam em casa depois de um dia atribulado, estressante e agitado, nesse doce lar não se ouvem ruídos estridentes de aparelhos de TV ou de som. Ao contrário, há um silêncio reconfortante. A casa da mulher sábia é um santuário.

- *Um lugar de beleza.* Atenção especial foi dedicada para tornar esse lar um local artisticamente acolhedor; tudo foi organizado com amor e criatividade para proporcionar um cenário de beleza aos relacionamentos que se desenvolvem ali.[2] A casa da mulher sábia é um paraíso.

- *Um lugar bem-arrumado.* Todo lar é o retrato da dona da casa e uma bênção para aqueles que nele habitam. A beleza da bênção desse lar é maior ainda quando ele é bem-arrumado! A casa da mulher sábia é um refúgio de descanso.

- *Um lugar de refrigério.* Além de preparar uma mesa farta e bem decorada, com comida e bebida para o refrigério físico, a mulher que recebeu sabedoria de Deus também proporciona à sua família e convidados um refrigério para a alma. Ela oferece sabedoria, o verdadeiro nutriente, o alimento que dura para sempre, as palavras de vida eterna. A casa da mulher sábia é um pedacinho do céu na terra.

Oração por seu lar: Que todos os que entrem por esta porta, querido Senhor, encontrem refúgio e refrigério para o corpo, um paraíso de beleza e serenidade para o espírito e um santuário para a alma.

4 DE AGOSTO – Pv 11

UMA COROA DE GRACIOSIDADE
MULHERES

A mulher graciosa alcança honra...
Pv 11.16

NÃO HÁ DÚVIDA DE QUE ser graciosa é uma virtude que Deus deseja que suas servas possuam. Enquanto os homens são admirados pela força física, riqueza e realizações, as mulheres que amam a Deus são admiradas pela graça, encanto e força de caráter. Provérbios 11.16 diz: "A mulher graciosa alcança honra, como os poderosos adquirem riqueza".

Usando uma terminologia militar, mencionando guerra, guerreiros e troféus retirados dos soldados mortos pelos vitoriosos, Deus apresenta um surpreendente contraste entre a verdadeira graça feminina e a força bruta masculina. Esse provérbio esclarecedor aponta para dois caminhos que conduzem ao topo (graça ou poder), dois métodos para chegar lá (caráter ou força física) e dois prêmios (honra ou riquezas). Ele nos ensina que, embora um homem possa ser respeitado por seu poder, força e fortuna, uma mulher piedosa é valorizada pelas meigas, porém fortes e grandiosas, virtudes da graça, do caráter e da bondade.

Você também deseja usar a divina coroa de honra, a coroa de ouro e da graça? Você anseia para que a beleza de Deus seja concedida à sua vida? Então reflita sobre estes passos para adquirir graça e beleza:

1. *Almeje ser uma mulher graciosa.* Nada de valor acontece por acaso. Uma vez que obter graça é um objetivo de Deus para a sua vida, esforce-se por conseguí-lo, e, depois, receber honra.

2. *Cultive a força de caráter.* Esteja presente em lugares onde Deus possa transformá-la (estudos bíblicos, momentos de oração, memorização da Bíblia, adoração). Confiando no Espírito Santo, você aprenderá a controlar seu temperamento, sua boca, sua agressividade e suas emoções, e também a esforçar-se para cultivar as graças espirituais de amor, alegria, paz, longanimidade, benignidade, bondade, fidelidade, mansidão e domínio próprio (Gl 5.22,23).

3. *Preserve um alto padrão para si mesma.* Pelo poder do Espírito de Deus, viva de acordo com os padrões estabelecidos por ele. Se fizer isso, sua vida será mais pura e sua coroa de graça brilhará ainda mais.

O homem rico pode perder seus bens a qualquer momento, mas a mulher graciosa conserva a honra mesmo depois de sua beleza física perder o viço, e muito depois de seus ossos se misturarem ao pó. A graça de uma mulher piedosa traz consigo a honra que perdura... e extrapola... uma vida inteira!

5 de Agosto – Pv 12

Uma coroa de virtuosidade
Esposa

A mulher virtuosa é a coroa do seu marido...
Pv 12.4

Ontem, admiramos a coroa da graça que nós, mulheres que amamos a Deus, tanto almejamos. Hoje, analisaremos outra coroa, também muito preciosa. No entanto, dessa vez nós mesmas seremos a coroa usada por outra pessoa: nosso marido! Quando começamos a meditar sobre as palavras "a mulher virtuosa é a coroa de seu marido", descobrimos dois significados para *coroa*.

- *Significado nº 1: A cerimônia do casamento.* "Coroa" refere-se à prática de coroar os noivos. Na noite do casamento, quando chegava o momento de ir ao encontro da noiva, o noivo vestia-se como um rei e usava uma coroa de ouro, como símbolo de sua nova posição de autoridade e honra.
- *Significado nº 2: A festa do casamento.* A coroa é símbolo de alegria e era usada em todas as ocasiões de festas e comemorações, inclusive em casamentos.

Você não concorda comigo que ser uma fonte de honra, alegria e satisfação para o seu marido é um grande privilégio? Ponha em prática estas dez sugestões para que você brilhe mais do que nunca:

- *Seja uma mulher temente ao Senhor.* A verdadeira piedade e virtude são cultivadas no íntimo, onde o Espírito de Deus trabalha.
- *Tenha um firme compromisso com os padrões de Deus.* Ame ao Senhor, obedeça a seus mandamentos e siga-o de todo o coração.
- *Seja fiel às promessas feitas na cerimônia do casamento.* Tome a decisão inabalável de ser fiel a seu marido.
- *Sinta-se feliz quando seu marido for o centro das atenções.* Lembre-se, é ele quem está usando a coroa!
- *Seja leal a seu marido.* Guarde as fraquezas e as falhas dele só para si.
- *Exerça influência emocional positiva.* Permaneça firme e resistente ao lado dele.
- *Exerça influência física positiva.* Seja uma excelente administradora de seu lar.
- *Exerça influência financeira positiva.* Seja diligente e parcimoniosa.
- *Exerça influência positiva sobre seus filhos.* Ensine-os e eduque-os no caminho do Senhor. Isso honrará o pai deles.
- *Seja uma esposa que honra o marido diariamente e por toda a vida.*

Uma mulher piedosa e virtuosa transforma-se no ornamento mais brilhante de seu marido, uma coroa gloriosa de virtude.

6 de Agosto – Pv 14

A EDIFICADORA DO LAR
MULHER

A mulher sábia edifica a sua casa...
Pv 14.1

Certamente, toda mulher cristã quer ser sábia e reconhecida como tal. É por isso que este pequeno e sábio provérbio, inserido em meio a tantos outros textos da Bíblia, exclama "Amém!" para Provérbios 9.1: "A sabedoria edificou a sua casa" (veja 3 de agosto). "Edificar" significa, literalmente, construir e instituir um lar. Porém, esse versículo não se refere apenas à estrutura e conservação do lar, mas também à família em si. Veja, o lar não se compõe apenas de um lugar, mas também de pessoas. Um estudioso de grande discernimento disse:

> Uma casa nem sempre é um lar, e este versículo não fala da construção e da estrutura de tijolos e madeira da casa, mas da edificação do lar, do entrelaçamento da família e da rotina diária de criar um lugar feliz e confortável para a família viver.[3]

Quem é a pessoa responsável pela qualidade de vida do lugar em que você e sua família moram? Deus diz em Provérbios que é a mulher. Em outras palavras, é *você* quem cria um ambiente agradável, proporciona refúgio e evita atitudes e atividades que prejudiquem o bem-estar de sua preciosa família. Fazer de sua casa um lar é um assunto relacionado ao coração – seu coração! Apresentamos aqui algumas "dicas" para edificar seu lar:

- *Entenda que a sabedoria edifica.* A mulher sábia, casada ou solteira, sabe que foi encarregada por Deus de edificar seu lar e entende que essa é uma missão para a vida inteira.
- *Comece desde já a edificar.* Nunca é tarde demais para começar, ou recomeçar, a edificar sua casa e torná-la um oásis de tranquilidade chamado "lar". E faça isso "de todo o coração, como para o Senhor" (Cl 3.23).
- *Edifique sua casa fazendo uma coisa por dia.* Você não sabe por onde começar? Comece a fazer alguma coisa! Qualquer coisa! Uma só! Uma ação por dia significa uma vida inteira de realizações!

No que você concentra sua energia? Onde investe seu tempo? Examine seu coração e seu lar, aja firmada na sabedoria de Deus e trabalhe para edificar sua casa!

7 de Agosto – Pv 15

Tesouros preciosos de Deus

Viúva

O Senhor... mantém a herança da viúva.
Pv 15.25

Oitenta e duas. É esse o número de vezes que Deus menciona viúvas ou fala a favor delas na Bíblia. Essas mulheres sofridas, que amam a Deus e confiam nele, são verdadeiros tesouros preciosos do Senhor! Por terem deixado de depender de seres humanos passando a depender de Deus, essas mulheres são exemplo de uma fé inabalável no Senhor.

Essas mulheres maravilhosas, a quem Deus dedica carinho especial, podem ter certeza de que ele as protege com fundamento:

Na lei: "A nenhuma viúva... afligireis" (Êx 22.22). *A viúva deve ser respeitada e ajudada.*

Na igreja: "Honra as viúvas... Se alguma crente tem viúvas... socorra-as" (1Tm 5.3,16). *A igreja deve cuidar de suas viúvas piedosas e desamparadas.*

Em Deus: Deus é "juiz das viúvas" (Sl 68.5) *e um marido celestial* (Is 54.5), *aquele que "mantém a herança da viúva"* (Pv 15.25).

Provérbios 15.25 passa a ter um significado ainda maior quando nos lembramos de que foi proferido na época em que as propriedades eram delimitadas por simples marcos. Era muito fácil mudar um marco de lugar ou até removê-lo e, com isso, transferir ou eliminar as delimitações da propriedade de uma viúva. Deus, porém, promete proteger o que pertence a essas mulheres vulneráveis e carentes. Jeová, o Senhor eterno ou Javé, demarca e preserva a propriedade das viúvas, e ai daquele que se atrever a prejudicar uma delas!

O que tal promessa de Deus significa para mulheres como nós? Significa que é possível:

Regozijar-se!... e sorrir para o futuro, apreciando cada dia de vida sem medo ou temor (Pv 31.25).

Regozijar-se!... e confiar que nada poderá separar-nos do amor de Deus (Rm 8.35-39).

Regozijar-se!... e saber que caminhamos ao lado do Senhor em cada passo de nossa jornada, em todas as eras e etapas, do princípio ao fim, quando habitaremos na casa do Senhor para sempre! *Regozije-se!*

8 de Agosto – Pv 18

Um bem precioso
Esposas

O que acha uma esposa, acha o bem...
Pv 18.22

O sonho da maioria dos homens é encontrar uma boa esposa e compartilhar a vida com ela, uma mulher especial que caminhe a seu lado pelas montanhas e vales da vida. No final do século 19, um homem escreveu:

> Imagine um casal de idosos que fez uma longa jornada juntos, compartilhando seu destino comum. Em nome do amor, duplicaram as alegrias e dividiram as tristezas – herdeiros da graça da vida – comprometidos um com o outro e unidos em amor na fé em Cristo e na esperança de alcançar o céu! Os filhos cresceram e consideram seus pais uma bênção. E, no apagar das luzes da longa caminhada desse casal, as sombras da noite vão, aos poucos, se estendendo e eles dormem em paz! Que maravilha pensar nos que formam um só ser na vida, um só ser na morte e um só ser na eternidade![4]

O escritor é um homem que reconhece o valor e a raridade de um bem precioso. Não existe preço a ser pago pela bênção de uma esposa que, além de ser companheira do marido, lhe proporcione conforto na vida. Feliz é o homem que encontra um bem precioso, ou seja, os "encantos" de paz, união e alegria.

O que a ajudaria a transformar-se em um "bem precioso" para o seu marido? A devoção está no cerne da bondade e, portanto, essas virtudes delineadas na Bíblia são primordiais e muito valiosas para a esposa que deseja ser um bem precioso para o seu marido. Ela deve ser:

- *Colaboradora.* Deus deseja que a esposa seja colaboradora do seu marido (Gn 2.18).
- *Companheira.* O casal deve caminhar lado a lado ao longo da jornada da vida. A função do marido piedoso é dirigir a família, e a da esposa, acompanhá-lo com amor.
- *Trabalhadora.* Deus nos ensina a edificar nossa casa e a ser boas administradoras. A boa esposa esforça-se ao máximo para cuidar do lar.
- *Crente.* A esposa crente leva para o casamento as boas graças do Senhor, o temor do Senhor e o conhecimento do Senhor.

É maravilhoso, querida irmã, ser um bem tão precioso!

9 DE AGOSTO – Pv 19

UMA DÁDIVA DO SENHOR

ESPOSA

...do Senhor [vem] a esposa prudente.
Pv 19.14

PRUDENTE. Essa palavra não parece muito simpática. Talvez seja um pouco antiquada ou formal. Talvez até um pouco "puritana". A meditação de hoje a ajudará a prestar mais atenção a esse traço de caráter que Deus incute no coração das mulheres que o amam. Antes, porém, precisamos pensar um pouco.

Se lermos o versículo todo, veremos a enorme diferença entre as dádivas do homem e as dádivas de Deus: "A casa e os bens vêm como herança dos pais; mas do Senhor, a esposa prudente" (Pv 19.14). De fato, os pais transferem terras, riquezas, casas e possessões para a geração seguinte, geralmente em forma de bênção familiar. Esses bens destinam-se a melhorar a vida dos filhos, sendo bons e úteis, mas também restritos e temporários.

E o que isso tem a ver com a esposa prudente? Ela está em uma categoria especial. Essa mulher é uma bênção vinda diretamente da mão do Senhor! Independentemente dos recursos que o marido possua, ele só estará preparado para a vida se tiver como companheira uma esposa prudente.

E o que é exatamente uma esposa prudente? O que ela faz que a torna tão admirável?

- Prudência é uma virtude que engloba disciplina, bom senso e administração prática. Portanto, a "esposa prudente" é motivo de deleite para todos. Na verdade, no original bíblico a palavra *deleite* vem da mesma raiz da palavra *prudente*.[5]
- Ela demonstra respeito pelas outras pessoas.
- Ela possui sabedoria divina.
- Ela governa sabiamente seu lar e sua vida.

Uma esposa com tais qualidades é uma alegria para o marido. Por ter bom senso e ser compreensiva, é uma das maiores dádivas do Senhor para o seu companheiro.

Quer você seja casada ou solteira, saiba que a prudência é um aspecto de religiosidade e uma fonte de satisfação para as pessoas que a rodeiam! O fruto da prudência é a autodisciplina, a cautela, a sabedoria, o respeito e a racionalidade, e essas qualidades são demonstradas em sua conduta e em sua maneira de falar. Portanto, peça a Deus que a ajude a:

Parar: A prudência para e espera.
Olhar: A prudência aprende aos poucos.
Escutar: A prudência pergunta antes de agir.

10 DE AGOSTO – PV 31

O AMOR DE UMA MÃE

MÃES

Palavras do rei Lemuel... as quais lhe ensinou sua mãe.
Pv 31.1

ERA UMA VEZ, um jovem príncipe que um dia se tornaria rei, mas que, antes disso, ainda tinha muitas lições para aprender. Sua mãe costumava sentar-se com ele ao lado da lareira para ensinar-lhe não só a ser um rei bondoso, mas também a encontrar uma excelente esposa.

A maioria dos estudiosos concorda que Provérbios 31 retrata a instrução daquela mãe sábia a seu filho. Ela fala dos elementos básicos de liderança (v. 1-9) e descreve a esposa que ele deve procurar (v. 10-31). A instrução dessa mãe é muito prática.

Você é mãe (ou avó)? Então deve desejar demonstrar amor a Deus e a seus descendentes das seguintes maneiras:

- *Cultivando um bom relacionamento com seu filho.* Um relacionamento próximo a seu filho, no qual você tenha liberdade de abordar qualquer assunto, serve como ponte que você pode atravessar levando consigo a preciosa verdade da salvação por meio de Jesus Cristo.

- *Falando sempre que puder.* Ensinar é uma das atribuições que Deus lhe dá como mãe; portanto, fale! Não se preocupe em descobrir se seus filhos *querem* ouvir a verdade. Assegure-se de que ouçam! Não se preocupe em saber se seus filhos *gostam* do que você diz. Compartilhe com eles o evangelho do Senhor Jesus. Pelo poder do Espírito Santo, a verdade de Deus chegará ao coração e à alma de seus filhos; portanto, exponha essa verdade!

- *Falando de seu amor por Deus.* Você deve desejar fazer muito mais do que simplesmente contar histórias e ensinar princípios bíblicos. Dê seu testemunho! As crianças adoram saber como Deus trabalha no coração das mães e querem saber o que o Senhor significa para elas. Mostre-lhes que seu relacionamento com Jesus é pessoal e muito importante para a sua vida diária.

- *Obedeça à lei de Deus.* A lei divina de Deus ordena que as mães instruam seus filhos: "Estas palavras que hoje te ordeno... tu as inculcarás a teus filhos" (Dt 6.6,7).

- *Demonstre sabedoria prática.* Provérbios 31 apresenta uma relação de noções de sabedoria prática, regras de vida e preceitos a serem seguidos, proferidos por uma mãe que "fala com sabedoria" (v. 26). Com certeza, você vai querer seguir os passos dessa mãe!

11 de Agosto – Pv 31

As orações de uma mãe

Mãe

Que te direi, ó filho dos meus votos?
Pv 31.2

Assim como uma fonte de água correndo por uma cachoeira, do coração da mãe mencionada em Provérbios 31 flui intenso amor pelo filho. Suas palavras parecem jorrar, uma após outra, e cada frase repete o que foi dito antes, mas sempre adicionando algo novo. Lê-se no texto:

> Que te direi, filho meu...?
> Ó filho do meu ventre...?
> Que te direi, ó filho dos meus votos?

Essa mãe, que amava a Deus, fez um voto e dedicou seu filho ao Senhor. Em oração, pediu um filho ao Senhor e depois, também em oração, dedicou o filho, por quem tanto orara, o filho de seus votos, ao Pai celestial.

Nós, mulheres que amamos a Deus, também devemos ser capazes de chamar nossa prole de "filhos de muitas orações". Como?

- *Seguindo o exemplo de mães e avós piedosas.* Você sabia que, logo após a conversão de Billy Graham, sua mãe passou a dedicar diariamente um tempo em oração pela vocação do filho e pelo chamado que ele recebera? Ela orou durante sete anos, sem pular um dia sequer, até Billy firmar-se na vida como pregador e evangelista. Em seguida, passou a fundamentar suas orações em 2Timóteo 2.15, pedindo que o que ele pregasse fosse aprovado por Deus.[6]

- *Pedindo a Deus que lhe dê uma visão sobre seus filhos.* Leia a história de mães piedosas da Bíblia e tudo o que seus filhos realizaram para Deus. Samuel, filho de Ana, serviu ao Senhor e liderou seu povo. João Batista, filho de Isabel, pregou e preparou o caminho para o Senhor Jesus. E a querida Maria foi a mais abençoada de todas as mulheres, por ter ensinado, educado e amado o Filho de Deus, nosso Senhor Jesus Cristo! Que missão especial Deus tem para o seu filho? Peça a Deus que lha mostre.

Deus trabalha em parceria com você na educação de seus filhos de modo que eles possam conhecê-lo, amá-lo e serví-lo. Cabe a Deus trabalhar no coração de seus filhos, mas cabe a você orar por eles de maneira fervorosa e constante. Portanto, peça que Deus ajude seus filhos a viver para ele. E lembre-se de que, enquanto viver aqui na Terra, você nunca saberá quão poderosas são as suas orações por seus filhos!

12 de Agosto – Pv 31

O ALFABETO DA BELEZA DIVINA
MULHER DE PROVÉRBIOS 31

Mulher virtuosa, quem a achará?
Pv 31.10

HOJE, começaremos a analisar a descrição de Deus sobre uma mulher especial, um tesouro cujo preço excede o de finas joias e cuja imagem é pintada com vivas cores em Provérbios 31.10-31. Nos 22 versículos, Deus nos leva a visualizar o caráter piedoso que devemos ter em todas as épocas e fases de nossa vida. Trata-se, literalmente, de um alfabeto, uma vez que cada versículo começa com uma das 22 letras do alfabeto hebraico. Você está convidada a regozijar-se no Senhor à medida que passa a conhecer essa mulher maravilhosa nos 22 dias seguintes.

Você está em dúvida? Será que está pensando: "Já ouvi falar dessa mulher exemplar durante toda a minha vida! Não é a tal 'mulher ideal', aquela que 'não existe nem em sonhos'? Sempre fez que eu me sentisse inferiorizada, um completo fracasso! Jamais serei igual a *ela*!"

De fato, essa mulher é uma figura admirável, mas não é verdade que você nunca será igual a ela. Permita que os fatos abaixo a animem a seguir esse modelo de mulher piedosa dado por Deus:

1. Provérbios 31 é ensinado por uma mulher. Aqui lemos como uma *mulher* imagina que outra deve ser e pode ser!

2. Os 21 versículos de Provérbios 31.11-31 respondem à pergunta: "Mulher virtuosa, quem a achará?" definindo-nos como *virtuosas*.

3. A mãe sábia que ensina ao filho sobre mulheres de caráter também é uma delas, ou então não seria capaz de descrevê-las tão bem.

4. Sabendo que mulheres de caráter podem ser encontradas, essa mãe incentiva seu filho a procurar por uma.

5. "Muitas mulheres procedem virtuosamente" (v. 29). Enumere-as! São *muitas*! A mulher de Provérbios 31 não é um "acaso feliz"!

Ó! a mulher corajosa e virtuosa que ama a Deus é um tesouro de valor inestimável! Deus diz que *você* pode ser tudo o que ela é. Como? Acompanhe as meditações das semanas seguintes e, enquanto medita a respeito do ABC de Deus sobre caráter, você aprenderá a ter a beleza que ele descreve. Tente não pular nem um só dia, nem uma letra de seu alfabeto, e você descobrirá a definição de Deus sobre a verdadeira beleza e aprenderá como alcançá-la![7]

13 DE AGOSTO – PV 31

UM TESOURO PRECIOSO
MULHER DE PROVÉRBIOS 31

Mulher virtuosa, quem a achará? O seu valor muito excede o de finas joias.
Pv 31.10

AS MOEDAS sempre trazem imagens estampadas nas duas faces. Deus, da mesma forma, utiliza a palavra virtuosa, em sua rica descrição da linda mulher de Provérbios 31, com um duplo significado. Os dois aspectos da palavra *virtuosa* transmitem a ideia de força, qualificando-a como um tesouro precioso.

Uma mente fortalecida. A palavra *virtuosa* refere-se à mente da mulher de Provérbios 31, uma mente fortalecida por seus propósitos, princípios e atitudes. Uma rápida leitura de Provérbios 31.10-31 revela as oportunidades que essa mulher teve de usar sua inteligência e de como aproveitou tais oportunidades:

- Ela se manteve pura (v. 10).
- O marido sempre confiou nela, bem como todas as demais pessoas que a rodeavam (v. 11).
- Ela era uma mulher trabalhadora (v. 13,15,18).
- Sempre parcimoniosa, proporcionou tudo o que sua família necessitava (v. 14).
- Ela enfrentava a vida (e a morte!) com coragem (v. 25).
- Compaixão, bondade e sabedoria caracterizavam sua vida (v. 20, 26).
- A santidade coroava seus esforços, porque ela honrava ao Senhor em tudo o que fazia (v. 30).

Essas qualidades de força interior, enraizadas na mente fortalecida e virtuosa que Deus a abençoou, possibilitaram a essa bela serva do Senhor administrar sozinha sua vida, seu tempo, seu dinheiro, sua fala, seu lar e seus relacionamentos.

Um corpo fortalecido. A palavra *virtuosa*, além de referir-se à mente, também descreve a habilidade que essa mulher maravilhosa possuía de pôr em prática tudo o que sua mente desejava.

- Ela trabalhava diligentemente com as mãos (v. 13).
- Ela plantava uma vinha (v. 16).
- Ela manejava o fuso e a roca (v. 19).
- Ela trabalhava até altas horas da noite (v. 15,18).
- Ela estendia a mão ao necessitado (v. 20).
- Ela tecia as roupas da família (v. 21-24).
- Incansável, ela cuidava de seu lar e o edificava (v. 27).

Talvez essa lista seja muito extensa para ser cumprida em um só dia, mas que tal pedir hoje ao Senhor o fortalecimento de sua mente e de seu corpo para essa boa obra? Cultive o desejo de viver na força de Deus hoje e em todos os dias de sua vida. O tesouro da virtude, exemplificado em uma vida que glorifica a Deus, compensa todos os esforços e o tempo despendidos em oração!

14 DE AGOSTO – PV 31

UM TROFÉU IMBATÍVEL
MULHER DE PROVÉRBIOS 31

O coração do seu marido confia nela, e não haverá falta de ganho.
Pv 31.11

BEM MELHOR do que fazer os votos de matrimônio no alto da Rocha de Gibraltar (como fez um casal bem-intencionado) é fundamentar o casamento na rocha, que é Jesus Cristo, e, firmada em sua força, oferecer ao marido a lealdade inabalável de uma esposa fervorosa. Certamente, assim, seu companheiro ganhará um troféu imbatível!

O caráter digno de confiança é, de fato, o elemento que torna a mulher um verdadeiro troféu. Outra explicação, porém, está oculta na palavra *ganho* encontrada em Provérbios 31.11. Na época em que Provérbios 31 foi escrito, o "ganho" (riqueza ou troféu de guerra) era obtido de três maneiras:

- *Guerreando* e depois retirando objetos valiosos dos mortos que caíam por terra na batalha.
- *Trabalhando* sob contrato por longos períodos em lugares distantes.
- *Cometendo* atos ilícitos, como mentir, trapacear ou roubar.

Porém, o homem casado com a mulher de Provérbios 31 conhece um tipo diferente de ganho. Ele se sente satisfeito com a contribuição pessoal da esposa para o bem-estar da família. O versículo 11 retrata a esposa como uma guerreira indo para o campo de batalha por causa da família. Tanto no hebraico como no grego, essa mulher é retratada com cores vivas, como um troféu imbatível, como uma poderosa guerreira, que usa suas habilidades para o bem das propriedades de seu marido. *Ela* luta diariamente na linha de frente do lar para que ele não tenha de ir para a guerra ou enfrentar "falta de ganho"![8] Imagine o marido que confia no caráter da esposa. Ela não desperdiça nem esbanja tolamente as economias; ao contrário, protege, administra e aumenta os ganhos familiares!

Embora o conceito de guerreira doméstica não seja muito atraente, Deus considera maravilhosa sua contribuição para as finanças do lar, quer você seja casada ou solteira. A beleza divina – suas virtudes, traços de caráter e santidade – deve ser vista na vida prática (no dia-a-dia), em lugares práticos (no lar) e de maneiras práticas (na administração das finanças). Peça ao Espírito de Deus que abra seus olhos para as inúmeras oportunidades de pôr em prática, em casa, os princípios piedosos da parcimônia e da sábia administração das finanças. Depois, parta para a guerra!

15 de Agosto – Pv 31

Um manancial de bondade
Mulher de Provérbios 31

Ela lhe faz bem, e não mal, todos os dias da sua vida.
Pv 31.12

Consegue imaginar uma terra seca, cheia de poeira, rachada por falta d'água e castigada por um sol inclemente e um calor abrasador? Bem, esse é um bom retrato da terra de Israel hoje e também na época em que Provérbios 31 foi escrito!

Agora, imagine a alegria, o valor, o bem-estar e a vida que um manancial podia oferecer a uma existência tão árida! Uma mulher bondosa proporciona exatamente isso à vida de seu marido, ao ambiente de seu lar e à vida de outras pessoas. Ela é como um manancial de bondade, um refúgio para aqueles que sabem o que a vida exige de todos nós. A mulher que se propõe a exercer esse ministério é uma fonte inesgotável de amor na vida de seus entes queridos. Ela faz o bem, não o mal, todos os dias de sua vida!

Como mulheres que amamos a Deus, nossa missão é fazer o bem todos os dias de nossa vida. Devemos seguir o plano de Deus e seu exemplo de bondade. Você fica feliz por saber que ele nos fortalece quando planejamos fazer o bem e, depois, quando pomos nossos planos em prática?

Passo 1: Planeje fazer o bem. Provérbios 14.22 diz: "Acaso não erram os que maquinam o mal? mas amor e fidelidade haverá para os que planejam o bem". Ao fazer uma explanação desse versículo, um pregador falou de Adolf Hitler, o líder nazista que planejou o assassinato de seis milhões de judeus. Ele observou que Hitler "maquinou o mal", planejou o mal de forma tão meticulosa quanto uma noiva planeja seu casamento. Nós devemos ser meticulosas em "fazer o bem".

Passo 2: Ponha seu plano em prática. Não se contente apenas em planejar. Execute seu plano de boas intenções! Ponha-o em prática.

O que você está planejando, minha querida? Nós, mulheres que amamos a Deus, somos chamadas a fazer o bem. Neste instante, sussurre uma oração ao Deus que você ama. Comece a praticar o bem, hoje e em todos os dias de sua vida, com seu marido e com quem atravessar o seu caminho. Deus quer que você seja um manancial de bondade!

16 de Agosto – Pv 31

Uma fonte de alegria
Mulher de Provérbios 31

Busca lã e linho e de bom grado trabalha com as mãos.
Pv 31.13

Você se lembra do devocional de 28 de julho e do tempo que passamos admirando o agradável pátio interno de um lar oriental? Nos tempos bíblicos, geralmente a casa era construída ao redor de um espaço aberto destinado a um jardim. Nesse local, quase sempre havia uma fonte, que produzia o som alegre e vibrante do borbulhar de água para todos os que viviam na casa.

Você, mulher que ama a Deus e às pessoas que a cercam, bem como ao lugar que chama de "lar", proporcionará a mesma alegria a sua família ao trabalhar "de bom grado". Agradeça a Deus pela força para serví-lo onde ele a colocou. Agradeça pela misericórdia de Deus por sua vida e por seguir estes princípios, tornando-se uma fonte de alegria em seu lar:

- *Ore diariamente.* A oração proporciona uma nova perspectiva em relação a suas obrigações no lar, que superam o âmbito físico e adquirem um significado espiritual a serviço do Senhor.

- *Recite trechos da Bíblia.* Permita que a Palavra de Deus – versículos como em Colossenses 3.23, Filipenses 4.13 e Provérbios 14.1, já gravados em seu coração – a incentive a trabalhar.

- *Trabalhe para o Senhor.* Colossenses 3.23 nos adverte: "Tudo quanto fizerdes, fazei-o de todo o coração, como para o Senhor, e não para homens". O quem, o que e o motivo de todo o seu trabalho é o próprio Deus!

- *Considere os benefícios.* Desenvolva um plano para o seu trabalho, para a casa que está edificando e para o ambiente de bem-estar que você proporcionará para os que vivem ali.

- *Faça uma pausa e descanse.* Não há nada errado com um descanso merecido. Faça uma pausa quando for necessário e renove suas forças no Senhor (Is 40.31).

- *Valorize cada dia.* Sua recompensa (receber alguns agradecimentos e ter uma sensação de ordem em seu lar e em sua vida) chega com maior frequência quando você faz uma tarefa por vez, dia após dia.

Que bênção saber que você é capaz de embelezar seu lar com um coração cheio de alegria! Ao trabalhar feliz e bem-disposta, transforma-se em uma bela fonte de alegria para todos, alegria que vem de Deus e se estende a todos os seus familiares!

17 de Agosto – Pv 31

Um espírito empreendedor
Mulher de Provérbios 31

É como o navio mercante: de longe traz o seu pão.
Pv 31.14

Estar alimentado é condição essencial à sobrevivência de todo ser humano. A comida – não só para a sobrevivência, mas também para a satisfação do paladar – é uma prioridade na lista de afazeres da empreendedora mulher de Provérbios 31. Compreendendo o verdadeiro sentido de sua missão, a bela serva de Deus se empenhava e saía em busca, como um majestoso e misterioso navio mercante de sua época, de uma excelente qualidade de vida aos que moravam sob seu teto. Vasculhando lojas abastecidas pelos navios que ancoravam regularmente nos portos do mar Mediterrâneo, essa mulher não poupava esforços em contribuir para o bem-estar e felicidade daqueles a quem amava. Você pode estar certa de que, ao retornar ao lar, ela chegava carregada de alimentos, de roupas e de todos os tipos de mercadorias vindas de longe, para atender às necessidades de sua família.

A cena, aqui, minha preciosa irmã, é a de uma mulher que encontrava genuína satisfação em proporcionar aos membros de sua família o que havia de melhor e de levar-lhes tudo o que podia ser bênção na vida deles. Reflita sobre as bênçãos que ela recebeu por ter sido tão diligente:

- Sob seu teto existia saúde, porque ela oferecia alimentos nutritivos para a família.
- O dinheiro rendia porque ela pesquisava e barganhava preços para proporcionar o necessário e o melhor para a sua família.
- A cultura entrava pelas portas de sua casa, porque, ao comprar mercadorias de longe, de lugares exóticos, ela se informava sobre os costumes de outras localidades.
- A vida no lar ficava mais prazerosa, porque a variedade de alimentos e mercadorias vindas de longe agradavam a todos os que ali moravam.
- Mercadorias de boa qualidade eram desfrutadas por todos da casa, porque ela as examinava com atenção e era exigente quando fazia as compras.
- A beleza satisfazia, revigorava e fazia bem às almas de todos os que habitavam sob seu teto.

Você também pode proporcionar à sua família os elementos básicos para embelezar seu lar e diferenciá-lo da maioria. Como? Peça a Deus que lhe dê mais determinação e forças renovadas para içar as velas de seu barco e iniciar uma viagem rumo à qualidade de um espírito empreendedor. Com o sopro do amor de Deus, você encontrará a motivação e o desejo de proporcionar bem-estar a outras pessoas. Comece a içar as velas e divirta-se nessa aventura!

18 de Agosto – Pv 31

Um exemplo para a família
Mulher de Provérbios 31

*É ainda noite, e já se levanta, e dá mantimento
à sua casa e a tarefa às suas servas.* Pv 31.15

Fazer uma boa administração do tempo é um desafio para todas nós, em maior ou menor escala. Na verdade, procurar ajuda para obter conselhos, métodos e soluções administrativas transformou-se hoje em um verdadeiro negócio! Existem seminários, sistemas de administração do tempo, agendas especiais, artigos de revistas proclamando modernas chaves para o sucesso, além de livros prometendo proporcionar a mulheres atarefadas como você a ajuda necessária para se desincumbir das inúmeras responsabilidades que recaem sobre seus ombros.

Contudo, o Deus que nos criou, que definiu nossa missão na Bíblia e que conhece nossos problemas, necessidades e desafios, nos deu três sugestões – um plano à prova de fogo para a perfeita administração do tempo – milhares de anos atrás. Você as encontrará aqui, em Provérbios 31, ao observar uma mulher atarefada vencendo com sucesso seus dias atribulados. E como ela faz isso?

- *Passo 1: Levantando-se cedo.* Quando uma mulher se levanta cedo todas as manhãs, ganha tempo para fazer o que é preciso, cumprindo a sua lista de projetos diários. Na época da mulher de Provérbios 31, uma de suas primeiras atividades era acender o fogo para preparar as refeições do dia. Aquela hora silenciosa e tranquila dava a oportunidade àquela serva de Deus de passar alguns momentos a sós com ele.

- *Passo 2: Alimentando a família.* Providenciar o pão diário para a família era outro motivo importante para que ela se levantasse cedo. Os seus dependiam do alimento que ela preparava.

- *Passo 3: Planejando o dia.* Quando a Bíblia diz que essa mulher dava "a tarefa às suas servas", significa que ela lhes transmitia as obrigações do dia. Ela se organizava e dava ordens às suas servas para que as obrigações do dia fossem cumpridas.

Que divino privilégio ser um exemplo a seus familiares a cada manhã! Que Deus possa derramar suas ricas bênçãos sobre você, que o busca antes de o dia amanhecer, que cuida das necessidades de sua família e que estabelece um planejamento para o dia!

19 de Agosto – Pv 31

Uma propriedade tão sonhada
Mulher de Provérbios 31

Examina uma propriedade e adquire-a; planta uma vinha com as rendas do seu trabalho. Pv 31.16

Gostou dos três passos que Deus nos apresentou ontem para uma boa administração do lar? Foram uma bênção! Hoje, em outro versículo precioso de Provérbios 31, nosso Deus onisciente e maravilhoso nos mostra mais três sugestões para nos tornarmos como a mulher de Provérbios 31. Esses três passos, no entanto, vão além das fronteiras do lar e nos levam a sonhar mais alto. A mulher de Provérbios 31.16 está prestes a transformar-se numa visionária e empresária ao mesmo tempo! Veja como isso aconteceu:

- *Passo 1: Ponderação.* Ao ouvir falar que determinada propriedade estava à venda, essa mulher sábia provavelmente orou a Deus, fez perguntas a outras pessoas e pediu conselhos a seu marido sobre a possibilidade de comprar essa propriedade tão sonhada, a fim de ajudar sua família.

- *Passo 2: Aquisição.* Abençoada com paz na mente e no espírito, com respostas práticas às suas perguntas e com a aprovação do marido, ela partiu para a ação. Essa mulher prudente comprou sua tão sonhada propriedade com o dinheiro que ganhou e guardou mediante trabalho árduo e economia.

- *Passo 3: Renovação.* A seguir, com o dinheiro arduamente ganho, bem administrado e economizado com força de vontade, essa mulher trabalhou para aprimorar a propriedade, plantando uma vinha com as melhores mudas que o dinheiro podia comprar. Ela queria só o melhor para a sua querida família!

Provérbios 31 nos exorta a trabalhar e também a sonhar. Aquela mulher admirável e cumpridora de seus deveres não apenas sonhou, mas também trabalhou para concretizar seus ideais! Ela sonhou com uma vida mais confortável para a sua família, com alimentos melhores e em maior quantidade na mesa, com uma produção extra que poderia ser vendida a outras pessoas, com a renda das vendas que ela aplicaria e novamente investiria no bem-estar da família e com a satisfação de transformar seus sonhos em realidade. Em outras palavras, ela sonhou com as bênçãos que outros receberiam quando ela colocasse em prática as habilidades que Deus lhe havia concedido.

A mulher de Provérbios 31 certamente nos convida a sonhar. Desligue a TV, o rádio, o aparelho de som ou qualquer coisa que a impeça de pensar com criatividade, sonhar, imaginar e planejar. Separe um tempo diante do Senhor para anotar seu sonho, ou dez deles! Depois, *medite* (ore, peça e busque), *adquira* (tome uma atitude) e *renove* (aprimore sua aquisição e desenvolva suas habilidades).

20 de Agosto – Pv 31

ÂNIMO!
Mulher de Provérbios 31

Cinge os seus lombos de força e fortalece os seus braços.
Pv 31.17

Trabalho em casa. Hoje, vamos refletir sobre a mulher que trabalha em casa. Ao pensar nisso, várias emoções vêm à tona: lembramos de nossos entes queridos que moram em nossa casa e do esforço que significa transformá-la em um "lar doce lar". Ajuda muito se estiver cheia de ânimo!

A maravilhosa dona-de-casa de Provérbios 31 preparou-se de corpo, alma, espírito e atitude para tornar sua casa em um lar. Ela se cingiu de força mental e preparou-se para o trabalho físico. E temos a impressão de que trabalhou com ânimo e vigor.

As ideias a seguir devem animá-la a trabalhar onde quer que esteja e para quem quer que seja, em nome do Senhor:

1. *Aceite a vontade de Deus para a sua vida.* A mulher retratada por Deus em Provérbios 31 reflete os planos que ele tem para você.
2. *Permaneça firme na Palavra de Deus.* Existe poder na palavra; portanto, separe um tempo para lê-la todos os dias. Ouça o que Deus tem preparado para você.
3. *Tenha uma visão do futuro.* O "grande cenário" do que você realiza em seu lar, transformando-o em um oásis para o seu marido, educando seus filhos para amar a Deus, lhe dá forças para trabalhar.
4. *Pergunte qual é sua motivação.* Se você conhecer sua motivação para fazer o que faz, poderá realizar suas tarefas com mais disposição.
5. *Ore para ter uma atitude animada.* Peça a Deus que transforme seu coração e a ajude a aceitar com ânimo a tarefa que ele tem para você.
6. *Faça uma programação.* Programar-se vai ajudá-la a planejar seu trabalho e a realizá-lo com perfeição!
7. *Estabeleça uma rotina.* A rotina pode ser útil para você desempenhar suas tarefas com mais rapidez.
8. *Leia livros sobre administração do tempo.* Aprenda maneiras eficientes de desempenhar suas tarefas.
9. *Comece pela tarefa mais difícil.* O restante do dia será mais fácil.
10. *Ouça música.* A música alegre impede que você se desanime.
11. *Faça uma aposta consigo mesma.* Trabalhe como se estivesse participando de um jogo. Vença o relógio!
12. *Pense nas bênçãos.* Louve a Deus pelo significado que seu trabalho terá para você e para os que vão à sua casa.

E, por favor, não tente pôr em prática as doze sugestões acima de uma só vez! Escolha uma, ore e trabalhe com ânimo, pensando no que Deus lhe mostrará e como ele a usará!

21 DE AGOSTO – PV 31

A BELEZA DO PLANO DE DEUS
MULHER DE PROVÉRBIOS 31

Ela percebe que o seu ganho é bom; a sua lâmpada não se apaga de noite.
Pv 31.18

TRABALHADORA é uma palavra frequentemente usada para descrever a mulher de Provérbios 31, a notável senhora que estamos aprendendo a conhecer. As mulheres sempre se perguntam: "Como ela faz tudo isso? Como é tão esperta? Como consegue levantar cedo, fazer compras, trabalhar, cuidar do jardim e costurar até tarde da noite?" A resposta está em sua diligência.

A base de sua incrível e produtiva atividade é uma elevada motivação, que a impulsiona a realizar todos os seus afazeres. Ela tem um objetivo em mente e um motivo para fazer tudo o que faz. Para essa querida mulher, o grande amor por sua família faz que ela se esforce ao máximo para atender às suas necessidades. Por desejar o melhor para a família que tanto ama, essa mulher maravilhosa se dispõe a proporcionar-lhe tudo, e a fazer isso muito bem! O amor pela família motiva essa mulher a levantar cedo, fazer compras com sabedoria, tecer roupas e outros itens para a casa, e a adquirir e melhorar uma propriedade a fim de obter um bom suprimento de alimentos e uma boa renda extra.

Os esforços dessa mulher admirável renderam uma colheita dobrada, porque ela sentia o sabor do sucesso de seus empreendimentos. Não só cuidou da família, mas também aumentou suas fontes de renda. Isso a impulsionava a trabalhar um pouco mais do que o normal todos os dias: "A sua lâmpada não se apaga de noite".

E quanto a você, preciosa amiga? Deseja conhecer o doce sabor do sucesso? Gostaria de poder trabalhar *um pouco* mais, estender *um pouco* mais o seu dia? Gostaria de realizar um pouco mais antes de apagar a luz para dormir? A chave de tudo é a motivação. Portanto, passe algum tempo na presença de Deus para fazer uma revisão daquilo que motiva sua vida. Os esforços que você empreende são impulsionados pelos motivos certos? Em outras palavras, sua família está sempre em primeiro lugar, antes mesmo de você e de suas necessidades? Sendo motivada pelo amor, que é impulsionado por Deus, você sempre tentará fazer o melhor e será usada por ele para abençoar sua família (e outras pessoas) de muitas formas. Esse é o verdadeiro sabor do sucesso.

"O amor de uma mulher é semelhante a uma luz, iluminando intensamente a escuridão da noite."[9]

22 de Agosto – Pv 31

Uma pequena tarefa noturna
Mulher de Provérbios 31

Estende as mãos ao fuso, mãos que pegam na roca.
Pv 31.19

Jesus nos ensina que, se a árvore for boa, seus frutos também o serão (Mt 7.15-20). A árvore, ou o coração, da linda serva de Deus descrita em Provérbbios 31 foi boa; portanto, tudo o que ela fazia era bom. E quem recebeu as primícias de seu coração bondoso? Sua família! Para essa mulher que amava a Deus, a família vinha em primeiro lugar, e nenhuma tarefa relativa a seus queridos era grande demais para ela!

Ontem, vimos que algumas de suas tarefas domésticas eram realizadas à noite, no aconchego da luminosidade produzida pelo fogo aceso e por uma lâmpada. O que você acha que essa mulher, bela aos olhos de Deus, fazia ao lado do fogo depois que o sol desaparecia no horizonte e a lua e as estrelas reluziam no firmamento criado por ele? Hoje, veremos quais eram as tarefas noturnas da mulher de Provérbios 31.

Ao cair da noite, quando suas forças já estavam reduzidas, ela sentava diante do fuso e da roca e fiava lã e linho para futuras tecelagens. Ela sabia que deveria completar aquele trabalho monótono antes de usar a criatividade para iniciar a tecelagem.

Você tem sonhos, minha amiga? Existem obras de arte que você gostaria de criar? Habilidades que gostaria de adquirir? Talentos que gostaria de desenvolver? Há um grande tesouro oculto chamado tempo ao seu dispor à noite: um tempo tranquilo para crescer espiritualmente, aperfeiçoar suas habilidades, aprender novas artes, ler e estudar.

Como você pode começar a usar esse tempo?

Planeje suas noites. Dedique as horas do dia, o tempo destinado a gastar energias, a trabalhos que exijam o máximo de você, tanto do ponto de vista físico como mental. Ao anoitecer, quando suas forças começarem a se exaurir, em vez de ficar longe da família, reclamar e cair de cansaço, siga o exemplo da linda, diligente e sábia mulher de Provérbios 31: mude de atividade. Durante o dia, limpe a casa, cozinhe e cuide do jardim. Após o pôr-do-sol, programe o pagamento das contas, dobre as roupas, consulte seu livro de receitas e planeje o cardápio do dia seguinte. Outro versículo do livro de Provérbios diz: "O que trabalha com mão remissa [negligente] empobrece, mas a mão dos diligentes vem a enriquecer-se" (10.4). Em outras palavras, o preguiçoso não colhe nada, mas os diligentes obtêm êxito. Portanto, seja diligente, ore para encontrar soluções e vá em frente! Que tal começar esta noite?

23 DE AGOSTO – Pv 31

MÃO PRESTATIVA
MULHER DE PROVÉRBIOS 31

Abre a mão ao aflito; e ainda a estende ao necessitado.
Pv 31.20

LIDAR COM ESMERO das coisas da casa é uma das atribuições dadas por Deus às mulheres que o amam. Nisso, a mulher de Provérbios recebe nota dez com louvor. Sua integridade de caráter, diligência, presteza, capacidade de economizar, criatividade, organização e habilidade como microempresária são impressionantes, não é mesmo? Você não fica mais incentivada ainda ao saber que a compaixão pelos necessitados é mais uma das virtudes dessa mulher? Em tudo o que ela faz, tem em mente beneficiar outras pessoas, inclusive as que não pertencem à sua família. Provérbios 31.20 nos diz que ela "abre a mão ao aflito; e ainda a estende ao necessitado".

Observe com atenção os detalhes desse versículo: "Abre a mão" significa que ela é generosa e está sempre disposta a ajudar; "e ainda a estende" significa que esse ato de compaixão também abrange os que carecem de alguma coisa. Sua mão prestativa reflete a grandeza de seu coração generoso, do qual transbordam o amor e a compaixão; um coração segundo o coração de Deus.

Como essa graciosa mulher se transformou em um exemplo de generosidade e, mais importante, o que você pode fazer para desenvolver essa virtude?

- *Comece em casa.* Cada amanhecer traz novas oportunidades para você ter compaixão por outras pessoas, principalmente aquelas que pertencem à sua família.

- *Faça contribuições regulares à sua igreja.* As ofertas que você destina à sua igreja alcançam os pobres e os necessitados de sua cidade, de seu país e até mesmo do mundo.

- *Erre para mais em prol da generosidade.* O evangelista Billy Graham sorriu orgulhosamente quando proferiu esta frase a respeito de sua esposa, Ruth: "Ela controla os assuntos financeiros da casa com... mais generosidade do que precisão!"[10]

É maravilhoso ser uma excelente dona-de-casa, cuidar da família com amor e ter uma vida exemplar, mas Deus tem em alta estima a magnífica virtude da generosidade praticada diariamente. Ela reflete a presença do Senhor em seu coração e em sua vida, e ele se agrada ao ver essa presença em tudo o que você diz e faz. A misericórdia traz a maravilhosa fragrância do Senhor até sua vida e envolve tudo o que você realiza. Você deseja sinceramente ser uma mulher generosa, prestativa, carinhosa, compassiva, verdadeiramente linda aos olhos do Senhor, que se regozija ao estender a mão às almas necessitadas? Peça a Deus que esteja a seu lado ao realizar ações prestativas e bondosas em nome do Senhor e por amor a ele.

24 de Agosto – Pv 31

Bênção dobrada
Mulher de Provérbios 31

No tocante à sua casa, não teme a neve, pois todos andam vestidos de lã escarlate. Pv 31.21

Mulher previdente, que pensa no futuro e antecipa o que deve ser providenciado. Parece difícil ser assim, sobrecarregadas que somos pelas pressões do presente. Porém, a mulher que ama a Deus e a sua família sabe suprir seus queridos com exatamente aquilo que recebe do Deus a quem ama e por quem é amada. Por isso, Provérbios 31.21 destaca a maravilhosa virtude da preparação. A previdência dessa mulher que ama a Deus e os esforços que empreende para estar preparada para o futuro revelam outro aspecto do grande amor que existe em seu coração.

Com sabedoria e disposição, a mulher de Provérbios 31 planeja e põe todas as suas habilidades em ação, proporcionando não só alimento, carinho e ajuda, mas também roupas. No inverno, sua família veste-se com agasalhos bonitos e quentes, de lã vermelha.

Você, também, pode começar a pôr em prática uma série de bênçãos para si mesma e para a sua família planejando como atender às suas necessidades, inclusive roupas.

- *Primeiro,* saiba que o trabalho de preparação é importante para Deus, cujo nome é Jeová-jire, "Deus proverá". Como servas de Deus, espelhamos esse aspecto de seu caráter ao suprir as necessidades de nossa família. Nossos atos de generosidade são praticados com mais facilidade (ou com mais liberalidade) quando planejamos e fazemos o trabalho de preparação.

- *Segundo,* ao trabalharmos para proporcionar roupas e conforto à nossa família e ao nos prepararmos para atender às suas futuras necessidades, nossas ações são transmitidas como uma vibrante mensagem de amor.

Depois de preparar provisões para a sua família e de depositar sua confiança no Deus zeloso, de amor, misericórdia e poder, o medo não encontrará espaço dentro de seu coração e de seu lar. Preparando-se convenientemente e confiando na promessa de Jeová-jire, você e seu lar serão duplamente abençoados!

Preparação e provisão. Parece simples, mas as bênçãos que você e sua família vão receber serão realmente significativas.

Tapeçaria de rara beleza
Mulher de Provérbios 31

Faz para si cobertas, veste-se de linho fino e de púrpura.
Pv 31.22

No capítulo 31 de Provérbios, observamos como a tecelagem era importante na vida da linda serva de Deus e na própria cultura palestina. Aquela mulher, uma artesã de grande criatividade e com um objetivo em mente, passava muitas horas da noite fiando e tecendo lã e linho para transformá-los em tecidos maravilhosos feitos por mãos de uma verdadeira artista. Com os tecidos, ela confeccionava roupas para a sua família e para ela própria, roupas dignas de serem usadas por reis e rainhas!

A roupa é muito importante, querida filha do rei. Ela pode ser vista por todos e reflete o que se passa no coração de quem a usa. Seu bom gosto e discrição no modo de vestir revelam que você, assim como a mulher de Provérbios 31, é uma mulher que ama a Deus.

A roupa confeccionada pela mulher de Provérbios 31 que amava a Deus era uma tapeçaria de rara beleza. Era apropriada para a posição digna que ela ocupava; era apropriada para a sua profissão de tecelã, por ser uma propaganda de suas habilidades; era apropriada para o seu caráter, pois seus trajes demonstravam seu mérito e seus padrões de excelência.

Quais são os padrões de seus trajes? Nós, mulheres que almejamos ter a beleza que Deus tanto preza, devemos seguir os padrões estabelecidos por ele (veja 1Tm 2.9; Tt 2.5):

- *Modéstia.* Observar as regras da decência.
- *Sobriedade.* Vestir-se de maneira apropriada e simples.
- *Moderação.* Não exagerar nem para mais nem para menos.
- *Discrição.* Demonstrar bom senso e bom gosto.
- *Pureza.* Refletir um relacionamento de santificação com Deus.

As palavras acima talvez pareçam antiquadas, mas, quando uma mulher opta por vestir-se de maneira a refletir essas qualidades, demonstra ter um coração piedoso (1Tm 2.9,10). Além do mais, nosso Deus amoroso está sempre mais preocupado com as roupas que vestem o seu coração do que com as roupas que vestem o seu corpo. Pedro nos diz o seguinte: "Não seja o adorno da esposa o que é exterior, como frisado de cabelos, adereços de ouro, aparato de vestuário; seja, porém, o homem interior do coração, unido ao incorruptível trajo de um espírito manso e tranquilo, que é de grande valor diante de Deus" (1Pe 3.3,4). Amém!

26 de Agosto – Pv 31

Reflexo da glória
Mulher de Provérbios 31

*Seu marido é estimado entre os juízes,
quando se assenta com os anciãos da terra.* Pv 31.23

Os valores da Palavra de Deus não são levados a sério por todos em nossa sociedade, mas ela nos ensina que uma das funções mais importantes da esposa é auxiliar o marido (Gn 2.18). A esplêndida esposa descrita em Provérbios 31 certamente sabia disso. Ela se dedicava de corpo e alma para ajudar o marido, que passou a ser um homem muito influente. Quando ele saía de casa, todas as manhãs, para trabalhar como conselheiro e legislador da cidade, ele era uma verdadeira dádiva da mulher virtuosa às pessoas da região. Ela, uma mulher que exercia influência piedosa no lar, presenteava a cidade com um marido piedoso.

Susannah Spurgeon, a esposa de Charles Spurgeon, famoso pregador do Tabernáculo Metropolitano de Londres, foi um exemplo de mulher virtuosa do final do século 19. O ministério de seu marido estava em franca ascensão, mas ele começou a preocupar-se achando que negligenciava os filhos. Certa noite, voltou para casa mais cedo do que costumava. Ao abrir a porta, surpreendeu-se por não ver nenhuma das crianças no vestíbulo. Quando subiu a escada e ouviu a voz da esposa, Spurgeon percebeu que ela estava orando com os filhos, apresentando-os um por vez diante do trono do Senhor. Assim que ela terminou a oração e desejou-lhes "boa-noite", Spurgeon pensou: "Posso prosseguir com meu trabalho. Meus filhos estão sendo muito bem cuidados!"[11] Imagine só! Por ser cumpridora de seus deveres em casa, a sra. Spurgeon possibilitou que Charles Haddon Spurgeon, um homem de influência piedosa, continuasse a provocar mudanças nos corações dos homens, uma influência que dura até hoje. A sra. Spurgeon também deu ao mundo quatro filhos que se tornaram ministros do evangelho como o pai.

O que você pode fazer para seguir os passos dessas duas mulheres sábias, que se destacaram por suas realizações?

Ore neste momento e peça a Deus que a faça uma ajudadora de seu marido de modo a fortalecê-lo para a glória de Deus. Com base em Provérbios 31.12, assuma o compromisso de ser uma esposa prestativa todos os dias de sua vida:

- Ajudando-o,
- Elogiando-o,
- Incentivando-o,
- Preservando seu casamento,
- Apoiando os sonhos dele,
- Orando por seu sucesso, para que ele seja um homem de influência piedosa em seu trabalho e na comunidade onde vocês vivem.

27 DE AGOSTO – Pv 31

UMA SERVA CRIATIVA
MULHER DE PROVÉRBIOS 31

Ela faz roupas de linho fino, e vende-as, e dá cintas aos mercadores.
Pv 31.24

PASSADO ALGUM TEMPO, o conteúdo do coração de uma mulher e os objetivos de sua vida vão se revelando com a convivência. No caso da mulher de Provérbios 31, sua profunda dedicação para se tornar a melhor em tudo o que fazia e seu compromisso pessoal de ser criativa dificilmente ficariam ocultos.

- *Primeiro, ela assumiu o compromisso de buscar a perfeição.* Esse compromisso nasceu de seu desejo de ser a mulher que Deus gostaria que ela fosse, de sua decisão de servir a Deus e da própria misericórdia de Deus. Essa esplêndida mulher amou a Deus, submeteu-se à sua vontade, decidiu utilizar suas energias para atingir os objetivos de Deus, sendo, assim, ricamente abençoada por ele.

- *Em seguida, ela assumiu o compromisso de ser criativa,* cultivar as habilidades e talentos que Deus lhe dera de maneira ativa e consciente. Movida por seu amor a Deus e por sua família, essa mulher procurou encontrar meios de usar sua criatividade nas tarefas comuns do dia-a-dia. As roupas tecidas para a sua família transformaram-se em obras de arte. Os alimentos preparados na cozinha tornaram-se um deleite, tanto para os olhos como para o paladar. Artigos feitos à mão ou comprados para a casa transformaram-na em uma galeria de arte.

Ó, feliz é o lar onde reside uma serva de Deus que usa a criatividade! E feliz é a mulher que aproveita cada tarefa para aprimorar sua criatividade e habilidades. Tudo o que aquela serva fiel fazia por sua família e que levava sua assinatura, transformava-se logo em uma atividade profissional. Em outras palavras, o que era *pessoal* (fazer tudo da melhor maneira possível para a sua família querida e seu lar precioso) transformava-se em *profissional* (vender suas excelentes mercadorias a outras pessoas). Minha querida amiga, feita à imagem de nosso Deus criativo, como você também poderá atingir um padrão de excelência em criatividade?

- *Esteja alerta.* Observe como as outras pessoas se expressam e aprenda com elas.
- *Planeje.* Trace planos para os seus projetos e para desenvolver suas habilidades.
- *Tome iniciativa.* Ponha em prática o seu desejo de ter um estilo de vida mais criativo.
- *Arregace as mangas.* Trabalhe com afinco e diligência para atingir todos os seus objetivos e todos os objetivos que Deus tem para você.

28 de Agosto – Pv 31

Um guarda-roupa de virtudes
Mulher de Provérbios 31

*A força e a dignidade são os seus vestidos, e,
quanto ao dia de amanhã, não tem preocupações.* Pv 31.25

QUE SEJAMOS REVESTIDAS de santidade é um mandamento bíblico (Ef 4.22-32; Cl 3.8-17). Assim como vestimos roupas, Deus nos exorta a vestir os trajes de um caráter piedoso, como os usados pela mulher de Provérbios 31. De que, exatamente, ela estava vestida?

- *Força.* A mulher de Provérbios 31 fortaleceu-se economicamente e se preparou com diligência para qualquer eventualidade, apesar de sua profunda confiança no Senhor; buscou nele forças para os momentos de tristeza ou de aflição. Essa mulher também era forte em sabedoria e no conhecimento de Deus. Ela possuía boa dose de força física e desfrutava o fortalecimento que provém de uma vida virtuosa. Seu guarda-roupa de virtudes também abrigava uma mente poderosa, que lhe proporcionava força interior e determinação. A força recebida do Senhor também estava entre as roupas graciosas que usava.

- *Dignidade.* A tradução literal desta palavra, em hebraico, é "esplendor". Aparentemente, o espírito nobre da mulher de Provérbios 31 lhe proporcionava como que uma coroa de majestade. Nós, que a conhecemos apenas por meio do que lemos sobre ela, ficamos maravilhadas diante de seu caráter virtuoso, de seu comportamento piedoso e de seu porte de rainha. Não existe nada comum, vulgar ou pequeno no guarda-roupa que abriga seu caráter. Sua grandeza de alma, combinada à sua graciosa conduta, deixava transparecer sua bondade a todos os que tiveram o privilégio de conhecê-la. Tudo nela apresentava um toque da beleza da dignidade.

- *Esperança.* Vestida com o esplendor da virtude, essa querida mulher se rejubilava, ou melhor, ria, diante do futuro, e você também pode fazer isso! Para alegrar-se diante do futuro, é necessário vestir hoje o traje da força, o ornamento da dignidade e o manto da fé. Sua fé em um Deus sempre fiel certamente lhe proporcionará esperança para o futuro.

Portanto, a partir de hoje, renove sua vida para Deus e enfrente com fé o dia maravilhoso que ele lhe concedeu. E, a cada alvorecer, assuma o compromisso de vestir-se com as virtudes da força, da dignidade e da esperança, enraizadas no conhecimento que você tem do Pai celestial. Depois de estar confortavelmente vestida com essas virtudes, caminhe com passos firmes rumo ao futuro desconhecido e regozije-se!

29 de Agosto – Pv 31

Instrução da bondade
Mulher de Provérbios 31

Fala com sabedoria, e a instrução da bondade está na sua língua.
Pv 31.26

Regra número 1: saciar a sede. Esse era o desafio diário para a mulher de Provérbios 31 e para as pessoas daquela época, que viviam nas terras áridas de Israel. A luta pela sobrevivência na região era – e continua sendo – a regra mais importante do dia. Um calor abrasador e terríveis secas são parte do cotidiano daquele povo.

Para suavizar tal cenário, Provérbios 10.11 diz: "A boca do justo é manancial de vida". Palavras piedosas são como a água, que é essencial à vida. Palavras piedosas podem saciar nossas necessidades emocionais, tanto quanto a água sacia nossas necessidades físicas. Estar na presença de uma mulher que profere palavras sábias e bondosas é como encontrar uma fonte no deserto: ambas fornecem vida!

Deus utiliza poucas palavras para descrever a mulher de Provérbios 31, e as palavras que ela profere também são poucas. Apenas dois comentários a descrevem maravilhosamente:

- *É sábia ao falar.* "Fala com sabedoria".
- *Tem coração bondoso.* "A instrução da bondade está na sua língua".

Quando essa mulher piedosa fala, é sábia e bondosa, virtudes que se evidenciam não apenas no que ela diz, mas também no modo como ela diz.

Pense novamente naquela fonte de vida no deserto. Em seguida, pense nas pessoas aflitas, cansadas e batalhadoras que são parte de sua vivência diária. Embora ostentem sorrisos corajosos, há dois Provérbios que descrevem o que de fato existe por trás de cada sorriso: "O coração conhece a sua própria amargura... Até no riso tem dor o coração, e o fim da alegria é tristeza" (Pv 14.10,13).

Que tal pedir a Deus que a use para revigorar e incentivar as pessoas ao seu redor, oferecendo-lhes palavras sábias, bondosas e cheias de vida? Com as bênçãos e o amor de Deus em seu coração e escolhendo com cuidado palavras plenas de sabedoria e de bondade, você também pode ajudar a curar os abatidos e desanimados e se tornar uma fonte de vida!

30 DE AGOSTO – PV 31

OLHOS ATENTOS
MULHER DE PROVÉRBIOS 31

Atende ao bom andamento da sua casa e não come o pão da preguiça.
Pv 31.27

SER A ADMINISTRADORA DO LAR é função de toda mulher, casada ou solteira; é uma responsabilidade dada por Deus. Provérbios 31.27 descreve essa missão usando a imagem de um vigia (ou uma vigia!). A mulher que ama a Deus e aceita seu chamado "vigia" sua família e tudo o que se refere a seu lar.

Essa imagem de vigia dá a entender que a serva de Deus permanece vigilante, com olhos atentos, observando quem chega e quem sai, a fim de cumprir sua atribuição divina de supervisionar sua preciosa família e propriedade. Alerta e enérgica, a mulher de Provérbios 31 dirige sua casa com pulso firme. A missão designada por Deus é manter os olhos bem abertos, saber o que se passa debaixo de seu teto e cuidar do lugar e dos que moram ali. Nada escapa aos seus olhos. Ela vê tudo!

Como ela faz para cumprir essa grande missão? O provérbio explica: Ela "não come o pão da preguiça" (31.27). Essa mulher, que ama a Deus e a sua família, também vigia a si mesma. Não existe preguiça em sua agenda. Como poderia ser preguiçosa se não há tempo para isso? Por ter de cuidar da casa e dos filhos, ela não tem um momento sequer para comer "o pão da preguiça". A recíproca também é verdadeira: por não ser preguiçosa nem utilizar as horas com inutilidades, ela tem o tempo de que necessita para vigiar sua casa e certificar-se de que está sendo bem administrada.

Trabalhar em casa (e vigiar a casa!) não parecem atividades muito convidativas e interessantes, mas seu lar é definitivamente o lugar que mais merece uma vigilância constante! Na verdade, minha querida dona-de-casa, seu lar é o lugar mais importante do mundo para investir suas energias. Por quê? Porque o trabalho realizado no lar é importante, significativo e eterno. O trabalho realizado no lar é a mais bela obra de arte que você pode oferecer a Deus. Sinta-se feliz por trabalhar em casa, porque não existe lugar melhor no mundo do que o nosso lar!

31 de Agosto – Pv 31

Abençoada pelos filhos

Mulher de Provérbios 31

Levantam-se seus filhos e lhe chamam ditosa; seu marido a louva...
Pv 31.28

TER FILHOS, segundo Edith Schaeffer, serva de Deus e mãe, "significa lutar, seguir uma carreira, realizar um trabalho árduo com dignidade".[12] Depois de nos apresentar a mulher de Provérbios 31 como um exemplo de vida a ser seguido, Deus nos apresenta os maravilhosos filhos dessa senhora.

E esses filhos exaltam sua mãe! Eles se levantam e a abençoam; eles a louvam por meio de palavras e por seu modo de viver. Os mais altos elogios que essa mulher recebeu não partiram da comunidade onde residia, de pessoas da igreja, do trabalho ou da vizinhança. Tais elogios partiram de quem ela mais prezava, de quem a conhecia muito bem, de quem recebeu, durante toda a vida, as primícias de seu amor: sua família!

Qual o motivo desses elogios? Analise estes pontos essenciais que fazem parte do coração de toda mãe:

- *Ponto 1: A mãe demonstra* seu zelo na vida diária, de maneira prática. Oferece o dom dos elementos básicos para a subsistência (alimento, roupa, abrigo e descanso), tempo e amor, tudo isso a curto e a longo prazo.

- *Ponto 2: A mãe concentra* todas as energias e esforços em um único objetivo: criar cada um de seus filhos para amar e servir ao Senhor.

- *Ponto 3: A mãe planeja* as atividades diárias da casa e deposita os resultados nas mãos de Deus.

- *Ponto 4: A mãe trabalha* incansavelmente para que haja amor em seu lar e se dispõe a pôr em prática esse amor.

A função de mãe não dá lugar à indefinição, à acomodação, ao desinteresse e às atitudes do tipo "atirar tudo para o ar" ou "eu desisto". O papel de mãe que Deus nos destinou exige atenção constante, esforços contínuos, determinação e o compromisso com 100% de dedicação, e um pouco mais! A mãe que cumpre esse papel transmite o amor de Deus a várias gerações. Que tal assumir o compromisso com o Senhor de entregar seus filhos nas mãos dele neste momento? Em seguida, cumpra sua missão de mãe de todo o coração, como se estivesse trabalhando para ele, e confie no Deus que você ama criando os filhos para seu o reino e a sua glória.

1º de Setembro – Pv 31

Magnífico coro final
Mulher de Provérbios 31

Muitas mulheres procedem virtuosamente, mas tu a todas sobrepujas.
Pv 31.29

Um apoteótico final de elogios à mulher de Provérbios 31! Ontem, você não ficou encantada com a homenagem prestada pelos filhos dessa esplêndida mulher? Hoje, é seu querido marido quem participa da homenagem, proferindo palavras de reconhecimento e apreciação por tudo o que ela fez por ele. Ao enumerar todos os trabalhos altruístas realizados pela esposa, a voz dele se eleva, transformando-se em um magnífico coro final: "Tu a todas sobrepujas! Tu és a melhor de todas!"

O que ela fez para receber essa homenagem? Uma rápida olhada no capítulo 31 de Provérbios nos revela as inúmeras virtudes dessa mulher e nos fornece uma lista de itens para avaliarmos nosso próprio caráter e nossa vida. Quer você seja jovem, quer idosa, quer solteira, quer casada (com um marido que a elogie ou não), Deus deseja que seu caráter reflita a presença dele. Ore neste momento e peça a Deus que as seguintes perguntas sirvam para inspirá-la a realizar boas obras em sua vida:

- *Como mulher.* Você se dedica de corpo e alma para trabalhar em prol de seu marido, sua família e seu lar? Ao mesmo tempo, sente um profundo desejo de trabalhar com dignidade e ser também uma mulher digna, um exemplo de caráter em toda e qualquer situação?
- *Como dona-de-casa.* Você supre as necessidades da casa? Supervisiona com cuidado e atenção tudo o que faz parte de seu lar?
- *Como mãe.* Você cria seus filhos para amar e servir ao Senhor em obediência a ele e para a sua honra e glória? Proporciona paz de espírito a seu marido e fortalece a reputação dele na comunidade em que vocês vivem?
- *Como esposa.* Seu comportamento enobrece o nome e a reputação de seu marido? Você contribui positivamente para não preocupar seu marido com problemas financeiros, sabendo administrar com zelo o dinheiro destinado às despesas da casa? Seu marido confia em você e em sua sinceridade? Suas palavras o animam e o fortalecem para que ele enfrente as situações difíceis da vida? Responda honestamente: seu marido encontrou em você uma mulher virtuosa, uma mulher que ama a Deus? Ore para que isso seja verdade e continue procurando ser a melhor esposa do mundo!

2 DE SETEMBRO – PV 31

UM ESPÍRITO REVERENTE
MULHER DE PROVÉRBIOS 31

Enganosa é a graça, e vã, a formosura, mas a mulher que teme ao Senhor, essa será louvada. Pv 31.30

VAMOS REFLETIR HOJE sobre outra característica de toda mulher que ama a Deus. Fundamentando todas as admiráveis virtudes da mulher de Provérbios 31 estava uma profunda reverência ao Senhor. Embora o mundo valorize a graça e a beleza, Deus se importa muito mais com um coração que o teme. Que tal experimentar essas atitudes de resultado comprovado, à medida que seu amor pelo Senhor aumenta?

- *Entregue-se a Cristo.* De acordo com o Novo Testamento, a mulher que ama a Deus é aquela que tem um relacionamento pessoal com ele por meio de seu Filho, Jesus Cristo. Quando Jesus Cristo toma conta de seu coração e de sua vida, tudo o que você faz é "como para o Senhor, e não para homens" (Cl 3.23).

- *Separe um tempo para estar com o Senhor.* Por ser uma mulher que confessa que Jesus é seu Senhor, você tem o privilégio de contemplar a beleza do Senhor e de adorá-lo na beleza de sua santidade (Sl 29.2). Portanto, procure ter uma vida equilibrada separando um tempo, diariamente, para estar na presença de Deus e desenvolver a beleza interior que tanto agrada ao Senhor. Depois, faça o possível para manter esse equilíbrio!

- *Aceite o plano de Deus.* Provérbios 31 traça o plano de Deus para a sua vida. A mulher que ama a Deus sente-se capacitada a aceitar esse plano, a ser digna dele, a alegrar-se com todos os seus aspectos, a sobrepujá-lo e a seguí-lo com maior empenho a cada dia de sua caminhada com o Senhor.

- *Tenha certeza.* Se você não tiver certeza de como começar um relacionamento com Jesus Cristo, poderá fazer isso agora. Ao repetir com sinceridade as palavras desta oração, você estará dando o primeiro passo para crescer em santidade e beleza:

    Jesus, sei que sou pecadora, mas desejo deixar meus pecados para trás e seguir-te. Creio que morreste por meus pecados e que, com tua ressurreição, venceste o poder do pecado e da morte. Quero aceitar-te como meu Salvador pessoal. Entra na minha vida, Senhor Jesus, e ajuda-me a obedecer-te de agora em diante. Amém!

3 de Setembro – Pv 31

A colheita de uma vida inteira
Mulher de Provérbios 31

Dai-lhe do fruto das suas mãos, e de público a louvarão as suas obras.
Pv 31.31

Monarcas, príncipes e plebeus honram e louvam as mulheres virtuosas. Hoje vislumbramos o retrato acabado de tudo o que Deus deseja ver na vida das mulheres que o amam. Quando Provérbios 31 chega ao fim (e com ele também termina o livro de Provérbios ou livro da Sabedoria), vemos, enfim, o fruto de uma vida inteira de amor e serviço a outras pessoas, nascido de um coração que ama e obedece a Deus.

Que alegria! Que glória! Que maravilhosa colheita de louvores! Todos elogiam essa mulher linda demais aos olhos de Deus! Nessas palavras de Provérbios 31, preservadas ao longo dos séculos, ouvimos:

- A voz de seus filhos profere louvores a ela.
- A voz de seu marido proclama louvores a ela em público.
- A voz de Deus a louva.
- Até mesmo a voz de suas obras a louva.

Há, porém, uma voz a ser ouvida: a sua, minha amiga. A bela mulher de Provérbios 31 não é valorizada em nossa cultura. Nosso inimigo, Satanás, bem como o mundo pecador no qual vivemos, rotulam essa beleza como indesejável. Como estão errados! Querida serva de Deus, a mulher de Provérbios 31 personifica a verdadeira beleza. Ela exemplifica tudo o que é belo aos olhos de Deus.

Seu louvor, minha amiga, indica que você reconhece o esplendor de tudo o que é belo aos olhos de Deus. E a forma mais bela de louvor que você poderá oferecer é seguir os passos dessa mulher.

Você não gostaria de curvar sua cabeça agora e louvar a Deus por ela? Com certeza, ela é uma das preciosas dádivas de Deus para a sua vida. Está descrita em Provérbios 31 para inspirá-la, instruí-la e animá-la quando sua visão estiver turva, quando sentir que suas prioridades estão mudando, quando não conseguir ser a mulher que Deus quer que você seja. Uma nova visita a essa mulher, bela aos olhos de Deus e cheia de amor por ele, renovará sua vida, restaurará suas forças e reacenderá seu amor pelo Senhor, bem como o compromisso assumido com seu plano para você e sua vida serem belas aos olhos dele!

4 de Setembro – Ec 9

Sublime chamado de Deus
Esposa

*Goza a vida com a mulher que amas, todos os dias de tua vida [...]
os quais Deus te deu debaixo do sol... Ec 9.9*

Já lemos na Palavra de Deus (e neste livro!) que a vida conjugal deve ser uma bênção. Um lar habitado por um casal feliz é um verdadeiro presente de Deus. No livro da Sabedoria da Bíblia, o rei Salomão apresenta alguns preceitos de Deus sobre como tirar o máximo proveito da vida diária, inclusive da vida conjugal.

Embora o tema central de Eclesiastes seja "tudo é vaidade" (1.1), Salomão nos aconselha a aproveitar a vida ao máximo. Ciente das incertezas de nossa jornada diária e da inevitável realidade da morte, o pregador, como Salomão é chamado em Eclesiastes, nos incentiva a tirar o máximo proveito de cada dia, principalmente daqueles vividos ao lado de nosso companheiro! Por quê? Porque um casamento feliz é um dos poucos prazeres que existem em nossa vida atribulada.

Você é casada? Agradeça a Deus neste momento o seu sublime chamado; permita que estas palavras sobre o casamento, escritas por Martinho Lutero, pai da Reforma Protestante, a ajudem a transformar cada dia de sua vida em uma dádiva para o seu querido marido:

- A maior de todas as bênçãos é ter uma esposa a quem você possa confiar seus problemas.
- O casamento não é uma brincadeira; você deve preservá-lo e orar por ele.
- O amor começa quando sentimos o desejo de ajudar aos outros.
- Nada é mais doce do que a harmonia no casamento, e nada é mais desgastante do que as desavenças.
- Que a esposa faça seu marido sentir-se feliz ao voltar para casa.[1]

Esse é um chamado sublime para as servas de Deus que são casadas! Confie na ajuda do Senhor para desempenhar com sucesso esse chamado!

Você é solteira? Então, recebeu o chamado sublime para amar e servir a Deus de todo o coração, de toda a sua alma e com todas as suas forças. Paulo, outro homem sábio que recebeu inspiração para escrever a Palavra de Deus, tem estas palavras para você: "Também a mulher, tanto a viúva como a virgem, cuida das coisas do Senhor" (1Co 7.34). Não existe maior felicidade que uma vida de plena dedicação ao Deus que você ama. Agradeça a ele neste momento ter recebido o sublime chamado de ser solteira.

5 de Setembro – Ct 1

A MAIS BELA DAS MULHERES
A SULAMITA

Cântico dos cânticos de Salomão.
Ct 1.1

"Cantares de Salomão", "Cântico dos Cânticos", "Poema de Amor", "Cânticos", são os títulos dados a este pequeno livro da Bíblia. E esses títulos nos dizem que Cântico dos Cânticos de Salomão representa uma sublime canção de amor escrita pelo rei Salomão ao pensar em sua mulher, uma jovem sulamita, cujo nome desconhecemos. Observe como o relacionamento de Salomão com a jovem vai se intensificando e se aprofundando:

- *Conhecer.* "Conhecer você" é o primeiro passo e o mais importante de todos em qualquer relacionamento. Ao longo do tempo, são revelados os valores, o caráter e a personalidade da pessoa. O tempo que alguém passa ao lado do outro também dá a oportunidade de observar o amor dessa pessoa e seu compromisso com Deus (Ct 1.1 – 3.5).

- *Casar.* O casamento marca o início da união entre duas vidas que se tornam uma só e da bênção da união carnal, com uma grande intimidade entre os cônjuges (Ct 3.6 – 5.1).

- *Ser fiel.* Acredite nisto: todo casamento passará por um teste! Quando surgem os desafios e os sofrimentos, os cônjuges precisam levar até o fim o compromisso assumido com o Senhor e com o casamento. Se forem enfrentados em sintonia com a sabedoria e a graça de Deus, os problemas aproximarão os cônjuges um do outro e do Pai celestial (5.2 – 8.4).

- *Caminhar juntos.* De mãos dadas, o marido e a esposa que amam e respeitam a Deus e um ao outro saberão como enfrentar as provações e tribulações da vida (Ct 8.5-14).

Até hoje, os judeus do mundo inteiro leem esse maravilhoso cântico de amor, escrito há mais ou menos três mil anos, por ocasião da celebração da Páscoa judaica. Que tal fazer uma pausa de cinco minutos neste momento? Isole-se dos problemas e dificuldades da vida diária, abra sua Bíblia e deleite-se com o cântico de amor preferido de Deus. Reflita sobre o namoro, o casamento e a bênção recebida pelos casais que amam a Deus. Junte-se em pensamento a eles por alguns instantes na jornada que empreendem ao longo da vida. E ouça com atenção a música espiritual proporcionada por esse cântico para que a harmonia conjugal dure a vida inteira. ele nos foi dado por Deus para revelar o quanto ele aprecia o romance e o encanto do casamento, a mais preciosa de todas as relações humanas e a "graça da vida" (1Pe 3.7).[2]

6 DE SETEMBRO – MT 1

Mulheres da graça de Deus
Quatro mulheres

Livro da genealogia de Jesus Cristo...
Mt 1.1

Você já teve a satisfação de caminhar pela praia e apanhar uma variedade de pedrinhas e conchas para levar para casa? Se a resposta for positiva, provavelmente você nunca se preocupou em escolher e guardar pedrinhas opacas, sujas, grosseiras ou comuns. Pensando bem, você sempre escolhe as mais lisas, polidas e brilhantes.

Será que você já parou para pensar *por que* essas pedrinhas se tornaram tão polidas e brilhantes? A superfície lisa é consequência direta das tempestades que as atiraram de um lado para o outro, eliminando as asperezas e as manchas e deixando-as brilhantes.

Hoje, minha querida, Deus nos dá a oportunidade de escolher e de levar para dentro de nosso coração quatro presentes da graça de Deus: a vida de quatro mulheres honradas por serem parte da ascendência de nosso Senhor e Salvador Jesus Cristo.

- *Tamar* encabeça esse pequeno grupo de mulheres privilegiadas. Seu passado pecaminoso inclui engano e fornicação (Gn 38).
- *Raabe.* Uma mulher devassa e idólatra conhecida na Bíblia como "Raabe, a prostituta" (Js 2).
- *Rute.* Outra pagã, nascida de uma tribo idólatra e degenerada de Moabe (Rt 1).
- *Bate-Seba,* a mulher que cometeu adultério com Davi, o rei de Israel, encerra este quarteto de pecadoras (2Sm 11).

Que grupo estranho para fazer parte dos ancestrais de nosso Salvador! Mas a Palavra de Deus nos ensina claramente que "não há justo, nem um sequer", e que "todos pecaram e carecem da glória de Deus" (Rm 3.10,23). "Todos", querida serva de Deus, inclui cada uma de nós que ama a Deus!

Você não se sente agradecida pela graça de Deus, pela misericórdia não merecida, mas derramada por ele sobre nós, que o amamos e o seguimos? Todas nós temos um passado que foi maculado pelo pecado. Mesmo assim, Deus perdoou nossos pecados e redimiu nossas vidas pela morte de Jesus, seu Filho perfeito e sem qualquer mancha. Por meio do sofrimento do unigênito Filho de Deus, somos purificadas, polidas e aperfeiçoadas, prontas para ser exibidas como futuros presentes da graça de Deus. Unicamente por meio de Jesus Cristo, somos chamadas a ser coerdeiras com Cristo (Rm 8.17). Faça uma oração de gratidão a ele neste momento!

7 DE SETEMBRO – MT 1

FAVORECIDA ENTRE AS MULHERES
MARIA

*Livro da genealogia de Jesus Cristo... Maria,
da qual nasceu Jesus, que se chama o Cristo.* Mt 1.1,16

DAQUI A ALGUNS DIAS, estaremos pesquisando o livro de Lucas e examinando com mais cuidado os detalhes da vida de Maria. Antes, porém, devemos considerar alguns fatos sobre essa mulher que amou a Deus, encontrados apenas no livro de Mateus. A primeira menção ao nome de Maria aparece na genealogia de Jesus, na qual ela é referida como esposa de José. Logo a seguir, ela se torna conhecida como a mãe de nosso Senhor e Salvador.

Você já parou para pensar no tipo de mulher que Deus escolheu para ser "favorecida" (Lc 1.28), para carregar no ventre o Deus que se fez carne, para amar e cuidar dele como seu primogênito, para educá-lo no conhecimento do Senhor Deus, para ser a mãe de seu precioso e unigênito Filho?

- *Uma virgem casta.* O profeta Isaías afirmou que o Filho de Deus nasceria de uma virgem (Is 7.14). A jovem Maria era uma mulher pura e piedosa.

- *Uma moça humilde.* Nascida no povoado de Nazaré, Maria era uma moça provinciana, não uma princesa de uma poderosa nação, nem uma moça da alta sociedade nascida em uma metrópole.

- *Uma seguidora devota.* Deus sempre vê o coração, não o exterior (1Sm 16.7). Quando olhou para Maria, ele encontrou nela uma mulher obediente, que vivia de acordo com sua vontade (At 13.22).

- *Uma judia fiel.* Pertencente à tribo de Judá e à linhagem de Davi, Maria adorava ao único e verdadeiro Deus e, aparentemente, o adorava em espírito e em verdade (Jo 4.24). Somente uma mulher assim estaria qualificada para ser escolhida por Deus para tão nobre missão.

Quais as quatro frases que você usaria para descrever a si própria? Enquanto pensa sobre essa pergunta, sinta o grande alívio de saber que, por mais humildes, por mais simples, por mais pobres, por mais comuns, por mais inteligentes ou por mais bem-sucedidas que sejamos, Deus vê o nosso coração, como viu o de Maria. Assim como Maria, você pode ser favorecida entre as mulheres e usada por Deus para realizar obras grandiosas para ele. Como? Basta amá-lo... amá-lo com humildade, com devoção, com fidelidade... amá-lo de todo o coração, de toda a sua alma e com todas as suas forças!

8 DE SETEMBRO – MT 2

MARIA E OS MAGOS
MARIA

Entrando na casa, viram o menino com Maria, sua mãe. Prostrando-se, o adoraram... Mt 2.11

HOJE, ao examinar mais uma vez os detalhes da vida de Maria, registrados apenas no livro de Mateus, compreendemos imediatamente como foi gloriosa a vida dessa mulher!

A humilde Maria deu à luz Jesus e agora está recebendo "os magos do Oriente" em seu lar. Talvez esses exóticos estrangeiros tenham causado certa confusão quando tentaram explicar sua presença ali. Eles viram "a sua estrela no Oriente" e foram adorá-lo. Antes, eles visitaram o rei Herodes, que estava alarmado por ter ouvido falar de outra pessoa digna de ser adorada e que ostentava o título de *rei*. Nem mesmo os sacerdotes e os escribas de Herodes sabiam quem poderia ser essa pessoa pertencente à realeza!

Os magos, porém, em breve descobriram a resposta. Por fim, a estrela que os guiara em uma jornada de centenas de quilômetros conduziu-os até Maria, em Belém. Eles foram até lá adorar seu filho, seu pequenino Jesus, por ele ser o Rei dos judeus!

Maria, mulher de coração sábio, certamente ficou entusiasmada, porque os misteriosos viajantes lhe proporcionaram:

- *Visão.* Aqueles homens foram a Belém para adorar o menino Jesus, o Rei dos judeus. O fato de terem viajado vários meses, partindo de terras longínquas, deu a Maria uma visão maior, um entendimento mais claro do futuro e do reino que Deus havia preparado para o seu filho.

- *Provisão.* Os homens sábios do Oriente prestaram homenagem ao filho de Maria, adorando-o e oferecendo-lhe presentes caros. É provável que esses presentes tenham custeado as despesas da fuga de José e Maria para o Egito, uma viagem feita às pressas a fim de proteger o precioso bebê da matança de todos os recém-nascidos do sexo masculino, decretada pelo invejoso rei Herodes.

Deus conhece as necessidades de seu povo, inclusive *as suas*, minha querida amiga, e ele as supre completamente. Seja o que for que você esteja precisando, seja mais visão, seja provisão, Deus prometeu suprir em Cristo Jesus cada uma de suas necessidades (Fp 4.19). Volte os olhos para ele neste instante. Leve suas necessidades a ele. Lembre-se mais uma vez de que "O Senhor é o meu pastor; nada me faltará" (Sl 23.1)!

9 de Setembro – Mt 2

Fuga pela fé

Maria

Dispondo-se ele [José], tomou de noite o menino e sua mãe e partiu para o Egito. Mt 2.14

Além de proporcionar visão e provisão à família de Maria (conforme vimos ontem), Deus também lhes deu orientação.

O rei Herodes ficou irado, *extremamente* irado. Quando soube que havia um bebê em seu reino chamado "Rei dos judeus", emitiu um decreto ordenando que todos os meninos de Belém e dos arredores daquela cidade, com menos de dois anos, fossem mortos. Certamente ele deve ter pensado que, com tal ordem, a ameaça de haver um novo rei seria eliminada.

Contudo, por meio de um sonho, Deus instruiu José, o guardião terreno do bebê sagrado, a fugir imediatamente com sua família para o Egito. Lá, estariam livres do plano mortal de Herodes.

Nós não temos condições de saber o que um casamento, ou a função de mãe, ou mesmo determinado dia nos trará, não é mesmo? Maria, a mulher que amou ao Senhor e foi "favorecida... diante de Deus" (Lc 1.28,30), aprendeu a obedecer a ele por meio da fé.

Primeiro, ela obedeceu. Você já imaginou ser acordada no meio da escuridão da noite por seu marido dizendo que precisam partir, mudar de casa, imediatamente?

– Para onde vamos, querido?

– Para o Egito. Será uma viagem de *apenas* dez ou quinze dias.

– Mas por que, meu bem?

– Porque eu tive um sonho e Deus me ordenou que partíssemos daqui.

Imagine o que aconteceria na maioria dos lares após um comunicado assim seguido de tal explicação (o que você faria em tais circunstâncias?). Como esposa, Maria obedeceu ao plano de Deus e acompanhou seu marido... e esse ato de obediência salvou a vida de seu filho.

Segundo, ela teve fé. Você já se deu conta de que é a fé em Deus que nos capacita a acompanhar nossos maridos? Assim como as mulheres piedosas da antiguidade, mulheres como Maria, que amaram a Deus e confiaram nele, devemos nos adornar com a beleza do Senhor, ter um espírito submisso e acompanhar nossos maridos (1Pe 3.5,6). A fé em Deus nos capacita a agir dessa maneira.

Pai celestial, permite que a fé que eu tenho em ti seja forte o suficiente para capacitar-me a acompanhar os que me conduzem a fazer a tua vontade. Obrigada por trabalhares em minha vida por meio da liderança dessas pessoas. Amém.

10 de Setembro – Mt 2

Alegrias e tristezas

Maria

Dispôs-se ele [José], tomou o menino e sua mãe e regressou para a terra de Israel. Mt 2.21

Uma vez que o Evangelho de Mateus é o único a registrar a fuga de José, Maria e Jesus para o Egito, também é o único que relata o retorno da família do Egito para se estabelecer em Nazaré. Ambas as jornadas contaram com a mesma direção divina. Novamente, um anjo do Senhor apareceu a José em sonho, dessa vez anunciando a morte de Herodes e instruindo-o a levar sua pequenina família de volta a Israel.

Quando retornaram à Terra Santa, eles se instalaram em Nazaré, a cidade natal de Maria e José. Estavam de volta ao lar! Ao fazer uma retrospectiva sobre os últimos anos, demonstraram gratidão a Deus por sua orientação e proteção. Mas... e quanto ao futuro? Maria enfrentaria muitas alegrias... e tristezas. Alguém disse com muita sabedoria: "Ser mãe é um doloroso privilégio".[3] Maria enfrentaria:

As alegrias de...	As tristezas de...
Amar um filho.	Ver o filho morrer.
Criar um filho.	Não compreendê-lo.
Conhecer a Deus por meio de Jesus.	Testemunhar a morte do filho pelos pecados dela.

Ó! Maria também teve outras alegrias: as risadas felizes de seus filhos; as animadas peregrinações que faziam juntos para adorar o verdadeiro Deus; as refeições com a família e os momentos aconchegantes ao redor da fogueira; ouvir seu filho, o Filho de Deus, pregar, observar seus milagres e, por último, testemunhar sua ressurreição. Houve, porém, algumas tristezas: a morte de José, seu marido; a rejeição do povo de sua cidade a seu filho; a saída do filho de casa para tratar de assuntos do Pai celestial.

E, apesar de tudo, dos altos e baixos, dos sofrimentos e prazeres, das tristezas e alegrias, Maria amou a Deus e buscou força no Deus que nos aperfeiçoa na fraqueza (2Co 12.9). Verdadeiramente, Maria nos ensina a confiar no Senhor quando trilhamos a estrada imprevisível da vida: uma estrada de alegrias e tristezas que Deus utiliza para nos moldar à imagem de seu Filho amado.

11 de Setembro – Mt 20

A alma de uma mãe
A mãe de Tiago e João

*Então se chegou a ele a mulher de Zebedeu, com
seus filhos e, adorando-o, pediu-lhe um favor.* Mt 20.20

Hoje vamos conhecer uma mãe que, como a maioria das mães, ama a Deus e deseja que seus filhos sirvam ao Senhor. Essa mulher era a mãe de Tiago e João, os filhos de Zebedeu, que abandonaram o barco pesqueiro do pai para atender ao "Vinde após mim" de Jesus (Mt 4.19), tornando-se seus discípulos. Nesta breve cena, descrita em apenas quatro versículos, vemos uma mãe zelosa apresentando seus desejos sinceros perante o seu Salvador.

- *Pessoa.* Não há dúvida de que a mãe dos filhos de Zebedeu conhecia a autoridade de Jesus.
- *Postura.* Quando se aproximou de seu Senhor, essa adoradora sabia que a única postura a ser adotada devia ser a de humildade, portanto a mãe de Tiago e João ajoelhou-se diante dele.
- *Pedido.* Por ser uma serva fiel (veja Mt 27.56), essa mãe pediu algo que somente Deus poderia conceder. Ela ousou pedir: "Manda que, no teu reino, estes meus dois filhos se assentem, um à tua direita, e o outro à tua esquerda" (Mt 20.21). Em outras palavras: "Permite que eles ocupem posições de grandeza a teu lado".

Aquela mãe fervorosa, desejosa de ver seus filhos amando e servindo a Jesus para sempre, deve ter interpretado mal os ensinamentos do Mestre sobre serviço, recompensas e reino celestial, mas ela nos mostra as preocupações espirituais que permeiam o coração de uma mãe.

Pessoa. Jesus Cristo é seu Senhor e Salvador pessoal? Você permite que ele reine como Senhor de sua vida, em todos os aspectos?

Postura. Você adota uma postura de humildade a ponto de Jesus sentir-se honrado por ser o Senhor de sua vida, em todos os aspectos? Deus encontra em você uma serva reverente, uma mulher de oração e de coração contrito?

Pedido. Você leva ao Pai celestial todas as preocupações com seus filhos? Você pede... busca... e bate a favor de seus filhos e filhas (Mt 7.7-9)? *Neste momento*, eleve sua alma ao Senhor a favor deles!

12 de Setembro – Mt 27

Um lampejo de percepção
A mulher de Pilatos

E, estando ele no tribunal, sua mulher mandou dizer-lhe...
Mt 27.19

No momento mais crítico da história do mundo, a mulher da qual estamos falando teve um lampejo de percepção sobre quem Jesus realmente era. Nosso Senhor já havia orado no Getsêmani, preparando-se para ser traído, preso, julgado, torturado e morto. Agora, ele estava ali, como um cordeiro sendo levado ao matadouro (Is 53.7), diante de Pôncio Pilatos, o governador romano da Judeia. Enquanto Jesus aguardava a sentença de morte que só Pilatos poderia autorizar, um mensageiro apareceu repentinamente trazendo um bilhete. Tratava-se de uma advertência da mulher de Pilatos: "Não te envolvas com este justo; porque hoje, em sonho, muito sofri por seu respeito". Tudo o que dizia respeito a esse bilhete foi rápido, como um lampejo:

- *Um sonho rápido.* Não sabemos qual foi o sonho da mulher de Pilatos, mas certamente a deixou perturbada demais, a ponto de advertir seu poderoso marido antes que tomasse uma atitude.

- *Uma percepção rápida.* O sonho daquela mulher revelou ou a ajudou a concluir que Jesus era um "justo".

- *Um bilhete rápido.* Agindo com presteza, a mulher de Pilatos enviou-lhe uma mensagem sucinta.

Uma série de acontecimentos breves levou essa mulher a uma rápida aparição no Evangelho de Mateus. Sua fé era verdadeira? O lampejo de sua percepção, de sua lucidez, durou quanto tempo? Não sabemos nada a respeito dela, mas sabemos sobre *nós*, minha querida! Sabemos, por exemplo, que:

- Um compromisso de *viver para Deus,* renovado a cada dia, aviva a chama da fé.

- Um compromisso de *estudar a Bíblia* proporciona um correto entendimento da palavra viva e poderosa de Deus.

- Um compromisso de *obedecer fielmente* faz que nossa luz brilhe entre as pessoas.

- Um compromisso de *orar com fervor* nos permite contemplar o fulgor da glória de Deus!

Você está avivando a chama de sua fé? Está fazendo brilhar com intensidade seu conhecimento de Cristo? Está permitindo que a luz de Cristo, que brilha dentro de você, brilhe também para o mundo?

13 de Setembro – Mt 28

Aos pés de Jesus
As mulheres diante do túmulo

E eis que Jesus veio ao encontro delas... E elas, aproximando-se, abraçaram-lhe os pés e o adoraram. Mt 28.9

As BOAS-NOVAS de Jesus Cristo estão enraizadas no fato de que ele ressuscitou. Nosso Salvador foi crucificado por nossos pecados, morreu e foi sepultado, mas ressuscitou ao terceiro dia (1Co 15.3,4). Nenhum líder religioso da História pode fazer tal afirmativa. Somente Jesus Cristo, o único e verdadeiro Deus, venceu o pecado e a morte!

Hoje, vamos conhecer um pequeno grupo de mulheres fervorosas, as primeiras a comemorar tal vitória. Apesar de terem presenciado o pior momento da História – a morte horripilante de Jesus –, três dias depois receberam a maior de todas as bênçãos: viram e conversaram com o Jesus ressuscitado, glorificado e transformado! A história dessas mulheres aparece nos quatro evangelhos, mas apenas Mateus nos informa o que Jesus disse às suas servas leais: palavras de confiança ("Não temais"), palavras de instrução ("Ide avisar a meus irmãos") e uma promessa ("e lá me verão").

Observe agora o caminho que levou aquelas mulheres aos pés do Cristo ressuscitado... e mais além!

- *Caminho da fidelidade.* Os discípulos de Jesus o abandonaram, mas aquelas mulheres permaneceram diante da cruz até o fim; depois, acompanharam a distância para ver onde ele seria sepultado e, mais tarde, retornaram ao túmulo para vigiar seu corpo.
- *Caminho do aprendizado.* No túmulo, no domingo de manhã, um anjo instruiu aquele pequeno grupo de mulheres a contar aos discípulos que Jesus estava vivo.
- *Caminho da obediência.* Mateus nos conta que elas partiram apressadamente para obedecer às instruções do anjo. Enquanto caminhavam em obediência à ordem divina, Jesus foi seu encontro delas e conversou com elas.

Pense na reação que você teria às palavras do Salvador. Provavelmente, reagiria com o mesmo espírito de reverência que tomou conta daquelas mulheres assustadas: uma adoração de perder o fôlego!

Minha querida serva de Deus, em nossa caminhada com Jesus, marcada pela fidelidade, pelo aprendizado e pela obediência, pelo serviço, pela adoração e por uma fé que supera todas as dúvidas, é que nos são reveladas as inúmeras bênçãos reservadas para os que amam, confiam, obedecem e creem de todo o coração!

14 de Setembro – Mc 6

Perto do coração de Deus
As irmãs de Jesus

> *...e não vivem aqui entre nós suas irmãs?...*
> Mc 6.3

Maria foi verdadeiramente "favorecida" por ser a mãe de Jesus (Lc 1.28). Além dela, pelo menos duas mulheres também receberam o favor de Deus. Essas mulheres, cujos nomes desconhecemos, foram as irmãs de Jesus, mulheres que passaram a vida perto do Deus que se fez carne. Não costumamos pensar nas irmãs de Jesus, mas hoje desejamos refletir um pouco sobre elas. Imagine a experiência que elas tiveram ao contemplar diariamente Jesus, o Deus que se fez carne, o Salvador do mundo! Elas tiveram o prazer de:

- *Ouvir seus ensinamentos...* Suas maravilhosas palavras de verdade e vida.
- *Pedir-lhe conselhos...* e deixar o pecado para trás.
- *Usufruir seu amor...* e aprender a amar os outros.
- *Ser curadas por ele...* e ter suas vidas restauradas e renovadas.
- *Ouvir suas orações...* quando ele conversava com o Pai celestial.
- *Maravilhar-se diante de sua fé...* que podia mover montanhas.
- *Observar seus milagres...* quando ele exercia autoridade sobre o mal.
- *Aprender com seu comportamento imaculado...* e seguir seus passos.
- *Presenciar sua preocupação com os outros...* quando ele estendia a mão com compaixão.
- *Segui-lo...* até a consumação do século rumo ao céu.

Evidentemente, você é uma mulher que ama a Deus; caso contrário, não estaria lendo um livro intitulado *Mulheres que amaram a Deus*. E, provavelmente, você passa algum tempo na companhia de Jesus ao ler a Palavra de Deus. Lendo a Bíblia, você também ouve seus ensinamentos, pede conselhos a ele, usufrui seu amor, é curada por ele, ouve suas orações, maravilha-se diante de sua fé, observa seus milagres, aprende com seu comportamento imaculado e presencia sua preocupação com os outros.

Essas nove atividades, porém, *só* se tornam significativas e transformam sua vida quando você decide seguir Jesus. Você deve desejar não apenas viver "perto do coração de Deus", mas também estar em Cristo Jesus (2Co 5.17). Será que você pode cantar, dizer e orar hoje: "Estou seguindo a Jesus Cristo... atrás não volto, não volto mais"?[4] Se sua resposta for sim, as nove primeiras atividades acima relacionadas a levarão para perto do coração de Deus. Você será ricamente abençoada e terá muitas alegrias!

15 DE SETEMBRO – MC 7

FÉ CORAJOSA
A MULHER SIRO-FENÍCIA

[Ela] rogava-lhe que expelisse de sua filha o demônio.
Mc 7.26

"Os ARTISTAS nunca retratam Cristo de costas para o povo", diz o estudioso dr. Herbert Lockyer.[5] Hoje, porém, vamos conhecer uma mãe angustiada a quem Jesus deu as costas.

A mulher siro-fenícia vivia em constante angústia por ver sua filha sofrendo por causa de um demônio e sem poder fazer nada para ajudá-la. É bem provável que essa mulher se perguntasse o que fazer, aonde ir e como encontrar ajuda quando Jesus chegou à sua cidade, uma região pagã que adorava Baal. Ela ouvira falar de Jesus, de sua bondade, de seus milagres. Talvez seu coração tenha dado um salto ao pensar: "Já sei! Jesus pode ajudar!"

Humilhando-se diante do Deus poderoso, aquela mulher prostrou-se aos pés de Jesus e pediu-lhe, com delicadeza e respeito, que expelisse o demônio de sua filha.

A resposta de Jesus? NÃO!

Aquela mãe continua pedindo, implorando.

A resposta de Jesus? NÃO! "Não é bom tomar o pão dos filhos [de Israel] e lançá-lo aos cachorrinhos [os gentios]."

Ela tentou novamente: "Sim, Senhor; mas os cachorrinhos, debaixo da mesa, comem das migalhas das crianças".

A resposta de Jesus? SIM! "Por causa desta palavra, podes ir; o demônio já saiu de tua filha."

E quando ela chegou a casa, o demônio já havia saído de sua filha, conforme Jesus dissera. Não houve nenhum toque físico. Não houve imposição de mãos. Nem cuspe misturado com terra. Nem drama. Nem invocação de fogo. Nem o ato de expelir demônios. Nem um confronto. Apenas algumas palavras proferidas a distância, mas que foram pronunciadas pelo próprio Deus. Ao mesmo tempo em que as palavras de Jesus ofereceram paz, conforto e tranquilidade à mãe, livraram a jovem do abominável controle do demônio.

Observe as três lições que aprendemos enquanto buscamos amar a Deus ainda mais: *Primeira*, devemos ter fé em Deus para pedir corajosamente, pedir mais uma vez... e outra mais... aquilo de que necessitamos. *Segunda*, devemos crer que Jesus pode nos ajudar. *Terceira*, devemos ter fé para confiar no poder e eficácia da Palavra de Deus, mesmo antes de ver os resultados. Precisamos ser como aquela querida mulher siro-fenícia e depositar nossa fé diante de Deus com coragem e confiança.

16 DE SETEMBRO – MC 14

Ornamentos e bálsamo
Maria de Betânia

...veio uma mulher trazendo um vaso de alabastro com preciosíssimo perfume... e, quebrando o alabastro, derramou o bálsamo sobre a cabeça de Jesus. Mc 14.3

TODA MULHER QUE AMA A DEUS deseja ter o ornamento que é precioso aos olhos dele: um espírito manso e tranquilo (1Pe 3.4). Esse espírito manso e tranquilo tem sido adequadamente descrito como "a pregação silenciosa de uma vida admirável".[6] Vejamos como esse ornamento brilhou na vida de Maria de Betânia.

Sua emoção. Na cena aqui descrita, o coração de Maria, irmã de Lázaro, transborda de alegria e amor por seu Salvador que ressuscitara seu irmão. Imagine! Seu querido irmão Lázaro, que estava morto, reviveu! Maria precisava demonstrar gratidão a Jesus por aquele milagre. Como?

Sua devoção. Quanto maior é a dádiva recebida, tanto maior é o desafio de expressar nosso agradecimento. Maria escolheu o presente mais caro que podia oferecer: o conteúdo de um vaso de alabastro. Esse vaso delicado, de gargalo comprido e fino, feito de mármore precioso, continha um perfume caríssimo. Maria, em sua devoção, quebrou sem pestanejar o gargalo do vaso e derramou o bálsamo sobre a cabeça de seu Mestre.

Um tumulto. Provavelmente, Maria nunca imaginou que sua manifestação de agradecimento e adoração pudesse ser criticada, e até mesmo censurada. Porém, enquanto derramava silenciosamente seu bálsamo e sua devoção, ouviu a voz do próprio Deus repreendendo seus acusadores: "Deixai-a... Ela praticou boa ação para comigo".

Ao derramar o bálsamo de sua adoração, Maria demonstrou o ornamento de um espírito manso e tranquilo, porque ela não disse nada, nem fez nada para se defender. Maria não argumentou, não foi hostil, nem ficou na defensiva. Ao contrário, vemos apenas a beleza de seu espírito manso e tranquilo – a pregação silenciosa de sua vida admirável de devoção a seu Senhor.

Minha querida irmã, não existe lugar para a agressividade no coração de uma mulher que ama a Deus, porque ele "calca aos pés os nossos adversários" (Sl 60.12)! Se você for criticada por seus atos de devoção, siga o exemplo de Maria. Deixe que o ornamento de um espírito manso e tranquilo fale mais alto.

17 de Setembro – Lc 1

Para a glória de Deus
Isabel

Sua mulher era das filhas de Arão e se chamava Isabel.
Lc 1.5

Hoje, vamos conhecer Isabel, uma mulher abençoada por Deus e que herdou de gerações anteriores o seu amor por ele. Além de ser descendente do sacerdote Arão (Êx 6.23), Isabel foi casada com Zacarias, outro sacerdote. Você não se sente agradecida a Deus pelo fato de Isabel e Zacarias terem aprendido com seus ancestrais a ter uma vida piedosa? Criar os filhos para amar e servir ao Senhor é a responsabilidade primordial de um pai e de uma mãe.

Não é de admirar, portanto, que algum tempo atrás uma pessoa piedosa, cujo nome desconhecemos, escreveu "Dez motivos para a família erguer um altar",[7] uma expressão que diz respeito ao culto doméstico. Nos dias seguintes, analisaremos a vida de Isabel e veremos como seus ancestrais e as verdades sobre Deus que eles lhe transmitiram no "altar da família" prepararam-na para enfrentar com coragem uma vida difícil e cheia de sofrimentos.

Motivo nº 1 para o culto doméstico: "Ele lhe dará ânimo para enfrentar o dia, força para trabalhar e cumprir seu dever, e determinação em tudo aquilo que você fizer para glorificar a Deus".

Ao avançar um pouco na história da vida de Isabel, vemos que ela passou da idade de procriar e não teve filhos. Essa afirmação nos faz pensar em décadas de casamento sob a nuvem escura da esterilidade, em uma cultura que considerava a falta de filhos uma infelicidade e um castigo de Deus por pecados cometidos.

Como Isabel encontrava forças para viver? Talvez o tempo passado na presença do Senhor lhe desse o entendimento necessário para conhecer as verdades sobre ele, que a fortaleciam para enfrentar a realidade do dia-a-dia de uma vida sem filhos. Somente esse tempo com Deus podia proporcionar ânimo a seu coração, força para trabalhar e determinação para glorificar ao Criador em tudo o que ela fazia.

Você faz um culto doméstico diário? Se a resposta for não, comece hoje! Passe alguns momentos do dia em silêncio diante do Senhor, estudando sua palavra, orando e adorando-o. Busque força nele para enfrentar o dia. E, se você tiver filhos, reúna-os diariamente para que ouçam a sagrada Palavra de Deus. Essa prática diária ajudará seus filhos a permanecer firmes no Senhor e em seus ensinamentos, buscando glorificá-lo em tudo o que fizerem.

18 de Setembro – Lc 1

Mais que vencedora

Isabel

Ambos eram justos diante de Deus, vivendo irrepreensivelmente em todos os preceitos e mandamentos do Senhor. Lc 1.6

Pense no retrato de Isabel e Zacarias pintado por Deus. Esses dois servos do Senhor foram abençoados por terem nascido de uma geração piedosa de sacerdotes, mas tiveram de trilhar uma estrada cheia de obstáculos. Eles não tinham filhos, nenhuma criança a quem amar, nenhum neto a quem acariciar, ninguém a quem transmitir sua herança de fé, nenhum descendente para dar continuidade ao nome da família.

Apesar dos problemas que enfrentavam em uma época na qual a esterilidade era considerada castigo de Deus por causa do pecado, Lucas relata categoricamente que Isabel e Zacarias viviam "irrepreensivelmente em todos os preceitos e mandamentos do Senhor". Eles eram:

- *Justos.* Isabel e Zacarias seguiam estritamente a lei de Deus.

- *Obedientes.* Isabel e Zacarias obedeciam a todos os preceitos (obediência cerimonial) e mandamentos (obediência moral) do Senhor.

- *Irrepreensíveis.* A vida de Isabel e Zacarias agradava a Deus. Exteriormente, eles obedeciam à Lei de Moisés e, interiormente, obedeciam ao Senhor.

Mesmo assim, eles sofriam. Você não se alegra por Deus nos contar isso? Isabel nos mostra o caminho para amar a Deus e segui-lo, mesmo quando a vida é difícil! O que contribuiu para que Isabel tivesse tanta fé? Provavelmente, ela dedicava um tempo ao culto doméstico.

Motivo nº 2 para o culto doméstico: "Ele a deixará mais alerta durante o dia para permanecer na presença do Ser Divino invisível, que a tornará mais que vencedora".

Ao longo do dia, a presença infalível de Deus com você lhe dará forças para carregar sua cruz e enfrentar todos os problemas como uma mulher mais que vencedora!

Minha querida, o único caminho para enfrentar as dificuldades *e* permanecer justa, obediente e irrepreensível é ficar na presença do Senhor olhando para o Ser Divino todos os dias, com diligência e devoção. Busque-o agora! Experimente o que é ser mais do que vencedora em Cristo à medida que enfrenta os desafios e as dificuldades da vida.

19 de Setembro – Lc 1

Força para hoje
Isabel

E não tinham filhos, porque Isabel era estéril, sendo eles avançados em dias. Lc 1.7

A ESTERILIDADE que Isabel e seu marido conheciam muito bem talvez não seja considerada um problema sério nos dias de hoje, quando muitos casais optam por não ter filhos. Porém, na época de Isabel, os rabinos judeus acreditavam que sete tipos de pessoas deviam ser excluídas da presença de Deus. A lista começava com estas palavras insensíveis: "Judeu que não tem esposa ou judeu que tem esposa mas não tem filhos". Além de ser um grande estigma na cultura judaica, a esterilidade também era motivo para o divórcio.

O marido podia divorciar-se de uma esposa estéril, mas, no coração de tal mulher, havia um peso maior ainda do que o medo do divórcio. Toda mulher hebreia nutria a esperança de dar à luz ao tão aguardado Messias. Por ser uma judia fiel, irrepreensível e obediente, Isabel também sonhava com esse privilégio. Infelizmente, a chama da esperança de Isabel apagou-se quando ela passou da idade de ter filhos.

Como podemos lidar com o desânimo, o desapontamento, a adversidade e as esperanças perdidas? Passando um tempo na presença de Deus. *Isabel* significa "Deus é meu pacto" ou "adoradora de Deus". Você não acha que ela buscava força nele todos os dias? Você também deve proceder assim!

> *Motivo nº 3 para o culto doméstico:* "Ele lhe dará forças para enfrentar o desânimo, os desapontamentos, as adversidades inesperadas e, às vezes, as esperanças perdidas que poderão abater-se sobre você".

A mulher que ama a Deus não fica apenas pensando em seus problemas diários. Ela recorre ao poder de Deus para ajudá-la a vencer tais problemas! Somente os momentos passados na presença de Deus podem dar-lhe forças para enfrentar o dia, para vencer os desânimos, os desapontamentos, as adversidades inesperadas e as esperanças perdidas que poderão abater-se sobre você. A luz recebida do Senhor a cada novo dia fortalece nosso relacionamento com ele, mantém acesa a chama da esperança e dá forças para enfrentar mais um dia, seja o que for que ele nos reserve.

Portanto, siga o exemplo de Isabel e apegue-se a Deus, em quaisquer circunstâncias, e a esta promessa: "Sê forte e corajoso; não temas, nem te espantes, porque o Senhor, teu Deus, é contigo por onde quer [e em qualquer circunstância] que andares" (Js 1.9).

20 DE SETEMBRO – LC 1

BRILHO DE ESPERANÇA

ISABEL

*Passados esses dias, Isabel, sua mulher,
concebeu e ocultou-se por cinco meses... Lc 1.24*

FOI UM MILAGRE! Não, foram muitos milagres!

- *Primeiro milagre.* Zacarias, o marido de Isabel, cumpria seus deveres de sacerdote no templo, quando um glorioso mensageiro do Senhor apareceu-lhe repentinamente. "Tua oração foi ouvida", ele anunciou, "e Isabel, tua mulher, te dará à luz um filho". As boas-novas prosseguiram: "Em ti haverá prazer e alegria, e muitos se regozijarão com o seu nascimento. Pois ele será grande diante do Senhor... E irá adiante dele no espírito e poder de Elias".
- *Segundo milagre.* Infelizmente, Zacarias duvidou da boa notícia dada pelo anjo e ficou mudo por causa de sua incredulidade.
- *Terceiro milagre.* Conforme o anjo comunicou, Isabel concebeu, apesar de sua idade avançada! Que brilho de esperança para o amanhã!

Como Isabel reagiu ao milagre da gravidez? Ela se vangloriou? Desfilou pela cidade anunciando as boas-novas? Ergueu a mão e orou com o grupo de oração da cidade? Não. Isabel preferiu ocultar-se, permanecer em comunhão com o Senhor a quem ela amava, durante cinco meses. Por quê?

- *Ela se alegrou!* O bebê estava a caminho! E esse bebê seria o precursor do Messias, que também estava a caminho!
- *Ela ficou agradecida!* Isabel deve ter passado uma boa parte daquele tempo em casa, com a cabeça curvada reverentemente em agradecimento ao Senhor.
- *Ela foi realista!* A criança aguardada exerceria um papel importante na história do povo de Deus, e a responsabilidade de educá-la para ter uma vida piedosa exigia uma preparação séria da parte de Isabel, acompanhada de muitos momentos de oração.

Você leva à presença do Senhor não apenas as tristezas, mas também as alegrias, a gratidão, as responsabilidades e as esperanças para o amanhã?

Motivo nº 4 para o culto doméstico: "Ele tornará mais doce a vida em seu lar e enriquecerá os relacionamentos familiares, mais do que qualquer coisa".

Deus proporciona amor e esperança, paz e força, e o fruto de seu Espírito quando você separa alguns momentos para passar com ele. Sua vida no lar e seus relacionamentos familiares serão ricamente abençoados!

21 de Setembro – Lc 1

Paixão incalculável
Maria

...a virgem chamava-se Maria.
Lc 1.27

Ontem, nos alegramos com Zacarias e Isabel, porque o Messias, o Salvador do mundo, estava a caminho! Finalmente, quatrocentos anos após a última profecia sobre sua chegada, aproximava-se o dia do abençoado evento!

Mas *como* ele chegaria? A resposta resume-se em uma só palavra: *Maria!* Pouco se sabe a respeito dessa mulher, tão ricamente abençoada por Deus que trouxe seu Filho ao mundo. A Bíblia menciona que ela era uma virgem da cidade de Nazaré, da tribo de Judá, da linhagem real de Davi, comprometida a casar-se com José. A cultura da época em que Maria viveu nos fornece mais alguns detalhes sobre sua vida.

- *Pais.* Embora os pais de Maria não sejam mencionados na Bíblia, podemos acreditar, com base em seu caráter e no conhecimento da Palavra de Deus, que ela foi criada em um lar piedoso, de tradição judaica.
- *Instrução.* Enquanto cresciam, as meninas eram treinadas para cuidar da casa e também das coisas do Senhor. As maravilhosas palavras de louvor proferidas por ela em seu cântico (v. 46-55) evidenciam que Maria conhecia muito bem as Escrituras e havia guardado alguns trechos da Palavra de Deus em seu jovem coração.
- *Noivado.* Maria estava comprometida com José. Naquela época, o noivado era obrigatório e oficializado por meio de um documento escrito e assinado. O casamento só ocorria um ano depois.
- *Idade.* Os rapazes israelitas, em sua maioria, casavam-se por volta dos vinte anos, e as mulheres, com menos idade. Os rabinos estabeleciam a idade mínima de doze anos para as mulheres se casarem.[8] Maria devia estar no início da adolescência.

Apesar de ser muito jovem e, aparentemente, pobre, Maria possuía algo de valor incalculável em seu interior: era uma mulher que amava a Deus de maneira profunda e sublime e que lhe obedecia em tudo. Portanto, não é de admirar que tenha sido escolhida por Deus para trazer seu Filho ao mundo.

Para Deus, o mais importante de tudo é o interior da pessoa! Quando Deus ilumina seu coração, o que ele vê? Assuma um compromisso de amar a Deus, de coração, de maneira profunda e sublime, e de obedecer-lhe em tudo! Esse amor é um tesouro eterno, de valor incalculável.

22 DE SETEMBRO – LC 1

A BELEZA DO PLANO DE DEUS
MARIA

Mas o anjo lhe disse: Maria, não temas; porque achaste graça diante de Deus.
Lc 1.30

QUE TIPO DE MULHER Deus escolheu para ser a mãe de seu Filho unigênito, a mãe de nosso Senhor Jesus? A Bíblia nos conta que Maria era:

- *Jovem*. Ela era imatura, inexperiente e ingênua. Nunca havia sido mãe.
- *Pobre*. Ela não possuía fortuna, nem riquezas, nem herança de família.
- *Desconhecida*. Ela não era famosa, nem ocupava posição de destaque; era desconhecida. Ninguém ouvira falar de seu pai, de sua mãe, nem dela. A Bíblia não menciona nada sobre sua aparência física ou beleza.

Ninguém escolheria Maria para ser a mãe do Filho de Deus, a não ser o próprio Deus! Apesar de não ter atrativos aos olhos do mundo, Deus enviou seu anjo Gabriel para falar com essa adolescente pobre e humilde.

Você pode imaginar a cena? Maria mal podia acreditar no que seus olhos viam! Imagine como deveria ser a aparência desse mensageiro angelical de Deus! Porém, o fato mais surpreendente foi o que Maria ouviu dele. Deve ter sido difícil para ela acreditar no que o anjo lhe dizia: "Alegra-te, muito favorecida! O Senhor é contigo! Achaste graça diante de Deus".

Quando o Senhor procurou uma mulher para abençoá-la como mãe de seu Filho, ele queria encontrar alguém que amasse a Deus. Do ponto de vista terreno, Maria parecia completamente *despreparada, inútil* para qualquer tarefa.

Talvez você se sinta da mesma maneira em determinadas situações. Talvez sinta que não é especial, que não consegue atuar em algumas áreas que o mundo considera essenciais, que precisa de maior escolaridade, roupas mais bonitas, currículo mais extenso, linhagem mais aprimorada... e a lista continua. Porém, se você amar a Deus e buscá-lo de todo o coração, será merecedora de sua misericórdia e usada por ele.

Você gostaria de fazer coisas extraordinárias para Deus? Comece desde já, amando-o e sendo obediente a ele. O amor de Maria por Deus qualificou-a para ser usada por ele. Ela era pobre, jovem e desconhecida, mas possuía uma fé que agradava a Deus, portanto foi favorecida por ele. Minha querida amiga, se você amar a Deus o suficiente para pagar o alto preço da obediência, também será grandemente favorecida por ele. Ore e, depois, imagine como ele poderá usar você!

23 de Setembro – Lc 1

Momentos decisivos
Maria

Então, disse Maria ao anjo: Como será isto...?
Lc 1.34

O SOL NASCERA NAQUELA MANHÃ como em todos os dias da vida de Maria. Enquanto pensava nas tarefas que tinha pela frente, ela não notou nada que lhe desse a entender que sua vida seria transformada e transportada da esfera terrena para a esfera do mistério. Mas algo ocorreu naquele dia que mudou tudo... para sempre!

Segundos depois do que aconteceu, as esperanças de uma vida tranquila desapareceram. Desapareceu o conforto, a segurança de uma rotina previsível. Desapareceram a vida pacífica que ela levava e os sonhos de ter um futuro simples e comum na cidade de Nazaré.

As palavras que o anjo Gabriel proferiu quando apareceu diante da jovem Maria mudaram completamente sua vida. Nada mais seria o mesmo para ela, porque Deus a escolhera para ser a mãe de seu Filho. Por meio dela, o mundo conheceria o Salvador, Senhor e Rei. Nada mais seria igual para Maria...

Todas as mulheres que amam a Deus têm muito o que aprender com Maria sobre como enfrentar momentos decisivos da vida. Lemos no Evangelho de Lucas que Maria aceitou humildemente a notícia, dada pelo anjo Gabriel, de que geraria o Filho de Deus. Observe a primeira reação de Maria: "Como será isto, pois não tenho relação com homem algum?" Essa pergunta, perfeitamente natural, recebeu uma resposta que indicava um fato sobrenatural: "Descerá sobre ti o Espírito Santo, e o poder do Altíssimo te envolverá com a sua sombra; por isso, também o ente santo que há de nascer será chamado Filho de Deus". O nascimento seria um milagre. Essa foi a única explicação que Maria recebeu.

Talvez você também, querida serva do Senhor, se lembre de um dia que mudou completamente a sua vida. Dali em diante, nada foi como antes. Possivelmente, naquele dia, nuvens escuras tenham escondido o sol. Esses pontos decisivos na vida podem transformar nosso íntimo. Esses pontos decisivos podem também nos levar a Deus, à sua Palavra, às suas promessas... e nos levar a aceitar que a compreensão dos "comos" e dos "porquês" da vida pertencem a Deus.[9]

24 DE SETEMBRO – Lc 1

O CORAÇÃO DE UMA SERVA

MARIA

Aqui está a serva do Senhor...
Lc 1.38

NÃO FOI MARAVILHOSA a oportunidade, nesses últimos dias, de observar o encontro de uma jovem serva com Gabriel, o mensageiro de Deus? Primeiro, descobrimos que tipo de mulher Maria era: uma mulher de caráter e virgem. Depois, vimos o desafio que ela enfrentou: ser a mãe de Jesus, o Filho de Deus. Finalmente, ouvimos sua pergunta cautelosa e reverente, proferida em um sussurro: "Como será isto?"

Duas indicações encontradas na Bíblia (uma para hoje e outra para amanhã) nos ajudam a entender como Maria foi capaz de depositar sua fé em Deus naquele momento que mudou sua vida.

- *Indicação nº 1:* O coração de uma serva. Depois que o mensageiro de Deus contou a Maria qual seria seu papel no glorioso plano de Deus, suas primeiras palavras foram: "Aqui está a serva do Senhor!"

Na Bíblia, *serva,* ou *criada,* refere-se a uma escrava que não possuía vontade própria. Ela era obrigada a cumprir as ordens do seu amo sem perguntas e sem demora. A serva sentava-se em silêncio, observando os gestos da mão de sua senhora (Sl 123.2), aos quais ela obedecia sem perguntar nem hesitar.

Evidentemente, Maria possuía o coração de uma serva devotada ao seu Senhor. Deixando de lado a vontade própria e qualquer direito que porventura tivesse, sua vida estava inteiramente comprometida com Deus. Seu único objetivo era obedecer à vontade de seu Mestre.

Portanto, naquele dia em Nazaré em que Deus moveu sua mão e sinalizou sua vontade, aquela jovem devotada respondeu com obediência. Maria, um exemplo para todas as mulheres que amam a Deus, aceitou a vontade de Deus para a sua vida. Aquela humilde serva estava disposta a fazer tudo o que ele desejava, embora obedecer significasse uma completa mudança em sua vida, para sempre...

Minha amiga, passe alguns momentos em oração. Peça a Deus que a livre das circunstâncias de sua vida que você não compreende... e experimente "a boa, agradável e perfeita vontade de Deus" (Rm 12.2). Agradeça ao Senhor os ensinamentos que ele trouxe por intermédio da vida de Maria. Peça a Deus que continue a ensiná-la a amá-lo, a confiar nele cada vez mais, e que você possa ter o coração de uma serva.

25 de Setembro – Lc 1

Uma atitude de aceitação
Maria

...que se cumpra em mim conforme a tua palavra...
Lc 1.38

Ontem, nos comovemos diante do extraordinário coração de serva que Maria demonstrou quando Deus revelou seu maravilhoso plano para ela. Hoje, observaremos uma nova característica estupenda da jovem Maria, que tanto amava a Deus:

- *Indicação nº 2:* Uma atitude de aceitação. Admitindo ser uma "serva do Senhor", Maria disse ao mensageiro de Deus: "Que se cumpra em mim conforme a tua palavra".

Quando Deus disse a Maria, por intermédio de Gabriel, que ela havia sido escolhida para ser a mãe de Jesus, ela aceitou o plano de Deus, e sua vida mudou completamente. A escolha de Deus significava que Maria estaria grávida antes de se casar e, portanto, seria estigmatizada por ter um filho bastardo (Jo 8.41). A escolha de Deus significava problemas com seu futuro marido, problemas em casa, problemas em Nazaré e problemas com os outros filhos que um dia ela teria. A escolha de Deus significava uma vida de tensão, porque ela e seu bebê seriam perseguidos, porque ela teria de fugir de um país para outro, porque seu Filho primogênito provocaria reações violentas no coração do povo. E a escolha de Deus significava que a alma de Maria seria traspassada por grande tristeza (Lc 2.35) quando ela acompanhasse, ao pé da cruz, o caminho de sofrimento de seu filho (Jo 19.25). Contudo, quando o anjo apareceu para dar-lhe a notícia, a atitude de aceitação de Maria foi clara: "Que se cumpra em mim conforme a tua palavra".

Você já pensou por que Maria foi capaz de aceitar o plano radical de Deus para a sua vida? As próprias palavras de Maria respondem a esta pergunta. Ela se considerava serva de Deus e, como tal, aceitou sua vontade. Além disso, Maria conhecia suficientemente seu Pai celestial a ponto de confiar nele, descansar em seu amor e aceitar o que ele ordenasse para a sua vida.

E quanto a você, querida amiga? Sua atitude é de aceitação? Reflita sobre esta lista:

- Como você costuma enfrentar mudanças radicais ou circunstâncias injustas?

- O que a impede de responder aos acontecimentos de sua vida com a frase: "Seja feita a tua vontade"?

- O que você poderia fazer para aprender mais a respeito do caráter de nosso Deus, aquele que é digno de toda a nossa confiança?

- Que passo você dará hoje para atingir esse objetivo?

26 DE SETEMBRO – Lc 1

PRIMAVERA E INVERNO
MARIA E ISABEL

> *[Maria] entrou na casa de Zacarias e saudou Isabel.*
> Lc 1.40

HOJE, vemos Deus unindo a vida de duas mulheres que o amaram: Maria, tão jovem, e Isabel, tão idosa. Ambas ficaram grávidas por milagre: Isabel, esperava o filho que anunciaria a vinda de Jesus; e Maria, do próprio Jesus. Verdadeiramente, a amizade entre as duas mulheres ilustra o plano de Deus para que sua serva, mais velha, incentivasse a mais jovem, como se uma representasse o inverno, e a outra, a primavera (Tt 2.3-5).

Duas mulheres que amaram a Deus. Duas mulheres grávidas. Dois milagres! E que doce comunhão aquelas duas servas de Deus desfrutaram no lar de Isabel, revelando-nos outra bênção recebida em um lar onde a família passava diariamente alguns momentos com o Senhor [veja meditação de 17 de setembro]:

- *Motivo nº 5 para o culto doméstico:* "Ele exercerá uma influência poderosa e santificadora sobre aqueles que estiverem visitando seu lar".

Por certo, foi assim a saudação, de "influência poderosa e santificadora", que a jovem Maria recebeu ao atravessar a porta do aconchegante e acolhedor lar de Isabel. E, ao entrar na casa, iniciou-se uma troca de bênçãos, de paz de espírito, de edificação, de oração, e de *koinonia* (comunhão) com Deus. Abençoada, de fato, foi a influência santificadora do lar de Isabel sobre sua jovem visitante!

E você, preciosa irmã dessas duas mulheres? Considera o tempo passado no estudo da Palavra de Deus e em oração como momentos santos de preparação, e ministração, tanto para a sua vida como para a de outras pessoas e de sua família? Preste atenção nestas palavras de Ray e Anne Ortlund: "Quanto mais tempo de sua vida você passar em silêncio, em reflexão, em oração, [em estudo], em planejamento e em preparação, maior será a eficácia, o impacto e o poder demonstrados em seu modo de viver".[10] A eficácia de seu ministério para ajudar as pessoas está em proporção direta ao tempo que você se afasta e permanece em comunhão com Deus, em momentos tranquilos de preparação.

Você representa a primavera, uma jovem cujo amor a Deus está crescendo? Peça a Deus que a ajude a encontrar uma pessoa mais velha que possa avivar a chama de seu amor por ele. Ou você representa o inverno, uma mulher que tem muita experiência para oferecer? Vá ao encontro de pessoas que necessitam de sua influência piedosa.

27 de Setembro – Lc 1

A santidade da solidão

Isabel

*Ouvindo esta a saudação de Maria...
Isabel ficou possuída do Espírito Santo.* Lc 1.41

Que cena encantadora de adoração e júbilo é descrita aqui no primeiro capítulo de Lucas! Isabel, mulher idosa, que passara da idade de ter filhos, espera um bebê! Contudo, em vez de proclamar as boas-novas do alto do telhado, Isabel preferiu esconder-se por cinco meses para viver essa maravilha.

O que você, querida leitora, imagina que Isabel fez durante o tempo em que se recolheu dentro de casa? Ela deve ter passado muitas horas adorando a Deus, exaltando jubilosamente o Doador de tudo e a Fonte de todas as bênçãos. Em seus momentos de reclusão, Isabel, uma mulher que amava a Deus, foi exemplo vivo de outro motivo para um retiro espiritual em casa com o Senhor, preparando-se para a sua futura missão.

- *Motivo nº 6 para o culto doméstico:* "Honramos a Deus, o doador de todo o bem e a fonte de todas as bênçãos".

A doce Isabel buscou ao Senhor no aconchego de seu lar, louvando-o porque o Messias estava a caminho e agradecendo-lhe porque o bebê que esperava se destinava a preparar o povo de Deus para a vinda de Cristo.

Foi nesse ambiente de santidade que outra grávida, Maria, prima de Isabel, entrou, possivelmente indagando a si mesma se os eventos dos últimos dias de sua vida eram reais. Quando Maria chegou, Isabel revelou um entendimento extraordinário da situação. Ela saudou Maria com extrema alegria, sem demonstrar nenhum ceticismo quanto à obra do Senhor. Quando o bebê em seu ventre estremeceu de alegria diante do Ser Divino que estava no ventre de Maria, Isabel entendeu a reação de seu filho e reconheceu a grande importância do Menino Jesus concebido pela prima. A obra magnífica do Espírito Santo em Isabel preparou seu coração para que compreendesse a vontade de Deus. O tempo passado em solidão com o Senhor capacitou-a para acreditar em seu plano maravilhoso... e ela se alegrou!

Certamente, você também deseja amar a Deus com mais intensidade. Busque, então, a santidade da solidão e permita que Deus desvende seus olhos para que você contemple as maravilhas da sua lei (Sl 119.18) e transforme sua vida. Esse tempo de reclusão, passado com o Pai celestial, honrará aquele que é a Fonte de todas as bênçãos que você conhece.

28 de Setembro – Lc 1

Almas voltadas para o alto
Maria e Isabel

E [Isabel] exclamou em alta voz: Bendita és tu entre as mulheres, e bendito o fruto do teu ventre. Lc 1.42

Hoje, analisaremos com mais detalhes o encontro promovido pelo Espírito Santo entre Maria e Isabel, uma cena emocionante que começamos a conhecer ontem. Quando essas duas mulheres que amaram a Deus se encontraram, foram proferidas palavras de sabedoria, ações de graças, honra, poder e força a Deus, pelos séculos dos séculos (Ap 7.12)! Imagine a cena.

Tanto Maria como Isabel, cheias do Espírito de Deus, esperam um bebê cujo papel é de suma importância para o plano eterno de Deus e de seu povo. Portanto, não é de admirar que, naquele momento, a alma das duas mulheres estivesse voltada para o alto, em adoração ao Todo-poderoso. No aconchego do lar de Isabel, as primas carnais e irmãs no Senhor comungam com Deus, buscando nele, e entre si, a força necessária para aquele dia e o brilho de esperança para o futuro. Imagine a alegria que sentiram ao adorar juntas ao Deus onipotente! Considere o júbilo que sentiram por serem irmãs no Senhor, e como essa fraternidade aprimorou a obra visível de Deus em suas vidas. Observe também a doce ministração que uma oferece à outra, na tranquilidade do lar de Isabel.

Deve ter sido um momento fascinante, um doce relacionamento, um tempo de ternura, você não acha? Mas sabemos também o que aquelas duas encantadoras mulheres que amaram a Deus teriam de enfrentar.

A história da igreja deixa transparecer que logo Isabel presenciaria a morte do marido e, em seguida, o acompanharia, desfrutando por pouco tempo o prazer de ser mãe. E sabemos que a alma de Maria seria traspassada pela tristeza quando seu precioso Jesus caminhasse em direção à cruz do Calvário.

Você tem alguma amiga em Cristo como Maria e Isabel? E, mais importante ainda: *você é* uma amiga em Cristo em relação a outras pessoas? A arte do encorajamento cristão é uma ordem a ser obedecida e uma dádiva que Deus proporciona graciosamente a seu povo. Em nossa peregrinação com Deus, quando atravessamos vales escuros e caminhos traiçoeiros, devemos transmitir força uns aos outros no Senhor.

29 de Setembro – Lc 1

Cântico vindo do coração
Maria

Então, disse Maria: A minha alma engrandece ao Senhor.
Lc 1.46

Jesus disse certa vez: "O homem bom, do bom tesouro do coração tira o bem... porque a boca fala do que está cheio o coração" (Lc 6.45). Para conhecer o que se passa em um coração, é preciso medir a qualidade das palavras proferidas por ele.

Hoje, Deus nos permite conhecer o coração de Maria por meio de suas palavras. Quando chegou à casa de Isabel, aquela jovem, que "guardava todas estas palavras, meditando-as no coração" (Lc 2.19) e que, segundo a Bíblia, falava pouco, abriu a boca e disse tudo o que estava dentro de seu coração.

E de seu coração brotaram as ricas palavras de adoração registradas em Lucas 1.45-55, um cântico conhecido como *Magnificat*. "A minha alma engrandece ao Senhor", inicia Maria, e as palavras que se seguem contêm quinze citações do Antigo Testamento. Conforme um autor observou, esse número de citações no *Magnificat* mostra que "Maria conhecia a Deus por intermédio dos livros de Moisés, de Salmos e dos escritos dos profetas. Ela possuía profunda reverência ao Senhor Deus em seu coração, porque sabia o que ele realizara na história de seu povo".[11]

Evidentemente, Maria havia afinado as cordas de seu coração com a Palavra de Deus! Na verdade, seu coração estava impregnado da Palavra de Deus. Maria cantou porque conhecia Deus e porque conhecia sua misericórdia, sua provisão e sua fidelidade para com seus ancestrais. Como foi o cântico de Maria? Ele foi:

- *Um cântico de júbilo,* caracterizado por alegria e louvor.
- *Um cântico consistente,* extraído da Bíblia.
- *Um cântico do passado,* que repercutiu o cântico de Ana (1Sm 2).
- *Um cântico para hoje,* porque Deus é o mesmo ontem e hoje.
- *Um cântico para a eternidade,* porque a Palavra de Deus, na qual está registrado, permanece para sempre!

Você, que conhece a Deus e seu infinito poder, gostaria de juntar-se a Maria em seu cântico de louvor? Que tal transformar o solo de Maria em um dueto? Passe alguns minutos preciosos lendo as lindas e alegres palavras que ela proferiu. Em seguida, cante com ela a doce melodia e faça ecoar seu louvor: "A minha alma engrandece ao Senhor!"

30 de Setembro – Lc 1

Aleluia! Tenho um Salvador!
MARIA

...meu espírito se alegrou em Deus, meu Salvador.
Lc 1.47

DAR TESTEMUNHO É agradecer imensamente a Deus tudo o que ele tem feito. Ao examinar os detalhes do testemunho de Maria e saborear a riqueza de seu maravilhoso *Magnificat*, observe que a mãe de nosso Salvador inicia seu testemunho como qualquer testemunho começa: louvando a Deus pela salvação. Raciocine comigo. O bebê que Maria esperava era o Salvador tão aguardado por todos. Ele levaria os pecados do mundo, inclusive os de Maria, sua mãe! Portanto, esse transbordar de louvor começa assim: "A minha alma engrandece ao Senhor, e o meu espírito se alegrou em Deus, meu Salvador".

Maria também necessitava de um Salvador, e reconheceu abertamente esse fato. Reconheceu que sua única esperança para a salvação era a divina graça de Deus revelada em seu Filho, o Messias.

Talvez você esteja imaginando: "Por que eu necessito de um Salvador?" Reflita sobre tudo o que Jesus Cristo, o Salvador enviado por Deus, oferece a você e a mim. Ele:

S ujeitou-se a morrer por nossos pecados (1Co 15.3);
A ssegurou-nos a vida eterna (Jo 10.28);
L ivrou-nos dos laços de Satanás (2Tm 2.26);
V enceu o mundo (Jo 16.33);
A mou-nos a ponto de dar a própria vida em nosso favor (Jo 15.13);
D estruiu o poder do pecado (Rm 6.1-10);
O rou intercedendo por nós (Jo 17) e
R econciliou-nos com Deus (2Co 5.19).

Você já recebeu a salvação? Acredita que a palavra *Salvador* representa: perdão dos pecados, certeza de alcançar o céu, libertação do poder de Satanás, comunhão com os santos e um relacionamento com Deus por meio de seu Filho? Se a resposta for não, aceite Jesus como seu Salvador neste momento! Ore assim: "Perdoa meus pecados! Entra em meu coração, Senhor Jesus!" Você pode começar hoje mesmo sua caminhada com o Salvador.

Em seguida, quer você pertença ao Salvador há um minuto ou a vida inteira, faça uma pausa. Ore e seja agradecida a Deus pelas verdades descritas no acróstico acima. Cante e exclame: "Aleluia! Eu tenho um Salvador!"

1º de Outubro – Lc 1

A beleza da adoração
Maria

...o Poderoso me fez grandes coisas...
Lc 1.49

A ADORAÇÃO, ou o ato de reverenciar uma divindade, "é tão antiga quanto a humanidade. [É] uma necessidade da alma humana tão inerente a ela quanto a consciência do próprio Deus, que a impele a testificar, por meio de palavras e de ações, seu amor e gratidão ao Autor da vida e Doador de todo o bem".[1]

E foi justamente em atitude de adoração que Maria, a mãe de nosso Salvador, proferiu vinte séculos atrás seu famoso *Magnificat*. De seu coração brotaram palavras de amor e gratidão ao Autor da vida e Doador de tudo o que é bom, pela grande obra que realizara e que continuava a realizar por seu povo e por ela.

Você gostaria de saber expressar gratidão por seu Salvador? Ele tem feito muito por nós, seus filhos amados. Estávamos perdidos e ele nos encontrou. Estávamos cegos espiritualmente, mas agora vemos. Estávamos mortos em nossos delitos e pecados e ele nos deu vida (Ef 2.1). Ele nos chamou das trevas para a sua maravilhosa luz (1Pe 2.9) e nos fez abundar em toda a graça (2Co 9.8), nos abençoou com toda sorte de bênçãos espirituais (Ef 1.3) e veio nos dar vida abundante (Jo 10.10).

Minha amiga, que tal agir como Maria e prostrar-se aos pés de Deus neste momento, em atitude de louvor e adoração? Lembre-se especificamente das coisas maravilhosas que Deus tem feito por você, querida serva que o ama e é amada por ele.

Pense também nos atos de adoração que você pode oferecer a ele, hoje e todos os dias de sua vida, dignos de um Deus poderoso, amoroso, protetor e salvador. Reflita sobre o que você pode oferecer como forma de adoração:

- *Tempo* dedicado à sua palavra, em culto, em oração.
- *Dinheiro* oferecido não para se deduzir do imposto de renda, mas unicamente por amor a Deus.
- *Fé* para o futuro, para ofertas sacrificais ou para doações sem medida.
- *Testemunho* àqueles que não o conhecem.
- *Louvor* a Deus para que todos saibam o que ele tem feito por você.

Ó, adore a Deus neste momento! Sem medida! Em voz alta! Sinceramente! Porque ele é poderoso e tem feito grandes coisas por *você*!

2 DE OUTUBRO – LC 1

O FUNDAMENTO PARA A FÉ

Maria

Santo é o seu nome.
Lc 1.49

VOCÊ ALMEJA SER uma mulher de grande fé? Planeje, então, passar a vida abastecendo seu coração e mente com a Palavra de Deus, porque a verdade nela contida é o fundamento seguro para uma fé agradável ao Senhor. O hino de fé entoado por Maria, mãe de Jesus, deixa claro que de seu coração transbordava a Palavra de Deus e revela que dele fluíam as leis do Antigo Testamento, a beleza de Salmos, as palavras dos profetas e as orações de outros crentes. Ao falar de Deus, a jovem Maria mencionou sua natureza, seu caráter e seus atributos, quase sempre usando palavras de quem viveu antes dela:

- *Santidade de Deus.* "Santo é o seu nome" (v. 49). Deus é inteiramente puro e totalmente "diferente" dos seres pecaminosos e egoístas. Em Jesus, Deus revelou sua santidade.

- *Misericórdia de Deus.* "A sua misericórdia vai de geração em geração sobre os que o temem" (v. 50). Contemple a paciência e a misericórdia do Senhor! Em Jesus, Deus estendeu-nos sua misericórdia por meio da salvação, pela morte de seu Filho na cruz por nossos pecados.

- *Poder de Deus.* "Agiu com seu braço valorosamente; dispersou os que no coração alimentavam pensamentos soberbos. Derrubou dos seus tronos os poderosos e exaltou os humildes" (v. 51,52). Maravilhe-se diante do poder de Deus! Em Jesus, ele humilhou os soberbos e poderosos e exaltou aqueles que são pobres e humildes aos olhos do mundo.

- *Bondade de Deus.* "Encheu de bens os famintos e despediu vazios os ricos" (v. 53). Deus é bom, e a vida e os ensinamentos de Jesus refletem essa bondade. Jesus nos ensinou que Deus é bondoso até para com os ingratos e maus (Lc 6.35).

- *Fidelidade de Deus.* "Amparou a Israel, seu servo, a fim de lembrar-se da sua misericórdia, a favor de Abraão e de sua descendência, para sempre" (v. 54,55). Deus é eternamente fiel à sua palavra e a seu povo escolhido. Em Jesus, Deus enviou o Redentor prometido a Abraão e a nós, que somos descendentes de Abraão.

Querida irmã, comece a conhecer tudo isso a respeito de Deus e muito mais, por meio do estudo de sua Palavra, o fundamento para a fé.

3 DE OUTUBRO – LC 1

O CAMINHO DA FÉ

ISABEL

A Isabel cumpriu-se o tempo de dar à luz, e teve um filho.
Lc 1.57

VIMOS, dois dias atrás, que o Deus poderoso faz grandes coisas por aqueles que o amam. Isso valeu para Maria e vale para você hoje. Esse mesmo Deus poderoso também fez grandes coisas por Isabel. O primeiro item de sua lista de "grandes coisas" era uma gravidez milagrosa, em idade avançada, e o nascimento de seu filho João Batista. "Ouviram os seus vizinhos e parentes que o Senhor usara de grande misericórdia para com ela, e participaram do seu regozijo."

É difícil imaginar a grande alegria que Isabel sentiu diante da bondade de Deus para com ela. Apesar de viver muitos anos sem ter filhos, ela presenciou o milagre dos milagres: Deus a escolheu para ser a mãe de João, o precursor do Senhor! Seu bebê cresceria para ser grande aos olhos do Senhor e cheio do Espírito Santo, para levar muitos corações a Deus e para deixar o povo de Israel preparado para receber o Messias. A luz resplandecente da bondade divina fez que as muitas décadas de escuridão se transformassem em uma vaga lembrança do passado.

- Você pensa nas grandes coisas que o Senhor tem feito por você? O versículo 24 nos diz que Isabel se ocultou por cinco meses para contemplar a bondade de Deus em sua vida.

- Você considera a missão de ser mãe como uma das maiores bênçãos da vida? Seus filhos lhe proporcionam grandes alegrias? Quando João nasceu, o coração de sua mãe transbordou de alegria. Isabel regozijou-se pelo fato de, finalmente, ser mãe!

- Você se alegra com as outras pessoas diante das grandes coisas que Deus faz na vida delas? Os vizinhos de Isabel reuniram-se e participaram de seu regozijo. A Bíblia nos ensina que "o amor não arde em ciúmes" (1Co 13.4) e nos exorta: "Alegrai-vos com os que se alegram" (Rm 12.15).

- Você permanece fiel a Deus e confia em sua bondade mesmo em momentos de escuridão, quando não enxerga nenhum sinal de seu amor? Em tempos como esses, nós, que amamos a Deus, devemos andar pela fé, e não pelo que vemos (2Co 5.7), confiando na bondade redentora de Deus enquanto aguardamos receber mais uma prova de seu amor infinito.

4 de Outubro – Lc 2

Jornada de Fé

Maria

[Maria] deu à luz o seu filho primogênito, enfaixou-o e o deitou numa manjedoura... Lc 2.7

Essas palavras, impregnadas de amor e inspiradas por Deus, falam de um evento que mudou o curso da História, o destino do homem e o rumo de nossas vidas. Apesar disso, o caminho que Maria percorreu até a manjedoura não foi fácil.

Oh!, Maria foi agraciada com a coisa mais maravilhosa que poderia acontecer a uma mulher. Ela foi escolhida por Deus para trazer ao mundo seu Filho unigênito, sua maior dádiva à humanidade. Reflita, porém, sobre o que Maria sofreu no caminho até a estrebaria:

- Seu futuro marido pensou em abandoná-la secretamente.
- Um decreto romano obrigou Maria a fazer uma viagem arriscada em suas últimas semanas de gravidez.
- Maria estava distante de seu lar, de sua família e de seus amigos no momento de dar à luz seu primogênito.
- E, por não haver lugar na hospedaria da cidade, o berço do bebezinho de Maria foi uma manjedoura!

Que circunstâncias difíceis para alguém dar à luz! Mas o Deus de Maria transformou cada um desses imensos obstáculos em trampolins para a sua serva:

- Obedecendo a uma ordem de Deus, José não abandonou Maria; antes permaneceu ao lado dela.
- O decreto romano significou que Maria estava exatamente no lugar certo. A profecia de que o Emanuel nasceria em Belém foi cumprida (Mq 5.2).
- A família e os amigos de Maria estavam distantes, mas o Deus dela (e o seu) é poderoso em todas as coisas. Ele sempre provê tudo o que necessitamos. Como Pai da família de Deus, ele é um Amigo muito mais íntimo do que um irmão, irmã, pai, mãe ou qualquer amigo.
- Quando o mundo fecha as portas para nós, Deus é o nosso refúgio (Sl 46.1), e ele nos fortalece com seu poder sempre que estamos fracos ou necessitados (2Co 12.9,10).

Que dificuldades ou obstáculos atravancam sua vida? Volte-se para Deus e confie nele. Assim como cuidou de Maria, o Pai celestial, fiel e amorosamente cuidará de você em sua jornada de fé!

5 de Outubro – Lc 2

Tesouro verdadeiro

Maria

Maria, porém, guardava todas estas palavras, meditando-as no coração.
Lc 2.19

Que boa nova! Cristo o Salvador nasceu! Deus queria que essa mensagem se espalhasse, e escolheu um meio divino para proclamar esta boa nova a algumas pessoas humildes, a fim de que elas a divulgassem.

Na noite em que Jesus nasceu, anjos de Deus apareceram a um grupo de pastores de ovelhas. Os radiantes mensageiros iluminaram o céu com sua presença, louvando e glorificando o nascimento de Cristo, o Senhor.

Imediatamente, os pastores se dirigiram a Belém para ver com os próprios olhos o que Deus lhes comunicara por meio de seus mensageiros. Após terem visto o menino Jesus, eles começaram a divulgar a notícia auspiciosa. Alguns dos que ouviram a mensagem de Deus, proferida por intermédio dos pastores, demonstraram apenas curiosidade, mas Maria, a mãe de Jesus, entesourava todas aquelas palavras no coração e meditava sobre elas.

Você sabe o que quer dizer *entesourar* alguma coisa no coração? Significa guardar essa coisa com muito cuidado e fé para que fique protegida. Maria guardou o tesouro da verdade de Deus com tanto cuidado e tanta fé que ele passou a fazer parte dela, permanecendo seguro dentro de seu coração.

E, enquanto entesourava a verdade, Maria também *meditava*. Ela pensava o tempo todo, avaliando a relação entre as palavras e os fatos, comparando-os com as profecias, confrontando-os com o que ela conhecia sobre Deus, carregando essa mensagem no coração.

Já observamos anteriormente que Maria devia ser uma mulher de poucas palavras. Agora, a vemos como uma mulher que guardava no coração todas as coisas que via e ouvia como se fossem um tesouro, porque elas procediam de Deus. Ao ler a respeito do nascimento de Jesus em Lucas 2, um relato que provavelmente foi narrado por Maria ao autor do evangelho, você não se alegra por saber que ela entesourou e analisou cuidadosamente os eventos que cercaram o nascimento de Jesus, o seu Salvador? A atitude de Maria revela alguns detalhes sobre o nosso Salvador que também podemos entesourar.

> Oração: *Ó, Senhor! Ajuda-me a desenvolver o hábito precioso de Maria de entesourar a tua verdade e de meditar sobre ela! Que eu possa ser uma mulher que te ame e à palavra. Que eu use a mente que me deste para pensar no que é verdadeiro, que eu oculte essa verdade no coração e procure compreendê-la melhor.*

6 DE OUTUBRO – Lc 2

UMA MULHER SEGUNDO O CORAÇÃO DE DEUS

MARIA

...levaram-no a Jerusalém para o apresentarem ao Senhor... e para oferecer um sacrifício, segundo o que está escrito na referida lei. Lc 2.22,24

DEUS NUNCA ERRA e certamente não cometeu um erro ao escolher Maria para ser a mãe de seu Filho!

A responsabilidade de criar Jesus, o Renovo Justo de Davi, exigia que seus pais fossem irrepreensíveis perante a lei de Deus. Conforme indicam alguns versículos de Lucas 2, Maria e José estavam perfeitamente qualificados para essa função. Quatro versículos narram os rituais do templo envolvendo o nascimento de Jesus, e nesses versículos a lei do Senhor e seu cumprimento são mencionados três vezes.

- Jesus foi circuncidado exatamente oito dias após seu nascimento, conforme exigia a lei de Deus.

- A purificação de Maria após o parto ocorreu precisamente quarenta dias depois do nascimento de um filho do sexo masculino, e foi oferecido um sacrifício (um par de rolas), conforme exigia a lei de Deus.

- Maria apresentou Jesus, seu filho primogênito, ao Senhor exatamente de acordo com a lei de Deus.

Vemos que Maria era uma mulher segundo o coração de Deus, uma mulher disposta a obedecê-lo em tudo. Embora seja verdade que estamos vivendo na era da maravilhosa graça de Deus, porque Jesus Cristo cumpriu a sua lei com perfeição, nossa obediência e compromisso sincero de andar nos caminhos do Senhor ainda são essenciais. Você, mulher que ama a Deus, segue seus caminhos?

- Você ama as outras pessoas? A lei de Deus está baseada em uma só palavra: amor (Gl 5.14).

- Você confessa seus pecados de maneira consistente e sincera? A comunhão com Deus torna-se mais doce quando confessamos nossos pecados imediatamente e nos afastamos deles (1Jo 1.9).

- Você educa seus filhos fielmente na disciplina e admoestação do Senhor? O principal mandamento de Deus aos pais é que devemos ensinar nossos filhos a andar em seus caminhos e conhecer sua verdade (Ef 6.4).

Passe alguns momentos na presença do Senhor e reafirme seu desejo de ser, como Maria, uma mulher segundo o coração de Deus.

7 de Outubro – Lc 2

O preço do favor de Deus
Mulher

...também uma espada traspassará a tua própria alma...
Lc 2.35

Nenhuma de nós sabe exatamente o que o futuro nos reserva, mas Deus permitiu que Maria tivesse uma ideia do que a aguardava: uma espada traspassaria sua alma. De fato, Maria foi altamente favorecida por Deus e grandemente abençoada por ter sido a mãe de seu Filho, mas esse privilégio também significou uma verdadeira agonia. Sua alegria seria entremeada pela tristeza.

O dia em que Maria e José levaram seu filho recém-nascido ao templo para dedicá-lo a Deus foi uma ocasião de grande bênção. Por certo, suas esperanças e sonhos se elevavam às alturas quando pensavam no futuro brilhante de seu filho. E, para confirmar tudo isso, um homem idoso chamado Simeão – um servo de Deus piedoso que o adorava regularmente no templo, aguardando com ansiedade a vinda do Senhor – tomou Jesus nos braços e profetizou seu ministério ao mundo.

Quando terminou de abençoá-lo, Simeão virou-se para Maria e disse: "Uma espada traspassará a tua própria alma". Maria, uma mulher segundo o coração de Deus, teria o coração traspassado por causa do que aconteceria a seu filho.

Nunca saberemos com certeza a intensidade da angústia de Maria, mas as palavras escolhidas por Simeão esboçam um quadro de grande tristeza. A palavra *espada* usada por ele é a mesma encontrada no Antigo Testamento para descrever a grande e larga espada do gigante Golias (1Sm 17.51). A dor que Maria sofreria quando seu filho fosse pregado na cruz seria igual à dor infligida por uma espada enorme e cruel.

Minha querida, as bênçãos de Deus sobre outra mulher nunca devem ser motivo de ciúme ou inveja. Uma mulher abençoada por Deus, brilhando para ele e irradiando sua graça, pode levar nossa mente pecaminosa a reagir com zombaria, desdém ou mesquinharia. Esteja certa, porém, de que a bênção de Deus, em geral, vem acompanhada por um preço alto a ser pago. Talvez seja por isso que a Bíblia nos incentiva a ter em elevada conta aqueles que provocam em nós sentimentos de inveja. Ela nos recomenda a:

- Alegrar-nos com os que se alegram (Rm 12.15).
- Acatar com apreço os que estão acima de nós (1Ts 5.12,13).
- Lembrar de orar por aqueles que nos orientam e ser submissas a eles (Hb 13.7).

Nem sempre conhecemos o preço do favor de Deus.

8 de Outubro – Lc 2

Uma luz na escuridão

Ana

Havia uma profetisa, chamada Ana...
Lc 2.36

Até este ponto de nossa jornada pela Palavra sagrada de Deus, em que conhecemos mulheres que amaram ao Senhor e que muito nos ensinaram, já encontramos várias profetisas. Tais mulheres (relacionadas abaixo) receberam o poder de falar a Palavra de Deus para iluminar a escuridão.

- *Miriã* comandou um cântico de louvor entre as mulheres israelitas quando Deus destruiu Faraó e seu exército (Êx 15.20).

- *Débora* atuou como juíza em Israel e transmitiu as instruções, dadas por Deus, a Baraque, responsáveis pela vitória sobre Sísera (Jz 4.4-7).

- *Hulda* aconselhou o rei Josias a respeito do livro da lei (2Rs 22.14).

Hoje, enquanto ainda pensamos nas palavras do profeta Simeão a Maria, Deus lança mais luz na escuridão – para Maria e para nós – por meio das palavras da profetisa Ana. No exato momento em que Simeão emitia seu sombrio pronunciamento, Ana "falava a respeito do menino a todos os que esperavam a redenção de Jerusalém". É provável que as palavras da profetisa tenham, momentaneamente, dissipado a nuvem escura que se abatera sobre o coração de Maria por causa da advertência de Simeão sobre a tristeza a ela reservada. Talvez as palavras de Ana *também* serviram para iluminar-lhe o coração!

A vida de Ana foi marcada por fatos sombrios. Seu querido marido morreu sete anos após o casamento. Nos tempos que se seguiram, até a época da narrativa bíblica em que hoje meditamos, Ana, agora com 84 anos, sempre erguia os olhos para as colinas buscando a ajuda e a redenção do Senhor. Naquele determinado dia, a Luz do mundo entrara no templo do Senhor. Maria chegou carregando o menino Jesus nos braços, aquele que acabaria com a escuridão do mundo. Foi por isso que Ana louvou e agradeceu a Deus!

Como Deus foi bondoso ao usar Ana para reafirmar a Maria que seu querido filho – seu Salvador, seu Senhor e seu Mestre – também faria resplandecer sua luz sobre os corações necessitados! Todos precisam da luz da Palavra de Deus, de suas promessas, e da luz que você transmite alegremente ao confiar nele. Que tal fazer sua luz brilhar hoje para alguém que esteja caminhando na escuridão?

9 de Outubro – Lc 2

Fé que não se apaga
Ana

[Ela] não deixava o templo, mas adorava noite e dia em jejuns e orações.
Lc 2.37

Em apenas poucos versículos, Deus nos informa tudo o que precisamos saber sobre Ana, mulher piedosa que o amava no ocaso da vida. Aprendemos que:

- *Ana era viúva.* Essa mulher conheceu o sofrimento por ter perdido seu marido sete anos após o casamento. Porém, aparentemente, permitiu que o sofrimento moldasse seu caráter e fortalecesse sua fé. Ana passou o restante da vida servindo fielmente a Deus, de dia e de noite.

- *Ana era uma mulher idosa.* Aos 84 anos, ainda aguardava a "redenção de Jerusalém", o Messias, o Salvador, Jesus! Que grande bênção essa mulher recebeu quando Deus recompensou seus anos de fé permitindo que ela visse, em carne e osso, a esperança de Israel!

Como se deu esse acontecimento tão alegre? Quando Maria levou o pequenino Jesus ao templo para cumprir as exigências da lei, Deus inspirou Simeão a proclamar a missão de Jesus na história da humanidade e a profetizar sobre o ministério de nosso Salvador e sobre o sofrimento de Maria. Logo em seguida à visão que Simeão teve a respeito de Maria, Deus inspirou Ana a concentrar-se mais uma vez no fato de que Jesus cumpriria as profecias e traria redenção ao mundo.

A vida de Ana nos oferece duas lições importantes. Primeira, vemos o fruto da fé duradoura. Fé "é a certeza de coisas que se esperam" (Hb 11.1). Minha amiga, sua fé permanece inabalável, não se apaga, não esfria, não vacila, enquanto você espera em Deus a Segunda Vinda de Cristo?

Segunda, aprendemos uma lição sobre o encorajamento recíproco. Como devem ter calado fundo na alma traspassada de Maria as palavras de fé proferidas por Ana! Enquanto Maria carregava seu precioso bebê e meditava sobre a advertência de Simeão, Ana proferiu palavras de encorajamento que, com certeza, agiram como um bálsamo e acalmaram sua aflição. Você procura animar, encorajar e revigorar os abatidos? Proferir palavras de fé inabalável em Deus, no momento certo, aos que estão desanimados é uma verdadeira arte divina!

10 de Outubro – Lc 2

Dia após dia

Ana

[Ela] não deixava o templo, mas adorava noite e dia em jejuns e orações.
Lc 2.37

O apóstolo Paulo falou por todos nós quando declarou, com sabedoria, que "o nosso homem exterior" se deteriora (2Co 4.16). A vida nos ensina que isso é verdade. O corpo se desgasta dia após dia. Porém, em seguida, Paulo apresenta o segredo para suportar esse declínio: "Contudo o homem interior se renova de dia em dia". Preste atenção ao que o eloquente William Barclay nos diz sobre esse segredo:

> Ao longo da vida, a força física do homem declina, mas, a alma do homem se mantém em constante desenvolvimento. Os sofrimentos que enfraquecem o corpo do homem podem ser os responsáveis pelo fortalecimento de sua alma. Esta foi a oração de um poeta: "Permita que eu me torne cada vez mais encantador à medida que for envelhecendo". Do ponto de vista físico, a vida pode significar um declínio lento e inevitável que leva à morte. Porém, do ponto de vista espiritual, viver significa subir a montanha que leva à presença de Deus. Nenhum homem deve temer o avanço da idade, porque ele o leva mais para perto, não da morte, mas de Deus.[2]

Certamente a profetisa Ana foi uma mulher que se tornou mais encantadora à medida que foi envelhecendo. Aos 84 anos de idade e, sem dúvida, suportando as dores que chegam com a velhice, essa querida serva sabia aproximar-se de Deus: ela jejuava e orava continuamente.

Ana nunca deixou de orar. Quando a vida parecia sem sentido (sem marido, sem filhos e, talvez, sem meios de sustento), Ana orava. Dia após dia, ela renovava sua mente e seu interior por meio da oração acompanhada de jejum. Essa comunhão diária, contínua e fiel com Deus, a fonte de toda força, possibilitou que Ana escalasse a montanha que leva à presença do Senhor. De fato, a fidelidade diária de Ana foi recompensada, porque viu Deus quando contemplou o Menino Jesus. O Senhor e Salvador finalmente havia chegado!

Que você possa seguir os passos de Ana e olhar para o Senhor em busca de força e graça dia após dia.

11 de Outubro – Lc 2

Recordações sagradas
Maria

Ora, anualmente iam seus pais a Jerusalém, para a festa da páscoa.
Lc 2.41

Não foi emocionante ver como Maria e José obedeciam fielmente à lei de Deus? Temos muito o que aprender com a vida desse casal, lições que podemos aplicar em nossos corações e lares! Hoje, por exemplo, ao avançar doze anos na História, descobrimos outra prova da obediência de Maria e José à lei do Senhor.

Os meninos judeus tornavam-se adultos aos doze anos e Deus exigia que todo adulto do sexo masculino participasse da celebração anual da páscoa. Portanto, quando completou doze anos, Jesus acompanhou seus pais para adorar ao Senhor por ocasião dessa festa. Coisas maravilhosas aconteceram ali no Monte do Templo (que veremos amanhã), mas, por ora, vamos refletir sobre como nossa família, do mesmo jeito que a de Maria, pode se reunir em adoração a Deus.

- *Adorar.* Deus exorta os crentes a se reunirem no primeiro dia da semana para adorá-lo e ele diz que não devemos deixar de nos congregar (At 20.7; Hb 10.25). Portanto, uma mãe sábia e piedosa deve fazer o possível para assegurar que sua família se reúna para adorar a Deus nos domingos. Ela deve fazer exatamente o que Maria fez: levar os filhos à igreja!

- *Observar.* Deus apresentou à igreja as ordenanças fundamentais do batismo e da ceia (Mt 28.19; 1Co 11.23-25). Da mesma forma que os pais de Jesus tiveram o cuidado de fazê-lo observar os rituais e as festividades judaicos de acordo com as instruções de Deus, nós também devemos seguir as instruções do Senhor quanto à adoração, ao batismo e à ceia.

- *Comemorar.* Sua igreja comemora datas especiais, como o Natal e a chamada Semana Santa? Há festejos no aniversário da igreja e na consagração ao ministério? Promovem-se reuniões de avivamento, de oração e de louvor? As crianças são apresentadas à congregação ou são batizadas? Realizam-se cultos na véspera do Dia de Ações de Graça, véspera do Natal, na sexta-feira Santa e no domingo de Páscoa? Sejam quais forem as comemorações realizadas em sua igreja, esteja sempre presente! Essas ocasiões especiais levarão sua família a dedicar-se a Deus e à Igreja do Senhor (e também à igreja local que vocês frequentam). Agindo assim, você e sua família estarão plantando sementes de recordações sagradas!

Toda mãe piedosa diz que gostaria de ter feito mais pelos filhos, quando ainda eram pequenos, para inculcar no coração deles a importância e a alegria de participar, em família, dos trabalhos da igreja! Comece hoje e persevere.

12 de Outubro – Lc 2

"Você não sabia, Maria?"

MARIA

Logo que seus pais o viram, ficaram maravilhados...
Lc 2.48

NOVE VERSÍCULOS DESCREVEM a viagem de Jesus a Jerusalém e o tempo que ele passou ali comemorando a Páscoa. Esses versículos não descrevem toda a emoção e aprendizado espiritual resultantes daquela viagem. Tantas coisas aconteceram!

- *Primeira*, imagine a adoração. Temos certeza de que foi gloriosa e significativa, principalmente porque foi a primeira vez que Jesus participou dela!
- *Segunda*. Jesus não acompanhou a grande comitiva que viajou de volta para Nazaré. Só depois de um dia de viagem, Maria e José perceberam que Jesus não estava no meio deles. Sentimos um arrepio ao imaginar o medo e o terror que devem ter tomado conta do coração de Maria! Seu filho adolescente estava sozinho em uma cidade alvoroçada e apinhada de gente!
- *Terceira*. Maria e José retornaram apressadamente a Jerusalém, procurando por Jesus ao longo do caminho. Assim que chegaram à cidade, eles passaram três dias de aflição tentando encontrar o filho.
- *Quarta*. Por fim, encontraram Jesus no templo, sentado no meio dos mestres, ouvindo-os e interrogando-os.
- *Quinta*. Agindo como qualquer mãe, Maria perguntou: "Filho, por que fizeste assim conosco? Teu pai e eu, aflitos, estamos à tua procura".
- *Sexta*. Depois de dar um tempo para que Maria refletisse, Jesus proferiu as primeiras palavras que ficaram registradas para nós: "Por que me procuráveis? Não sabíeis que me cumpria estar na casa de meu Pai?"
- *O resultado?* Maria ficou estarrecida, literalmente "desnorteada", e não compreendeu.

"Você não sabia, Maria?" é o título de uma canção cristã de nossa época, que se refere às palavras de Jesus à sua mãe.[3] Será que ela não lembrava do que o anjo Gabriel lhe dissera? Não lembrava do que Isabel lhe dissera a respeito do filho que ela carregava no ventre? Não lembrava do que os pastores lhe disseram, do que Simeão havia profetizado e do que Ana anunciara? Ela *ainda* não sabia?

Minha amiga, além de conhecer Jesus como um bebê na manjedoura, como um mestre sábio ou como um homem piedoso, você também o conhece como o Deus que se fez carne, o Salvador do mundo? Ó! Creia nisso agora!

13 de Outubro – Lc 2

Um chamado sublime

Maria

E [Jesus] desceu com eles para Nazaré; e era-lhes submisso...
Lc 2.51

EMBORA O JOVEM JESUS obviamente se sentisse "em casa" no templo, a casa de seu Pai celestial, e estivesse adquirindo mais entendimento sobre seu chamado e sua missão como Filho de Deus, ele ainda necessitava de uma mãe e de um lar terreno. Alguém disse com grande admiração: "Nem mesmo os anjos receberam tal honra como os pais de Jesus!"[4] Mas o sublime chamado para ser a mãe do Mestre foi feito à doce Maria.

Depois de deixar os mestres religiosos no templo, Jesus retornou a Nazaré na companhia de Maria e José. A Bíblia diz que ele "era-lhes submisso". Jesus foi obediente enquanto viveu sob a autoridade deles. Portanto, Maria continuou a criar Jesus, o Filho de Deus. O que Maria proporcionou ao Messias?

1. *Maria deu vida a Jesus*, humanamente falando. Foi por meio dela que o precioso Filho de Deus veio ao mundo.

2. *Maria deu um lar a Jesus*. O homem da Galileia, que em breve não teria onde reclinar a cabeça, que faria do Monte das Oliveiras seu "lar distante do céu" e que visitaria a casa de Marta e Maria, recebeu do coração e das mãos de Maria, sua mãe, a bênção de ter um lar.

3. *Maria deu educação religiosa a Jesus*. Deus escolheu Maria para a missão especial de ser a mãe do Mestre. Ela, que havia sido favorecida pelo Todo-poderoso, certamente seria um exemplo de piedosas virtudes em seu lar e guiaria sua família para ter uma vida dedicada a Deus.

Assim como Maria, nós, mães, podemos proporcionar a nossos filhos as três bênçãos mencionadas acima: a vida, o lar e a educação religiosa. Bendita é a geração criada em um lar como o de Maria! Até mesmo mulheres sem filhos podem ser exemplo de um caráter piedoso e, da mesma forma que as irmãs Marta e Maria fizeram ao Senhor, oferecer o aconchego do lar a todos os que atravessarem suas portas. Assim como Maria, a mãe de Jesus, nós também recebemos o sublime chamado de fornecer vida, lar e educação religiosa, servindo a Deus e a seu povo.

14 de Outubro – Lc 4

Um assunto de família
A sogra de Pedro

...a sogra de Simão achava-se enferma, com febre muito alta...
Lc 4.38

- A punição para a bigamia é ter duas sogras.
- Nos lares ocidentais, nem sempre é a esposa que manda. Às vezes, é a mãe dela.
- Para a maioria dos maridos, "acontecimento feliz" é quando a sogra chega para visitar o casal.
- "Problema duplo" é a sogra que tem uma irmã gêmea.

Essas frases fazem parte das brincadeiras a respeito das sogras, mas não refletem a opinião de todos. Veja, por exemplo, o apóstolo Pedro. Ele abriu as portas de sua casa para a sua sogra e informou ao Mestre o que estava acontecendo com ela.

Em determinado sábado (dia de culto religioso e de descanso para os judeus), o apóstolo aproximou-se de Jesus informando que sua sogra estava gravemente enferma, com febre muito alta. Pedro pediu a Jesus que a ajudasse. Pouco tempo depois, em pé ao lado da cama daquela mulher, Jesus "repreendeu a febre, e esta a deixou; e logo se levantou passando a serví-los".

Essa cena, descrita em apenas dois versículos, nos convida a refletir sobre três situações:

1. *Você tem sogra?* Se tem, examine o que se passa dentro de seu coração. Tente encontrar uma evidência do espírito bondoso e generoso que Pedro demonstrou à mãe de sua esposa. Peça a Deus que lhe dê discernimento para cuidar do bem-estar de sua sogra. Talvez você queira ler novamente o belo relacionamento que Rute e Noemi desfrutaram (veja 19 a 31 de maio). A mulher que ama a Deus ama também sua sogra!

2. *Você é sogra?* Existe uma prova evidente de que a sogra de Pedro amava todos os que moravam na casa de seu genro e de que os servia. Você é uma mulher generosa, que procura facilitar a vida de sua família? Peça a Deus que lhe mostre outras maneiras de expressar amor por sua família e gratidão pela bênção que ela representa para você.

3. *Você, ou alguém que você conhece e ama, está necessitando de alguma coisa?* Se estiver, recorra a Jesus. O Filho de Deus, seu Salvador, pode ajudá-la. Nosso Senhor se compadece das nossas fraquezas (Hb 4.15,16) e é poderoso para nos livrar de nossas enfermidades e sofrimentos.

Seus assuntos familiares dizem respeito a Jesus. Portanto, convide-o a atender a suas necessidades. Peça-lhe também para capacitá-la a amar as outras pessoas com o mesmo amor que ele lhe oferece.

15 de Outubro – Lc 7

Como lidar com a falta de esperança

Viúva de Naim

...eis que saía o enterro do filho único de uma viúva...
Lc 7.12

Hoje, vamos conhecer mais uma mulher que passou por muito sofrimento. A Bíblia refere-se a ela simplesmente como "a viúva de Naim".

Essa querida mulher havia perdido o marido, e hoje lemos que também perdeu o *único* filho. A atenção de Jesus se voltou para a presença dela, que, em prantos, acompanhava o cortejo fúnebre do filho. O que uma mulher sem marido e sem filho faria? Como sobreviveria neste mundo? A quem ela poderia recorrer para ter uma fonte de renda e meios de subsistência? O que fazer diante de uma situação aparentemente sem nenhuma esperança?

Jesus, cuja mãe provavelmente também já havia perdido o marido, ficou profundamente comovido pelo triste destino daquela viúva. Ele se aproximou e tocou o esquife do tão querido filho... e o devolveu vivo à mãe! Você pode imaginar a alegria que tomou conta dos dois quando o Senhor concedeu, graciosamente, uma nova vida àquele moço? Jesus venceu o poder da morte e revelou seu extraordinário poder.

Nós também podemos conhecer o extraordinário poder de Deus em nossa vida. Reflita, por exemplo, nesta verdade e promessa: "O Senhor é o meu pastor; nada me faltará" (Sl 23.1). Você sabia que as palavras "nada me faltará" são a tradução do maravilhoso nome de Deus *Jeová-jire*? Pense em seu magnífico significado:

- Deus é capaz de prever as necessidades de seus filhos.
- Deus é capaz de atender às necessidades de seus filhos.
- Deus, que é fiel e amoroso, provê a todas as necessidades de seus filhos.
- Deus não só conhece e vê o que necessitamos, mas também atende a essas necessidades. Observe a relação entre os fatos: Não existe a possibilidade de Deus conhecer uma necessidade e não atendê-la! Para Deus, conhecer *significa* prover!

Se você, querida irmã, acha que está faltando alguma coisa em sua vida, como aconteceu com a humilde viúva de Naim, não desanime! Deus conhece sua situação, seja ela qual for. Ele age em seu favor e atende a todas as suas necessidades reais e verdadeiras. Glorifique-o agora, como fizeram os que presenciaram a milagrosa provisão de Jesus para a viúva de Naim!

16 de Outubro – Lc 7

Mais alvo que a neve

A mulher pecadora

E eis que uma mulher... pecadora... estando por detrás, aos seus pés, regava-os com suas lágrimas e os enxugava com os próprios cabelos; e beijava-lhe os pés e os ungia com o unguento.
Lc 7.37,38

Você conhece este acróstico simples, que serve para orientar a vida de oração de muitos cristãos?

A – Adoração a Deus.

C – Confissão de pecados.

Ã – Agradecimento pelas bênçãos.

O – Oração [súplica] pelos problemas.

Conforme veremos hoje, trata-se de um acróstico para obter uma vida devocional bem-sucedida.

Em Lucas 7, conhecemos uma mulher que manifestou sua devoção a Jesus de muitas maneiras. A Bíblia não menciona seu nome, mas Deus cuidou para que o amor dessa mulher por Jesus ficasse registrado para sempre em sua Palavra. Por ocasião de um jantar oferecido a Jesus, essa mulher foi hostilizada pelo anfitrião por causa de seus pecados. Apesar disso, aquela "mulher pecadora" regou os pés de Jesus com suas lágrimas, enxugou-os com os próprios cabelos, beijou-os e ungiu-os com unguento. Suas ações acompanharam a sequência deste acróstico:

A – Ela adorou a Jesus.

C – Por ser pecadora, provavelmente prostituta, ela sabia que seus pecados eram muitos. Ela os reconheceu e os confessou em atitude de penitência, contrição e genuíno arrependimento.

Ã – Ela manifestou gratidão àquele que podia perdoá-la, purificá-la, transformá-la e livrá-la dos pecados: Jesus, que de fato realizou tudo isso por ela.

O – Talvez tenha suplicado a Jesus que a perdoasse, e foi atendida. Jesus lhe disse: "Perdoados são os teus pecados".

Como você pode pôr em prática o que diz esse acróstico e ter uma vida de oração e adoração a Deus? Faça uma pausa neste momento e siga o exemplo dessa mulher:

A – Adore aquele que abre as portas da vida para o céu.

C – Confesse os pecados que estejam impedindo aquele relacionamento com Deus que você tanto deseja.

Ã – Agradeça a Jesus porque seu sangue derramado purifica o mais vil pecador e o torna mais alvo que a neve.

O – Apresente-se diante dele em humilde súplica. Que situação em sua vida está sendo impossível de enfrentar sem Deus? Para que você necessita de sua orientação, de sua ajuda, de seu poder? Peça a ele sem vacilar!

17 de Outubro – Lc 8

Fiéis seguidoras
Mulheres que acompanharam Jesus

...algumas mulheres... lhe prestavam assistência com os seus bens.
Lc 8.2,3

Quando nosso Senhor Jesus andou por este mundo, algumas mulheres que o amavam desempenhavam uma tarefa muito especial e "absolutamente ímpar nos Evangelhos", conforme explica o teólogo Charles Caldwell Ryrie.[5] Elas foram autorizadas a prestar assistência ao Senhor, tarefa que não foi designada a seus seguidores do sexo masculino nem a seus discípulos. Passamos a apreciar ainda mais a singularidade dessa incumbência quando descobrimos que a palavra grega usada neste texto com o significado de "servir" aparece nos quatro Evangelhos apenas quando se trata de prestar assistência diretamente a Jesus. Nestes casos, as tarefas sempre foram realizadas por anjos ou por mulheres! Que honra extraordinária é servir ao Salvador!

Quem compunha esse honroso grupo de fiéis seguidoras? A lista mencionada no Evangelho de Lucas inclui Maria Madalena, Joana, Suzana e "muitas outras". Em suas viagens, Jesus curava e libertava o povo. Essas mulheres, a quem Jesus havia curado e libertado, decidiram acompanhá-lo e colaborar em seu ministério, prestando-lhe assistência com seus bens e seus serviços.

- *Bens*. Pelo fato de financiar o ministério de Jesus, colaborando com ele e seus discípulos enquanto pregavam, essas nobres mulheres supriam suas necessidades de modo prático.

- *Serviços*. De maneira discreta e graciosa, essas queridas mulheres que amavam a Jesus também cuidavam de seu conforto e bem-estar pessoal.

Hoje, servimos ao Senhor quando servimos seu povo. Uma pessoa piedosa fez o seguinte comentário a respeito de nosso serviço àqueles que trabalham para o Senhor: "Nem sempre quem está em primeiro plano é o que realiza o trabalho mais importante. Muitos homens em elevadas posições de destaque não conseguiriam se sustentar por uma semana sem a ajuda de [outros]. Não existe talento que não possa ser usado a serviço de Cristo. Muitos de seus servos mais importantes trabalham nos bastidores; ninguém os vê, mas são essenciais à sua causa".[6]

Inspirada pelo exemplo dessas mulheres que amaram a Jesus, o que você pode fazer para levar adiante a causa de Cristo oferecendo seus bens e serviços? Lembre-se do que Jesus disse: "Sempre que o fizestes a um destes meus pequeninos irmãos, a mim o fizestes" (Mt 25.40)!

18 de Outubro – Lc 8

À sombra do Senhor
Maria Madalena

...algumas mulheres que haviam sido curadas de espíritos malignos e de enfermidades: Maria, chamada Madalena, da qual saíram sete demônios. Lc 8.2

Você conhece a expressão "o pior primeiro"? Bem, querida seguidora do Senhor, na lista feita por Lucas das mulheres a quem Jesus curou e libertou, "o pior" caso é citado "primeiro"... Não podemos sequer imaginar a destruição, a aflição, o tormento, o sofrimento que aqueles *sete!* demônios causaram na vida angustiada de Maria Madalena.

Porém Jesus, o Deus Encarnado, o Deus de compaixão mas também de poder, libertou aquela mulher da escravidão de um desespero aparentemente insuperável. O detalhe de terem dela saído "sete demônios" e o fato de ser natural da cidade de Magdala, na costa do mar da Galileia, são as únicas coisas que sabemos a seu respeito. Veja, porém, que, a partir do momento de sua libertação, ela parece ter passado o restante da vida acompanhando Jesus. Onde quer que ele estivesse, Maria Madalena podia ser vista à sua sombra. Por ter recebido a maior de todas as libertações, ela também amava muito!

Como é abençoada a segurança que sentimos, querida serva de Deus, por saber que o passado não tem nenhum domínio sobre o presente nem sobre o futuro! Reflita sobre essas verdades, contidas na Palavra de Deus, que nos mostram que ele substitui um passado pecaminoso por um presente e um futuro gloriosamente transformados:

- "E assim, se alguém está em Cristo, é nova criatura: as coisas antigas já passaram; eis que se fizeram novas" (2Co 5.17).
- "Já não sou eu quem vive, mas Cristo vive em mim" (Gl 2.20).
- "Prossigo [...] esquecendo-me das coisas que para trás ficam e avançando para as que diante de mim estão" (Fp 3.12,13).
- "Buscai as coisas lá do alto [...]. Pensai nas coisas lá do alto, não nas que são aqui da terra; porque morrestes, e a vossa vida está oculta juntamente com Cristo, em Deus" (Cl 3.1-3).

Escolha uma dessas passagens e guarde em seu coração e sua mente a verdade nela contida. Assim como Maria Madalena, você poderá, mediante o poder de Deus, deixar o passado para trás e prosseguir acompanhando de perto o pastor, como a ovelha que permanece à sua sombra, desfrutando uma íntima comunhão com o Senhor e compartilhando a melhor de suas provisões.

19 de Outubro – Lc 8

Tudo a ti entrego
Joana e Suzana

...algumas mulheres que haviam sido curadas de espíritos malignos e de enfermidades... Joana... Suzana... Lc 8.2,3

Como foi revigorante maravilhar-nos diante da bondade do Senhor que libertou Maria Madalena do poder maligno de sete demônios! Hoje, vamos ter o privilégio de conhecer outras duas mulheres a quem Jesus curou com um toque milagroso. Elas são:

Joana	Suzana
Seu nome significa *Jeová tem sido gracioso*.	Seu nome significa *lírio branco*.
Ela era mulher de Cuza, procurador de Herodes, o Tetrarca.	A Bíblia não cita o nome de seu marido.

Essas duas mulheres provaram e viram que o Senhor é bom (Sl 34.8). Elas provaram, foram amadas e amaram ao Senhor!

Mas de que modo alguém pode agradecer a Deus o milagre da cura? Essas duas mulheres ofertaram dinheiro a Jesus. Evidentemente, possuíam bens materiais, que foram ofertados a ele com muita alegria, para custear o ministério por meio do qual tinham sido tão abençoadas. Reflita sobre estes princípios referentes a como ofertar. Devemos contribuir:

- *Espontaneamente*. "De graça recebestes, de graça dai" (Mt 10.8).

- *Abundantemente*. "O que semeia com fartura, com abundância também ceifará" (2Co 9.6).

- *Alegremente*. "Cada um contribua segundo tiver proposto no coração, não com tristeza ou por necessidade; porque Deus ama a quem dá com alegria" (2Co 9.7).

Que ótima ocasião para você refletir sobre a prática da contribuição para a obra do Senhor e orar para que ele lhe mostre o que deve ser feito em prol de seu reino! Pergunte a si mesma: "Estou contribuindo alegre, espontânea e abundantemente? Devo aumentar minha contribuição? Minhas ofertas refletem minha crença de que não existem exageros quando se trata de contribuir para a obra de Deus?"

Esse desafio final partiu do coração de uma pessoa piedosa do passado, que escreveu: "Eu não gostaria de me encontrar com Deus tendo uma alta conta bancária. Isso seria uma desgraça terrível. Ele espera que, antes de morrer, eu encontre um meio de investir em sua obra".[7] Peça a Deus que revele o que você deve fazer com suas finanças e indique caminhos específicos para contribuir com mais generosidade.

20 de Outubro – Lc 8

O toque de Deus

A filha de Jairo

Pois tinha uma filha única de uns doze anos, que estava à morte.
Lc 8.42

Conforme já observamos, muitas mulheres – a viúva de Naim, a sogra de Pedro, Maria Madalena, Joana, Suzana e "muitas outras" – foram abençoadas pelos milagres de Jesus. Hoje, conheceremos uma menina, filha única de Jairo e que não foi identificada pelo nome, necessitando desesperadamente do toque de Deus. A cena do milagre envolve diversas pessoas:

- *Jairo, o pai da menina*. Apesar de ocupar uma posição importante como "presidente" da sinagoga, Jairo não tinha poder sobre a enfermidade e a morte de sua filha.
- *A filha de Jairo*. A menina estava à beira da morte. Será que a multidão que cercava Jesus e as necessidades de outras pessoas impediriam que ele chegasse à casa de Jairo a tempo de salvar sua vida?
- *Povo*. Enquanto Jairo conduzia Jesus à sua casa, onde sua querida filha estava acamada, uma multidão se acotovelava ao redor do Mestre retardando sua chegada. No momento em que Jesus parou para curar uma mulher, apareceu um mensageiro informando que a menina havia morrido. Quando finalmente Jesus chegou à casa de Jairo, a família já havia contratado carpideiras (um costume da época) para prantear a morte da menina.

Não podemos sequer imaginar os sentimentos daquele pai angustiado – medo, impaciência, esperança perdida – ao ver a lentidão que o Mestre caminhava por causa do povo e das necessidades de toda aquela gente.

Embora o assédio da multidão e a necessidade da mulher hemorrágica tenham duplicado o sofrimento de Jairo e de sua família, sendo a causa do atraso de Jesus, e apesar de a menina já ter morrido, observamos que essas circunstâncias apenas proporcionaram ao Senhor a gloriosa oportunidade de realizar um milagre duplo!

Minha querida amiga, o milagre de Jesus ao ressuscitar a filha de Jairo está relacionado com a fé que deve estar presente no momento em que o tempo parece estar se esgotando, em que as circunstâncias parecem contrárias a nós, em que Jesus parece demorar para responder. O milagre de Jesus ao ressuscitar a filha de Jairo está relacionado com a fé em meio à escuridão. Quando não existe mais nenhum indício de luz, como parece ter acontecido com Jairo, você continua crendo no poder de Deus? Jesus disse a Jairo: "Não temas, crê somente".

21 de Outubro – Lc 8

A veste de Deus
A mulher hemorrágica

Certa mulher... veio por trás dele e lhe tocou na orla da veste...
Lc 8.43,44

"Por que não?", ela deve ter pensado ao localizar Jesus em meio à multidão. "Mas Jairo parece tão angustiado que acho melhor não interromper... Bem... um simples toque na veste do Operador de Milagres não atrasaria ninguém..."

Assim, enquanto Jesus tomava o caminho da casa de Jairo, o chefe da sinagoga, aquela mulher enferma, mas fervorosa, munindo-se de coragem e fé, tocou com dedos trêmulos a veste de Jesus e sentiu uma estranha vibração.

Imediatamente, duas coisas aconteceram. Primeiro, essa querida mulher notou que estava curada. Depois de sofrer por doze anos de uma hemorragia incurável e de gastar tudo o que possuía com médicos que não conseguiram curá-la, o fluxo de sangue estancou!

No mesmo instante, Jesus virou-se e perguntou: "Quem me tocou?"

"Como foi que ele percebeu?", ela deve ter pensado.

Os discípulos pensaram a mesma coisa: "Mestre, as multidões te apertam e te oprimem [e dizes: Quem me tocou?]".

Porém, o Deus Todo-poderoso notou que de seu corpo saíra poder e quis saber quem havia sido curado pela fé.

Talvez nossa irmã sofredora tivesse imaginado que poderia sair dali discretamente e retornar para casa sem alarde depois de ter sido curada. Seria muito melhor que o toque na veste de Jesus não provocasse tal tumulto! Mas ela sabia que não podia deixar a pergunta de Jesus sem resposta. Aproximou-se, trêmula, e, prostrando-se a seus pés, contou seu segredo diante de todos, dizendo que tocara na veste do Mestre e que imediatamente havia sido curada.

Que exemplo para nós! Ao ser abençoada pelo milagroso toque de Jesus, essa mulher deu testemunho diante de uma multidão. Ela rendeu ao Senhor toda a glória da qual ele é merecedor e recebeu a bênção de Jesus: "Filha, a tua fé te salvou; vai-te em paz".

Que maravilhas Deus tem operado em sua vida? Você tem testemunhado publicamente a sua glória? Tem falado a outras pessoas sobre a bondade e o poder de Deus? Grite do alto do telhado todas as espetaculares realizações dele por você!

22 DE OUTUBRO – Lc 8

A PALAVRA DE DEUS
A MULHER DE JAIRO

Tendo chegado à casa, a ninguém permitiu que entrasse com ele, senão Pedro, João, Tiago e bem assim o pai e a mãe da menina. Lc 8.51

A MULTIDÃO QUE CERCAVA JESUS tinha infindáveis necessidades. Jairo, o chefe da sinagoga, ali no meio do povo, precisava que sua filha de 12 anos fosse curada; a mulher enferma, que sua hemorragia estancasse. Somente Deus poderia atender a essas necessidades; portanto Jesus, o Deus que se fez carne, socorreu a todos. Ele curou a mulher que se prostrara a seus pés, e doze anos de hemorragia chegaram ao fim. Em seguida, ele assegurou a Jairo que sua filha que acabara de morrer voltaria a viver, desde que ele acreditasse.

Esses fatos nos levam a outra mulher que necessitava do Senhor: a mulher de Jairo, cuja preciosa filha se encontrava em casa... morta.

A menina estava muito enferma, e o seu pai saíra para procurar Jesus e pedir-lhe que fosse a sua casa curá-la. A mãe, ansiosa em casa, debruçava-se sobre a filha moribunda, fazendo tudo o que podia confiando... orando... aguardando...

Os minutos de espera continuavam a avançar. Onde *estaria* Jesus? A esperança daquela mãe transformou-se em desespero ao presenciar o último suspiro de sua querida filha.

Talvez essa mãe desolada tenha enviado o mensageiro ao marido, informando-lhe que era tarde demais, que sua única filha acabara de morrer. Talvez tenha chamado as carpideiras para dar início à vigília de pranto.

Apesar da notícia recebida, o Mestre continuou caminhando em direção à casa de Jairo munido de força, poder, honra, glória e majestade. Jesus dispensou todos os que estavam na casa, exceto os pais da menina e seus três discípulos mais chegados, tomou-a pela mão e proferiu estas palavras: "Menina, levanta-te". Obedecendo à Palavra de Deus, o seu espírito voltou, e ela se levantou imediatamente.

Você já experimentou o poder da Palavra de Deus em sua vida, minha querida? Já se apegou a ela enquanto confiava, orava e aguardava? Somos exortadas a acreditar na Palavra de Deus em quaisquer acontecimentos da vida, sob quaisquer circunstâncias, mesmo as aparentemente sem esperança e incompreensíveis, e até quando o que se passa conosco parece não ter lógica. Devemos atentar não "nas coisas que se veem, mas nas que se não veem... visto que andamos por fé, e não pelo que vemos" (2Co 4.18; 5.7).

23 de Outubro – Lc 10

Paz ou pânico?

Marta e Maria

E certa mulher, chamada Marta, hospedou-o na sua casa. Tinha ela uma irmã, chamada Maria... Lc 10.38,39

As mulheres do mundo moderno, até mesmo as que amam a Deus, sofrem pressões de várias maneiras. Parece que nunca temos tempo suficiente... Pressão! Queremos fazer o melhor possível como esposas e mães... Pressão! Somos encarregadas de administrar as finanças do lar e de exercer com eficiência o papel de donas-de-casa... Pressão! Como você enfrenta as pressões da vida, em paz ou em pânico?

Deus nos apresenta Marta e Maria, duas irmãs com pensamentos opostos no que se referia à administração dos afazeres diários. Quando Jesus chegou à casa delas, Marta convidou-o para jantar, mas ficou nervosa com os preparativos. Atarefada na cozinha, pensando nos detalhes e ansiosa para que tudo saísse bem, Marta agitava-se de um lado para o outro.

Como ela demonstrou tal falta de tranquilidade? Marta estava agitada por ter de cuidar das panelas e da casa também. Ela acusou Cristo ("Não te importas?"), acusou Maria ("Ela deixou todo o serviço por minha conta") e se queixou da responsabilidade que assumira. Marta foi autoritária e não deu atenção ao fato mais importante. Ela "clamou", no sentido de *reclamar* e não no sentido de *suplicar em oração*.

Em contraste a essa correria desenfreada, encontramos a encantadora Maria.

- Descansando aos pés de Jesus enquanto Marta está inquieta...
- Adorando enquanto Marta se preocupa...
- Em paz enquanto o pânico de Marta aumenta...
- Sentada enquanto Marta está cozinhando...
- Ouvindo enquanto Marta está esbravejando... e
- Sendo elogiada por Jesus enquanto Marta está sendo censurada por ele.

Se alguém observá-la em seu dia-a-dia, verá o comportamento de Maria ou o de Marta, especialmente nos momentos de preparativos para reuniões, nos compromissos urgentes e nas ocasiões em que enfrenta as pressões da vida? Você vive em constante turbilhão, ou é confiante e vive em paz? Você tem a tendência de correr de um lado para o outro, ou descansa no Senhor? Seu relacionamento com Jesus é prioritário, ou você está sempre muito ocupada para sentar-se aos pés dele e desfrutar sua presença? A mulher cujo coração e alma estão sempre em completa tranquilidade conhece a verdade teológica: *Nosso tempo está nas mãos de Deus.* Isso faz uma imensa diferença no que se refere a ter paz ou a entrar em pânico![8]

24 de Outubro – Lc 13

Uma oportunidade para amar

A mulher encurvada

E veio ali uma mulher possessa de um espírito de enfermidade, havia já dezoito anos; andava ela encurvada, sem de modo algum poder endireitar-se. Lc 13.11

Que cena! E, no meio de tudo, encontrava-se uma mulher solitária! A cena começa com Jesus ensinando no sábado em uma sinagoga. Enquanto falava, seu olhar voltou-se para ela.

- *Enfermidade.* Imagine ser prisioneira, durante dezoito anos, de uma enfermidade deformadora que obriga a pessoa a andar encurvada sem poder endireitar o corpo!
- *Misericórdia.* Nosso Salvador bondoso e compassivo não podia deixar esse sofrimento passar despercebido. Depois de dizer que ela estava livre da enfermidade, Jesus estendeu suas santas mãos e pousou-as, carinhosa e poderosamente, nas costas da mulher, e seu corpo se endireitou no mesmo instante.
- *Murmuração.* Por mais incrível que possa parecer, o chefe da sinagoga indignou-se. Ele achou que o milagre não podia ser realizado no sábado [dia de culto religioso e descanso para os judeus]!
- *Defesa magistral.* Cuidado com a ira do Senhor! "Hipócritas", ele disse, "cada um de vós não desprende da manjedoura no sábado o seu boi ou o seu jumento, para levá-lo a beber? Por que motivo não se devia livrar deste cativeiro em dia de sábado esta filha de Abraão, a quem Satanás trazia presa havia dezoito anos?" Quem se atreveria a contrariar o raciocínio lógico do Senhor, sua maravilhosa interpretação da lei de Deus?
- *Regozijo.* Os adversários de Jesus baixaram a cabeça ao ouvir o que ele falou, mas a multidão que presenciou a cena regozijou-se pelas realizações gloriosas do Mestre!

Jesus nos ensina muitas lições, não é mesmo? Aqui ele nos mostra a sabedoria de encontrar o espírito do amor de Deus que está por trás de sua lei. Certamente, o ser humano é muito mais importante que um animal! Certamente uma mulher deficiente merecia ser libertada de sua escravidão física, qualquer que fosse o dia da semana! Querida irmã, peça a Deus que a favoreça com um pouco da sabedoria de Jesus, de seu discernimento e, acima de tudo, de seu coração misericordioso. Toda pessoa necessitada representa uma oportunidade de se demonstrar o grande amor de Jesus.

25 de Outubro – Lc 21

Uma oportunidade para contribuir
A viúva e suas duas moedas

Viu também certa viúva pobre lançar ali duas pequenas moedas.
Lc 21.2

Como é bom cantar:
 Tudo deixarei...
 Tudo a ti entregarei...
 Tudo deixarei![9]

Essas palavras simples tocam profundamente o coração de toda mulher que ama a Deus e deseja entregar sua vida a ele, aceitando plenamente sua vontade e vivendo aquilo que chamamos de "vida de entrega total". Hoje, vamos conhecer uma mulher assim, que entregou ao Senhor tudo o que possuía. Sentado no templo, Jesus via muita gente depositar dinheiro no gazofilácio. Essas ofertas destinavam-se às despesas diárias e à manutenção do templo de Deus. Ah!, sim, os ricos estavam lá, "lançando" suas ofertas. Mas o que chamou a atenção de Cristo foi uma viúva pobre, que depositou ali apenas duas pequenas moedas. O Deus onisciente sabia quanto valiam: a viúva ofertou duas *leptas*, duas moedas cujo valor era mínimo, duas "moedinhas".

O Deus onisciente sabia de outra coisa. Talvez ele tenha limpado a garganta antes de se dirigir aos que estavam por perto: "Verdadeiramente vos digo que esta viúva pobre deu mais do que todos. Porque todos estes deram como oferta daquilo que lhes sobrava; esta, porém, da sua pobreza deu tudo o que possuía, todo o seu sustento".

O Deus onisciente elogiou o sacrifício da pobre viúva e permitiu que aquele ato fosse registrado em sua palavra. Os outros ofertaram o que lhes sobrava, mas a mulher pobre, com poucos recursos para conseguir dinheiro, mas que amava a Deus, deu tudo o que possuía!

Querida serva de Deus, o que pode ser escrito sobre suas ofertas? Você contribui com regularidade, com liberalidade e com sacrifício? É possível descobrir a verdadeira medida de nosso amor a Deus vendo quanto contribuímos e de que forma o fazemos. Jesus disse: "Porque onde está o teu tesouro, aí estará também o teu coração" (Mt 6.21). E o seu coração, minha amiga, onde está?

26 de Outubro – Lc 23

Testemunhas oculares
Mulheres que acompanharam Jesus

...todos os conhecidos de Jesus, e as mulheres que o tinham seguido desde a Galileia, permaneceram a contemplar de longe estas coisas. Lc 23.49

Qual foi o pior dia de sua vida, querida leitora? Talvez sua experiência pessoal com os momentos difíceis pelos quais já passou a ajude a se identificar com o grupo de servas fiéis que acompanharam Jesus até o fim. Elas foram testemunhas oculares do pior dia que o mundo conheceu.

A Bíblia diz que as servas leais que seguiam Jesus "permaneceram a contemplar de longe estas coisas". Que "coisas" elas contemplaram? O que testemunharam aquelas amigas verdadeiras de Jesus, mais chegadas que um irmão e que em todo tempo amam o amigo (Pv 18.24; 17.17)? Veja o que a Bíblia nos relata sobre aqueles terríveis acontecimentos:

- Jesus foi preso enquanto orava no jardim.
- Os amigos mais chegados de Jesus, seus discípulos, fugiram, abandonando-o à própria sorte para morrer sozinho.
- Jesus foi acusado injustamente, sentenciado à morte, açoitado, espancado, cuspido e ridicularizado.
- Jesus caminhou pelas ruas apinhadas de Jerusalém rumo ao local de sua crucificação.
- Jesus foi pregado na cruz ao lado de dois criminosos.
- Enquanto Jesus agonizava, os soldados sortearam suas vestes, riram e escarneceram dele, e deram-lhe vinagre para beber.
- Ao meio-dia, o céu escureceu e houve trevas por três horas. A terra tremeu, fenderam-se as rochas e abriram-se os sepulcros (Mt 27.52,53).
- Depois que Jesus morreu, seu corpo foi traspassado por uma espada.
- O corpo de Jesus foi enterrado em um túmulo aberto em uma rocha, sem ter sido preparado para o sepultamento.

Uma coisa é seguir Jesus e ficar perto dele, sentar-se em silêncio para ouvir suas maravilhosas palavras de vida, contribuir para o sustento de seu ministério, beneficiar-se de seus milagres, preparar-lhe uma refeição e desfrutar o prazer de sua companhia. Outra coisa é amar a Deus e seguí-lo fielmente em tempos difíceis. Ore para que Deus lhe conceda fidelidade como a daquelas mulheres que o amaram: ser fiel até o fim ao Amigo e Salvador, ser fiel a Jesus em tempos bons *e* em tempos maus!

27 de Outubro – Lc 23

Pequenas coisas
Mulheres que acompanharam Jesus

As mulheres que tinham vindo da Galileia com Jesus,
seguindo, viram o túmulo e como o corpo fora ali depositado. Lc 23.55

Como se mede o amor verdadeiro? A devoção dessas mulheres fervorosas que amaram e acompanharam Jesus evidenciou-se em pequenas coisas. Elas eram limitadas naquilo que podiam fazer para o Senhor do Universo, mas no dia mais tenebroso da história do mundo sua devoção brilhou intensamente por meio de pequenos atos de amor.

- *Por amor, elas permaneceram.* Os discípulos de Jesus fugiram assustados, mas essas queridas mulheres que amavam a Deus permaneceram contemplando de longe a crucificação de seu Filho, sem hesitar, o tempo todo observando, demonstrando sua devoção até o fim. "O perfeito amor lança fora o medo" (1Jo 4.18).

- *Por amor, elas acompanharam.* Não sabemos quantas pessoas acompanharam o Cristo crucificado até o túmulo (será que havia entre elas oficiais da igreja, representantes do governo, curiosos ou carpideiras profissionais?), mas sabemos que esse grupo de mulheres fiéis caminhou atrás daqueles que carregavam seu corpo. E elas os seguiram por um motivo: aprender o caminho até o túmulo de Jesus.

- *Por amor, elas cuidaram.* Essas mulheres valentes e cuidadosas perceberam que o corpo de Jesus não havia sido corretamente preparado para ser sepultado. Movidas por compaixão, elas decidiram atender à última necessidade do Mestre aqui na Terra. Diante de tudo o que havia acontecido, tratava-se de um ato simples e até mesmo irrelevante, elas devem ter pensado, mas decidiram que deviam cuidar corretamente do corpo de seu Amigo morto.

- *Por amor, elas trabalharam.* Quando retornaram para casa após um dia longo, exaustivo, medonho e agonizante aos pés do Calvário, essas mulheres prepararam aromas e unguentos para embalsamar corretamente o corpo de Jesus.

Pequenas coisas. Atos simples. Mesmo assim, cada uma delas revelou um coração cheio de amor a Deus! E como é bom saber que *pouco* significa *muito* quando nossos atos de generosidade são consequência de nossa devoção a Jesus.

Você se lembra de alguma coisa pequena que pode ser feita hoje a favor de seu Amigo e Salvador? Que tal permanecer um pouco mais de tempo em oração, obedecê-lo um pouco mais, cuidar um pouco mais de seu povo, trabalhar um pouco mais por seu reino? Peça agora a ele que lhe dê orientação e graça.

28 de Outubro – Lc 24

Desculpas e mais desculpas!
Mulheres que acompanharam Jesus

Mas, no primeiro dia da semana, alta madrugada, foram elas ao túmulo...
Lc 24.1

A AURORA PRENUNCIAVA um novo dia. O sábado terminara e, com ele, o dia mais terrível da história do mundo: o dia em que Jesus morreu. Para as mulheres fiéis que permaneceram ao pé da cruz, presenciaram a crucificação e todos os maus-tratos infligidos a Jesus e que acompanharam seu corpo até o túmulo, era chegada a hora de cuidar dos últimos preparativos para embalsamar seu corpo. Era *alta madrugada*, diz a Bíblia, quando o pequeno grupo de seguidoras de Jesus se dirigiu ao túmulo.

Por que os outros não as acompanharam? Quais teriam sido seus motivos ou desculpas?

- ***Desculpa nº 1:*** *Alguém com certeza fará esse serviço.* "É claro que *alguém* deve ter notado que o corpo de Jesus não foi corretamente preparado para ser enterrado. Certamente *alguém* fará esse serviço! E, se *alguém* vai fazer, por que realizar um trabalho dobrado?"

- ***Desculpa nº 2:*** *Estamos cansados.* "Ó, não foi horrível? Que cena medonha ver Jesus pendurado na cruz! Pensei que o dia jamais terminasse... E como doem meus pés!"

- ***Desculpa nº 3:*** *A responsabilidade é dos discípulos de Jesus.* "Vocês podem acreditar? Os doze discípulos de Jesus o abandonaram deixando-o morrer sozinho! Eles deviam, pelo menos, aparecer hoje para cuidar dessas coisas!"

- ***Desculpa nº 4:*** *Não dá para fazer nada!* "Vocês viram aquela pedra enorme que foi colocada na entrada do túmulo? Não temos condição de empurrar uma pedra tão pesada!"

Esses "motivos" talvez parecessem legítimos para alguns. No entanto, em respeito a seu Salvador, por afeição a um Amigo e pela fidelidade que o amavam, nada impediu essas mulheres exemplares de fazer o que desejavam por aquele a quem elas acompanharam até o fim. Seu amor por Jesus suplantou todas as desculpas e venceu todos os obstáculos, mesmo que isso tivesse representado sacrifício pessoal.

Como você serve ao Salvador? Com diligência? Com fidelidade? Com perseverança? Sem desculpas? E como você serve à sua família, a seus irmãos e irmãs em Cristo, a seus amigos, vizinhos e colegas? Que você possa serví-los com um amor tão dedicado que não aceita desculpas!

29 de Outubro – Lc 24

"Ele me guiou"
Mulheres que acompanharam Jesus

E, voltando do túmulo, anunciaram todas estas coisas aos onze e a todos os mais que com eles estavam. Lc 24.9

O QUE SIGNIFICA ser uma verdadeira seguidora de Jesus? Costumamos dizer que desejamos seguir fielmente a Jesus e oramos por isso. Hoje, ao nos despedirmos desse grupo de mulheres que amaram a Jesus e o seguiram até o fim, veremos que elas têm um pouco mais a nos ensinar a respeito disso. Observe o exemplo que elas nos oferecem de uma devoção inabalável a seu Senhor:

- *Elas o seguiram na vida.* Enquanto Jesus caminhava, conversava e pregava por toda Jerusalém, Judeia e Samaria, essas mulheres sempre estiveram presentes, auxiliando-o tanto física como financeiramente (Lc 8.2,3).

- *Elas o seguiram na morte.* Sem jamais hesitar, essas fiéis seguidoras de Jesus permaneceram ao pé da cruz, viram quando seu corpo foi retirado dali e acompanharam os que o levaram até o túmulo.

- *Elas o seguiram no cumprimento do dever.* Ao chegarem ao túmulo, essas mulheres notaram que o corpo de Jesus não havia sido preparado corretamente para ser sepultado. Na manhã seguinte, ao cumprir o último dever a seu finado Amigo, elas receberam a bênção de ser as primeiras testemunhas de sua ressurreição e as primeiras a conversar com o Senhor depois que ele ressuscitou (Jo 20.11-18)!

- *Elas seguiram suas instruções.* Na conversa que teve com elas, Jesus lhes ordenou que fossem avisar seus irmãos sobre o que acontecera (Jo 20.17). Evidentemente, essas mulheres que o amavam apressaram-se a cumprir a ordem!

Minha querida, por certo você deseja ser uma verdadeira seguidora de Jesus. E o que esse discipulado exige de você? Segui-lo na vida, na morte, no dever e em obediência. Faça das palavras deste hino uma oração, e peça a Deus que a ajude a guiá-la em todos os aspectos da vida:

Ele me guiou, ele me guiou,
Segurou-me pela mão e me guiou;
De agora em diante, eu o seguirei,
Porque pela mão ele me guiou.[10]

30 de Outubro – Jo 2

Os caminhos de Deus
Maria

Tendo acabado o vinho, a mãe de Jesus lhe disse: Eles não têm mais vinho.
Jo 2.3

"A mãe de Jesus." A expressão parece sublime, não é mesmo? Contudo, conforme podemos imaginar, a missão de ser mãe de Jesus tinha seus desafios. Reflita sobre a passagem de hoje.

Maria, mãe de Jesus, deve ter sido uma mulher de poucas palavras, mais introspectiva do que falante. Porém, quando o vinho acabou durante as bodas em Caná, Maria deve ter perguntado a si mesma: "O que posso fazer para ajudar? Já sei! Vou contar a Jesus!" Não sabemos exatamente o que ela esperava ouvir do filho, mas sabemos que a resposta de Jesus a fez lembrar-se de que ele era mais – muito mais! – do que seu filho primogênito. Ele a fez lembrar-se da posição e dos deveres dele como Filho de Deus.

A resposta de Jesus a sua mãe pode nos instruir sobre os caminhos do Senhor:

- *Os propósitos de Deus.* Deus não existe para servir ao homem; o homem existe para servir a Deus. Apesar de Jesus ter suprido o vinho que faltava, ele realizou esse milagre para cumprir um propósito divino, e não para atender ao pedido velado de sua mãe. No caso do milagre da água transformada em vinho, o objetivo de Deus era muito maior do que simplesmente providenciar bebida para uma festa de casamento. Conforme a Bíblia relata, Jesus pretendia manifestar sua glória e poder divino para que as pessoas cressem nele. Maria preocupava-se com um assunto secular, ao passo que Jesus preocupava-se com a eternidade.

Onde estão seus interesses, minha amiga? Você se preocupa com coisas insignificantes, com trivialidades? Fica ansiosa demais por causa dos detalhes da vida diária, de questões secundárias? Jesus censurou a preocupação de Maria com as coisas terrenas. Reconheça a importância de tal censura para a sua vida também e passe a preocupar-se mais com as coisas lá do alto, com o que é eterno, e, por conseguinte, com as coisas mais importantes da vida.

- *O tempo de Deus.* O tempo de Deus é governado por sua grande sabedoria e conhecimento. Maria deve ter imaginado que ninguém notou a falta de bebida e achou que precisava comentar esse fato com Jesus. Mas o Onisciente, que conhece todas as coisas, sabia disso e em *seu* tempo, conforme *sua* programação divina, agiu milagrosamente como só o Onipotente pode agir.

Existem coisas de que você "necessita"? Existe algum problema que, em sua opinião, está passando despercebido pelas outras pessoas? Então confie no Senhor, na sabedoria de seu tempo, nos caminhos de Deus.

31 de Outubro – Jo 4

Uma conversa informal com Deus
A mulher samaritana

Nisto veio uma mulher samaritana tirar água...
Jo 4.7

Uma das bênçãos de conhecer as mulheres da Bíblia que amaram a Deus é aprender lições com a vida de cada uma delas. Reflita hoje sobre outra mulher do passado que passou a amar a Deus e a caminhar com Jesus. Ela é conhecida simplesmente como "a mulher de Samaria". Quando entrou naquela cidade, Jesus parou para descansar à beira de um poço, e ela chegou para tirar água. Qual é a mensagem que a história dessa mulher traz para nós?

Mensagem para a mulher samaritana

Ela era pecadora. Tinha cinco maridos, e o homem com o qual vivia não era seu marido.

Ela foi salva. Depois de conversar com Jesus, a mulher bebeu a água que ele lhe ofereceu: água viva, uma fonte para a vida eterna.

Ela divulgou a boa nova. Essa mulher correu para divulgar a notícia da presença de Jesus na cidade e testemunhou sobre sua mensagem.

Mensagem para nós

Somos pecadoras. É a mensagem clara de Romanos 3.23: "Pois todos pecaram".

Podemos ser salvas. Jesus oferece essa mesma água viva a nós. Ele promete: "Eu lhes dou a vida eterna; jamais perecerão" (Jo 10.28).

Devemos divulgar a boa nova. A Bíblia pergunta a nós que conhecemos o Senhor: "Como crerão naqueles de quem nada ouviram?" (Rm 10.14).

Quando o Salvador parou para conversar com uma mulher pecadora, não só ela, mas também outras pessoas foram salvas ("Muitos samaritanos daquela cidade creram nele, em virtude do testemunho da mulher, que anunciara..."). Você também gostaria de ter uma conversa informal com o Salvador? Converse com Deus sobre a vida eterna, sobre você, sobre aquele pecado que prejudica sua vida, sobre seus amigos e familiares que ainda não o conhecem. Sacie sua sede com a fonte refrescante de sua Palavra. Depois, divulgue a boa nova de Jesus Cristo. Ofereça a água viva, a fonte da vida eterna, para os seus amigos e também para os seus inimigos... Cumpra sua parte na divulgação da verdade do evangelho até os confins do mundo (Rm 10.18)!

1º DE NOVEMBRO – JO 8

A GRAÇA DO PERDÃO

A MULHER ADÚLTERA

*Os escribas e fariseus trouxeram à sua presença
uma mulher surpreendida em adultério... Jo 8.3*

ACUSAÇÕES DISPARADAS SEM TRÉGUA! Os escribas e os fariseus, os acusadores, usavam as palavras como verdadeiras armadilhas, na esperança de enredar Jesus para que emitisse algum julgamento contrário ao conhecimento que eles tinham da lei. Assim, esses líderes hipócritas aproximaram-se do Senhor arrastando uma pobre mulher que havia pecado e perguntaram: "Mestre, esta mulher foi apanhada em flagrante adultério. E na lei nos mandou Moisés que tais mulheres sejam apedrejadas; tu, pois, que dizes?"

A resposta de Jesus foi dupla. Ele disse sabiamente: "Aquele que dentre vós estiver sem pecado seja o primeiro que lhe atire pedra". Em seguida, depois que os acusadores partiram (sem atirar uma só pedra!), Jesus, pela graça, perdoou a mulher.

Vamos refletir agora sobre alguns componentes do verdadeiro perdão dado por Deus, bem como a graça do perdão que nós concedemos a outras pessoas. Ao ler a lista a seguir, peça a Deus que a grave em seu coração:

- **Procurar ser semelhante a Deus.** Devemos perdoar uns aos outros como também Deus em Cristo nos perdoou (Ef 4.32).

- **Esquecer as ofensas.** Costuma-se dizer que devemos perdoar *e* esquecer. Talvez essa frase tenha suas raízes em Jeremias 31.34: "Perdoarei as suas iniquidades, e dos seus pecados jamais me lembrarei".

- **Redenção em Cristo.** Nele "temos a redenção, a remissão dos pecados" (Cl 1.14).

- **Devemos perdoar quantas vezes?** As ofensas devem sempre ser perdoadas. Quando Pedro perguntou: "Senhor, até quantas vezes meu irmão pecará contra mim, que eu lhe perdoe? Até sete vezes?", Jesus respondeu: "Não te digo que até sete vezes, mas até setenta vezes sete" (Mt 18.21,22).

- **Olhar para a frente.** Todos nós pecamos (Rm 3.23), e aqueles que foram perdoados devem esquecer-se das coisas que ficaram para trás e prosseguir para o alvo, para o prêmio da soberana vocação em Cristo Jesus (Fp 3.13,14).

- **Arrependimento.** O pecador que é perdoado arrepende-se de seus pecados e, da mesma forma que a mulher adúltera foi instruída, segue seu caminho e não peca mais.

- **Reconhecer que o pecador tem valor aos olhos de Deus.** "Mas Deus prova o seu próprio amor para conosco pelo fato de ter Cristo morrido por nós, sendo nós ainda pecadores" (Rm 5.8).

2 DE NOVEMBRO – JO 11

O RECURSO SUPREMO
MARTA E MARIA

Estava enfermo Lázaro, de Betânia, da aldeia de Maria e de sua irmã Marta.
Jo 11.1

O QUE VOCÊ FAZ quando o sofrimento atravessa seu caminho? Como você lida com os problemas que afligem sua vida? Você costuma:

Contar a uma amiga?	Tomar um sedativo?
Consultar um conselheiro?	Ler um romance?
Recorrer a um grupo de apoio?	Assistir a um filme?
Fazer compras?	Dar-se por vencida?
Mudar o visual dos cabelos?	Comer alguma coisa?

Hoje, vamos visitar duas irmãs que enfrentaram um verdadeiro caso de vida ou morte. Já conhecemos Maria e Marta quando elas hospedaram Jesus e seus discípulos em casa, oferecendo-lhes um jantar (veja 23 de outubro). Agora, elas estão passando por uma crise familiar. Seu querido irmão Lázaro adoecera. Além de ser muito amado por elas, provavelmente era ele quem sustentava a casa (a Bíblia não menciona se Maria ou Marta tinham marido ou filhos). A grave enfermidade de Lázaro representava não só grande tristeza, mas também incerteza e insegurança quanto ao futuro. Essas duas mulheres que amavam a Deus sabiam que deviam contar a Jesus sobre seu sofrimento. Sabiam quanto ele amava seu irmão e conheciam seus milagres. Elas resolveram recorrer ao Mestre.

Que bom seria se seguíssemos os passos daquelas duas mulheres sábias! Por que recorrer a um amigo, um conselheiro, um grupo de apoio quando temos Jesus, o amigo que é mais que um irmão? Por que nós, mulheres que confessamos amar a Deus, saímos em busca de uma solução rápida que o mundo pode nos dar, ou fugimos dos problemas (indo atrás de prazeres, divertimentos, futilidades) quando estamos diante de uma situação grave? E por que devemos recorrer a soluções mundanas, quando temos o supremo recurso em Deus? Há uma mensagem simples contida neste salmo maravilhoso:

> Elevo os olhos para os montes:
> De onde me virá o socorro?
> O meu socorro vem do Senhor,
> Que fez o céu e a terra (Sl 121.1).

Que possamos, com a mesma atitude de submissão a Deus mostrada pelo salmista, seguir o exemplo de Maria e Marta e recorrer a Jesus, nosso maior amigo e supremo recurso, sempre que tivermos de enfrentar crises e problemas.

3 de Novembro – Jo 11

Uma lição de fé
Marta e Maria

Marta, quando soube que vinha Jesus, saiu ao seu encontro...
Jo 11.20

O QUE VOCÊ PENSA quando ouve a expressão "diferentes como o dia e a noite"? Ela descreve duas pessoas que enfrentam as situações da vida de maneira contrastante. As irmãs Marta e Maria certamente se enquadravam nessa descrição. Em outra ocasião, vimos que, quando Jesus e seus discípulos visitaram a casa delas, Marta pôs-se a trabalhar freneticamente, enquanto Maria adorava aos pés do Mestre.

Hoje, vamos encontrar aquelas irmãs que agiam de maneira tão diferente enfrentando outra situação. Seu irmão, Lázaro, estava gravemente enfermo. Marta e Maria mandaram chamar Jesus, mas ele não atendeu ao pedido delas, e Lázaro morreu. Quando isso aconteceu, as irmãs ficaram sabendo que Jesus estava se aproximando do povoado onde elas moravam. Por ora, vamos analisar a reação de Marta. Veremos a de Maria amanhã.

O que fez Marta ao tomar conhecimento de que o Salvador estava chegando ao povoado? Fiel à sua natureza impulsiva, Marta saiu apressada ao encontro do Mestre.

- *Marta: Sua declaração de fé*. Talvez a reação de Marta tenha sido brusca e apressada, mas seu coração estava certo. Ela acreditava em Jesus e confiava em seu poder de cura. "Senhor", ela se atreveu a dizer, "se estivesses aqui, não teria morrido meu irmão".

- *Marta: Sua lição de fé*. Marta estava certa por ter ido ao encontro de Jesus, mas esqueceu uma verdade muito importante. Quando disse: "Sei que tudo quanto pedires a Deus, Deus to concederá", Jesus a corrigiu: "Eu sou a ressurreição e a vida. Quem crê em mim, ainda que morra, viverá". Jesus quis dizer o seguinte: "Marta, eu não preciso pedir a Deus. *Eu sou* Deus e a vida está em *mim*! Aquele que crê em *mim* viverá!"

Minha preciosa amiga, você acredita que Jesus é Deus? Marta reconheceu seu poder, mas não compreendeu sua divindade e ele a corrigiu. Você acredita que Jesus é o Deus que se fez carne? Acredita na vida eterna, mesmo sabendo que é uma criatura mortal? Essa é a mensagem que a querida Marta ouviu dos lábios do Deus Encarnado e essa é a mensagem que ele tem para nós. Jesus perguntou a Marta: "Crês isto?"

4 de Novembro – Jo 11

Fruto desenvolvido à sombra
Marta e Maria

Maria, porém, ficou sentada em casa.
Jo 11.20

Ontem, vimos como Marta, tão diferente da irmã como o dia da noite, reagiu em relação a Jesus após a morte de seu irmão. Sem perder tempo, sendo uma mulher ativa e determinada, levantou-se e saiu rapidamente ao encontro de Jesus, antes que ele chegasse ali.

Porém, a introspectiva Maria ficou sentada em casa, aguardando a chegada do Salvador. Logo a seguir, alguém lhe disse: "O Mestre chegou e te chama".

Indo ao encontro de Jesus fora da cidade, a querida Maria limitou-se a prostrar-se diante de seus pés e a declarar sua fé: "Senhor, se estiveras aqui, meu irmão não teria morrido".

Essas irmãs nos mostram duas maneiras de administrar a vida. Cada uma tem suas vantagens. Marta é ativa e trabalha diligentemente, mas não procura passar algum tempo "à maneira de Maria", esperando no Senhor. Quando optamos por ficar a sós para nos aproximar de Jesus, coisas importantes acontecem:

• Lemos e estudamos a Palavra de Deus.

• Passamos mais tempo em oração.

• Memorizamos trechos favoritos da Bíblia.

• Meditamos nas coisas do Senhor.

Neste mundo tumultuado, somos inclinadas a pensar que o tempo passado a sós com Deus, esperando no Senhor, não faz muita diferença. Pensamos, às vezes, que isso não é importante. Afinal, ninguém está nos vendo, não há glória, alarde, menção nos jornais, enfim, nada de palpável, que possa ser medido ou enumerado... Mesmo assim, o tempo que ficamos, regularmente, diante de Deus produz frutos desenvolvidos à sombra de sua presença. Leia com atenção estas palavras sábias do conferencista escocês do século 19, Henry Drummond, que nos levam a refletir: "O talento se desenvolve em momentos de solidão; o talento da oração, da fé, da meditação, de ver o invisível".[1]

Você deseja produzir esse tipo de fruto celestial, desenvolvido apenas à sombra da presença de Deus? Então, busque hoje, e em todos os dias de sua vida, ter os momentos de solidão necessários para propiciar o crescimento desse fruto.

5 de Novembro – Jo 12

As duas faces do amor
Marta e Maria

Deram-lhe, pois, ali, uma ceia; Marta servia... Maria, tomando uma libra de bálsamo de nardo puro... ungiu os pés de Jesus e os enxugou com os seus cabelos. Jo 12.2,3

Antes de nos despedirmos de Marta e Maria, vamos dar uma espiada através da janela de sua casa. A família inteira está ali: Marta, Maria e seu irmão Lázaro, a quem Jesus ressuscitara. Observamos uma alegre comemoração, em que a família agradecida prepara outro jantar para Jesus, o amado Mestre. Essa cena é maravilhosa e instrutiva.

Marta e Maria amavam a Deus, mas Marta demonstrou seu amor por ele de maneira prática, e Maria, de maneira piedosa. Hoje... e em todos os dias de sua vida, nos momentos em que você expressar a Deus seu amor por ele, tenha gravadas em seu coração essas duas imagens, que revelam as duas faces do amor:

- *Servir.* Como sempre, Marta servia. Você está surpresa? Era assim que Marta expressava amor. Sendo uma mulher prática, seu amor também era prático. Marta gostava muito de atender às necessidades de quem ela tanto amava.

E você? Serve com fidelidade ao Senhor onde quer que ele a coloque, lembrando que tudo o que você faz deve fazê-lo de todo o coração, como para o Senhor, e não para homens (Cl 3.23)? Você acha que os serviços domésticos – preparar refeições, esfregar o chão, lavar roupa – podem expressar seu amor por Deus? Embora essas tarefas rotineiras pareçam insignificantes, Deus reconhece seu esforço e se agrada quando trabalha como se fosse para ele!

- *Adorar.* Como sempre, Maria adorava. Você está surpresa? Maria sempre desejou adorar a Deus. Naquela noite, demonstrando um amor sem-par, com um bálsamo muito caro ungiu os pés de Jesus e enxugou-os com seus cabelos.

E quanto a você, querida serva de Deus? Você adora a Deus sem inibições? Procura encontrar novas maneiras de demonstrar seu amor por ele? Ó! seus atos de adoração poderão ser ridicularizados, como o de Maria. As pessoas talvez considerem seus sacrifícios de adoração uma imprudência, perda de tempo ou até mesmo tolice. Porém, é importante repetir: Deus recebe de bom grado as dádivas de adoração que você deposita a seus pés. Portanto, seja generosa e ofereça dádivas de adoração todos os dias!

6 DE NOVEMBRO – JO 19

AMOR ATÉ O FIM
MARIA, MÃE DE JESUS

E junto à cruz estavam a mãe de Jesus...
Jo 19.25

"SIM, UMA ESPADA TRASPASSARÁ A TUA PRÓPRIA ALMA." Naquele instante, essa declaração deve ter ecoado bem forte no coração de Maria, de forma quase audível! Essas palavras proféticas haviam sido pronunciadas solenemente pelo idoso Simeão 33 anos antes, quando Maria levou o bebê Jesus ao templo em Jerusalém (Lc 2.35).

Que dia maravilhoso havia sido aquele! Maria e José estavam muito felizes por apresentar seu bebê diante de Deus, com toda a humildade, mas também muito empolgados, porque ele os escolhera para cuidar de seu Filho. O próprio Simeão ficara extasiado por ter recebido a bênção de ver o tão aguardado Messias. Entretanto, apesar da alegria da ocasião, havia proferido aquelas palavras sobre uma espada que traspassaria o coração de Maria...

De fato, a vida de Maria como mãe de Jesus teve muitos momentos felizes, mas outros bem tristes. Ela presenciou as reações violentas do povo em relação a Jesus e a sua mensagem. E, naquele momento, Maria, junto à cruz de Jesus, via seu filho primogênito morrer de forma horripilante, como um criminoso. A espada estava traspassando sua alma!

De repente, naquele silêncio sepulcral, Maria ouviu a voz clara de Jesus. Falou dirigindo-se a seu discípulo João e referindo-se a ela: "Eis aí tua mãe!" Ela (agora viúva) não fora esquecida nem desprezada! Deus estava tomando conta dela! Jesus amou os seus que estavam no mundo, e amou-os até o fim (Jo 13.1), e a palavra "seus" incluía Maria, sua mãe!

Analise duas lições, extraídas da vida de Maria, úteis para os momentos em que enfrentarmos algum sofrimento:

- *Lição nº 1:* O sofrimento da vida não deve permitir que deixemos de pensar no bem-estar de nossos queridos. Jesus nos ensinou essa lição. Mesmo sofrendo a agonia de estar pendurado na cruz, ele estava pensando em Maria e pediu a João que cuidasse dela.

- *Lição nº 2:* O sofrimento da vida não nos pode fazer duvidar de que Deus cuida de nós. O Todo-poderoso está sempre conosco até à consumação do século (Mt 28.20). Ele não permitirá que nada nos falte (Sl 23.1) e nos amará até o fim.

Agradeça a Deus seu amor infalível e seu zelo por você e siga seu exemplo cuidando de seus queridos, mesmo em meio ao sofrimento.

7 de Novembro – At 1

Um exemplo de devoção
Maria, mãe de Jesus

Todos estes perseveravam unânimes em oração, com as mulheres, estando entre elas Maria, mãe de Jesus, e com os irmãos dele. At 1.14

As despedidas são muito tristes, não é mesmo? Hoje, vamos nos despedir de Maria, mãe de Jesus. Essa é a última passagem da Bíblia em que ela é mencionada; portanto, vamos examinar cuidadosamente os detalhes desta narrativa:

- *Fato nº 1: Maria está no cenáculo.* Talvez, por ser o local da última refeição de Jesus com seus discípulos, essa sala tenha se tornado o ponto de encontro de seus seguidores após sua gloriosa ressurreição.

- *Fato nº 2: Maria está entre os fiéis seguidores de Jesus.* Nenhum crente em Cristo é mais importante que outro. Aqui, vemos Maria em igualdade de condições com outras pessoas que seguiram a Jesus.

- *Fato nº 3: Maria está orando.* Ajoelhada ao lado de outras pessoas piedosas, Maria perseverava em oração, buscando força e graça para continuar a vida sem Jesus.

- *Fato nº 4: Maria está acompanhada de outras mulheres.* Dentre os seguidores de Jesus, havia um grupo de mulheres que auxiliavam seu ministério, além das esposas de alguns discípulos.

- *Fato nº 5: Os outros filhos de Maria estão presentes.* Podemos imaginar a alegria de Maria! Seus filhos não acreditaram em Jesus antes de sua crucificação (Jo 7.5), mas passaram a crer nele depois de sua morte e ressurreição. Finalmente, todos os filhos de Maria estavam unidos pela fé!

Que belo exemplo de devoção piedosa encontramos na vida da querida mãe de Jesus! Maria adorou ao Senhor e o seguiu ao lado de outros crentes, perseverou em oração, passou parte do tempo com suas irmãs na fé e valorizou a fé em família. Será que essa descrição também serve para a sua maneira de viver, querida leitora? Se a resposta for negativa, o que você precisa fazer para que sua vida reflita devoção a Deus como a vida de Maria?

P.S.: Não é bom que você não tenha de dizer adeus às mulheres da Bíblia? Elas estão preservadas para sempre na Palavra de Deus, e você pode retomar sua convivência com elas a qualquer hora que desejar. Basta abrir sua Bíblia. Que tal separar algum tempo por dia para estudar a vida de uma dessas mulheres que amaram a Deus?

8 de Novembro – At 9

Olhos de amor
Dorcas

Havia em Jope uma discípula por nome... Dorcas; era ela notável pelas boas obras e esmolas que fazia. At 9.36

Minha querida e fiel amiga que tem passeado comigo pelas páginas da Bíblia, vamos agora visitar juntas a cidade de Jope, na costa do Mediterrâneo. Vejamos qual era a situação da igreja local naquela cidade.

- *As pessoas*. Havia uma encantadora serva de Deus chamada Dorcas, que trabalhava na congregação de Jope. Seu nome, que significa "gazela", condizia com seu encanto e beleza. De que maneira essa querida serva trabalhava para as pessoas que frequentavam sua igreja? Ela passava o tempo fazendo túnicas e vestidos para as viúvas, as pessoas mais necessitadas daquela época. Além de sonhar, planejar e desejar que a vida de suas irmãs sofredoras melhorasse, Dorcas agia! E era muito querida pelos cristãos de Jope por causa de suas boas obras e atos de caridade.

- *O problema*. Quando Dorcas morreu, os crentes da igreja choraram. Aquela serva graciosa e generosa havia partido!

Amanhã, analisaremos a solução desse problema; por ora, vamos fazer uma pausa e refletir sobre o ministério de Dorcas. Observe que não a vemos ensinando, evangelizando ou aconselhando. Nós a vemos trabalhando em silêncio e com amor, esforçando-se para praticar o bem a outras pessoas.

O ministério dela não consistia em "semear", mas em "costurar"!

Você deseja que sua vida seja lembrada? Deseja que sua existência seja importante para o reino de Deus? Deseja atrair outras pessoas para o Senhor e tocá-las com seu amor? Então, conforme a Bíblia diz, revista-se de misericórdia e bondade (Cl 3.12). Aprenda a olhar para os outros por meio dos olhos amorosos de Jesus e pense nas aflições e dificuldades que você enxergar. Em seguida, pergunte a Deus: "O que eu poderia fazer para aliviar a dor desses infelizes? Como melhorar sua condição de vida? O que posso fazer – seja muito, seja pouco – para ajudar?" Se você, a exemplo de Dorcas, trabalhar para atender às necessidades de outras pessoas, sua vida será importante aos olhos de Cristo.

Pensamento: Aquela que faz o bem por amor à causa (e por amor a Deus!), sem ter em vista elogios nem recompensas, com certeza será elogiada e recompensada no final!

[NT] A autora joga com as palavras *sowing* (semear) e *sewing* (costurar), cuja grafia no inglês é quase igual.

9 de Novembro – At 9

Um coração bondoso
Dorcas

[Pedro]... apresentou-a viva.
At 9.41

Você não achou desafiador o encontro com Dorcas, uma mulher que amou a Deus, a seu povo (por meio de ações, não de palavras) e que foi amada por ele? Mais desafiador ainda foi saber que o amor dela pelo povo foi demonstrado por atitudes práticas, ao costurar túnicas e vestidos! O amor que Dorcas confeccionava roupas para as viúvas da igreja nos leva a compreender por que sua morte causou tanta tristeza, levando tanta gente a fazer uma súplica a Deus.

- *A súplica.* Quando a igreja tomou conhecimento da perda de sua tão querida Dorcas, dois discípulos de Cristo, seus conterrâneos, procuraram o apóstolo Pedro. Não havia Pedro curado um homem paralítico em Lida? Talvez ele também pudesse usar seu poder divino a favor de Dorcas!

- *A apresentação.* Pedro acompanhou os discípulos até a casa apinhada da querida Dorcas. As viúvas o cercaram mostrando-lhe as roupas que Dorcas fizera para elas. Depois de dispensar todos os que estavam no quarto, Pedro ajoelhou-se, orou e, voltando-se para o corpo, disse: "Levanta-te". Quando Dorcas começou a se movimentar, Pedro ajudou-a a levantar-se e apresentou-a viva aos crentes e viúvas!

O que mais nos chama a atenção na história desse grupo de crentes é a bondade. Sabemos que Dorcas possuía um coração cheio de bondade e de piedade, porém, vamos considerar outros elementos da bondade de Deus na milagrosa ressurreição de Dorcas e nas coisas boas que aconteceram em decorrência disso:

1. *Deus foi glorificado.* Ninguém, a não ser Deus, tem poder para ressuscitar uma pessoa. Oh, quanto ele deve ter sido louvado!

2. *A fé foi divulgada.* A Bíblia nos diz que muitos creram no Senhor em decorrência do milagre de Pedro. Que Deus também possa ser louvado por isso!

3. *O povo ficou feliz.* A alegria tomou conta da igreja de Jope: Dorcas estava de volta! Aquela mulher carinhosa, zelosa e generosa, que amava o povo e a Deus, estava viva!

Examine seu coração, minha querida. Será que ele está repleto do amor e da bondade de Deus a ponto de levá-la a praticar boas obras para ele e seu povo? Seus lábios não se cansam de louvar a Deus por sua bondade? O salmista diz o seguinte: "Rendam graças ao Senhor por sua bondade e por suas maravilhas para com os filhos dos homens!" (Sl 107.8). Faça isso agora mesmo!

10 DE NOVEMBRO – AT 12

UM ESPÍRITO GENEROSO
MARIA, MÃE DE MARCOS

*[Pedro] resolveu ir à casa de Maria... onde muitas
pessoas estavam congregadas e oravam.* At 12.12

Os DICIONÁRIOS DEFINEM *generosidade* como "ato de liberalidade", e hoje vamos conhecer outra mulher generosa, que amou a Deus e a seu povo. Seu nome é Maria.

- *Essa Maria era irmã de Barnabé*, o maravilhoso homem de Deus descrito como "bom, cheio do Espírito Santo e de fé" (At 11.24). Ele vendeu com satisfação uma propriedade e doou o dinheiro à igreja (At 4.36,37). Barnabé agia com generosidade.

- *Essa Maria foi a dedicada mãe de João Marcos*. Seu filho, um evangelista que acompanhou o apóstolo Paulo em suas viagens, posteriormente escreveu o Evangelho de Marcos. Ele dedicou toda a sua vida e tudo o que possuía à causa de Cristo.

Agora vamos testemunhar o espírito generoso e as ações corajosas de Maria. Numa época em que os cristãos sofriam implacável perseguição, Maria abriu as portas de seu lar para que os crentes tivessem um lugar onde adorar a Deus. De fato, no trecho que acabamos de ler, os crentes estão reunidos na casa dela para orar por Pedro, que estava preso e aguardando sua execução pelo rei Herodes. Tiago já havia sido morto pelas mãos de Herodes, e Pedro seria o próximo.

O que você teria feito em uma situação assim? Teria seguido os passos dessa nobre mulher? Estaria disposta a arriscar sua vida e a sacrificar generosamente seu tempo, trabalho e dinheiro para servir ao Senhor? É necessário dispor de *tempo* para servir a Deus: dizer não às coisas insignificantes, abrir espaço na agenda para atender aos propósitos do Senhor, preparar-se para o ministério, estar na companhia de seu povo. É necessário *trabalho* para servir a outras pessoas: limpar a casa, colocar lençóis limpos na cama, preparar refeições para visitas. E é necessário *dinheiro* para amar por meio de ações, e não só de palavras: comprar mantimentos, proporcionar abrigo aos necessitados, construir uma casa para uma família sem-teto, contribuir para a igreja para o sustento de pastores e missionários que estão trabalhando para a causa de Deus.

Pergunte a Deus o que você pode fazer, não só hoje, mas também todos os dias de sua vida, para desenvolver um espírito generoso. Seja esse tipo de mulher!

11 DE NOVEMBRO – AT 12

UM ESPÍRITO CHEIO DE GRAÇA

RODE

Quando ele bateu ao postigo do portão, veio uma criada, chamada Rode, ver quem era. At 12.13

VOCÊ SE LEMBRA da visita que fizemos ontem ao lar de Maria, mãe de Marcos? Aquela mulher corajosa estava recebendo um grupo de crentes em sua casa, altas horas da noite, para uma reunião de oração. No momento em que os crentes suplicavam a Deus que libertasse Pedro da prisão e da morte, alguém bateu na porta.

É aí que Rode, a criada de Maria, entra na história. Enquanto todos oravam, ela abriu a porta para ver quem estava batendo. (Observe que ela continuava trabalhando até tarde da noite, enquanto os outros – e talvez ela própria – oravam!) Quando reconheceu Pedro, uma resposta à oração fervorosa do grupo, ela ficou tão entusiasmada que, em vez de abrir, correu para dentro da casa a fim de dar a notícia maravilhosa aos crentes ali reunidos. Imagine seus gritos de alegria quando entrou na sala lotada de pessoas piedosas: "É Pedro! É Pedro! Ele está no portão! Aleluia! Nossas orações foram respondidas! Ele está aqui!"

No entanto, essa querida jovem (cujo nome significa "rosa"), fiel aos seus deveres e não se contendo de tanta empolgação, foi chamada de louca pelos crentes: "Estás louca! Perdeste o juízo!" Quando a história termina, tanto nós como os que a ridicularizaram percebemos que Rode tinha razão. Pedro saíra mesmo da prisão e estava ali!

Você gostaria de saber qual foi a atitude de Rode em relação às palavras, repreendas e críticas injustas que recebeu? Não conhecemos os detalhes, mas sabemos o que Deus deseja que as mulheres que o amam façam em tais circunstâncias. Reflita sobre a instrução que a Bíblia traz sobre o assunto:

- Ter um espírito manso e tranquilo, que é de grande valor diante de Deus (1Pe 3.4).

- O servo [ou a serva] do Senhor não deve contender, e, sim, ser brando para com todos, apto para instruir, paciente (2Tm 2.24).

- O amor é paciente, é benigno, não se conduz inconvenientemente, não se exaspera (1Co 13.4,5).

- O fruto do Espírito é amor, alegria, paz, longanimidade, benignidade, bondade, fidelidade, mansidão e domínio próprio (Gl 5.22,23).

Na próxima vez que você for mal interpretada ou criticada injustamente como Rode, leia a Palavra de Deus para encontrar orientação e peça a ele que lhe conceda a habilidade de demonstrar um espírito cheio de graça.

12 de Novembro – At 16

Marido incrédulo
Eunice

*Havia ali um discípulo chamado Timóteo,
filho de uma judia crente, mas de pai grego.* At 16.1

Você já deve ter ouvido a palavra *Nike*, não é mesmo? Trata-se de uma marca muito conhecida de artigos esportivos, mas você conhece sua origem? *Nike* é a deusa grega da vitória, e o nome significa "vencer bem". Hoje, vamos ser apresentadas a Eunice, cujo nome vem da palavra grega *Nike*. Que vitória ela alcançou na vida?

Sabemos que ela era mãe de Timóteo, o discípulo e companheiro em quem o apóstolo Paulo mais confiava. Analisaremos o papel de Eunice como mãe no próximo mês (veja 13 de dezembro), mas hoje vamos nos concentrar em seu casamento com um grego, um gentio e, portanto, um incrédulo. Que instruções a Bíblia oferece às mulheres que são casadas com um incrédulo?

- *Demonstrar*. Tenha certeza de demonstrar afeição e respeito pelo homem incrédulo com quem você se casou (Ef 5.33).

- *Orar*. A oração ajuda em qualquer situação, e o casamento com um homem incrédulo também se beneficiará dela (Tg 5.16), portanto ore!

- *Falar*. Nunca deixe de elogiar e incentivar seu marido. Comunique seu amor por ele (Cl 4.6).

- *Adornar-se*. Adorne-se todos os dias com um espírito manso e tranquilo (1Pe 3.4), que é agradável ao Senhor e ajuda a manter o casamento.

- *Conter-se*. Quando surgir um problema, contenha-se para não reagir impetuosamente. Segure a língua, murmure uma rápida oração e busque no Senhor a sabedoria e a graça necessárias para que sua resposta seja branda e apropriada (Pv 15.1,28).

- *Prestar atenção*. Preste atenção nas mulheres da Bíblia que amaram a Deus e foram casadas com homens incrédulos. Ester (leia o livro de Ester) e Abigail (1Sm 25) são mostradas como mulheres vitoriosas nesta situação especial.

- *Permanecer*. A Bíblia incentiva a esposa a não se afastar do marido (1Co 7.10). Converse com seu pastor a respeito de sua situação.

- *Retribuir*. Retribua o mal com o bem (Rm 12.21). É difícil, mas se você fizer isso, alcançará a *Nike*, a vitória!

Permita que a vida da doce Eunice a incentive e lembre-se de que sua fé em Jesus pode e vai ajudá-la a preservar seu casamento. Talvez você seja usada por ele para abrandar o coração de seu amado incrédulo!

13 de Novembro – At 16

O poder de uma mulher
Lídia

Certa mulher chamada Lídia... nos escutava; o Senhor lhe abriu o coração para atender às coisas que Paulo dizia. At 16.14

"Nunca subestime o poder de uma mulher", adverte o antigo ditado. Hoje, conheceremos o poder de uma mulher chamada Lídia, que foi muito usada por Deus. Em seu meigo coração, foram lançadas as sementes a partir das quais a igreja de Filipos cresceu. Reflita sobre alguns dos fios utilizados por Deus para tecer a vida de Lídia:

- *Ela era mulher.* Esse fato óbvio é importante para a história. Veja só: eram necessários dez homens para organizar uma sinagoga e, aparentemente, não havia tal quórum em Filipos. Como não tinham uma sinagoga onde se reunir, as mulheres se encontravam nos arredores da cidade para orar.
- *Ela era religiosa.* Lídia acreditava no Deus de Israel, mas ainda não se tornara seguidora de Jesus Cristo.
- *Ela era atenta.* Certo dia, o apóstolo Paulo aproximou-se de um grupo de mulheres que oravam junto ao rio, sentou-se e começou a falar de Jesus. Lídia ouviu com atenção.
- *Ela foi batizada.* Quando a verdade sobre Jesus Cristo penetrou no coração de Lídia, Deus, em sua graça e soberania, a levou a aceitar a salvação. A primeira coisa que Lídia fez como cristã, em obediência e fidelidade ao Senhor, foi ser batizada.
- *Ela foi influente.* E Lídia não foi batizada sozinha. Evidentemente, ela foi um instrumento para que toda a sua família, inclusive parentes e criados, se convertessem a Jesus.
- *Ela era hospitaleira.* Além de abrir as portas de seu coração, ela também abriu as portas de seu lar. A mensagem de Paulo a ajudou, e agora ela queria ser útil ao apóstolo e a seus amigos proporcionando-lhes um lar.

Querida mulher que ama a Deus, em que aspectos sua vida se assemelha à de Lídia? Você participa dos cultos regularmente na companhia de outros crentes? É atenta aos ensinamentos da Palavra de Deus? Foi batizada de acordo com o mandamento do Senhor aos crentes do Novo Testamento? Está compartilhando com outras pessoas, principalmente as mais chegadas a você, a verdade sobre a salvação em Cristo que você já conhece? E, como Lídia, você está abrindo as portas de sua casa para os obreiros do Senhor e seu povo?

"Nunca subestime o poder de uma mulher" – inclusive o seu! – principalmente quando ela serve ao Senhor!

14 de Novembro – At 16

A FINALIDADE DA RIQUEZA

Lídia

Tendo-se retirado do cárcere, dirigiram-se para a casa de Lídia...
At 16.40

Todos apreciam a complexidade das tramas de uma bela tapeçaria. Ontem, começamos a observar os vários fios que Deus usou para tecer a vida de Lídia. Hoje, vamos examinar outros dois fios dessa encantadora obra de arte do Senhor.

- *Ela era uma mulher de negócios*. Lídia vivera em Tiatira, uma cidade famosa por seus caríssimos corantes cor de púrpura para tecidos. Morando agora em Filipos, Lídia vendia roupas confeccionadas com tecidos que ela mesma tingia de púrpura. Em razão do alto preço dessas mercadorias, somente os ricos e a realeza tinham condições de comprá-las. E, por ser vendedora desses trajes caros e muito procurados, Lídia prosperou.

- *Ela era generosa*. Como Lídia usava sua riqueza? Ela cuidava de seus parentes e criados, mas também abriu as portas de seu lar para a causa de Cristo. Imediatamente após sua conversão e batismo, convidou Paulo e sua comitiva para se hospedarem em sua casa. Evidentemente, ela possuía uma casa espaçosa, porque a igreja que estava nascendo em Filipos se reunia ali.

Não há nada de errado ou pecaminoso em obter sucesso naquilo que você faz. Deus abençoou Lídia com habilidade, criatividade e ética profissional, da mesma forma que ele tem abençoado todas as mulheres que o amam. Deus espera que vivamos de acordo com nossas prioridades (Tt 2.3-5), que trabalhemos diligentemente com nossas mãos (Pv 31.13) e que façamos nosso trabalho como se fosse para ele (Cl 3.23). Porém, as bênçãos da habilidade e prosperidade exigem responsabilidade. "Àquele a quem muito se confia, muito mais lhe pedirão" (Lc 12.48). Portanto, nós, que amamos a Deus, devemos sempre nos lembrar:

- *Da fonte da riqueza*. Não devemos pensar: "Minha capacidade e o poder de minhas mãos me fizeram conquistar esta riqueza". Devemos nos lembrar do Senhor nosso Deus, porque é ele que nos dá força para adquirir riqueza (Dt 8.17,18).

- *Da finalidade da riqueza*. Não devemos ser orgulhosos, nem depositar nossa esperança na instabilidade da riqueza, mas em Deus, que tudo nos proporciona ricamente para o nosso bem-estar. Devemos praticar o bem, ser ricos de boas obras, generosos em dar e prontos a repartir (1Tm 6.17,18).

15 de Novembro – At 18

Apoio para livros

Priscila

*Lá encontrou certo judeu chamado Áquila...
com Priscila, sua mulher... Paulo aproximou-se deles.* At 18.2

Apoio para livros. A imagem nos veio à mente quando conhecemos esse casal que amava a Deus. A mulher e seu marido formavam uma dupla excelente. Assim como um par de apoios para livros, eles permanecem firmes enquanto servem no reino de Deus. O nome dela é Priscila, e o dele, Áquila. Analise os traços que eles têm em comum:

- *Servos dedicados.* Tendo seus nomes sempre mencionados juntos, Priscila e Áquila trabalham em parceria tanto no casamento como no ministério.
- *Itinerantes.* Todas as vezes que esse querido casal é mencionado, está em uma localidade diferente: de Roma a Corinto, de Corinto a Éfeso e de volta para Roma. Em cada uma dessas cidades, eles pregaram o evangelho.
- *Trabalhadores.* O marido e a esposa trabalhavam juntos confeccionando tendas e artigos de couro.
- *Hospitaleiros.* Além de abrir as portas de seu coração, esse casal também abriu sua tenda para abrigar o apóstolo Paulo. A igreja de Éfeso se reunia na casa deles (1Co 16.19).
- *Perseverantes.* Quando foi expulso de Roma, esse casal conheceu uma vida de perseguição implacável. Apesar disso, Priscila e Áquila permaneceram fiéis ao Senhor.
- *Interessados em aprender.* Tendo seus corações em sintonia com Deus, ouviam atentamente os ensinamentos de Paulo aos judeus e gregos, adquirindo o conhecimento de que necessitavam para servir ao Senhor em outros lugares e de outras maneiras.
- *Dispostos a trabalhar.* Priscila e Áquila estavam dispostos a fazer qualquer coisa pela causa de Cristo, ir a qualquer lugar, a qualquer hora e a qualquer custo. Em determinada ocasião, eles saíram de Corinto com Paulo para ajudá-lo a consolidar a igreja de Cristo.

Se você é casada, colabora com o trabalho de seu marido? Essa é a nossa missão (Ef 5.22), seja nosso marido cristão ou não (1Pe 3.1). Como esposas piedosas, devemos colaborar para que os sonhos de nossos maridos sejam realizados, servir de apoio para a família e carregar a parte do fardo da vida que nos é destinada. É necessário que o casal – com as bênçãos do Senhor! – construa um casamento e uma família que glorifiquem a Deus. Mais uma coisa: se você é solteira, lembre-se de que também tem a importante missão de procurar adquirir as qualidades piedosas descritas acima!

16 DE NOVEMBRO – AT 21

DEDICAÇÃO TOTAL

AS QUATRO FILHAS DE FILIPE ISRAEILITAS

Tinha este quatro filhas donzelas, que profetizavam.
At 21.9

"SE VOCÊ É SOLTEIRA..." Hoje, ao conhecermos quatro mulheres solteiras que amaram a Deus, veremos que a vida delas nos apresenta uma nova maneira de completar a frase que encerrou a leitura devocional de ontem. Apenas um versículo das Sagradas Escrituras fala dessas mulheres, mas ele revela que eram dedicadas a Deus. Não conhecemos seus nomes, mas sabemos que elas serviram ao Senhor de uma forma singular. O que tornava o trabalho delas tão especial?

- *O pai.* Os primeiros homens escolhidos para trabalhar na igreja depois que Jesus subiu ao céu foram descritos como "homens de boa reputação, cheios do Espírito e de sabedoria" e "de fé" (At 6.3,5). Filipe, o evangelista, estava entre os sete homens que se enquadravam nessa categoria, e era pai dessas quatro mulheres solteiras. Que bênção ter um pai piedoso que é um exemplo dentro de casa!

- *O ministério.* Conforme já observamos ao longo deste livro devocional, apenas algumas mulheres receberam de Deus o dom de profetizar para seu povo e essas quatro irmãs fazem parte desse grupo. A exemplo de Miriã, Débora, Hulda e Ana, essas quatro mulheres serviram a Deus expondo a palavra a seu povo.

- *A vida de solteira.* A Bíblia diz que o celibato é um chamado verdadeiramente sagrado: "Também a mulher, tanto a viúva como a virgem, cuida das coisas do Senhor, para ser santa, assim no corpo como no espírito; a que se casou, porém, se preocupa com as coisas do mundo, de como agradar ao marido" (1Co 7.34). Em outras palavras, a mulher solteira não precisa se preocupar em servir ao marido e pode consagrar-se completamente ao trabalho do Senhor, com total dedicação.

"Se você é solteira..." Minha querida, se você é solteira, não sucumba a nenhuma pressão para se casar. Afinal, é o Senhor que completa a vida de toda mulher, seja ela casada, seja solteira. Além do mais, como mulher solteira e piedosa, você tem mais condições de dedicar-se inteira e unicamente a Deus e ao seu trabalho. Portanto, você, mulher solteira, aceite essa oportunidade especial para desempenhar o sublime chamado e o grande privilégio de servir a Cristo de todo o coração!

17 de Novembro – Rm 16

Uma serva brilhante

Febe

Recomendo-vos a nossa irmã Febe, que está servindo à igreja de Cencreia.
Rm 16.1

Todas as pessoas necessitam de ajuda! Se você não tem certeza desta verdade, pense nos desafios, em todo o estresse e nas pressões do dia-a-dia. A vida diária traz com ela muitas responsabilidades, sem mencionar as tristezas e o sofrimento físico. Sim, todas as pessoas necessitam de ajuda!

E com o apóstolo Paulo, o servo escolhido de Deus, não foi diferente. No capítulo 11 da Segunda Carta aos Coríntios, ele menciona os inúmeros sofrimentos pelos quais passou. Diante de tantas provações, o Senhor deu a Paulo, seu servo fiel, uma obreira dedicada para ajudá-lo. Seu nome era Febe, que significa "brilhante e radiante", e ela representa um exemplo brilhante e radiante daquilo que Deus deseja de seus filhos, inclusive de nós, mulheres de hoje! Três características especiais descrevem sua fidelidade, que a fazia brilhar e destacar-se:

1. *Irmã*. Paulo refere-se a Febe como "nossa irmã". Febe, uma mulher consagrada e dedicada à família de Deus, era irmã em Cristo não apenas de Paulo, mas de cada uma das pessoas piedosas de sua comunidade.

2. *Serva*. O apóstolo recomenda Febe como uma serva ("nossa irmã que está servindo à igreja de Cencreia"). O honroso título de *serva* indica alguém que serve a tudo e a todos na igreja.

3. *Auxiliar*. Mais adiante, Paulo elogia Febe: "Porque [ela] tem sido protetora de muitos e de mim inclusive". No grego clássico, a palavra *auxiliar* refere-se ao treinador que, nos Jogos Olímpicos, permanecia ao lado dos atletas para ver se eles haviam sido corretamente treinados e se estavam aptos para a competição. *Auxiliar* significa "aquele que está pronto para atender sempre que houver necessidade".

A mensagem de Deus para nós é clara. Como irmãs que amamos a Deus e que somos chamadas por ele para amar seu povo, devemos estar dispostas e prontas para atender sempre que houver necessidade. Esse serviço dedicado e altruísta brilha de maneira intensa em nosso mundo sombrio!

P.S.: Assim como Paulo, você também pode agradecer a Deus a vida de uma serva como Febe, porque muito provavelmente foi ela quem levou a Roma, a pedido de Paulo, o inestimável livro de Romanos. Um estudioso escreveu estas sábias palavras a respeito dessa serva de Deus: "Febe carregou, sob as dobras de seu manto, todo o futuro da teologia cristã".[2]

18 DE NOVEMBRO – RM 16

SERVIÇO ALTRUÍSTA
MULHERES ISRAELITAS

*Recomendo-vos a nossa irmã Febe, que...
tem sido protetora de muitos e de mim inclusive.* Rm 16.1,2

ALGUÉM DISSE em tom de brincadeira: "Tem gente que não sabe escrever direito e confunde a grafia da palavra *serviço* com a de *servir-nos...*"³ Mas a Bíblia é bem clara a esse respeito! A Palavra de Deus nos apresenta Febe, descrita pelo apóstolo Paulo como irmã, serva e auxiliar (veja a devocional de ontem). Antes de nos despedirmos de Febe e de seu brilhante ministério, grave no coração estes pensamentos a respeito da ajuda que devemos prestar a outras pessoas:

- *Sirva a todos*. Além de servir ao famoso e notório apóstolo Paulo, Febe também serviu às pessoas da igreja de Cencreia, sua pequenina cidade natal. *Responda:* Você oferece o mesmo tipo de serviço sincero a qualquer pessoa, independentemente da posição social que ela ocupa, ou escolhe a quem servir?

- *Sirva humildemente*. Na igreja primitiva, serva era aquela pessoa que cuidava dos pobres e enfermos, dava assistência aos mártires e prisioneiros e ajudava o povo e a igreja sempre que necessário. *Responda:* Você se sente feliz por servir no anonimato para que outras pessoas brilhem em seu lugar? Sente-se satisfeita ao ver que a obra de Cristo está prosperando e alegre por assistir e atender às necessidades dos outros? Você serve fielmente, em silêncio e com altruísmo, sem chamar a atenção, sem querer nada em troca, nenhum reconhecimento ou glória?

- *Sirva sempre*. O serviço da querida Febe parecia constante. Talvez ela fosse viúva, mas tinha sido "protetora de muitos", pois continuava a fazer no presente o que havia feito no passado. Sua vida foi marcada pela fidelidade. Prestou um enorme serviço ao levar a preciosa carta de Paulo, escrita em pergaminho, de Corinto a Roma. Ela foi fiel ontem... hoje... e, sem dúvida, seria amanhã. *Responda:* Você foi serva no passado, continua sendo no presente, e tem muitos planos para servir no futuro?

Querida serva fiel, nosso Jesus, o Filho do homem que não veio para ser servido, mas para servir, e também para dar a sua vida em resgate de muitos (Mt 20.28), é o exemplo supremo de serviço altruísta pelos que o amam. Siga os passos de Jesus e os de Febe servindo com desprendimento e fidelidade.

19 de Novembro – Rm 16

Sofrimento e glória
Priscila

Saudai a Priscila e a Áquila... os quais pela minha vida arriscaram a sua própria cabeça... Rm 16.3,4

Ao longo de seu ministério, Louis B. Talbot, fundador do Seminário Teológico Talbot, manteve sempre um exemplar do *Foxe's book of martyrs* (*Livro de mártires de foxe*) na mesa de cabeceira e, todas as noites, antes de apagar a luz, lia a história da perseguição e sofrimento de um dos santos de Deus.

Hoje, querida peregrina, vamos conhecer um pouco mais a serva Priscila, uma irmã e mulher piedosa que quase morreu como mártir. Certa ocasião, ela e seu marido, Áquila, salvaram a vida do apóstolo Paulo. Não temos detalhes, a não ser as palavras de Paulo dizendo que eles arriscaram a vida para salvá-lo. Literalmente, "colocaram a cabeça sob o machado" por causa de Paulo.

Essa situação nos causa arrepios, mas a Bíblia não deixa de abordar o assunto sobre perseguição e sofrimento. Reflita sobre estes dois ensinamentos:

- *Espere sofrer*. Para ter uma vida piedosa, é necessário dar testemunho da verdade e do amor de Deus. Portanto, os crentes fiéis devem esperar perseguição e sofrimento neste mundo sombrio e pecaminoso. A Bíblia promete: "Ora, todos quantos querem viver piedosamente em Cristo Jesus serão perseguidos" (2Tm 3.12). Outro versículo diz claramente: "Porque vos foi concedida a graça de padecerdes por Cristo e não somente de crerdes nele" (Fp 1.29).

- *Alegre-se por sofrer*. Alegria transbordante em Cristo, tanto no futuro como no presente, sob quaisquer circunstâncias, é a recompensa daqueles que sofrem por serem irrepreensíveis nesta vida. "Amados, não estranheis o fogo ardente que surge no meio de vós, destinado a provar-vos, como se alguma coisa extraordinária vos estivesse acontecendo; pelo contrário, alegrai-vos na medida em que sois coparticipantes dos sofrimentos de Cristo, para que também, na revelação de sua glória, vos alegreis exultando" (1Pe 4.12,13).

Qual será o futuro dos que poderão enfrentar a morte como mártires, a exemplo de Priscila? O dr. Talbot gostava muito de dizer: "Para um mártir, seria maravilhoso morrer com lágrimas nos olhos para que, ao abri-los, visse a mão do Senhor Jesus enxugando suas lágrimas".[4] O "pior" que pode acontecer aos fiéis mártires de Deus é receber essa alegria e glória que o futuro lhes reserva!

20 de Novembro – Rm 16

Luzes menos intensas
As amigas de Paulo

Saudai a Maria... a Júnias... a Trifena e a Trifosa... a Pérside... a mãe [de Rufo]... a Júlia... a irmã [de Nereu]. Rm 16.6-15

"Luzes menos intensas" é a expressão escolhida pelo escritor e pregador Chuck Swindoll para identificar essas mulheres piedosas da Bíblia que, embora aos olhos de Deus sejam tão importantes quanto as outras, são menos conhecidas, porque pouco foi escrito a respeito delas. A lista de hoje das "luzes menos intensas" inclui oito mulheres, a quem Paulo saudou pessoalmente em sua carta aos cristãos de Roma. O que podemos aprender com cada uma delas?

- *Maria*. Paulo declara que essa Maria trabalhava muito pela igreja de Roma, chegando ao limite de suas forças pelo desgaste físico e cansaço.
- *Júnias*. Paulo saudou-a como a uma pessoa da família.
- *Trifena e Trifosa*. Aparentemente, estas duas irmãs em Cristo eram gêmeas. Embora seus nomes significassem *delicada* e *graciosa*, elas trabalhavam ativamente para o Senhor.
- *Pérside*. Esta mulher, estimada por todos os que a conheciam, também trabalhava muito pela causa de Cristo.
- *A mãe de Rufo*. Esta querida mulher cuidou de Paulo como se ele fosse seu filho.
- *Júlia e a irmã de Nereu*. Estas duas mulheres também se destacaram como membros e líderes da igreja em Roma.[5]

O que é necessário para ocupar um lugar de destaque na lista das amigas e colaboradoras de Paulo? O texto deixa transparecer que a qualidade primordial é trabalhar ativamente pelo reino de Deus. Essas mulheres trabalharam à exaustão. Serviram incansavelmente ao Senhor e a seu povo.

Querida serva do Senhor, esse grupo de mulheres fervorosas que amaram a Deus deixou duas mensagens para os nossos corações: *Primeira*, devemos refletir sobre a intensidade do trabalho que realizamos para a igreja de Cristo e para seu rebanho. Será que esse grau de intensidade não poderia ser aumentado?

Segunda, caso você se considere uma "luz menos intensa", porque ninguém imagina quanto você se esforça em prol da causa do Senhor, lembre-se de que ele tudo sabe! O seu nome é conhecido no céu e está escrito no Livro da Vida do Cordeiro (Ap 21.27)! Você, amada filha do Rei e talvez uma "luz menos intensa", nunca passará despercebida aos olhos do Deus a quem serve!

21 DE NOVEMBRO – 1Co 7

CRESCENDO EM GRAÇA
ESPOSA

Ora, aos casados, ordeno... que a mulher não se separe do marido.
1Co 7.10

"CASAMENTO MISTO" é a expressão normalmente usada para descrever a união na qual um dos cônjuges é cristão e o outro, incrédulo. Pelo fato de muitas mulheres que amam a Deus viverem em tal situação, as devocionais de hoje e de amanhã apresentam algumas orientações que a Bíblia oferece aos casamentos enquadrados na categoria de "mistos". Antes de tudo, leia atentamente 1Coríntios 7.10-16 e, em seguida, memorize estes conselhos preciosos extraídos do livro *Women helping women* (*Mulheres ajudando mulheres*):[6]

- *Preserve seu casamento.* A primeira Palavra de Deus a uma mulher que se casou com um homem incrédulo é empenhar-se ao máximo para preservar seu casamento. Por quê? "Porque o marido incrédulo é santificado no convívio da esposa" (1Co 7.14). Em outras palavras, ele é escolhido para ser abençoado por Deus por causa de sua esposa. A presença de uma esposa crente no lar expõe todas as pessoas da casa à graça divina, e elas passam a fazer parte do povo escolhido de Deus.

- *Confie no Senhor.* Deus nos prometeu que estaria presente e nos ajudaria nos momentos de provação, e sua promessa se estende ao casamento, mesmo que seja problemático. Nosso Deus gracioso também nos assegurou um meio de não sermos tentados a pecar em meio às dificuldades (1Co 10.13). Deus nos capacita a permanecer firmes diante de quaisquer provações, inclusive as que surgem no decorrer do casamento.

- *Planeje suas táticas.* A mulher sábia faz planos para viver melhor em momentos de crise conjugal. Seu planejamento deve incluir: viver de acordo com a Palavra de Deus, não ter amargura nem raiva e contar com as orações de outras pessoas para comportar-se como uma mulher piedosa.

Caso o seu querido marido não seja cristão, sem dúvida você terá muitas oportunidades de crescer na graça. Se você preservar seu casamento, confiar no Senhor e planejar viver à semelhança de Cristo, certamente colherá muitos frutos em sua vida. Olhe para o Senhor neste momento. Decida caminhar com ele diariamente, até o fim. Segure a mão do Senhor enquanto caminha com ele. Apegue-se a todas as suas promessas e alegre-se, porque o poder de Cristo repousa sobre você (2Co 12.9)!

22 de Novembro – 1Co 7

Amando um marido incrédulo

Esposa

Pois, como sabes, ó mulher, se salvarás a teu marido?
1Co 7.16

Você é casada com um homem incrédulo? Então, leia atentamente 1Coríntios 7.10-16 e medite sobre estas estratégias bíblicas para saber conviver com um marido que não recebeu a graça da salvação. Elas são úteis para todas as esposas![7]

1. *Desenvolva um relacionamento com Deus.* A união de uma esposa com Cristo é muito mais sublime que a união conjugal.
2. *Não pague o mal com o mal nem provoque a ira de seu marido.* Talvez você também seja uma pessoa de difícil convivência.
3. *Pense biblicamente nas exigências feitas por seu marido.* Recorra ao Senhor para ajudá-la a discernir se as exigências dele são razoáveis.
4. *Cultive um espírito de perdão e de compreensão.* As esposas cristãs devem perdoar os maridos (sejam eles incrédulos ou não) e não guardar rancor.
5. *Faça o bem.* Esforce-se para agradar a seu marido. Seja criativa, descubra o que ele gosta e encontre maneiras de ajudá-lo.
6. *Respeite seu marido.* Respeite a posição de autoridade que Deus dá a seu marido como chefe da casa.
7. *Aja com sabedoria e determinação.* Talvez você tenha sido chamada para agir com coragem da mesma forma que Deus conduziu Abigail a fazer o que era bom para seu marido (veja 17 de junho).
8. *Seja perseverante e paciente.* Deus está interessado em mudá-la nas *próprias* circunstâncias em que você vive.
9. *Saiba como enfrentar a tirania.* Ame seu marido, mas resista com delicadeza se houver exageros em sua autoridade.
10. *Conheça os limites de sua responsabilidade.* Respeite qualquer crítica vinda de seu marido, obedeça à Palavra de Deus e deixe o restante por conta do Senhor.
11. *Inclua descanso e lazer em sua programação.* A convivência com um marido que desrespeita as leis do Senhor pode ser muito desgastante.
12. *Converse regularmente com uma mulher cristã mais velha.* Conte com a ajuda de outras pessoas para que você possa ser uma esposa cristã fervorosa.
13. *Utilize ativamente seus dons espirituais para servir ao Senhor.* Descubra uma maneira de servir ao povo de Deus, mesmo sem sair de casa.

Paulo pergunta: "Como sabes, ó mulher, se salvarás a teu marido?" Somente Deus pode "salvar" alguém, mas ele usa o testemunho fiel de uma esposa cristã para doutrinar um marido incrédulo a respeito de sua luz e de sua verdade. A evangelização começa em casa, e seu amado incrédulo talvez possa ser salvo por meio de seu procedimento (1Pe 3.1). Ore nesse sentido agora mesmo!

23 DE NOVEMBRO – 1Co 7

CONSAGRADAS A DEUS
MULHERES SOLTEIRAS

Também a mulher, tanto a viúva como a virgem, cuida das coisas do Senhor...
1Co 7.34

JÁ TRATAMOS DESTE ASSUNTO em nossa jornada ao longo da Bíblia, mas vamos falar um pouco mais a respeito dele. Trata-se do celibato. Hoje, faremos outra pausa para contemplar a santidade que Deus tem em mente para as suas servas solteiras.

No trecho de hoje, a Bíblia diz: "Também a mulher, tanto a viúva como a virgem, cuida das coisas do Senhor... a que se casou, porém, se preocupa com as coisas do mundo, de como agradar ao marido". Os interesses da mulher casada estão divididos entre as coisas terrenas e as celestiais. Ela é chamada para amar a Deus, mas também para amar, servir e agradar a seu marido. A mulher solteira, porém, é chamada unicamente para amar, servir e agradar ao Senhor.

Se você é solteira, já se separou *das* coisas desta vida *para* dedicar-se à obra do Senhor? Por ter menos responsabilidades e deveres em relação à família, você pode dedicar-se mais a Deus. E, por conseguinte, tem mais oportunidades e maior liberdade para consagrar sua vida inteiramente a Deus. Pense nestas possibilidades:

- *Trabalho missionário.* Quer você dedique tempo integral ou parcial a este trabalho, poderá usar sua liberdade para servir a Cristo ao redor do mundo.
- *Trabalho em tempo integral em uma organização cristã.* Igrejas, escolas, faculdades, seminários e outras organizações cristãs poderão beneficiar-se dos talentos e habilidades que Deus lhe deu.
- *Contribuição em dinheiro.* Se você tem uma boa remuneração ou renda, contribua generosamente para o ministério de sua igreja.
- *Testemunho cristão no ambiente de trabalho.* Sua presença como luz de Deus no mundo servirá de testemunho cristão para atrair outras pessoas a Jesus.

Querida amiga solteira, a oportunidade de ser uma serva consagrada a Deus, de serví-lo de todo o coração, sem qualquer impedimento, é sua. Lembre-se de que o sonho de se casar (ou qualquer sonho!) jamais deverá ser um empecilho para que você deixe de desfrutar a alegria que Deus lhe reserva a cada novo dia. Nossos olhos devem estar sempre focalizados naquilo que vem graciosamente das mãos de Deus, e não no que parece um obstáculo. Habitue-se a viver todos os dias de sua vida de maneira completa e gloriosa para o Senhor. Peça a Deus que a ajude a concentrar-se inteiramente nas oportunidades que você tem hoje de serví-lo como mulher solteira.

24 de Novembro – 1Co 7

Sementes de amor
Esposa

Também a mulher, tanto a viúva como a virgem, cuida das coisas do Senhor... a que se casou, porém, se preocupa com as coisas do mundo, de como agradar ao marido. 1Co 7.34

Ontem, meditamos sobre a liberdade que a mulher solteira tem de consagrar-se inteiramente a Deus. A passagem de hoje, porém, apresenta instruções para a mulher casada.

Embora o casamento não impeça a mulher de demonstrar grande dedicação a Deus, a vida conjugal exige tempo, esforço e sentimentos que poderiam ser devotados inteiramente ao Pai celestial. A mulher casada preocupa-se com as necessidades terrenas de seu marido, com as "coisas do mundo". Uma vez que cuidar de seu marido faz parte do chamado de Deus a você, como conciliar essas responsabilidades?

- *Ore por seu marido diariamente.* Dedicar-se a seu marido em oração fará que você se dedique mais a ele em seu coração.
- *Faça planos para ele diariamente.* Nada acontece por acaso, e nisso está incluído um ótimo casamento! O planejamento a ajudará a concentrar os pensamentos em seu marido.
- *Cuide dele diariamente.* O trabalho de cuidar da casa para o seu marido (das refeições às palavras que saem de sua boca) a ajudará a manter sua concentração nele.
- *Procure agradá-lo.* Preste atenção ao que o seu marido gosta ou não gosta e esforce-se para agradá-lo.
- *Faça-lhe companhia.* Quando seu marido estiver em casa, evite sair.
- *Ame-o fisicamente.* Faça uma pausa para ler 1Coríntios 7.3-5. Demonstrar um pouco de afeição é muito importante para o relacionamento que você tem com seu marido!
- *Tenha atitudes positivas em relação a ele.* Se você tiver uma atitude positiva e imediata às ações de seu marido, estará criando um ambiente de tranquilidade para comunicar-se melhor com ele.
- *Elogie-o.* Elogiar seu marido tanto em público como particularmente é uma forma de plantar no coração as sementes de seu amor por ele.
- *Ore sempre.* A mulher que ama a Deus (e ao marido!) é aquela que ora. Ao longo do dia, peça a Deus que a capacite a ser a esposa amorosa e companheira que ele quer que você seja.[8]

25 de Novembro – 1Co 11

Para o bem de todos

Esposa

Quero, entretanto, que saibais ser Cristo o cabeça de todo homem, e o homem, o cabeça da mulher, e Deus, o cabeça de Cristo. 1Co 11.3

Como a vida conjugal pode transcorrer suavemente? Como o marido e a esposa, que são iguais aos olhos de Deus, podem trabalhar juntos para realizar tudo aquilo que ele deseja para a sua honra e glória?

Hoje, vamos conhecer o plano de Deus para que haja ordem e harmonia no casamento no que se refere a *autoridade* e *submissão*. Analise os três exemplos de submissão que Deus nos apresenta nesse versículo sagrado:

- *Cristo foi submisso a Deus.* No reino de Deus, existem autoridade e submissão. Jesus Cristo, embora fosse igual a Deus Pai em todos os aspectos, submeteu-se ao Pai e levou até o fim o seu plano de salvação para a humanidade.

- *O homem é submisso a Cristo.* A Bíblia menciona claramente que Jesus Cristo é o cabeça: Deus "pôs todas as coisas [e todas as pessoas] debaixo dos seus pés [dos pés de Cristo] e, para ser o cabeça sobre todas as coisas, o deu à igreja" (Ef 1.22).

- *A mulher é submissa ao homem.* Aqui, vemos a necessidade da liderança no casamento. Embora seja igual ao homem perante Deus (Gl 3.28), a esposa é chamada por ele a submeter-se ao marido para o bem de seu casamento e da família.

Todos os cristãos são chamados a uma vida de submissão e de ajuda ao próximo, para o bem de todos. Na verdade, a vida cristã *é* submissão! Cada um de nós que proclama Jesus como Senhor deve sujeitar-se a outras pessoas. Devemos ser submissos ao governo, a nossos patrões (1Pe 2.13-25), uns aos outros (Ef 5.21) e a Deus (1Pe 5.6).

Às vezes, é fácil acompanhar nosso marido, mas ninguém pode negar que, de vez em quando, é bem complicado.... Porém, quando você se submete a Deus e às suas orientações quanto a autoridade e submissão, a vida no casamento e no lar torna-se mais piedosa. Dessa forma, você se assemelhará mais a Jesus e trabalhará para o bem de todos.

26 de Novembro – 1Co 11

Um reflexo de glória

Esposa

...a mulher é a glória do homem.
1Co 11.7

Jamais deve existir um só motivo para sentir-se inferior a seu marido. Não importa o que as outras pessoas digam, o que o mundo diga, o que as feministas digam. Deus diz que você é a "glória" de seu marido. E que palavra *gloriosa* Deus escolheu para dizer isto! Grave estes textos preciosos da Bíblia no coração e permita que eles orientem seus pensamentos:

- "A mulher é a glória do homem" (1Co 11.7). Assim como o homem reflete a glória de Deus, a mulher reflete a glória do homem. Juntos, marido e esposa refletem a glória de Deus e revelam Cristo ao mundo.
- "A mulher virtuosa é a coroa do seu marido" (Pv 12.4). Nós, mulheres, podemos nos alegrar quando nossos maridos são observados e elogiados, principalmente se contribuímos para o seu sucesso.
- "O que acha uma esposa acha o bem" (Pv 18.22). Uma das grandes bênçãos que Deus concede ao homem é uma boa esposa, que trabalhe com ele para ajudá-lo a cumprir os propósitos de Deus.
- "Do Senhor [vem] a esposa prudente" (Pv 19.14). Prudente é a esposa que reforça a reputação de seu marido.

Como esposas, temos o privilégio de ser bondosas para com nosso marido e de exaltar o nome deles. A Bíblia diz o seguinte a respeito de uma esposa exemplar, a mulher de Provérbios 31: "Seu marido é estimado entre os juízes, quando se assenta com os anciãos da terra" (Pv 31.23). Com a ajuda do Senhor, nós também devemos viver de maneira a honrar o nome de nossos maridos e reforçar a boa reputação deles.

Ser uma esposa que honra e que exalta o marido é um desafio. Portanto, faça uma pausa neste momento para orar. Peça a Deus que a ajude a fortalecer seu marido em oração e, dessa forma, glorificar a Deus. Obedeça ao que está escrito em Provérbios 31.12. Em todos os dias de sua vida, faça o melhor que puder a seu marido, elogiando-o e incentivando-o, preservando seu casamento, servindo à sua família, cuidando do lar e das finanças, colaborando para a realização dos sonhos dele e orando por seu sucesso, tudo isso para que ele possa ser um homem de influência piedosa no lar, na igreja, no trabalho e na comunidade. É uma bênção saber que seu marido é conhecido por ter uma esposa digna![9]

27 DE NOVEMBRO – 1Co 11

BEM PERTO DO CORAÇÃO

ESPOSA

Porque o homem não foi feito da mulher, e sim a mulher, do homem.
1Co 11.8

ANTES DE LER AS DEVOCIONAIS dos próximos dias, releia os dois primeiros capítulos de Gênesis que narram os extraordinários detalhes da criação do mundo e da humanidade. Maravilhe-se diante da sequência dos planos de Deus, de seus propósitos e da dignidade que ele confere aos seres humanos!

Há um fato na narrativa bíblica sobre a criação que até hoje exerce influência sobre a vida de todas as mulheres que amam a Deus: a mulher teve origem do homem. Primeiro, Deus formou Adão do pó da terra. Em seguida, enquanto Adão dormia, Deus retirou uma de suas costelas, fechou o local com carne e transformou isso em uma mulher. Deus fez a mulher *do* homem.

O versículo de hoje reitera esta verdade sobre a criação: a mulher foi feita *do* varão. De fato, a Bíblia emprega a palavra *varoa* para designar mulher. Uma pessoa piedosa do passado fez o seguinte comentário: "A mulher não foi formada da cabeça do homem para governá-lo, nem de seus pés para ser pisada por ele, mas da parte lateral de seu corpo, debaixo do braço, para ser protegida, e bem próxima ao coração, para ser amada e querida por ele".

Com esses conceitos gravados no coração, devemos pôr em prática as seguintes atitudes em relação ao nosso marido:

- *Tratá-lo com carinho.* Aquele que é chamado para preservar o casamento e alimentar sua esposa (Ef 5.28-33) merece ser tratado com carinho por sua querida companheira.

- *Amá-lo.* Aquele que é chamado para amar sua esposa, assim como Cristo amou a igreja, e a si mesmo se entregou por ela (Ef 5.25) merece a dedicação e o sacrifício de uma companheira agradecida.

- *Serví-lo.* Aquele que é chamado para proteger a esposa e cuidar da família (1Co 11.3) merece receber toda a atenção de sua companheira.

Peça a Deus hoje, querida esposa, que a faça compreender melhor a enorme responsabilidade que ele atribuiu a seu marido, alguém tão próximo a você e a quem tanto ama. Em seguida, dobre os joelhos e:

- *Ore por ele.* Aquele que é chamado para assumir tais responsabilidades dadas por Deus é merecedor (e necessita!) das orações contínuas e das súplicas sinceras de uma fiel esposa e companheira!

28 de Novembro – 1Co 11

A incumbência de servir
Esposa

*Porque também o homem não foi criado por causa
da mulher; e sim a mulher, por causa do homem.* 1Co 11.9

Tudo estava terminado. A criação estava completa. Mas a situação de Adão, o primeiro homem, é descrita de forma melancólica: "Para o homem, todavia, não se achava uma auxiliadora que lhe fosse idônea" (Gn 2.20). Todos os animais do campo, todas as aves do céu e todos os peixes do mar tinham um parceiro, um companheiro, mas Adão não tinha ninguém. Assim que Deus se deu conta da situação ("Não é bom que o homem esteja só..."), apresentou uma solução ("... far-lhe-ei uma auxiliadora que lhe seja idônea" [v. 18]).

Você já parou para pensar sobre a finalidade da esposa? Ao criar Eva, Deus nos deu a resposta: ele criou Eva, a primeira mulher, *para* o homem, para ser sua auxiliadora. Portanto, a mulher que ama a Deus e que é casada *recebe de Deus a incumbência de auxiliar seu marido!*

Então, o que a esposa deve fazer para que Deus coloque em seu coração o desejo de auxiliar seu marido e cumprir a incumbência que ele lhe deu? Reflita sobre estas sugestões:

- *Assuma o compromisso de auxiliar seu marido.* A decisão de servir é sua, minha querida. Ninguém pode decidir por você, e ninguém pode forçá-la a tomar uma decisão. É *você* quem decide se deve auxiliar seu marido. E, como mulher que ama a Deus, sem dúvida você vai desejar levar adiante a incumbência que ele lhe deu de ser auxiliadora de seu marido.

- *Concentre-se em seu marido.* Deus deseja que a esposa concentre as energias e esforços no marido, em *seu* trabalho, em *seus* objetivos, em *suas* responsabilidades. Mas fique atenta! Nossa natureza pecaminosa protesta em alto e bom som: "Primeiro eu!" Deus, porém, quer que digamos aos nossos maridos: "Primeiro você!"

- *Pergunte a si mesma:* "O que vou fazer ajudará ou atrapalhará meu marido?" Respondendo a essa simples pergunta antes de agir, você terá condição de escolher o melhor a fazer para auxiliar seu marido.

Ajudar. Trata-se de uma incumbência simples, mas nobre, que traz muitas recompensas. Nosso marido se beneficiará, e nós também, porque aprenderemos a servir como Cristo serviu![10]

29 de Novembro – Ef 5

Prosseguindo sem desanimar
Esposas

As mulheres sejam submissas ao seu próprio marido, como ao Senhor.
Ef 5.22

O povo, em geral, gosta muito de ler os livros do Antigo Testamento e suas histórias empolgantes sobre os heróis da fé. Nós nos identificamos facilmente com os desafios enfrentados por aqueles homens e mulheres piedosos que amaram a Deus, que se esforçaram para confiar no Todo-poderoso e foram exemplos de obediência a ele.

Os Salmos trazem à luz sentimentos de alegria e desânimo, de louvor e isolamento, de certeza e de dúvida, mostrando uma rara proximidade com Deus, descrita em poucos trechos da Bíblia.

E quem não se beneficia dos Salmos, daqueles excelentes ditados de pura sabedoria que nos forçam a pensar e que nos ensinam a viver melhor?

E, há os Evangelhos! Como amamos o nosso Jesus e como gostamos de ler as páginas que descrevem sua vida para nós! Nesses quatro relatos, quase chegamos a visualizar de fato o Salvador invisível!

A seguir, vêm as epístolas, bem diferentes dos livros anteriores. No caso específico da Bíblia, epístola é uma carta escrita aos crentes por um servo de Deus. As epístolas mencionam e corrigem problemas relacionados à vida cristã e à igreja. Algumas questões abordadas nessas cartas tão antigas nos atingem diretamente. Os problemas daquela época também são vivenciados hoje. Por que fizemos essa retrospectiva para a devocional de hoje? Há dois motivos:

Primeiro, porque o restante das devocionais deste livro baseia-se em trechos extraídos das epístolas. Continue a ler, aprender, crescer na fé e assimilar as lições até o final. Não desanime, não se canse e não desista! Nessas pequenas cartas, Deus nos apresenta conselhos firmes e responde às nossas perguntas sobre como viver para ele hoje.

Segundo, porque o assunto da submissão aos maridos aparece novamente... e aparecerá diversas vezes! A razão deste tema recorrente é que a submissão era um assunto tão polêmico na época em que as epístolas foram escritas como é hoje, e certamente será amanhã! Hoje, Deus nos diz mais uma vez: "As mulheres sejam submissas a seus próprios maridos, como ao Senhor". Ser submissa, da mesma forma que ser auxiliadora (veja a devocional de ontem), é um chamado nobre de Deus para todas as mulheres que o amam. Portanto, prossiga sem desanimar!

30 de Novembro – Ef 6

Sem arrependimentos
Filha

Honra a teu pai e a tua mãe (que é o primeiro mandamento com promessa).
Ef 6.2

Muito se tem escrito a respeito de viver de tal maneira que, ao final, a gente não tenha do que se arrepender. A melhor maneira de não ter arrependimentos em relação aos pais é obedecer ao mandamento de Deus: "Honra a teu pai e a tua mãe". Deus nos exorta a amar e respeitar nossos pais, independentemente de nossa idade. Um estudioso da Bíblia fez o seguinte comentário: "Honrar o pai ou a mãe significa avaliar a importância dessa pessoa de maneira cuidadosa e honesta e tratá-la com a deferência, o respeito, a reverência, a bondade, a cortesia e a obediência que a experiência de vida ou o caráter dela exigem".[11]

Como nós, que amamos a Deus, podemos honrar a nossos queridos pais? Medite sobre estas sugestões extraídas do comentário acima:

- *Avaliar.* Talvez os seus pais não sejam exatamente o que você desejava que fossem, mas Deus tem em alta consideração a posição de autoridade que eles ocupam e ordena que sejam honrados por causa dessa posição. Devemos ter a certeza de que a avaliação que fazemos a respeito de nossos pais se enquadre no mandamento de Deus!

- *Tratar com deferência.* Embora o oposto aconteça em alguns lares ou clãs, Deus não deseja que as reuniões em família se transformem em ambientes de animosidade. O que podemos fazer para criar um clima mais civilizado e pacífico na família? Tratando nossos pais com deferência. Qualquer situação pode ser melhorada quando nos dispomos a tratar nossos pais com deferência por causa da posição honrosa que Deus lhes concedeu.

- *Tratar com respeito.* Quando posto em prática por meio de pensamentos, palavras e ações, o respeito gera o tipo de relacionamento que Deus deseja nas famílias. Além disso, uma atitude de respeito faz brotar uma admiração verdadeira.

- *Tratar com reverência.* Nós amamos a Deus e o reverenciamos. Deus também deseja que reverenciemos nossos pais. Reverência significa respeito mesclado com amor e admiração. Uma atitude de reverência em relação a nossos pais nos leva a tratá-los com bondade, cortesia e obediência.

Em resumo, a mulher que ama a Deus também ama seu pai e sua mãe! O que você pode fazer hoje para incrementar e manifestar o amor por seus pais?

1º DE DEZEMBRO – Fp 4

NA ARENA
EVÓDIA E SÍNTIQUE

Rogo a Evódia e rogo a Síntique... pois juntas se esforçaram comigo no evangelho... Fp 4.2,3

ELAS FORAM HERÓIS (ou deveríamos dizer heroínas?) da igreja. Evódia e Síntique se destacaram como membros da igreja de Filipos. Como servas de Cristo na igreja que frequentavam, aparentemente realizaram grandes obras para Deus e desempenharam papel de liderança nos primeiros dias da igreja de Filipos. O que sabemos sobre esta dupla dinâmica?

- Provavelmente, elas fizeram parte do grupo que se reuniu para orar com Lídia, junto ao rio próximo a Filipos, quando o apóstolo Paulo chegou ali para pregar o evangelho (At 16.13, veja 13 de novembro). É quase certo que naquele dia elas tenham recebido a salvação.

- Provavelmente foram diaconisas na igreja fundada em Filipos. Nesse cargo, elas devem ter prestado serviço à igreja e doutrinado outras mulheres.

- Elas trabalharam lado a lado com Paulo em seu ministério. Utilizando uma figura alusiva à prática esportiva local, Paulo relata que Evódia e Síntique o auxiliaram e se esforçaram como atletas em uma arena.

Nós também podemos contribuir significativamente para a causa do Senhor. Como mulheres que amamos a Deus, fomos agraciadas por ele com o dom de ajudar outros crentes (1Co 12.7). Mesmo não trabalhando ao lado de um apóstolo como Paulo, sabemos que nossos esforços são importantes e têm grande valor para o reino (1Co 15.58). Quando fazemos a nossa parte, trabalhando de modo altruísta para o reino de Deus, o evangelho é divulgado, outras pessoas passam a conhecer Jesus, os membros da igreja de Cristo são fortalecidos espiritualmente e o mundo enxerga a realidade de Jesus Cristo.

- *Advertência!* Apenas mais uma palavra sobre essa dupla que auxiliou Paulo em seu ministério: os esforços que elas empreenderam para Cristo foram manchados por problemas de relacionamento entre elas, por discordarem uma da outra. Depois de tudo o que realizaram pela causa do Senhor e por Paulo, e de toda a energia corajosamente despendida na arena em prol de Cristo, a palavra final sobre essas mulheres indica que se desentenderam e se desligaram da obra do Senhor. Ao servir a Deus, ore para que um comentário final como esse jamais faça parte de seu ministério! Que seu trabalho para o Senhor nunca seja manchado pelo pecado.

2 de Dezembro – Cl 3

Como convém a uma cristã
Esposas

Esposas, sede submissas ao próprio marido, como convém no Senhor.
Cl 3.18

Você deseja viver em harmonia com a vontade de Deus? Quer ser uma mulher segundo o coração de Deus? O objetivo de sua vida é glorificar ao Senhor em tudo o que faz? Você anseia por viver para Deus e fazer as coisas à maneira dele?

A passagem de hoje, extraída das Sagradas Escrituras, apresenta novamente a nós, esposas, uma maneira de agir de acordo com o plano que Deus tem para as mulheres que o amam. Pela oitava vez na Bíblia,[1] somos exortadas a amar e a auxiliar nossos maridos, bem como a nos submeter à liderança deles. Em um trecho que descreve orientações para maridos, filhos, pais e servos, Paulo também se dirige às mulheres: "Esposas, sede submissas ao próprio marido, como convém no Senhor." Observe que esse tipo de submissão à liderança do marido deve ser "como convém no Senhor". É conveniente que nós, mulheres que pertencemos a Deus, nos adaptemos às orientações de nossos maridos.

Para que você possa pôr em prática esse mandamento, reflita sobre as seguintes atitudes, como convém a uma mulher cristã:

- *Disponha-se a honrar a Palavra de Deus.* A mulher que ama a Deus cumpre os mandamentos da Bíblia simplesmente por ser a Palavra de Deus! Outro versículo nos exorta a obedecer a nossos maridos para que a Palavra de Deus não seja difamada (Tt 2.5).

- *Disponha-se a orar por seu marido.* A oração de intercessão provoca mudanças tanto em quem ora como na pessoa por quem se ora. Enquanto estiver orando por seu querido marido, observe as coisas maravilhosas que acontecerão a vocês dois – isoladamente e em conjunto!

- *Disponha-se a recorrer ao Senhor para saber como agir.* Se você estiver encontrando dificuldade para seguir as orientações de seu marido, recorra ao Senhor. *Ele*, o Deus do universo – e não *ele*, o homem que é seu marido –, é a verdadeira motivação para fazer o que é necessário.

- *Disponha-se a crescer na graça de Deus.* À medida que você se dispuser a tomar decisões complicadas e a fazer escolhas difíceis, tanto para obedecer a Deus como para submeter-se a seu marido, passará a conhecer e provar a maravilhosa e abundante graça de nosso grande Deus! Aleluia!

3 de Dezembro – 1Tm 2

Beleza e ordem
Mulheres

Quero... que as mulheres, em traje decente, se ataviem com modéstia e bom senso... (como é próprio às mulheres que professam ser piedosas). 1Tm 2.8-10

A DÚVIDA DIÁRIA sobre que roupa usar ocupa a mente de toda mulher, principalmente das que amam a Deus. Temos de lidar com essa questão todas as manhãs ao abrir nosso guarda-roupa. Mas o que *Deus* diz acerca de nossos trajes? Que orientações sua palavra nos oferece? A leitura de hoje nos ajudará a entender um pouco mais a mente de Deus quanto a essa questão cotidiana. Encontramos as seguintes orientações sobre a beleza de nosso vestuário:

- *Vista-se com modéstia.* A Bíblia aconselha às mulheres que desejam ser belas aos olhos de Deus que se vistam com modéstia e bom senso, com roupas apropriadas para as atividades do dia. A modéstia também exige trajes adequados, decentes e com boa aparência, adornos sóbrios e discretos, que se adaptem à ocasião.
- *Vista-se com bom senso.* Nossa roupa deve estampar a profunda reverência que temos pelo Deus que amamos. Ele é santo, e nossos trajes devem demonstrar essa santidade, indicando uma mulher que se preocupa com a pureza interior, uma mulher escolhida pelo Senhor. O nosso Deus é digno de respeito, portanto a maneira como nos vestimos deve atrair o respeito das outras pessoas, e não olhares de cobiça, de espanto ou de zombaria.
- *Vista-se com moderação.* Nosso chamado como filhas do rei é muito sério, portanto nossa vestimenta deve demonstrar que encaramos com seriedade nossa posição privilegiada perante Cristo. Nossas roupas devem revelar uma requintada moderação para sinalizar que temos autodomínio e discrição.
- *Vista-se com boas obras.* Deus deseja que as outras pessoas observem nossas ações piedosas e o gracioso ornamento de nossas boas obras, não nossas roupas!

Uma palavra final, querida irmã. Quando Deus diz que devemos nos *ataviar*, significa que ele deseja que nos *enfeitemos* de maneira apropriada e graciosa.[2] Portanto, veja bem se o que você está vestindo hoje... e todos os dias... reflete a beleza, as orientações do Senhor e seu amor por ele. Seu objetivo a cada novo dia deve ser o de usar roupas adequadas a uma filha de Deus e que demonstrem sua devoção a ele.

4 DE DEZEMBRO – 1Tm 2

OUVIR E APRENDER

MULHERES

A mulher aprenda em silêncio...
1Tm 2.11

QUANDO JESUS VIVEU AQUI NA TERRA, as mulheres vinham sendo, por muito tempo, reprimidas tanto pela sociedade como pela religião. Nosso Senhor, contudo, estabeleceu uma nova ordem religiosa e social baseada no princípio, ainda desconhecido naquela época, de que "não pode haver judeu nem grego; nem escravo nem liberto; nem homem nem mulher; porque todos vós sois um em Cristo Jesus" (Gl 3.28).

Porém, quando lemos 1Timóteo 2 e o assunto de hoje, sobre o silêncio dentro da igreja, parece que algumas mulheres da igreja primitiva levaram longe demais sua recém-conquistada liberdade e estavam perturbando o culto público com falatórios e reações exacerbadas. Portanto, Paulo apresenta alguns conselhos para ajudar a restabelecer a ordem e a beleza dos cultos. Em resumo, ele pede que as mulheres ouçam e aprendam em silêncio.

Embora essas palavras tenham sido escritas para abordar um problema específico, dentro de uma igreja específica, em uma época específica, as mulheres de hoje que amam a Deus também devem "ouvir e aprender". Estes dois princípios maravilhosos falam sobre nossa conduta pessoal na igreja e também oferecem um sábio conselho para a vida cotidiana.

- *O princípio de ouvir.* O livro de sabedoria da Bíblia nos diz que "o que modera os seus lábios é prudente". Por quê? Porque "no muito falar não falta transgressão" (Pv 10.19). Quando se trata de falar, quanto menos, melhor! E todas nós sabemos como é difícil falar e ouvir ao mesmo tempo!

- *O princípio de aprender.* A Bíblia nos diz que aprender é uma decisão. Portanto, a mulher que ama a Deus deve:

- *Buscar conhecimento.* "O coração entendido procura o conhecimento" e "os sábios entesouram o conhecimento" (Pv 15.14; 10.14).

- *Crescer em conhecimento.* A sabedoria de Provérbios diz: "Inclina o teu ouvido e ouve as palavras dos sábios" e que "mais poder tem o sábio do que o forte, e o homem de conhecimento mais do que o robusto" (Pv 22.17; 24.5). A mulher que ouve e aprende pode experimentar de fato a superioridade da inteligência sobre a força!

Como você está se saindo, querida irmã, no que se refere a ouvir e aprender, a buscar conhecimento e crescer em conhecimento e sabedoria?

5 de Dezembro – 1Tm 2

A melhor entre as melhores
Mães

Todavia, [ela] será preservada através de sua missão de mãe...
1Tm 2.15

Novamente, algumas informações históricas nos ajudarão a apreciar a passagem de hoje e a lição que ela nos oferece sobre o que Deus deseja para as suas servas.

Na tentativa de redirecionar o coração das mulheres para que concentrassem suas energias na função mais significativa do reino divino, Deus lembra a beleza e a importância da maternidade com estas palavras: "Todavia, [ela] será preservada através de sua missão de mãe". Evidentemente, algumas mulheres da igreja primitiva que desejavam muito ser líderes da congregação estavam usurpando a função que Deus destinou aos homens como membros da igreja. Naquele contexto, parecia apropriado fazer as mulheres lembrarem sua digna e nobre missão de criar os filhos.

As palavras de Paulo soam como um doce lembrete para nós também. Quando as vozes de nossa cultura nos induzem a nos afastar do lar, é fácil pensar que ser mãe não é importante. Todas nós já atravessamos fases em que nada do que fazemos parece significativo, importante ou marcante. Mas isso não é verdade! Ninguém é capaz de criar um filho para Deus e para a sociedade como você. Ninguém é capaz de amar seus filhinhos de maneira tão genuína e ardente como você. E ninguém é capaz de oferecer à humanidade a bênção de um homem ou mulher piedosos para a geração seguinte como você... desde que conte com a ajuda de Deus!

Como ter certeza de que investimos nossos esforços e energia em coisas importantes? Como contribuir significativamente para a Igreja de Cristo e para o mundo?

- *Aceite o seu chamado para ser mãe.* Deus considera a maternidade como um chamado sublime e extremamente importante, e sua palavra nos convida a aceitar, de todo o coração, o privilégio de ser mãe. Quando criamos nossos filhos, conhecemos a verdadeira alegria e nos sentimos realizadas. Quando eles saem de casa para servir a Deus e criam uma nova geração dentro dos ensinamentos do Senhor, temos a certeza de que a nossa vida representou... muita coisa!

- *Empenhe-se para ser uma ótima mãe.* A mulher de Provérbios 31 destacou-se em sua função de mãe tornando-se "a melhor entre as melhores". Ela nos lança o desafio para agirmos assim também. Não seja apenas mãe. Com a ajuda do Senhor e de seu poder, seja a melhor mãe que puder! Cumpra o seu chamado fazendo mais que o necessário!

6 de Dezembro – 1Tm 3

A mulher que Deus utiliza
Mulheres

Da mesma sorte, quanto a mulheres, é necessário que sejam elas respeitáveis...
1Tm 3.11

HOJE, VAMOS CONHECER UM GRUPO ESPECIAL DE MULHERES: as *diaconisas*. À medida que a igreja primitiva crescia, as necessidades aumentavam. Quem, por exemplo, doutrinaria as novas convertidas? Quem as aconselharia quanto ao casamento e a problemas familiares? Quem cuidaria delas em ocasiões como parto, enfermidade, pobreza e morte? Quem as visitaria? Quem as orientaria na cerimônia do batismo? Parecia apropriado que mulheres atuassem ajudando outras nesse tipo de trabalho. Assim, as esposas dos líderes da igreja se apresentaram para cuidar desse ministério tão necessário.

Em razão da importância desses ministérios pessoais, Deus estabeleceu alguns padrões para as mulheres que cuidariam das necessidades de outras na igreja. Hoje, vamos conhecer a primeira das quatro regras que Deus estabeleceu para as mulheres em posição de liderança. Que tipo de mulher o Senhor utiliza?

1. *A mulher que Deus utiliza é digna.* Uma vez que Deus ocupa o primeiro lugar e o mais importante no coração da mulher que o ama, ela tem uma vida de adoração e permanece na presença do Deus que ama; portanto, suas ações demonstram dignidade e decoro. Como filha do rei, ela age, inconscientemente, com um ar de nobreza e de aristocracia. Sua devoção a Deus é evidente em tudo o que ela diz e faz, e existe seriedade e propósito em sua vida que ninguém pode negar. Mesmo em suas mais simples atitudes – como entrar em uma sala, conversar com outra pessoa, sentar-se à uma mesa de reuniões –, todos observam que ela tem uma postura de rainha, de grandeza, de pompa, de nobreza. Por quê? Por causa do Deus que vive dentro dela e por causa de sua contínua adoração ao Senhor a quem ela ama.

Seu comportamento, querida irmã, reflete uma dignidade piedosa que atrai o respeito das outras pessoas? Sua conduta reflete um pouco da majestade do Senhor? Quando os outros conversam com você, percebem que é digna da posição que ocupa perante Deus? Essas perguntas servem para nos fazer pensar e orar e talvez para modificar a nossa vida!

7 de Dezembro – 1Tm 3

A mulher que Deus utiliza
Mulheres

Da mesma sorte, quanto a mulheres, é necessário que sejam... não maldizentes...
1Tm 3.11

Vimos na leitura de ontem que os líderes da igreja primitiva perceberam que algumas mulheres necessitavam de assistência especial que poderia ser prestada por outras mulheres. As mulheres carentes da igreja precisavam, por exemplo, receber visitas, ajuda em casa e assistência durante períodos de dificuldade. Elas também precisavam de incentivo, conselho e instruções quanto ao batismo e à vida cristã. Deus, em sua infinita sabedoria, estabeleceu regras para uma mulher ajudar outra em circunstâncias que exijam a presença de alguém do sexo feminino.

Mas que tipo de mulher está qualificada para exercer esse ministério? Conforme já vimos, *a mulher que Deus utiliza é digna*. Seu comportamento reflete uma dignidade que atrai o respeito das outras pessoas, e sua conduta reflete um pouco da majestade do Senhor.

 2. *A mulher que Deus utiliza não é bisbilhoteira.* Assim como um médico recém-formado, ao prestar o juramento de Hipócrates, promete nunca revelar qualquer coisa que tenha ouvido de um paciente ou sobre um paciente, a mulher que Deus utiliza não deve repetir nada do que vê ou ouve sobre as outras mulheres às quais está ajudando.

A pessoa que fala de outra com maldade é chamada de caluniadora, palavra usada na Bíblia para designar o próprio diabo. Seu nome em grego é *diabolos*, que significa "caluniador". A palavra *caluniador* é usada 34 vezes na Bíblia em referência a Satanás, e uma vez em referência a Judas, o que traiu a Jesus (Jo 6.70). Ninguém deseja fazer companhia a esses dois, e nenhuma mulher que ama a Deus e a quem ele chama para servir outras mulheres na igreja deve ser uma bisbilhoteira ou caluniadora! Os dois extremos – ajudar outras mulheres por meio de obras e magoá-las com palavras – não combinam!

O que você pode fazer hoje, querida companheira que ama a Deus, para não ser caluniadora? Você precisa da ajuda do Senhor para resistir a essa tentação? Precisa falar menos? Precisa pedir a Deus que a ajude a ter maior amor pelas mulheres que necessitam de você? Lembre-se das palavras de Paulo: "Não saia da vossa boca nenhuma palavra torpe" (Ef 4.29). E, por favor, decida ajudar, não magoar outras pessoas!

8 de Dezembro – 1Tm 3

A mulher que Deus utiliza
Mulheres

Da mesma sorte, quanto a mulheres, é necessário que sejam... temperantes...
1Tm 3.11

Muitos cristãos que visitam a Terra Santa prolongam a viagem até o norte para conhecer as ruínas bem conservadas de Baalbek, no Líbano. Ali se encontram os escombros do templo de Baco, de onde se avistam esplêndidas vinhas. O local escolhido para a construção do templo era muito bonito, mas o que se passava dentro do antigo edifício não era nada agradável! O templo era dedicado à adoração de Dionísio, a quem pertencia "o fogo líquido da uva". Os adoradores, tanto homens como mulheres, bebiam à vontade o vinho abundante e forte das vinhas, e seus rituais transformavam-se em "danças frenéticas" e "orgias".[3]

Pelo fato de muitas mulheres da igreja primitiva terem sido criadas em ambientes de imoralidade, onde a embriaguez e a extravagância faziam parte do culto, Deus chamou as mulheres que trabalhavam na igreja para ensinar a temperança. Já aprendemos que a mulher usada por Deus deve ser digna e não ser caluniadora. Hoje, Deus acrescenta a terceira orientação na lista de qualificações que deseja para as mulheres que atuam no ministério:

3. *A mulher que Deus utiliza é temperante.* Ser temperante não é apenas abster-se de excesso de bebidas alcoólicas. A mulher que Deus utiliza deve ser calma, imparcial, séria e sóbria. Sua vida deve ser caracterizada por moderação e domínio em tudo. Embora 1Timóteo 3.11 aborde especificamente a embriaguez, o versículo também exorta que as mulheres tenham autocontrole em todas as áreas da vida. Uma das traduções desse versículo diz: "As mulheres devem comportar-se com seriedade, não falar mal de outras pessoas, ter *autocontrole*" (destaque da autora).[4] Em que áreas de sua vida Deus a está chamando para ser temperante?

Alimento	Bens	Cafeína	Sono
Álcool	Talentos	Fumo	Esportes
Roupas	Dinheiro	Drogas	Carreira

A mulher que Deus utiliza no ministério não comete excessos e não tem *nenhum* vício!

Se você necessita de uma dose de autocontrole em alguma das áreas de sua vida, siga o exemplo de Daniel. Ele tomou a decisão de não se contaminar com o vinho e as finas iguarias do rei (Dn 1.8). Deus lhe dará a mesma força que deu a Daniel. Ele jamais permitirá que você seja tentada além de suas forças e a ajudará a livrar-se das tentações (1Co 10.13). Que promessa gloriosa e quanta esperança ela nos dá!

9 de Dezembro – 1Tm 3

A mulher que Deus utiliza

Mulheres

Da mesma sorte, quanto a mulheres, é necessário que sejam... fiéis em tudo.
1Tm 3.11

"O CRITÉRIO FINAL usado por Deus para nos julgar não é o sucesso, mas a fidelidade."[5] As palavras registradas em 1Timóteo sobre as quais vamos refletir hoje nos lembram a importância da fidelidade a Deus como parte de nosso caráter. Na verdade, Deus deseja que mulheres cristãs que o amam sejam "fiéis em tudo".

Conforme observamos nas devocionais dos últimos dias, a igreja primitiva crescia à medida que o povo aceitava Jesus Cristo como seu Salvador. Esse aumento no número de membros apresentava novos desafios, principalmente para as mulheres. Por exemplo, que tipo de mulher deveria ser designada para cuidar dos membros do sexo feminino da igreja? Quem poderia assistir as irmãs carentes, suprir suas necessidades e guardar para si tudo o que ouvia e presenciava? Os líderes da igreja primitiva decidiram que tais responsabilidades deveriam recair sobre mulheres dignas, não caluniadoras e temperantes em todos os aspectos da vida. Eles destacaram, além dessas, mais uma característica importante e necessária:

4. *A mulher que Deus utiliza é fiel em tudo.* Ela deve ser absolutamente confiável e completamente íntegra para poder cuidar dos assuntos da igreja. Aquelas mulheres piedosas deviam pôr em prática o amor de Cristo quando executavam seus deveres de acordo com as instruções recebidas de Deus. Verdadeiramente, a mulher fiel em todas as coisas deveria ser uma bênção para a igreja à qual servia!

De que maneira age uma mulher fiel em todas as coisas e como nós, que amamos a Deus, podemos desenvolver essa qualidade de valor inestimável? Para começar, é preciso pôr em prática diariamente estas orientações sobre fidelidade:

- *A fidelidade leva até o fim* um trabalho que precisa ser feito, seja ele qual for.
- *A fidelidade leva o serviço até a pessoa necessitada*, quer se trate de uma mensagem ou de uma refeição.
- *A fidelidade cumpre a palavra.* O sim da mulher fiel significa sim, e o não significa não (Tg 5.12).
- *A fidelidade cumpre os compromissos e as responsabilidades.* A mulher fiel não cancela seus planos!

Deus não recompensa nosso sucesso e, sim, a fidelidade que realizamos a sua vontade. Ele se preocupa muito mais com o fato de sermos fiéis segundo o seu coração do que com qualquer sucesso alcançado aos olhos do mundo. Nós também devemos ter a mesma preocupação!

10 de Dezembro – 1Tm 5

Uma vida de fé
Viúvas

Aquela, porém, que é verdadeiramente viúva e não tem amparo espera em Deus e persevera em súplicas e orações, noite e dia. 1Tm 5.5

Para o poeta grego Eurípides, o pecado mais terrível de todos era deixar de cumprir os deveres para com os pais, e o julgamento de Deus não é menos rigoroso. Já lemos várias vezes o mandamento de Deus, tanto no Antigo como no Novo Testamento: "Honra a teu pai e a tua mãe" (veja 11 de abril e 30 de novembro). Honrar e cuidar de nossos pais é uma parte essencial de nossos deveres como cristãs. Que nunca nos esqueçamos da instrução de Deus para "recompensar" nossos pais e avós por tudo o que fizeram por nós (v. 4)!

Mas como esse mandamento se aplica às viúvas que não têm filhos? Quem deve cuidar delas? Deus entrega essa responsabilidade inteiramente nas mãos da igreja, desde que tais viúvas atendam a certos requisitos, dois dos quais analisaremos hoje. Grave estes princípios de caráter no coração, porque eles retratam a santidade de uma serva idosa:

- *Uma mulher de fé.* O que uma mulher que ama a Deus faz quando se vê abandonada e sozinha? Ela confia nele. Ela fixa sua esperança em Deus. Ela repousa sua esperança nele de maneira constante e inabalável, de modo a torná-la parte permanente de suas atitudes e pensamentos. Ela tem uma confiança impassível no Deus Todo-poderoso e Pai celestial. Essa viúva se sente sozinha? Jamais! Ela tem a companhia do Senhor!

- *Uma mulher de oração.* O que uma mulher que ama a Deus faz quando não tem ninguém que a ajude a suprir suas necessidades diárias? Ela olha para o Senhor e leva suas necessidades a ele, àquele que prometeu que nada nos faltará (Sl 23.1). Ela leva a Deus suas súplicas e orações por suas necessidades pessoais. Assim como a serva idosa Ana (veja 10 de outubro), ela é uma mulher de oração, mantém-se em atitude de oração dia e noite.

As bênçãos de uma vida de fé são incontáveis! Prove-as já! Que alguém possa dizer a seu respeito, nos anos vindouros: "Ela é uma mulher de fé, que ama verdadeiramente a Deus e confia completamente nele!"

11 de Dezembro – 1Tm 5

Uma vida de boas obras
Viúvas

Seja [a viúva] recomendada pelo testemunho de boas obras, tenha criado filhos, exercitado hospitalidade, lavado os pés aos santos, socorrido a atribulados, se viveu na prática zelosa de toda boa obra. 1Tm 5.10

Como uma mulher pode ter certeza de que sua vida teve algum significado? As mulheres que amam a Deus e desejam fazer a sua vontade procuram respostas para esta importante pergunta na palavra.

Na passagem de hoje, Deus nos apresenta uma lista de qualidades de uma vida piedosa e cheia de boas obras. Embora essas regras tenham sido usadas, originalmente, para determinar as viúvas cristãs da igreja primitiva qualificadas para receber auxílio financeiro, elas apresentam também os padrões divinos para toda mulher que deseje ter uma vida útil e marcante. Faça uma pausa para comparar sua vida com os padrões de Deus:

- *Conduta geral:* A mulher que ama a Deus recebe comentários elogiosos. Nada se ouve a respeito dela que desabone sua conduta em casa ou em qualquer lugar. Ela adquire a fama de fazer boas obras de todos os tipos, inclusive as que mencionamos a seguir.
- *Criar filhos:* A ordem da lista das boas obras dessa mulher piedosa é muito importante. Criar filhos está em primeiro lugar. Se você já se perguntou por que Deus considera importante criar filhos, reflita sobre o versículo acima.
- *Exercitar a hospitalidade:* O item seguinte da lista é abrir as portas da casa para hospedar missionários cristãos e confraternizar-se com os crentes.
- *Socorrer os atribulados:* A mulher que ama a Deus emprega suas forças para ajudar os que sofrem. Seu serviço humilde significa pôr em prática o ministério que glorifica a Deus.
- *Lavar os pés dos santos:* O amor dedicado a Deus é refletido em atitudes de compaixão, benevolência e talvez, mais especificamente, em visitas aos necessitados, aos enfermos, aos inválidos e até mesmo – tanto de forma literal como metafórica – realizar o trabalho humilde de lavar os pés de outra pessoa.
- *Praticar boas obras:* A mulher que ama a Deus procura ter uma vida dedicada a praticar boas obras.

Peça agora ao Senhor que lhe conceda a maravilhosa graça de igualar-se a esse grupo de mulheres que o amaram e desejaram serví-lo e a seu povo!

12 de Dezembro – 2Tm 1

Uma descendência piedosa
Loide

Pela recordação que guardo de tua fé sem fingimento, a mesma que, primeiramente, habitou em tua avó Loide e em tua mãe Eunice... 2Tm 1.5

PROVAVELMENTE você conhece um tipo de porta-retratos que exibe um par de fotografias. De forma semelhante, a passagem bíblica de hoje traz o retrato de duas mulheres que amaram a Deus: a dupla mãe/filha composta por Loide e Eunice. Ambas são apresentadas como mães exemplares. Hoje, vamos conhecer Loide; amanhã, conheceremos sua filha, Eunice.

O que podemos aprender nessa passagem sobre Loide?

- *Seu nome*. Provavelmente, o nome Loide significa "encantadora", e sabemos que o apóstolo Paulo descobriu que isso era verdadeiro na vida dessa mulher. As palavras de elogio registradas em 2Timóteo foram escritas por ele.

- *Sua origem*. Loide, uma judia piedosa, aparentemente transmitiu os ensinamentos do Antigo Testamento a sua filha Eunice e a seu neto Timóteo, preparando o coração de ambos para ouvir as palavras de vida eterna em Jesus Cristo pregadas por Paulo quando passou pela cidade de Listra, onde elas nasceram (At 16.1).

- *Sua fé*. Elogios que partem de outros revelam muito sobre a pessoa elogiada. Paulo fala muito bem de Loide, dizendo que sua fé é genuína e sem fingimento.

- *Seu legado*. Você conhece Timóteo? Ele é o jovem cristão que acompanhou Paulo, o grande mensageiro de Deus, em suas pregações sobre o evangelho de Jesus Cristo e que o ajudou a organizar igrejas na região do Mediterrâneo. Esse jovem passou a ser filho na fé do apóstolo (v. 2) e aquele a quem Paulo apontou como o que possuía uma mente semelhante à sua (Fp 2.20).

- *Seu título*. Muitas avós são mencionadas na Bíblia, mas Loide é a única que recebe o honroso título de *avó*.

A Bíblia menciona a "lei" ou as instruções da mãe (Pv 1.8; 6.20), indicando que nós, mães e avós como Loide, recebemos de Deus a incumbência de ensinar sua palavra a nossos filhos e netos. Devemos passar adiante as verdades espirituais e deixar um legado piedoso às gerações seguintes. Ensinar a Palavra de Deus deve ser o nosso mais ardente desejo, assim como foi o de Loide!

13 de Dezembro – 2Tm 1

Uma presença piedosa
Eunice

Pela recordação que guardo de tua fé sem fingimento, a mesma que, primeiramente, habitou em tua avó Loide e em tua mãe Eunice... 2Tm 1.5

Ontem, conhecemos Loide, a avó piedosa cujo precioso retrato Deus preservou para nós em sua Palavra. Hoje, vamos conhecer Eunice, filha de Loide. Ao analisar seu retrato, somos surpreendidas por um detalhe da vida diária de Eunice: *seu marido era incrédulo*. Eunice era uma judia que havia transmitido sua fé ao filho Timóteo sem a ajuda do marido, que era incrédulo (At 16.1).

Você é casada com um homem não-cristão? Conhece alguma mulher que ama a Deus e que também se encontra nessa situação? Não desanime! Se você fica em dúvida se seus filhos serão capazes de discernir a verdade por terem convivido com duas religiões dentro de casa, saiba que a verdade sempre brilha mais forte! Lembre-se de que seus filhos são "santos", isto é, separados do mundo para o Senhor por causa da presença piedosa de um pai ou mãe crente, pela presença de Cristo em você (1Co 7.14). E, se Cristo vive em você, ele vive em sua casa! Isso significa que seus filhos presenciam um testemunho piedoso, quer eles queiram e tomem conhecimento disso, quer não. Eles também conhecem a bênção e a proteção divinas porque têm uma mãe crente.[6]

Tenha coragem! Plante com fidelidade as sementes do amor e da verdade divina. Fale sempre da Bíblia a seus filhos. Aproveite cada oportunidade para orar com eles e por eles. Conte as histórias maravilhosas sobre Jesus, nosso verdadeiro Salvador. Seja firme em sua fé e na fé para o desenvolvimento espiritual de seus filhos. Acima de tudo, ponha em prática o amor de Deus em sua vida. E, quando estiver desanimada ou achar que seus esforços para falar de Deus a seus filhos não estão surtindo efeito, persista lembrando que "maior é aquele que está em vós do que aquele que está no mundo" (1Jo 4.4)!

14 de Dezembro – Tt 2

Pérolas de beleza e dignidade
Mulheres

Quanto às mulheres idosas... que sejam mestras do bem, a fim de instruírem as jovens... Tt 2.3,4

Você se entristece quando pensa que está envelhecendo? Já pensou no que fará na velhice?

Embora a sociedade moderna não respeite os idosos, a passagem bíblica de hoje evidencia a igreja honrando suas mulheres idosas e atribuindo-lhes uma importante responsabilidade. Elas desempenham um papel vital na igreja, quando respondem ao chamado de Deus para ensinar, admoestar, instruir e incentivar as mais jovens. De fato, as mulheres idosas que, ao longo dos anos, adquiriram serenidade, compaixão, paciência, compreensão e conhecimento das coisas de Deus são elementos cruciais na igreja e na comunidade em que vivem.

Nas semanas seguintes, estudaremos Tito 2.3-5 para admirar a beleza e a dignidade que Deus confere a nós, mulheres. Veremos o que sua palavra santa nos ensina acerca de nossa missão sagrada e, possivelmente, perceberemos mais claramente tudo o que Deus tem em mente para a nossa vida.

Porém, por ora, faça uma pausa para passar alguns minutos em oração. Deixe de lado seus afazeres, pegue sua Bíblia e leia novamente as palavras sábias de Deus para nós em Tito 2.3-5. Enquanto isso, lembre que "tudo tem o seu tempo determinado, e há tempo para todo propósito debaixo do céu" (Ec 3.1). Reflita sobre essas duas "estações" de sua vida como mulher que ama a Deus:

- *Você é jovem?* A missão de Deus para você é a dedicação em amar seu marido e seus filhos. Se você não tem marido nem filhos, Deus deseja que você se dedique a administrar o lar e cultivar as qualidades piedosas da discrição, pureza, bondade e de um coração de serva.

- *Você é idosa?* A missão de Deus para você é transmitir o que aprendeu às mulheres mais jovens que amam ao Senhor. Ao longo dos anos, você adquiriu um precioso conhecimento – pérolas, por assim dizer! – que pode ser transmitido a quem quer aprender. Quando você exibe um espírito reverente, toma cuidado com o que diz, caminha com disciplina e passa adiante o que sabe, está oferecendo um presente precioso, verdadeiras pérolas de inestimável beleza e dignidade, a Deus, a sua igreja e a outras servas!

15 de Dezembro – Tt 2

A pérola da piedade

Mulheres idosas

Quanto às mulheres idosas, semelhantemente, que sejam sérias em seu proceder... Tt 2.3

A Bíblia compara frequentemente as qualidades do caráter piedoso a pedras preciosas e a joias; portanto, vamos pensar um pouco nas características descritas em Tito 2.3-5 como se fossem um lindo colar de pérolas cultivadas. Quem não admira uma bela joia como essa? Seu brilho dá um toque de graça e beleza à aparência de qualquer mulher. Que possamos, a cada dia, à medida que compreendemos melhor o tipo de beleza que Deus tem em mente para nós, adicionar uma nova pérola ao delicado colar de virtudes que tanto glorificam ao Senhor!

Não devemos nos surpreender com o fato de a primeira pérola colocada por Deus nesse gracioso colar do caráter da mulher cristã ser a piedade: "Quanto às mulheres idosas, semelhantemente, que sejam sérias em seu proceder". Que pérola deslumbrante é essa! Reflita sobre estes dois aspectos de um modo sério de proceder:

- *Sagrado*. O termo *sagrado* é usado para descrever serviços, coisas e templos específicos para uso religioso. Como servas de Deus, nós também somos sagradas, um grupo de pessoas vivendo na presença da Mais Sagrada Pessoa, realizando os deveres sagrados que nos foram atribuídos em sua palavra santa. Somos "sacerdócio real", chamadas para ter uma vida de santidade (1Pe 2.9). Todas as nossas palavras e todas as nossas ações devem evidenciar nosso serviço sagrado ao Deus Altíssimo!

- *Santificado*. O termo *santificado* também refere-se a ser separado para dedicar-se a uma pessoa, lugar ou propósito. Nós, que pertencemos ao Senhor, somos consagradas a ele para cumprir sua vontade e propósitos (Ef 1.9,11). Deus nos chama para termos uma vida que reflita seus valores e suas prioridades. E, porque Deus é "santo, santo, santo" (Is 6.3), nós, que pertencemos a ele, devemos nos comportar de maneira a honrá-lo e glorificá-lo. Tal comportamento revela a beleza de Jesus que existe em nós e inspira outras pessoas a ter uma vida semelhante de piedade e adoração.

Minha querida, olhe-se no espelho da Palavra de Deus. Sua vida reflete um coração fervoroso e uma alma em sintonia com o Senhor? A preciosa pérola da piedade é a primeira coisa que se nota em você? A presença do Senhor está em tudo o que você faz, e tudo é feito para ele? Que a pérola da piedade esteja presente em tudo o que você falar e realizar!

16 de Dezembro – Tt 2

A pérola do silêncio
Mulheres idosas

Quanto às mulheres idosas, semelhantemente, que sejam... não caluniadoras
Tt 2.3

Nenhuma pérola brilha mais intensamente do que a pérola do silêncio. Isso, porém, não significa que devemos deixar de nos manifestar ou de proferir palavras de incentivo e de edificação. A virtude do silêncio significa que *tudo* o que sai de nossa boca deve servir para incentivar e edificar!

Ao instruir o jovem pastor Timóteo acerca do ministério na igreja, Paulo delega sabiamente às mulheres idosas a função de doutrinar e treinar as mais jovens da congregação. Paulo, porém, adverte para que elas não sejam caluniadoras. Embora a idade avançada quase sempre gere intolerância, crítica e amargura nas pessoas, as piedosas mulheres de Cristo devem usar suas palavras para coisas melhores![7]

Preste atenção ao que o dr. Gene Getz, autor de *The measure of a woman* (*A medida de uma mulher*), diz a respeito daquilo que falamos: "A maneira como usamos a língua serve para medir com precisão nossa maturidade cristã... afetando e refletindo sobre tudo aquilo que fazemos e sobre todas as pessoas com as quais temos contato".[8] A título de orientação sobre o nosso modo de falar, o dr. Getz nos aconselha a fazer as seguintes perguntas antes de passar adiante qualquer informação sobre alguém:

- A informação é autêntica?
- Ela contribuirá para a edificação dessa pessoa (ou pessoas)?
- Ela gerará harmonia e paz na igreja?
- É a coisa mais misericordiosa a ser feita?
- Ela produzirá bons frutos?
- Ela reflete uma atitude de submissão de minha parte?
- Desejo passar adiante essa informação de maneira sincera e altruísta?
- Estou sendo imparcial e objetiva?
- Tenho certeza dos fatos?
- Ao passar adiante essa informação, estarei visando ao bem-estar dessa pessoa?

Em se tratando das palavras que proferimos, quanto menos, melhor: "No muito falar não falta transgressão, mas o que modera os seus lábios é prudente" (Pv 10.19). Portanto, ore antes de falar!

17 de Dezembro – Tt 2

A PÉROLA DA DISCIPLINA

MULHERES IDOSAS

*Quanto às mulheres idosas, semelhantemente,
que sejam... não escravizadas a muito vinho...* Tt 2.3

NINGUÉM GANHA uma corrida sem concentrar-se inteiramente na linha de chegada. A vida cristã é como uma corrida que, na verdade, dura a *vida inteira*! A Bíblia não só nos exorta a participar da corrida, como nos diz como vencê-la: "...desembaraçando-nos de todo peso e do pecado que tenazmente nos assedia, corramos, com perseverança, a carreira que nos está proposta" (Hb 12.1).

Enquanto continuamos a refletir sobre as qualificações descritas em Tito 2 para as mulheres dignas de instruir e orientar as jovens da congregação, Deus aponta hoje para a *temperança*, ou seja, para uma vida de moderação e disciplina. Em vez de cometer excessos e vícios de qualquer tipo, as mulheres piedosas devem manter um controle rigoroso sobre seus desejos e hábitos. Nenhum excesso, nenhum "peso" e nenhum empecilho deve manchar sua reputação ou prejudicar seu serviço ao Senhor. Essas mulheres devem desembaraçar-se de todo peso e do pecado que tenazmente as assedia. Por serem inteiramente consagradas a Deus, olham o tempo todo para Jesus a cada novo passo que dão na corrida da vida.

Permita que as seguintes orientações práticas que a Bíblia apresenta a respeito de como livrar-se de excessos a ajudem a adicionar a inestimável pérola da disciplina às outras que compõem o colar de traços piedosos de seu caráter:

- *Excesso*. Essa prática vai servir de freio para mim? (Hb 12.1).

- *Conveniência*. Ela é útil, proveitosa e benéfica? (1Co 6.12).

- *Imitação*. É o que Jesus faria na mesma situação? (1Jo 2.6).

- *Evangelização*. Ela divulgará o evangelho aos incrédulos, fortalecerá meu testemunho ou servirá como base firme para a evangelização pessoal? (Cl 4.5).

- *Edificação*. Ela me edificará em Cristo? (1Co 10.23).

- *Exaltação*. Deus será glorificado? (1Co 10.31).

- *Exemplo*. Ela oferecerá às minhas irmãs em Cristo o exemplo correto, o caminho certo a ser seguido? Ela enfraquecerá a fé de minha irmã em Cristo ou a fortalecerá? (1Co 8.13).[9]

A pérola da disciplina é verdadeiramente preciosa! Concentre-se nela, busque-a para si, agarre-a, exiba-a e mostre-a aos outros. Ó! como essa pérola embeleza a mulher que ama a Deus!

18 de Dezembro – Tt 2

Pérolas de Sabedoria
Mulheres idosas

As mulheres idosas, semelhantemente, que sejam... mestras do bem.
Tt 2.3

Hoje, vamos aprender um pouco mais a respeito do fiel grupo de mulheres "idosas" cuja missão é instruir as mais jovens a obedecer a Deus. Conhecidas por sua devoção ao Senhor, em vez de dar lugar à bisbilhotice e excessos, essas mulheres tinham a missão de ajudar as mais jovens da igreja, as recém-convertidas.

Mesmo que não nos qualifiquemos na categoria de "anciãs" em termos de idade, devemos ter a certeza de que a missão a nós destinada de passar adiante as pérolas da sabedoria, como "mestras do bem", é um objetivo que podemos alcançar de duas maneiras:

- *Primeira, ensinar por meio de ações.* Quando você deixa claro quais são as suas prioridades e demonstra o comportamento de uma mulher piedosa, está ensinando e instruindo sem precisar dizer uma só palavra. A melhor maneira de ensinar os padrões de Deus é viver cada momento de acordo com eles. Todas nós precisamos nos espelhar em alguém que teve uma vida de fé. Sabemos que um exemplo vale mais que mil palavras. Pela graça de Deus e por seu poder, você pode ser "mestra do bem" por suas ações.

- *Segunda, ensinar por meio de palavras.* A instrução formal tem sido uma boa ferramenta de trabalho, e Deus apresenta uma longa lista de tópicos para orientá-la ao ensinar alguém. Para as iniciantes na arte de ensinar, apresentamos três desses tópicos:

- *Você conhece Jesus?* Assim como "todos os caminhos levam a Roma", todos os ensinamentos que você transmite devem levar a Cristo! Ensine aos outros como se tornar uma pessoa cristã, como ter a certeza da salvação em Cristo e como ser semelhante a ele.

- *Você casou e teve filhos?* Ó! como suas irmãs em Cristo mais jovens necessitam conhecer sua experiência! Lembre-se de tudo o que aprendeu na vida como esposa e mãe e passe adiante essas pérolas de sabedoria.

- *Você aprendeu como administrar seu lar?* Seja uma bênção para aquelas mulheres que ainda estão se esforçando para aprender tudo aquilo que você já aprendeu. Incentive-as! Diga-lhes como cuidar de seus lares! Ensine os princípios básicos!

Dê o melhor de si, preciosa irmã! Conte suas experiências, seus conhecimentos, passe adiante a sabedoria que Deus lhe deu. Ponha a serviço de Deus e de todas as mulheres que o amam tudo aquilo que você é e sabe!

19 de Dezembro – Tt 2

A pérola da devoção
Mulheres jovens

...a fim de instruírem as jovens recém-casadas a amarem ao marido...
Tt 2.4

As mulheres que amam a Deus conhecem o que sua palavra diz a respeito da posição de prioridade que o marido deve ocupar no coração e na alma de sua esposa. A primeira coisa que a mulher idosa deve ensinar às mais jovens é "amarem a seus maridos". E esse versículo é um convite ao amor fraternal. A palavra usada no original é *phileo*, que significa "amor fraternal", ou seja, querer bem e apreciar nosso marido, *gostar* dele! Deus nos exorta a valorizar nosso querido marido e amá-lo fraternalmente. Na verdade, ele deve ser o nosso melhor amigo.

Mas como nós, que amamos a Deus (e a nossos maridos!), podemos transformar esse tipo de amor em realidade? O que podemos fazer para incluir essa pérola de devoção em nosso colar de virtudes? Siga estes passos:

- *Pergunte a si mesma: Será que estou estragando meu marido com tantos mimos?* Sim, ame seu marido até o ponto de estragá-lo com muitos mimos! Ame-o de todo o coração! Demonstre que ele é o número um de sua vida. Você está fazendo disso uma prática diária?

- *Coloque seu marido acima de todas as outras pessoas.* E essas "outras pessoas" incluem seus filhos! Dois terapeutas de família observaram o seguinte: "Muitos relacionamentos conjugais saem dos trilhos quando há um SUPERinvestimento nos filhos e um SUBinvestimento no casamento".[10]

- *Em se tratando de relacionamentos humanos, seu marido deve ocupar o primeiro lugar.* O relacionamento que você tem com seu marido é o mais importante de todos, e isso inclui seus pais, conhecidos, vizinhos, irmãos, irmãs, amigas íntimas e filhos. Seu marido tem de ser o número um, e ele precisa saber disso (e os outros também!).

Você foi chamada, querida esposa, para amar o seu marido. Portanto, faça tudo o que puder para comunicar seu amor a seu precioso marido. Seja criativa e divirta-se. Invista sua energia e tempo. E lembre-se de que o coração que ama é aquele que traça planos. Passe alguns momentos em oração, medite e ponha mãos à obra demonstrando a seu marido o amor que existe em seu coração![11]

20 DE DEZEMBRO – TT 2

A PÉROLA DA PAIXÃO
MULHERES JOVENS

...a fim de instruírem as jovens recém-casadas a amarem... a seus filhos.
Tt 2.4

CONTEMPLE O BRILHO desta pérola de valor inestimável: a beleza de ser mãe! Se você foi honrada e agraciada com o título de mãe, deve saber que, depois de seu marido, os filhos têm prioridade sobre todas as outras pessoas e atividades de sua vida. Isso está claramente registrado em Tito 2.

Quando Deus exorta as mulheres idosas a instruir as mais novas, ele diz que devemos amar nosso marido em primeiro lugar e, depois, a nossos filhos. Atendemos melhor a esse divino chamado quando em nosso coração existe:

- *Paixão por ensinar a Palavra de Deus.* Nossos preciosos filhos – não as crianças da igreja; não as mulheres da igreja; não os amigos, vizinhos ou outra pessoa – são os que devem receber as primícias de nossa paixão pela santa verdade de Deus. A Bíblia é clara: nós, mães, recebemos de Deus a incumbência de ensinar sua palavra a nossos filhos (Pv 1.8; 6.20). Podemos fazer muitas coisas por eles, mas lhes ensinar a Palavra de Deus deve ser a nossa paixão.

- *Paixão por ensinar a sabedoria de Deus.* Além de ensinar a Palavra de Deus a nossos filhos e filhas, devemos também instruí-los em sua sabedoria e transmitir-lhes as recomendações, exemplos de louvor, orientações e ensinamentos espirituais encontrados na Bíblia. Dessa forma, poderão pôr em prática a sabedoria bíblica na vida diária.

- *Paixão por orar.* Que bênção é a mãe que pensa, ama, age, fala e *ora* com paixão! Você deve orar fervorosamente por seus filhos (Tg 5.16). Nós, que amamos a Deus e a nossos filhos e filhas, jamais conheceremos aqui na terra a eficácia de nossas orações por eles, mas devemos orar com fervor e paixão mesmo assim. Ninguém mais pode fazer isso!

Querida mãe (e avó!), saiba que Deus está ansioso por ser nosso parceiro na criação de nossos filhos de modo a conhecer, amar e servir ao Senhor, especialmente quando fazemos isso com paixão!

21 de Dezembro – Tt 2

A VOLTA AO LAR
MULHERES JOVENS

...a fim de instruírem as jovens recém-casadas... a serem sensatas...
Tt 2.4,5

PRUDÊNCIA É UMA PALAVRA ANTIGA e maravilhosa que, assim como *sensata*, significa "agir com moderação" [veja 9 de agosto]. Vemos, mais uma vez, que a prudência ou a sensatez está relacionada ao autocontrole em todos os aspectos da vida diária. Um professor disse o seguinte: "Nenhuma qualidade se destaca mais na Bíblia, como marca da maturidade cristã, do que ter 'domínio próprio'... ser 'sensato', 'sóbrio' e 'criterioso'".[12] Mas como adquirir essas qualidades de prudência e domínio próprio? E o que elas representam na vida de uma mulher que ama a Deus?

- *A prudência reflete-se no equilíbrio.* A mulher que usa a pérola da prudência é admirada por ter uma vida graciosa e equilibrada. Por ter o hábito de exercer o autocontrole, ela é capaz de evitar comportamentos e sentimentos exacerbados, oscilações no modo de proceder, e atitudes extremas. Suas decisões são tomadas com cautela e bom senso e, por conseguinte, sua vida é tranquila e estável. Poucos são seus momentos de fracasso, crise, tristeza e decepção!

- *A prudência reflete-se na sensibilidade.* A mulher sensata pesa todas as opções antes de tomar decisões e assumir compromissos. Ela pergunta: "Aonde esta decisão me conduzirá? Quais serão os resultados a longo prazo dessa decisão? A decisão que vou tomar beneficiará minha preciosa família e será vantajosa para mim?" Com os olhos no futuro e o coração preocupado em honrar a Deus e a sua família, essa mulher sábia olha para o Senhor, pesa todas as opções e usa o bom senso para tomar decisões sensatas.

- *A prudência reflete-se na neutralidade.* Finalmente, a mulher sábia e sensata é aquela cujo coração é tranquilo. Uma vez que sua alma busca o Senhor e confia nele, ela consegue viver com ou sem as coisas deste mundo. Assuntos relacionados a posição social, bens materiais e outras paixões mundanas não desgastam nem controlam a vida dessa sábia serva de Deus. Ela encontra no Senhor tudo o que necessita e descansa nele. O livro de Provérbios nos ensina: "O ânimo sereno [ou tranquilo] é a vida do corpo" (Pv 14.30).

Nós cultivamos a linda pérola da prudência quando paramos, aguardamos, oramos, pesamos as opções, estudamos a Bíblia e buscamos conselhos sábios... *antes* de tomar uma decisão!

22 de Dezembro – Tt 2

A pérola da pureza
Mulheres jovens

...a fim de instruírem as jovens recém-casadas... a serem... honestas...
Tt 2.4,5

Quando você pensa em pérolas, imediatamente não lhe vem à mente a pureza? Nosso Pai celestial deseja que a vida das mulheres que o amam irradie a castidade ou pureza decorrentes de lhe pertencer de coração, alma, mente e corpo.

Como mulheres salvas por um Deus santo, nós também, preciosa irmã, devemos ser santas, como vasos sagrados para o Senhor. A passagem de hoje nos exorta a sermos modestas e puras, separadas para o Senhor e livres da corrupção e das preocupações com as coisas deste mundo. Deus nos exorta a evitar impureza e imoralidade em pensamentos, palavras e ações.

Por que Deus inclui *pureza* em sua exortação a nós? O dr. Gene Getz explica: "Os assuntos enfatizados pelos escritores bíblicos refletem os problemas principais das igrejas do Novo Testamento, e nenhum tema é abordado com tanta firmeza quanto a imoralidade. É raro encontrar uma epístola que não trate desse assunto de modo específico, claro e direto".[13] É por isso que devemos ler muito a respeito da preocupação de Deus quanto à pureza de suas servas e de sua igreja.

Para ter uma vida pura, é necessário abastecer a mente com a Palavra de Deus. O salmista diz o seguinte:

> A lei do Senhor é perfeita...
> O testemunho do Senhor é fiel...
> Os preceitos do Senhor são retos...
> O mandamento do Senhor é puro...
> O temor do Senhor é límpido...
> Os juízos do Senhor são verdadeiros
>   e todos igualmente justos (Sl 19.7-9).

Quando pensamos nessas palavras; quando nos recusamos a nos apegar ao que é meramente temporário; quando buscamos e pensamos nas coisas lá do alto, não nas que são aqui da terra (Cl 3.1,2); quando voltamos nossos olhos para Jesus – aquele que é a pura Palavra de Deus, o Santo de Deus, e o Filho imaculado –, as coisas deste mundo perdem o brilho e deixam de ser atraentes.

Portanto, minha amiga, pense em tudo o que é verdadeiro, respeitável, justo, puro, amável, de boa fama, virtuoso e digno de louvor (Fp 4.8). Como os pensamentos precedem as ações, permita que este seja o primeiro passo que você dará para incluir a pérola da pureza em seu colar de virtudes piedosas.

23 de Dezembro – Tt 2

A Pérola dos Talentos
Mulheres Jovens

*...a fim de instruírem as jovens recém-casadas...
a serem... boas donas-de-casa... Tt 2.4,5*

Como você sabe, as pérolas se apresentam em uma surpreendente variedade de cores. Hoje, conheceremos uma nova, e talvez surpreendente, tonalidade de pérola neste colar de virtudes piedosas que estamos examinando.

Em nosso estudo sobre as qualidades que Deus deseja para as mulheres que o amam, observamos a importância que ele dá à nossa missão como esposas, mães e servas na igreja. Hoje, vamos contemplar o brilho encantador que Deus tem em mente para nós como donas-de-casa! Muitas mulheres não dão o devido valor à tarefa de cuidar da casa. Elas consideram a administração do lar uma carga penosa e enfadonha.

Contudo, minha amiga, Deus conhece os seus talentos. Na verdade, ele os criou e designou o lugar perfeito para que desabrochem. Esse lugar é o seu lar. Quando "edificamos" nossa casa como Deus deseja (Pv 14.1), ele nos abençoa das seguintes maneiras:

- *A ordem passa a ser a ordem do dia.* Um pouco de atenção diária dada ao local que você chama de lar estabelece a ordem onde há desarrumação, reforça seu talento administrativo e transforma sua casa em um oásis de tranquilidade dentro deste mundo barulhento e agitado.

- *Os membros da família e os hóspedes são abençoados.* Feliz daquele que entra no refúgio do *lar* após um árduo dia no trabalho ou na escola!

- *O relacionamento sob seu teto torna-se mais sereno.* Lar é o local onde os membros da família se relacionam. Quando as pérolas da beleza, da paz, da ordem, da alegria e do amor brilham dentro dele, todos os que ali habitam têm a sensação de segurança e de genuíno bem-estar. Quando há tranquilidade e paz dentro do lar, o relacionamento familiar torna-se muito mais consistente.

- *Seus talentos se desenvolvem e você se transforma em artista do lar.* Pense na missão que Deus lhe deu de embelezar seu lar. E, ao cumprir essa missão, querida dona-de-casa, você ficará agradavelmente surpresa ao descobrir que a pérola de seus talentos para cuidar do lar adicionará uma brilhante e valiosa qualidade à sua vida.

Peça a Deus que renove suas forças e faça brilhar sua criatividade, de forma que você use e desfrute os talentos por ele concedidos para cuidar de seu lar e de sua família, e glorifique-o como dona-de-casa.

24 de Dezembro – Tt 2

A pérola da bondade
Mulheres jovens

...a fim de instruírem as jovens recém-casadas... a serem... bondosas...
Tt 2.4,5

O CHAMADO DE DEUS para que as mulheres que o amam cultivem qualidades de caráter, como disciplina e dignidade, piedade e sabedoria, também inclui uma pérola mais suave: a bondade. Como é linda essa pérola! Para as iniciantes, bondade é a generosidade que estendemos às outras pessoas enquanto empreendemos o esforço árduo de nos disciplinar! Alguém disse: "Seja implacável consigo mesmo e compassivo com os outros". Bondade é isto.

Reflita sobre os outros belos aspectos desta pérola preciosa:

- *Bondade significa ação*. Bondade é mais que um tópico para meditação e oração, é algo que fazemos. A palavra *bondade* (*agathos* em grego) significa "fazer o bem".

Quem necessita de sua bondade hoje? Pense em seu marido, filhos, pais, sogros, cunhados, colegas de trabalho e vizinhos. Existem viúvas, pessoas idosas ou enfermas que necessitam de uma palavra de compaixão?

- *Bondade vem do coração*. Um coração bondoso, que se preocupa com as outras pessoas, que anseia por melhorar a vida delas, que observa suas necessidades e pensa em seu bem-estar, precede um gesto de bondade.

As pessoas que a conhecem bem a consideram bondosa? Você costuma fazer esta pergunta: "O que posso fazer por você hoje?" Seu coração olha o próximo com amor e enxerga as pessoas como Jesus as vê?

- *Bondade é uma opção*. Como mulheres que amamos a Deus, devemos "revestir-nos" de um coração cheio de bondade, compaixão e mansidão, da mesma forma que vestimos roupas (Ef 4.32; Cl 3.12). Opte por usar esse lindo traje de graça e de bondade.

Fale agora com o Senhor em oração, minha querida. Converse sobre a bondade dele, sobre a sua (ou a falta dela!) e sobre a bondade que deve fluir de você, que é sua filha. Peça-lhe para completá-la, para ajudá-la e para conceder-lhe sua graça ao caminhar em sua luz usando a pérola da bondade.

25 de Dezembro – Tt 2

A Pérola da Glória

Mulheres Jovens

...a fim de instruírem as jovens recém-casadas... a serem... sujeitas ao marido, para que a Palavra de Deus não seja difamada. Tt 2.4,5

Hoje é Dia de Natal! Ao comemorar o nascimento de nosso Salvador, devemos refletir sobre uma importante maneira de honrar e glorificar a Deus e a seu Filho.

Em Tito 2, examinamos as funções e os padrões estabelecidos por Deus para as mulheres que o amam. A passagem de hoje termina com o som estridente da trombeta exortando-nos a honrar a Deus obedecendo a seus mandamentos, resumidos por Jesus em amar ao Senhor de todo o coração e ao próximo como a nós mesmos (Mc 12.30,31). Quando vivemos de acordo com essas duas leis básicas, a Palavra de Deus não é difamada nem desacreditada por nossas palavras ou ações.

Afinal, o nosso modo de viver o dia-a-dia como mulheres que amam a Deus é um exemplo para o mundo que nos observa. Quando caminhamos de acordo com os padrões de Deus, ele é glorificado e a mensagem da salvação é claramente proclamada. Porém, quando deixamos de lado o amor, o autocontrole, a pureza, o amor pelo lar, a bondade e a humildade, também deixamos de honrar a Deus e seus caminhos, e as pessoas passam a "difamar" e caluniar o Senhor e sua verdade.

Que esplêndida glória, que pérola reluzente damos ao Senhor ao honrá-lo caminhando da maneira que ele deseja! Ao encerrar o estudo desse precioso texto da Bíblia, desejamos que ele sirva como um parâmetro para a nossa vida, dando-nos um novo discernimento, e como um convite a nosso Deus para trabalhar em nós, transformando-nos e adaptando-nos a seus santos padrões.

- Meu comportamento reflete um coração que ama a Deus acima de todas as coisas?

- Eu demonstro meu amor a Deus obedecendo a seus mandamentos?

- Estou demonstrando amor a outras pessoas tomando cuidado com minhas palavras, controlando minhas emoções e compartilhando a sabedoria que Deus me dá?

- Estou demonstrando amor a outras pessoas orando fervorosamente por elas e compartilhando com elas o talento que Deus me deu?

- Estou disposta a servir a meu marido e a meus filhos com um amor altruísta e sacrifical?

- Sou prudente, honesta e compassiva?

Neste Dia de Natal, quando nos lembramos da grande bondade de Deus ao nos dar seu Filho, sua maravilhosa e indescritível dádiva, devemos retribuir-lhe com a bondade, a pérola preciosa e reluzente que honra e glorifica ao Senhor!

26 DE DEZEMBRO – HB 11

UM RETRATO DE FÉ
SARA

Pela fé, também, a própria Sara recebeu poder para ser mãe, não obstante o avançado de sua idade, pois teve por fiel aquele que lhe havia feito a promessa. Hb 11.11

SILÊNCIO! Hoje, vamos entrar pé ante pé nos sagrados corredores de Hebreus 11, a galeria dos retratos dos grandes homens e mulheres que amaram a Deus ao longo dos séculos. Não podemos deixar de observar os enormes retratos de Noé, Abraão, Isaque, Jacó, José, Moisés e Josué. Porém, tão grandioso quanto todos os outros é o retrato da meiga e serena Sara, cuja fé, forte como o aço (veja 1Pe 3.1-6), brilha tão intensamente quanto a fé das demais pessoas mencionadas neste rol sagrado!

Quais foram os méritos da querida Sara para ser incluída na Galeria da Fama de pessoas fervorosas? Ela foi:

- *Mãe.* Essa bênção chegou depois de muitos anos para Sara, uma mulher estéril que, aos noventa anos, deu à luz Isaque! E, após receber a bênção, Sara foi uma mãe extremada e leal a seu precioso filho (veja Gn 21)!

- *Mãe de uma nação.* Sara tem sido reconhecida ao longo do tempo como um exemplo de mãe para Israel, a nação escolhida por Deus. De Sara e seu marido, Abraão, e do filho do casal, Isaque, foram gerados, pela fé, todos os crentes verdadeiros, o povo escolhido de Deus ao longo dos séculos (Rm 4.16).

- *Mãe de fé.* Hebreus 11 menciona os atos de fé daqueles que nos precederam, e Sara é a primeira mulher citada. Qual foi seu maior ato de fé? Sara sabia que Deus era fiel e capaz de cumprir sua promessa de dar-lhe um filho na velhice.

Estamos chegando ao fim de nossa jornada de um ano pelas páginas da Bíblia. Ao longo do caminho, conhecemos mulheres que, como nós, andaram com Deus pela fé, e precisamos lembrar, como aquelas servas, que "para Deus não haverá impossíveis" (Lc 1.37).

Que provações e tentações você enfrenta atualmente? As dificuldades ou aflições afetam suas forças? Você vive sozinha? Seus dias ou sua saúde estão definhando? Você se sente esgotada por causa das responsabilidades do dia-a-dia? Identifique seu maior desafio e olhe para o Senhor com fé. Hebreus 11.1 diz o seguinte: "Ora, a fé é a certeza de coisas que se esperam, a convicção de fatos que se não veem".

Em seguida, faça a si mesma a pergunta que o anjo do Senhor fez a Sara: "Acaso para Deus há coisa demasiadamente difícil?" (Gn 18.14). Qual é a sua resposta, minha querida?

27 DE DEZEMBRO – HB 11

UM RETRATO DE CORAGEM

JOQUEBEDE

Pela fé, Moisés, apenas nascido, foi ocultado por seus pais, durante três meses, porque... não ficaram amedrontados pelo decreto do rei. Hb 11.23

ENQUANTO CONTINUAMOS A CAMINHAR pela galeria de Deus, onde constam os heróis da fé, observando as mulheres homenageadas por ele, nossa próxima parada será diante do reluzente retrato de Joquebede. Ao olhar para esse retrato, vemos que ela possuía uma grande força, proveniente da fé em nosso Deus imutável.

- *Fé herdada de seus pais.* Pense nas raízes familiares dessa grande mulher de fé. Seu pai, Levi, e seu irmão, Coate, eram sacerdotes, fato importante a respeito da árvore genealógica de Joquebede. A família dela fora escolhida para servir ao Senhor!

- *Fé como esposa.* Quando Joquebede se casou com Anrão, que também era sacerdote, sua fé juntou-se à dele, e dali nasceu outra família de fé.

- *Fé como mãe.* Joquebede passou adiante seu legado de fé a seus três filhos: Arão, Moisés e Miriã. Arão e Moisés eram sacerdotes, e Miriã serviu a Deus ao lado deles (Mq 6.4). Porém, muito antes que os três começassem a servir ao Senhor, observamos o grande ato de fé dessa mãe extraordinária. Desafiando o decreto de Faraó de que todos os meninos do povo hebreu fossem mortos (Êx 1.22), Joquebede escondeu o bebê Moisés. *Ela* não ficou com medo do decreto do rei! A Bíblia declara: "O perfeito amor lança fora o medo" (1Jo 4.18). Joquebede amou a Deus *e* a Moisés, e aquele amor afastou todo o medo, dando-lhe forças para agir com fé e, por conseguinte, com coragem!

Crescemos muito espiritualmente neste ano, mas o que podemos fazer no próximo ano para aumentar ainda mais nosso amor por Deus e nossa fé nele? *Primeiro*, podemos passar mais tempo estudando sua Palavra. Fortalecida pelo Santo Espírito, a verdade da Bíblia incutida em seu coração a ajudará a vigiar e permanecer firme na fé (1Co 16.13). *Segundo*, podemos procurar meios de pôr nossa fé em prática. Até mesmo as escolhas aparentemente pequenas exigem uma dose de fé e de coragem, e essas situações ajudam a aperfeiçoar nossa fé. Quando nos concentramos na graça e no poder de Deus, os problemas tornam-se mais simples e os obstáculos diminuem. Quando ele demonstra sua fidelidade, nossa fé aumenta.

28 de Dezembro – Hb 11

Um retrato de transformação
Raabe

Pela fé, Raabe, a meretriz, não foi destruída com os desobedientes, porque acolheu com paz aos espias. Hb 11.31

VEM DE LONGA DATA o hábito que os artistas têm de realizar uma nova pintura sobre um trabalho que não causou impacto. Às vezes, ao fazer isso, criam uma esplêndida obra-prima sobre uma tela que, um dia, exibiu uma pintura de menor expressão. Hoje, querida mulher de fé, vamos contemplar uma verdadeira obra-prima na galeria de Deus, em Hebreus 11. É o retrato de Raabe pintado por ele. Ao olhar atentamente para esse retrato, vemos que existe uma pintura sobre outra, uma composição "antes" e outra "depois".

- *Uma meretriz.* Nossa Raabe, que tanto brilha hoje, é uma mulher com um passado desabonador! Por ter de ganhar a vida para sustentar sua família da pior maneira possível, Raabe é mencionada como "Raabe, a meretriz".

- *Uma heroína.* Raabe escondeu de seu rei os espias de Josué, salvou a vida deles fazendo-os sair da cidade por um caminho secreto, declarou sua fé no Deus no qual eles acreditavam, identificou sua casa com um cordão escarlate e, confiando na palavra de Josué, aguardou que retornasse com seu exército e creu na misericórdia dele. Esses inúmeros atos de fé fizeram de Raabe uma heroína para o povo de Israel.

- *Um vaso santificado.* Por ter acreditado no santo e poderoso Deus de Israel, Raabe foi transformada em um vaso santificado e útil para Deus. Ela passou a ter um coração cheio de fé e agiu pela fé. A promessa do profeta tornou-se realidade para Raabe: "Ainda que os vossos pecados são como a escarlate, eles se tornarão brancos como a neve; ainda que são vermelhos como o carmesim, se tornarão como a lã" (Is 1.18).

Você acha que sua vida está permanentemente manchada por insucessos do passado, por decisões erradas e por pecados repugnantes? Caso sua resposta seja positiva, alegre-se agora, porque você pode ser purificada mediante a fé em Deus. Só ele pode lavar os seus pecados. Faça suas as palavras de Raabe: "Porque o Senhor, vosso Deus, é Deus em cima nos céus e embaixo na terra" (Js 2.11) e permita que ele lave seus pecados vermelhos como o carmesim para que fiquem brancos como a lã. Permita que o Senhor transforme sua vida – o retrato de como você era "antes" – em uma obra-prima encantadora e santificada, digna de ser exibida na galeria do céu!

29 DE DEZEMBRO – 1Pe 3

A JOIA DE UM ESPÍRITO MANSO
MULHERES

Seja, porém, o homem interior do coração, unido ao incorruptível trajo de um espírito manso e tranquilo, que é de grande valor diante de Deus. 1Pe 3.4

VOCÊ LEU ATENTAMENTE acima as sagradas palavras da Bíblia? Durante séculos, essas palavras maravilhosas têm levado as mulheres que amam a Deus a se revestir interiormente de um espírito manso e tranquilo. Mansidão e tranquilidade, dois traços de caráter preciosos aos olhos do Deus que tanto amamos!

Porém, muitas mulheres (quem sabe você também, minha querida?) se têm perguntado: "O que significa um espírito manso e tranquilo? E como eu posso me vestir interiormente e me ornamentar com essas duas lindas joias?"

Uma definição simples, porém maravilhosa, responde a essa pergunta: ter um espírito *manso* (ou meigo) significa "não criar transtornos", e ter um espírito *tranquilo* significa "portar-se com serenidade diante dos transtornos causados por outras pessoas".[14] Hoje, vamos analisar a *mansidão*. Amanhã, analisaremos a *tranquilidade*.

Ter um espírito manso significa não criar transtornos. Pense nessa definição baseando-se na vida e exemplo de Jesus. Quando Jesus descreveu a si próprio, ele disse: "Aprendei de mim, porque sou *manso* e humilde de coração" (Mt 11.29, destaque da autora). Posteriormente, ele, que é o Rei do Universo, se apresentou diante de nós não como um guerreiro poderoso e conquistador, mas como um homem humilde e manso montado em um jumentinho (Mt 21.5), recusando-se a lutar ou contender e, tampouco, a esmagar a cana quebrada (Mt 12.19,20).

Você captou a ideia? Percebeu a linda mansidão que Deus tem em mente para você como uma de suas servas escolhidas? Não somos chamadas para agressão, combate, contenção. Somos chamadas para mansidão, benignidade, indulgência e paciência. Em vez de sermos ríspidas, violentas, dominadoras, provocar as outras pessoas e causar transtornos, devemos demonstrar atitudes cativantes, agradáveis e encantadoras. Um chamado sublime, é verdade!

Você deseja usar a preciosa joia da mansidão? Revista-se, então, do Senhor Jesus Cristo (Rm 13.14). Tendo Jesus como adorno principal, a mansidão dele se evidenciará enquanto você caminha pela vida com espírito de mansidão, *sem* criar transtornos!

30 de Dezembro – 1Pe 3

A JOIA DE UM ESPÍRITO TRANQUILO
MULHERES

*...unido ao incorruptível trajo de um espírito manso
e tranquilo, que é de grande valor diante de Deus.* 1Pe 3.4

ONTEM, examinamos a beleza de um espírito manso que não causa transtornos. Hoje, querida amiga de espírito manso, vamos contemplar a graça da *tranquilidade*. Ambas são "de grande valor diante de Deus" e conferem um ar de encanto à nossa vida e à vida das pessoas que nos rodeiam. Conforme já vimos, um espírito manso não cria transtornos. Agora, veremos que um espírito *tranquilo não reage diante dos transtornos causados por outras pessoas*. Ao contrário, ele se porta com serenidade e mansidão diante de qualquer mágoa provocada por palavras ou ações de outra pessoa.

O que esse espírito tranquilo significa em sua vida, e como ele pode reluzir? Significa:

- *Recusar-se a ser perturbada por coisas internas ou externas.* Quando descansamos em Cristo, permitimos que nossa fé e confiança nele tranquilizem nosso coração a respeito de assuntos fora de nosso controle.

- *Desejar uma vida de paz e ordem.* A mulher de coração tranquilo tem uma vida serena (1Tm 2.2) e faz o possível para que haja paz e ordem em sua casa (Pv 31.27).

- *Ser tranquila nas palavras.* A definição de "espírito tranquilo" inclui tranquilidade nas palavras, bem como no modo de proceder e nas ações. O comportamento da mulher que não tem um espírito tranquilo é caracterizado por explosões de raiva, reprimendas e exclamações que não condizem com um coração que descansa no Senhor.

O segredo para obter essa joia rara e o mistério por trás de um coração tranquilo é a *confiança em Deus*. Depois da exortação para nos adornarmos com um espírito manso e tranquilo, Pedro explica: "Pois foi assim também que a si mesmas se ataviaram, outrora, as santas mulheres que esperavam em Deus" (v. 5). Este livro inteiro foi dedicado a essas queridas e santas mulheres da Bíblia, que amaram a Deus e confiaram nele. É esta confiança que confere tanto brilho a essas duas joias!

Minha querida, você deseja possuir as joias de um espírito manso e tranquilo? Então, confie no Senhor. Olhe para ele quando os transtornos surgirem. Invoque o nome do Senhor nos momentos de aflição. Aproxime-se dele pela fé e siga com ele, passo a passo, pelo caminho da vida.

31 de Dezembro – Ap 22

Uma oração para o ano novo
A noiva de Cristo

O Espírito e a noiva dizem: Vem...
Ap 22.17

Parabéns, querida amiga! Você terminou sua jornada ao longo da Bíblia, uma viagem que lhe deu a oportunidade de conhecer algumas mulheres muito especiais que amaram a Deus. Não há nada mais apropriado do que finalizar essa peregrinação espiritual com o último livro da Bíblia, o último capítulo da Bíblia, na última página da Bíblia, em que nos deparamos com "a noiva de Cristo". Nas Escrituras Sagradas, a igreja é chamada de "a noiva, a esposa do Cordeiro" (Ap 21.9). A imagem sugerida nesse versículo é verdadeiramente bela: assim como o noivo se regozija com sua noiva, o Senhor – o Noivo da igreja – se regozijará para sempre com seu povo, e seu povo nele!

Jesus nos prometeu que voltará, e devemos refletir sobre o significado de sua promessa.

- *Primeiro*, se você ainda não aceitou Jesus como seu Salvador e Senhor, faça agora a mesma declaração do Espírito e da noiva de Cristo! Acolha o Noivo em seu coração. Não deixe passar mais um ano, mais um dia, nem mais um minuto sem dar este passo tão importante. Inicie o novo ano como filha de Deus!

- *Segundo*, se você ama a Deus e segue a Jesus Cristo, tome a resolução de viver cada novo dia sem mácula nem ruga, santa e sem defeito, para poder apresentar-se diante de seu santo Noivo como noiva pura, adornada para o esposo, "porque o linho finíssimo são os atos de justiça dos santos" (Ef 5.27; Ap 19.8; 21.2).

- *Terceiro*, no limiar de um ano novo, reflita sobre esta oração da jovem Joana d'Arc. Aos 19 anos, ao saber que estava sentenciada à morte na fogueira, essa corajosa jovem francesa ofereceu a seguinte oração ao Deus que ela amava: "Tenho só mais um ano de vida; usa-me como puderes".

Usa-me como puderes. Essas palavras só podem partir de um coração inteiramente dedicado a Deus. Querida peregrina, enquanto você aguarda um feliz ano novo, repita essa oração todos os dias! Quando dedicar-se de todo o coração ao Pai celestial e pedir-lhe que a use como ele puder, passará a ser conhecida como uma mulher que ama verdadeiramente a Deus.

Notas

Janeiro
1. John Milton, *Eve*.
2. Herbert Lockyer, *All the Promises of the Bible*, p. 10.
3. J. B. Phillips.
4. "Safely Through the Night", Leech/Fred Brock Music ASCAP. Paul Sandberg.
5. Donald Grey Barnhouse, *Let Me Illustrate* (Grand Rapids, MI: Fleming H. Revell, 1967), p. 253-54.

Fevereiro
1. Herbert Lockyer, *The Women of the Bible* (Grand Rapids, MI: Zondervan Publishing House, 1975), p. 111.
2. Elisabeth Elliot, *Let Me Be a Woman* (Wheaton, IL: Tyndale House Publishers, Inc., 1977), p. 42.
3. Lockyer, *Women of the Bible*, p. 137.
4. Extraído de *The Handbook of Bible Applications*, Neil S. Wilson, ed. (Wheaton, IL: Tyndale House Publishers, Inc., 1992), p. 485.

Março
1. Philip Melancthon.
2. Elizabeth George, *Uma mulher segundo o coração de Deus* (Campinas, SP, Editora United Press Ltda. 2000), p. 31-36.
3. Sra. Charles E. Cowman, *Streams in the Desert – Volume 1* (Grand Rapids, MI: Zondervan Publishing House, 1965), p. 331.
4. Ben Patterson, *Waiting* (Downers Grove, IL: InverVarsity Press, 1989), p. i.
5. Anne Ortlund, *Building a Great Marriage* (Old Tappan, NJ: Fleming H. Revell Company, 1984), p. 146.
6. V. Raymond Edman.
7. Merrill F. Unger, *Unger's Bible Dictionary* (Chicago: Moody Press, 1972), p. 348.
8. Lord Dewar.
9. Horace Bushnell.
10. Phil Whisenhunt.
11. Stephen G. Green.
12. Ruth Vaughn.

Abril
1. Merrill C. Tenney, ed., *The Zondervan Pictorial Encyclopedia of the Bible*, Vol. 4 (Grand Rapids, MI: Zondervan Publishing House, 1975), p. 875.
2. Extraído dos princípios encontrados em *Spiritual Leadership*, de J. Oswald Sanders (Chicago: Moody Press, 1967).
3. Charles W. Landon.
4. *Worldwide Challenge*, "Elisabeth Elliot Leitch: Held by God's Sovereignty", janeiro de 1978, p. 39-40.

5. M. R. DeHaan e Henry G. Bosch, *Bread for Each Day* (Grand Rapids: MI: Zondervan Publishing House, 1962), 23 de junho.
6. *Akron Baptist Journal.*
7. Matthew Henry.
8. *The Zondervan Pictorial Encyclopedia of the Bible, Vol. 5*, p. 575.
9. Extraído de *The Women of the Bible*, de Herbert Lockyer (Grand Rapids, MI: Zondervan Publishing House, 1975), p. 180.
10. Extraído de *The Zondervan Pictorial Encyclopedia, Vol. 5*, p. 890-91.
11. John Oxenham.
12. Samuel Johnson.

Maio

1. Elizabeth George, *Beautiful in God's Eyes* (Eugene, OR: Harvest House Publishers, 1998), p. 13-16.
2. Julie Nixon Eisenhower, *Special People* (Nova York: Ballantine Books, 1977), p. 3-37.
3. Stanley High, *Billy Graham* (Nova York: McGraw Hill, 1956), p. 71.
4. J. H. Morrison.
5. Charles Dickens, *A Tale of Two Cities.*
6. Matthew Henry, *Matthew Henry Commentary*, vol. 2, p. 204-05.
7. Informação de Kenneth W. Osbeck, *Amazing Grace* (Grand Rapids, MI: Kregel Publications, 1990), p. 216.
8. John MacArthur, *The MacArthur Study Bible* (Nashville: Word Publishing, 1997), p. 373.
9. Herbert Lockyer, *The Women of the Bible* (Grand Rapids, MI: Zondervan Publishing House, 1975), p. 144-49.

Junho

1. Herbert Lockyer, *Dark Threads the Weaver Needs* (Old Tappan, NJ: Fleming H. Revell Company, 1979).
2. William Temple, Arcebispo de Canterbury.
3. James Strong, *Strong's Exhaustive Concordance of the Bible* (Nashville: Abingdon Press, 1973), p. 95.
4. Curtis Vaughan, ed. geral, *The Old Testament Books of Poetry from 26-Translations* (Grand Rapids, MI: Zondervan Bible Publishers, 1973), p. 578.
5. Henri Frederic Amiel.
6. John Mason.
7. Elisabeth Elliot, *The Shaping of a Christian Family* (Nashville: Thomas Nelson Publishers, 1992), p. 201.
8. John MacArthur, *The MacArthur Study Bible* (Nashville: Word Publishing, 1997), p. 407.
9. Herbert Lockyer, *The Women of the Bible* (Grand Rapids, MI: Zondervan Publishing House, 1975), p. 36.
10. Extraído de *All the Kings and Queens of the Bible*, de Herbert Lockyer (Grand Rapids, MI: Zondervan Publishing House, 1971), p. 212.
11. J. D. Douglas.

Julho
1. Madeline Bridges.
2. R. K. Harrison, *The Psalms for Today: A New Translation from the Hebrew into Current English* (Grand Rapids, MI: Zondervan Publishing House, 1961).
3. Peter Scholtes.
4. Merrill F. Unger, *Unger's Bible Dictionary* (Chicago: Moody Press, 1972), p. 420.
5. Ministérios Bill Gothard.
6. Extraído do hino "Standing on the Promises", de autoria de Russell Kelso Carter (1849-1928).
7. Unger, *Unger's Bible Dictionary*, p. 498.
8. Lewis Barrett Lehrman, *Being an Artist* (Cincinnati, OH: North Light Books, 1992), p. 5.
9. Leituras sugeridas: *Amazing Grace, 101 Hymn Stories* e *101 More Hymn Stories*, de Kenneth W. Osbeck (Grand Rapids, MI: Kregel Publications).
10. Duas citações nesta página, de autor desconhecido, mencionadas em *Amazing Grace*, de Kenneth W. Osbeck, p. 8.
11. Sra. Howard Taylor, *John and Betty Stam, a Story of Triumph* (Chicago: Moody Press, edição revisada, 1982), p. 130.
12. Reverendo E. H. Hamilton, missionário da Missão no Interior da China.
13. Richard C. Halverson, boletim informativo "Perspective", 26 de outubro de 1977 (adaptado para o feminino).
14. Extraído de *Uma Mulher Segundo o Coração de Deus*, de Elizabeth George (Campinas, SP: Editora United Press, 2000), p. 101-110.

Agosto
1. Edith Schaeffer, *What Is a Family?* (Old Tappan, NJ: Fleming H. Revell Company, 1975), p. 119.
2. Edith Schaeffer, *Hidden Art* (Wheaton, IL: Tyndale House Publishers, 1971).
3. Robert Alden, *Proverbs* (Grand Rapids, MI: Baker Book House, 1983), p. 110.
4. Ralph Wardlaw, *Lectures on the Book of Proverbs, Vol. II* (Minneapolis: Klock & Klock Christian Publishers, Inc., 1981, reimpressão da edição de 1861), p. 209.
5. Charles F. Pfeiffer e Everett Y. Harrison, eds., *Wycliffe Bible Commentary* (Chicago: Moody Press, 1973), p. 572.
6. Stanley High, *Billy Graham* (Nova York: McGraw Hill, 1956), p. 71.
7. O material referente à mulher de Provérbios 31 foi extraído de *Beautiful in God's Eyes: The Treasures of the Proverbs 31 Woman*, de Elizabeth George (Eugene, OR: Harvest House Publishers, 1998). Para se aprofundar no estudo da mulher de Provérbios 31, leia este prático e inspirador resumo de versículo por versículo.
8. Cheryl Julia Dunn, *A Study of Proverbs*, tese para mestrado (Biola University, 1993), p. 25.
9. "A Woman's Love", de Douglas Malloch.
10. High, *Billy Graham*, p. 127.
11. John MacArthur, "God's High Calling for Women", Parte 4 (Panorama City, CA: Word of Grace, nº GC-54-17, 1986).
12. Schaeffer, *What Is a Family?*, p. 121.

Setembro

1. William J. Petersen, *Martin Luther Had a Wife* Wheaton, IL: Tyndale House Publishers, Inc., 1983), p. 13-37.
2. John MacArthur, *The MacArthur Study Bible* (Nashville: Word Publishing, 1997), p. 941.
3. *Life Application Bible* (Wheaton, IL: Tyndale House Publishers, Inc. and Youth for Christ, 1988), p. 1.471.
4. "I Have Decided to Follow Jesus." Melodia indiana. Arranjo de Norman Johnson.
5. Herbert Lockyer, *The Women of the Bible* (Grand Rapids, MI: Zondervan Publishing House, 1975), p. 225.
6. William Barclay, *The Letters of James and Peter*, edição revisada (Filadélfia: The Westminster Press, 1976), p. 217.
7. Walter B. Knight, *Knight's Master Book of New Illustrations* (Grand Rapids, MI: Wm. B. Eerdmans Publishing Company, 1979), p. 204-05. Desta obra foram extraídos os "Motivos para o culto doméstico" encontrados nas páginas seguintes.
8. J. A. Thompson, *Handbook of Life in Bible Times* (Downers Grove, IL: InterVarsity Press, 1986), p. 83-85.
9. A matéria sobre esta devocional foi extraída de *Loving God with All Your Mind*, de Elizabeth George (Eugene, OR: Harvest House Publishers, 1994), p. 183.
10. Ray e Anne Ortlund, *The Best Half of Life* (Glendale, CA: Regal Books, 1976), p. 79.
11. Gien Karssen, *Her Name Is Woman* (Colorado Springs: NavPress, 1975), p. 131.

Outubro

1. Merrill F. Unger, *Unger's Bible Dictionary*, citando Keil (Chicago: Moody Press, 1972), p. 1.172.
2. William Barclay, *The Letters to the Corinthians*, edição revisada (Filadélfia: The Westminster Press, 1975), p. 201.
3. Título de uma canção de autoria de Mark Lowry e Buddy Greene.
4. Estudioso alemão Johann Albrecht Bengel.
5. Charles Caldwell Ryrie, *The Role of Women in the Church*, matéria citada de autoria de Walter F. Adeney (Chicago: Moody Press, 1970), p. 34.
6. William Barclay, *The Gospel of Luke*, edição revisada (Filadélfia: The Westminster Press, 1975), p. 97.
7. Oswald J. Smith, *The Man God Uses* (Londres: Marshall, Morgan, and Scott, 1932), pp. 52-57.
8. Extraído de *God's Garden of Grace: Growing in the Fruit of the Spirit*, de Elizabeth George (Eugene, OR: Harvest House Publishers, 1996), p. 66-69.
9. Hino de autoria de Judson W. VandeVenter e Winfield S. Weeden.
10. Hino de autoria de Joseph H. Gilmore (1834-1918).

Novembro

1. Extraído de *The Greatest Thing in the World*.
2. Marvin R. Vincent, *World Studies in the New Testament – Vol. III, The Epistles of Paul*, citando Renan (Grand Rapids, MI: Wm. B. Eerdmans Publishing Co., 1973), p. 177.
3. Robert C. Cunningham.

4. Carol Talbot, *For This I Was Born* (Chicago: Moody Press, 1977), p. 208.
5. Todas as informações foram extraídas de *The MacArthur New Testament Commentary – Romanos 9–16*, de John MacArthur Jr. (Chicago: Moody Press, 1994), p. 364-69.
6. Elyse Fitzpatrick e Carol Cornish, *Women Helping Women* (Eugene, OR: Harvest House Publishers, 1997), p. 207-19.
7. Ibid., treze estratégias abreviadas das que foram apresentadas por Carol Cornish em *Women Helping Women*, p. 219-30.
8. Extraído de *Uma mulher segundo o coração de Deus*, de Elizabeth George (Campinas, SP, Editora United Press, 2000), p. 81-88.
9. Extraído de *Beautiful in God's Eyes*, de Elizabeth George (Eugene, OR: Harvest House Publishers, 1998), p. 161-70.
10. Extraído de *Uma Mulher Segundo o Coração de Deus*, de Elizabeth George, pp. 64-67.
11. Kenneth S. Wuest, *Wuest's Word Studies* – vol. 1, Gálatas e Efésios (Grand Rapids, MI: Wm. B. Eerdmans Publishing Company, 1973), p. 136.

Dezembro

1. William Hendriksen, *New Testament Commentary – Exposition of Colossians and Philemon* (Grand Rapids, MI: Baker Book House, 1975), p. 168.
2. Kenneth S. Wuest, *Wuest's Word Studies* – vol. 2 (Grand Rapids, MI: Wm. B. Eerdmans Publishing Company, 1974), p. 46.
3. Extraído de *The Zondervan Pictorial Encyclopedia of the Bible – Volumes 1 e 2*, Merrill C. Tenney, ed. geral (Grand Rapids, MI: Zondervan Publishing House, 1975).
4. Curtis Vaughan, ed. geral, *The New Testament from 26 Translations* – The New Testament in Basic English (Grand Rapids, MI: Zondervan Publishing House, 1967), p. 970-71.
5. Albert M. Wells Jr., ed., *Inspiring Quotations Contemporary & Classical* (Nashville: Thomas Nelson Publishers, 1988), p. 69.
6. John MacArthur, *The MacArthur Study Bible* (Nashville: Word Publishing, 1997), p. 1.738.
7. D. Edmond Hiebert, *Everyman's Bible Commentary – Titus and Philemon* (Chicago: Moody Press, 1957), p. 39 (citando Spence).
8. Gene A. Getz, *The Measure of a Woman* (Ventura, CA: Regal Books, 1977), p. 28-29.
9. John F. MacArthur, audiotapes nº 1.833 e nº 1.834 intitulados "The Limits of Our Liberty, Part 1 and 2" [1Coríntios 8.1-13] (Grace to You, P.O. Box 4000, Panorama City, CA 91412), 1975 John MacArthur.
10. Howard e Charlotte Clinebell.
11. Extraído de *Uma mulher segundo o coração de Deus*, Elizabeth George (Campinas, SP: Editora United Press Ltda., 2000), p. 81-88.
12. Getz, *The Measure of a Woman*, p. 93-94.
13. Ibid., p. 103-05.
14. Robert Jamieson, A. R. Fausset e David Brown, *Commentary on the Whole Bible* (Grand Rapids, MI: Zondervan Publishing House, 1973), p. 1.475 (citando Bengel).

Bibliografia

Blaiklock, E. M. e H. H. Rowdon. *Bible Characters and Doctrines*. Grand Rapids, MI: William B. Eerdmans Publishing Company, 1973.
Hendricks, Jeanne. *A Woman for All Seasons*. Nashville: Thomas Nelson Inc., 1977.
Henry, Matthew. *Matthew Henry's Commentary on the Whole Bible*. Peabody, MA: Hendrickson Publishers, Inc., 1996.
Jamieson, Robert, A. R. Fausset e David Brown. *Commentary on the Whole Bible*. Grand Rapids, MI: Zondervan Publishing House, 1973.
Karssen, Gien. *Her Name is Woman*. Colorado Springs: NavPress, 1975 e 1977.
Kidner, Derek. *Genesis*. Downers Grove, IL: InterVarsity Press, 1973.
Life Application Bible. Wheaton, IL: Tyndale House Publishers, Inc., 1988.
Lockyer, Herbert. *The Women of the Bible*. Grand Rapids, MI: Zondervan Publishing House, 1975.
MacArthur, John. *The MacArthur Study Bible*. Nashville: Word Publishing, 1997.
Matthews, Victor H. *Manners and Customs in the Bible* (ed. rev.). Peabody, MA: Hendrickson Publishers, Inc., 1996.
Pfeiffer, Charles F. e Everett F. Harrison. *The Wycliffe Bible Commentary*. Chicago: Moody Press, 1973.
Phillips, John. *Exploring Genesis*. Neptune, NJ: Loizeaux Brothers, 1980.
Ryrie, Charles Caldwell. *The Ryrie Study Bible*. Chicago: Moody Press, 1978.
Spense, H. D. M. e Joseph S. Exell. *The Pulpit Commentary*. Grand Rapids, MI: William B. Eerdmans Publishing Company, 1978.
Spurgeon, Charles Haddon. *Spurgeon's Sermons on Old and New Testament Women*. Grand Rapids, MI: Kregel Publications, 1995.
Unger, Merrill. *Unger's Bible Dictionary*. Chicago: Moody Press, 1972.

Índice de Mulheres

Abigail – 16-20/6
Acsa – 2/5
Ama de Mefibosete – 21/6
Amigas de Paulo – 20/11
Ana (mãe de Samuel) – 1-13/6
Ana (profetisa) – 8-10/10
Bate-Seba – 22-23/6
Bila – 6/3, 15/3
Débora (profetisa) – 3-9/5
Débora (serva) – 15/2, 11/3
Dorcas – 8-9/11
Esposa/Esposas – 28/7, 2/8, 5/8, 8-9/8, 4/9, 21-22/11, 24-29/11, 2/12
Ester – 17-24/7
Eunice – 12/11, 13/12
Eva – 3-5/1, 15/3
Evódia – 1/12
Febe – 17/11
Filha – 30/11
Filha de Faraó – 21-22/3, 30/3
Filha de Jairo – 20/10
Filha de Jefté – 11-12/5
Filhas – 29/7, 30/11
Filhas de Hemã – 15/7
Filhas de Salum – 16/7
Filhas de Zelofeade – 21/4
Filhas do Muro – 16/7
Hagar – 15-18/1, 30-31/1, 1-4/2, 15/3
Hulda – 14/7
Irmãs de Jesus – 14/9
Isabel – 17-20/9, 26-28/9, 3/10
Jael – 10/5
Jeoseba – 13/7
Joana e Suzana – 19/10
Joquebede – 19-20/3, 23-29/3, 27/12
Lia – 26-28/2, 1-5/3, 8/3, 10/3, 13-15/3
Lídia – 13-14/11
Loide – 12/12
Mãe de Dã – 6/3
Mãe de Daniel – 27/3
Mãe de Davi – 15/6
Mãe de Sansão – 18/5
Mãe de Tiago e João – 11/9

Mães – 11-12/4, 27/7, 31/7, 1/8, 10-11/8, 5/12
Maria (mãe de Jesus) – 6/3, 27/3, 7-10/9, 21-30/9, 1-2/10, 4-7/10, 11-13/10, 30/10, 6-7/11
Maria (mãe de Marcos) – 10/11
Maria de Betânia – 16/9, 23/10, 2-5/11
Maria Madalena – 18/10
Marta – 23/10, 2-5/11
Mical – 14/6
Milca – 7/2
Miriã – 23-24/3, 2-5/4, 7-10/4, 20/4
Mulher adúltera – 1/11
Mulher de Jairo – 22/10
Mulher de Manoá – 13-17/5
Mulher de Noé – 6/1, 8/1, 15/3
Mulher de Pilatos – 12/9
Mulher de Provérbios 31 – 27/5, 12-31/8, 1-3/9
Mulher encurvada – 24/10
Mulher hemorrágica – 21/10
Mulher pecadora – 16/10
Mulher samaritana – 31/10
Mulher siro-fenícia – 15/9
Mulher sunamita – 5-10/7, 12/7
Mulher/Mulheres – 1-2/1, 3-4/8, 6/8, 3-4/12, 6-9/12, 14/12, 29-30/12
Mulheres diante do túmulo – 13/9
Mulheres idosas – 15-18/12
Mulheres solteiras – 23/11
Mulheres israelitas – 1/4, 6/4, 13-18/4, 1/5, 18/11
Mulheres jovens – 19-25/12
Mulheres naziritas – 19/4, 22/4
Mulheres que acompanharam Jesus – 17/10, 26-29/10
Noemi – 19-21/5, 25-26/5, 30/5
Noiva – 25/7
Noiva de Cristo – 31/12
Noras de Noé – 7/1
Parteiras hebreias – 16 /18/3
Priscila – 15/11, 19/11
Quatro filhas de Filipe – 16/11

Índice de mulheres

Quatro mulheres – 6/9
Raabe – 23-30/4, 28/12
Rainha de Sabá – 24-27/6
Raquel – 23-25/2, 9-10/3, 12/3, 15/3
Rebeca – 8-14/2, 16-22/2, 15/3
Rode – 11/11
Rute – 22-24/5, 26-29/5, 31/5
Sara – 18-29/1, 5-6/2, 15/3, 26/12
Sarai – 9-14/1
Serva da mulher de Naamá – 11/7
Síntique – 1/12
Sogra de Pedro – 14/10
Sulamita – 5/9
Viúva de Naim – 15/10
Viúva de Sarepta – 28-30/6, 1-3/7
Viúva de um profeta – 4/7
Viúva e suas duas moedas – 25/10
Viúvas – 26/7, 30/7, 7/8, 10-11/12
Zilpa – 7/3, 15/3
Zípora – 31/3

Índice dos Textos Bíblicos

Gênesis
1.27 – 1º/1, 2/1
3.20 – 3/1
4.1 – 4/1
4.25 – 5/1
6.18 – 6/1
7.1 – 7/1
8.18 – 8/1
11.30 – 9/1
12.4 – 10/1
12.5 – 11/1
12.11 – 12/1
12.15 – 13/1
12.17 – 14/1
16.7 – 15/1
16.11 – 16/1
16.13 – 17/1
17.15 – 18/1, 19/1
17.16 – 20/1, 21/1
18.14 – 22/1, 23/1
20.2 – 24/1
20.6 – 25/1
21.1 – 26/1
21.2 – 27/1, 28/1
21.6 – 29/1
21.17 – 30/1, 31/1
21.18 – 1º/2, 2/2
21.19 – 3/2, 4/2
23.1 – 5/2
23.2 – 6/2
24.15 – 7/2
24.24 _ 8/2
24.5 – 9/2
24.14 – 10/2
24.15 – 7/2, 11/2
24.19 – 12/2
24.25 – 13/2
24.58 – 14/2
24.59 – 15/2
24.60 – 16/2
24.61 – 17/2
24.67 – 18/2
25.21 – 19/2
25.22 – 20/2
25.23 – 21/2

26.7 – 22/2
29.6 – 23/2
29.9 – 24/2, 25/2
29.17 – 26/2
29.23 – 27/2
29.31 – 28/2
29.32 – 1º/3
29.33 – 2/3
29.34 – 3/3
29.35 – 4/3, 5/3
30.4 – 6/3
30.9 – 7/3
30.17 – 8/3
30.22 – 9/3
31.16 – 10/3
35.8 – 11/3
35.17 – 12/3
49.31 – 13/3, 14/3
46.1 – 15/3

Êxodo
1.16 – 16/3
1.17 – 17/3
1.21 – 18/3
2.2 – 19/3
2.3 – 20/3
2.5,6 – 21/3, 22/3
2.4 – 23/3
2.8 – 24/3
2.9 – 25/3, 26/3
2.10 – 27/3, 28/3, 29/3, 30/3
2.21 – 31/3
11.2 – 1º/4
15.20 – 2/4, 3/4, 4/4, 5/4, 6/4
15.21 – 7/4, 8/4, 9/4, 10/4
20.12 – 11/4, 12/4
35.22 – 13/4
35.22 – 14/4
32.25 – 15/4
35.26 – 16/4
35.29 – 17/4
38.8 – 18/4

Números
6.2 – 19/4
20.1 – 20/4

27.1-11 – 21/4
30.3-16 – 22/4

Josué
2.1 – 23/4
2.4 – 24/4
2.11 – 25/4
2.15 – 26/4, 27/4
2.21 – 28/4, 29/4
6.25 – 30/4
8.35 – 1º/5
15.19 – 2/5

Juízes
4.4 – 3/5, 4/5
4.5 – 5/5
4.9 – 6/5, 7/5
5.1 – 8/5
5.7 – 9/5
5.24 – 10/5
11.34 – 11/5
11.36 – 12/5
13.2 – 13/5
13.3 – 14/5
13.5 – 15/5, 16/5
13.19 – 17/5
13.24 – 18/5

Rute
1.1 – 19/5
1.7 – 20/5
1.19 – 21/5
2.3 – 22/5
2.12 – 23/5, 24/5
2.20 – 25/5
3.5 – 26/5
3.11 – 27/5
4.1 – 28/5
4.13 – 29/5
4.16 – 30/5
4.18,21 – 31/5

1Samuel
1.2 – 1º/6, 2/6
1.7 – 3/6
1.10 – 4/6
1.11 – 5/6

Índice dos textos bíblicos

1.15 – 6/6
1.18 – 7/6
1.20 – 8/6
1.23 – 9/6
1.28 – 10/6
2.1 – 11/6
2.19 – 12/6
2.21 – 13/6
19.12 – 14/6
22.3 – 15/6
25.3 – 16/6
25.18 – 17/6
25.24 – 18/6
25.42 – 19/6, 20/6

2Samuel
4.4 – 21/6
12.24 – 22/6

1Reis
1.15 – 23/6
10.1 – 24/6, 25/6
10.10 – 26/6
10.13 – 27/6
17.9 – 28/6
17.15 – 29/6, 30/6
17.24 – 1º/7, 2/7, 3/7

2Reis
4.1 – 4/7
4.8 – 5/7, 6/7
4.10 – 7/7
4.17 – 8/7
4.20 – 9/7
4.25 – 10/7
5.2 – 11/7
8.2 – 12/7
11.2 – 13/7
22.14 – 14/7

1Crônicas
25.5,6 – 15/7

Neemias
3.12 – 16/7

Ester
1.19 – 17/7
2.17 – 18/7
4.16 – 19/7

7.2 – 20/7, 21/7
8.4 – 22/7
9.27,28 – 23/7
9.29 – 24/7

Salmos
45.1 – 25/7
68.4,5 – 26/7
113.9 – 27/7
128.3 – 28/7
144.12 – 29/7
146.9 – 30/7

Provérbios
1.8 – 31/7
4.3 – 1º/8
5.18 – 2/8
9.1 – 3/8
11.16 – 4/8
12.4 – 5/8
14.1 – 6/8
15.25 – 7/8
18.22 – 8/8
19.14 – 9/8
31.1 – 10/8
31.2 – 11/8
31.10 – 12/8, 13/8
31.11 – 14/8
31.12 – 15/8
31.13 – 16/8
31.14 – 17/8
31.15 – 18/8
31.16 – 19/8
31.17 – 20/8
31.18 – 21/8
31.19 – 22/8
31.20 – 23/8
31.21 – 24/8
31.22 – 25/8
31.23 – 26/8
31.24 – 27/8
31.25 – 28/8
31.26 – 29/8
31.27 – 30/8
31.28 – 31/8
31.29 – 1º/9
31.30 – 2/9
31.31 – 3/9

Eclesiastes
9.9 – 4/9

Cântico dos Cânticos
1.1 – 5/9

Mateus
1.1 – 6/9
1.1,16 – 7/9
2.11 – 8/9
2.14 – 9/9
2.21 – 10/9
20.20 – 11/9
27.19 – 12/9
28.9 – 13/9

Marcos
6.3 – 14/9
7.26 – 15/9
14.3 – 16/9

Lucas
1.5 – 17/9
1.6 – 18/9
1.7 – 19/9
1.24 – 20/9
1.27 – 21/9
1.30 – 22/9
1.34 – 23/9
1.38 – 24/9, 25/9
1.40 – 26/9
1.41 – 27/9
1.42 – 28/9
1.46 – 29/9
1.47 – 30/9
1.49 – 1º/10, 2/10
1.57 – 3/10
2.7 – 4/10
2.19 – 5/10
2.22,24 – 6/10
2.35 – 7/10
2.36 – 8/10
2.37 – 9/10, 10/10
2.41 – 11/10
2.48 – 12/10
2.51 – 13/10
4.38 – 14/10
7.12 – 15/10
7.37,38 – 16/10
8.2,3 – 17/10
8.2 – 18/10

8.2,3 – 19/10
8.42 – 20/10
8.43,44 – 21/10
8.51 – 22/10
10.38,39 – 23/10
13.11 – 24/10
21.2 – 25/10
23.49 – 26/10
23.55 – 27/10
24.1 – 28/10
24.9 – 29/10

João
2.3 – 30/10
4.7 – 31/10
8.3 – 1º/11
11.1 – 2/11
11.20 – 3/11, 4/11
12.2,3 – 5/11
19.25 – 6/11

Atos
1.14 – 7/11
9.36 – 8/11
9.41 – 9/11
12.12 – 10/11
12.13 – 11/11
16.1 – 12/11
16.14 – 13/11
16.40 – 14/11
18.2 – 15/11
21.9 – 16/11

Romanos
16.1 – 17/11
16.1,2 – 18/11
16.3,4 – 19/11
16.6-15 – 20/11

1Coríntios
7.10 – 21/11
7.16 – 22/11
7.34 – 23/11, 24/11
11.3 – 25/11
11.7 – 26/11
11.8 – 27/11
11.9 – 28/11

Efésios
5.22 – 29/11
6.2 – 30/11

Filipenses
4.2,3 – 1º/12

Colossenses
3.18 – 2/12

1Timóteo
2.8-10 – 3/12
2.11 – 4/12
2.15 – 5/12
3.11 – 6/12, 7/12, 8/12, 9/12
5.5 – 10/12
5.10 – 11/12

2Timóteo
1.5 – 12/12, 13/12

Tito
2.3, 4 – 14/12
2.3 – 15/12, 16/12, 17/12, 18/12
2.4 – 19/12, 20/12
2.4,5 – 21/12, 22/12, 23/12, 24/12, 25/12

Hebreus
11.11 – 26/12
11.23 – 27/12
11.31 – 28/12

1Pedro
3.4 – 29/12, 30/12

Apocalipse
22.17 – 31/12

Sua opinião é importante para nós.
Por gentileza, envie-nos seus comentários pelo e-mail:

editorial@hagnos.com.br

Visite nosso site:

www.hagnos.com.br